JN024460

知識ゼロからの

# 科学の教養366日

お茶の水女子大学附属小学校理科部教諭
田中千尋 監修

廣済堂出版

# "手のひらにのせられる理科実験室"

私は小学生のとき、理科が一番好きな教科でした。理科専科の栗田先生がとてもおもしろかったこともありますが、どの単元も必ず「観察や実験をもとに進める授業」で、その方法まで子どもたち自身に考えさせるような方法だったからでしょう。私が小学生の頃の理科は週4時間もあって、とにかく徹底的に観察や実験が多かった記憶があります。

たとえばこんな授業がありました。丸底フラスコの底の水を沸騰させて中を水蒸気で満たします。それを密閉して冷却すると水蒸気は凝結して、容器内は真空に近い状態になります。内部につるした鈴を振っても、音はかすかにしか聞こえなくなります。手順に失敗して、フラスコを割った班もありました。そんな「危険でものすごい実験」も小学生みずからが行なっていました。また、今の理科の授業ではほとんど見られなくなった「フナの解剖」「カエルの解剖」も普通に行なわれていました。エチル・エーテルで麻酔されたカエルの腹に、どうしてもメスを立てられず、涙ぐんだのを覚えています。中学校の理科では「自分の血液型を調べる」という実験で、指先を切って血液を採取したこともあります。こうした体験的・探究的な活動は、50年近くたっても、けっして記憶から消えるものではありません。

日本の理科の授業は、教育史的に見ても、「科学教育」ではなく「理科教育」です。理科教育は、単に科学的な知識を身につけさせるだけではありません。実際に目の前の生き物を観察したり、問題を解決するために実験の方法を考えさせるといった営みの中で、子どもみずからが科学を創造していくのが、日本の理科教育の特徴といえると思います。これは世界的に見ても、非常にまれな教育方法といえます。海外から帰国した子どもたちに聞くと、「現地の学校では観察や実験はほとんどしなかった」という声をよく聞くことでも納得できます。

昨今、子ども向けの科学書が数多く出版されています。とくに「1日1テーマ」というスタイルの児童書は、ベストセラーになるほどよく売れているそうです。こうした「子ども向け科学書」の人気を見ると、子どもたちは今でも「科学に対する憧れ」や「何かを探究したいという思い」を強く抱き続けていることがわかります。昨今よく話題になる「理科離れ」「科学離れ」といった語は、消し飛んでしまったようにも思えるのです。しかし、「大人向けの科学書」、それも、さまざまな分野を網羅した内容の書となると、意外にもほとんど見かけません。そこが、本書を世に出そうとした動機の1つとも言えます。

本書は、小学校と中学校、そして高校の理科基礎までの内容を、ほぼ網羅的にまとめています。「1日1テーマ」を基本に構成してありますので、「もう一度理科の内容を思い出してみたい」「小中高校の理科を効率的に復習してみたい」「もう一度理科を学び直してみたい」といった方に、ぜひ読んでいただきたい1冊です。また、好きなページから開いていただき、雑学書として読んでも楽しめると思います。「社会人がもう一度理科を学ぶ」ことは、じつは大変意義深く、どこかで生活や仕事に役立つのではないでしょうか？

大学生、社会人と年齢が進むにつれて、小中高校の理科の授業やその内容は、すっかり忘れてしまうものです。本書を「手のひらにのせられる理科実験室」として、あのワクワクした理科の授業を思い出しながらもう一度学んでいただけたらと願っています。

2022年8月　北軽井沢アトリエにて
**田中千尋**

知識ゼロからの

# 科学の教養366日

CONTENTS

## Part2 化学（粒子）

## Part3 物理（エネルギー）

## Part4 地学（地球・宇宙）

# Part1

# 生物
（生命）

# なぜ屋久杉はあんなに大きく育つの？



屋久島（鹿児島県）の山地に自生する屋久杉は、国の天然記念物に指定され、巨木が多いことで知られている。なかでも樹高25.3m、周囲16.4mの縄文杉などが有名だ。屋久杉は屋久島の固有種……というわけではない。種はほかの地域のスギと同じものだ。なぜこのように大きく育つのだろうか。

## ▶植物はどんな一生を送るのだろう？

一般論として、成長を続ける期間が長いほうが、大きく育つ可能性は高いはずだ。身近なところで考えても、花を咲かせて実をつけたあとそのまま枯れる植物もあれば、数百年にわたって成長を続ける植物もある。植物はどのように芽を出し、成長し、枯れていくのだろうか。種によってどのような違いがあるのだろうか。

## ▶植物の体の構造はどうなっている？

植物の体には、指で簡単に潰せるやわらかいものもあれば、人の力ではとても形を変えられないほど硬いものもある。やわらかい植物では、高く育とうと思っても折れてしまうことが予想される。成長の仕方や体の構造にも、種による違いがあるのだろうか。

## ▶植物はどうやって繁殖するのか？

屋久杉がほかの地域のスギと同じ種であるなら、大きく育つためには育つ場所も重要だといえるだろう。しかし植物は、基本的に一度根を張ればその場所から移動せずに一生を終える。生育に適した場所を得るためには、子孫を残す必要があるということになる。種によって繁殖方法にはどのような違いがあるのだろうか。

# 種子には植物の命が詰まっている

## 種子植物の特徴

花や野菜を育てる場合、種から育てることが多い。苗を購入して育てる場合もあるが、それも元をたどれば一粒の種。チューリップなどは球根、ジャガイモなどは収穫した種イモから育てることが多いが、その場合でも花が咲き終わったら種をつける。**種子をつくる植物を「種子植物」**という。大多数の植物の命は、指でつまめるほど小さな粒から始まるのだ。

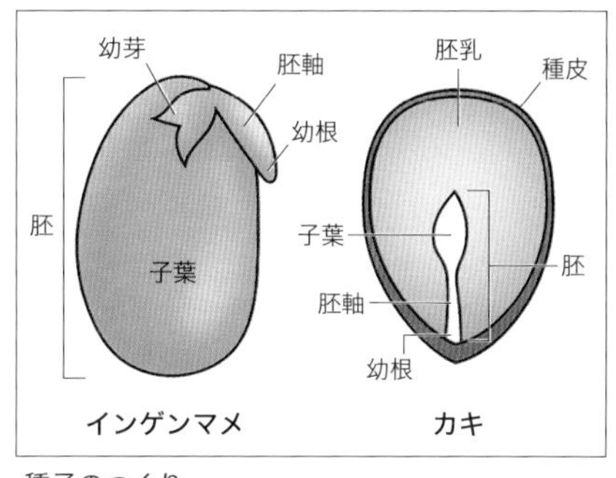


種子のつくり。

植物学上、種のことを「種子」と呼ぶ。種子の形や大きさ、色などは種類によって異なるが、共通して存在する部分がある。外側を覆って中身を乾燥などから守る「種皮」と、将来植物の体になる「胚」だ。胚は、「子葉」「胚軸」「幼根」などからなり、発芽するとそれぞれが最初の葉、茎、根になる。植物は光合成ができるようになるまで、自分で養分をつくることができないため、胚は種子の中に蓄えられた養分を使って成長する。

植物の種子は、つくりによって**「有胚乳種子」と「無胚乳種子」**の2つに大別することができる。有胚乳種子はその名のとおり、発芽に必要な栄養分を蓄えた「胚乳」という部分が「有る」種子のこと。種子の中は大部分が胚乳で占められ、胚の部分は小さい。イネやトウモロコシ、カキなどが、このタイプの種子をつくる。

無胚乳種子は、種子が成熟する際に子葉が胚乳の栄養分を吸収して発達するため、胚乳が「なく」、発芽に必要な栄養分が子葉に蓄えられている。そのため、種子の中は大部分が子葉で占められている。無胚乳種子の植物は多く、インゲンマメや大豆、クリ、カボチャなどがこのタイプの種子をつくる。

# 種子は栄養たっぷり 主食にも油の原料にもなる

## 種子植物の発芽と種子の養分



**種皮を破って根や芽が外に出てくることを「発芽」**という。出芽した子葉はほどなく地表に顔を出す。土の中に植えられた種は、どのように発芽するのだろうか。

インゲンマメの場合、まず幼根が伸びて根になり、次に種皮を脱ぎ捨てて出芽する。茎が伸びて子葉が立ち上がると、子葉の間から幼芽が育って本葉（子葉よりあとに出てくる葉、子葉とは形状が異なる）になる。出芽直後は、子葉はまだふっくらしているが、成長するに従ってどんどんしぼんでいく。**子葉に蓄えられていた養分が、発芽や本葉が出るまでの成長に使われる**ためだ。そのことがわかる次のような実験がある。

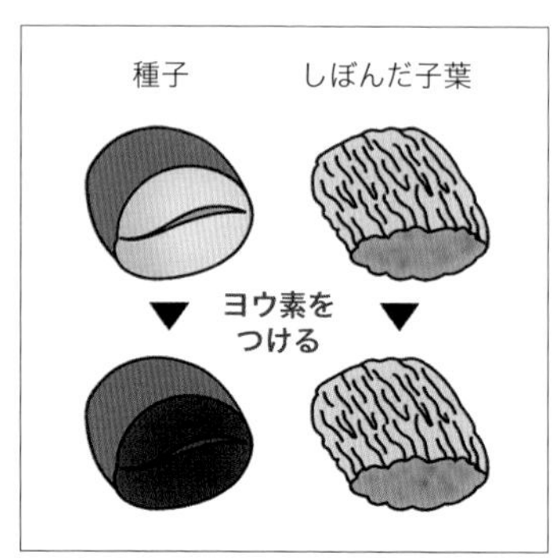

ヨウ素液をつけたインゲンマメの種子と子葉。

水にひたした種子としぼんだ子葉を用意する。これを横に切り、それぞれの切り口にヨウ素液を垂らすと、種子のほうは青紫色になるのに対し、しぼんだ子葉のほうは色がほとんど変化しない。ヨウ素液はデンプンに反応して色が変わる試薬だ。この結果から、インゲンマメの子葉に蓄えられた養分にはデンプンが含まれており、また、それが発芽などに使われて失われたことがわかる。

種子に含まれる**養分の種類は、植物によって異なる**。

私たちが主食にしているイネやムギなどの種子は、インゲンマメのようにデンプンを多く含むが、アブラナ・ゴマ・ココヤシなどは脂肪を大量に蓄えている。そのため、これらの種子は菜種油・ゴマ油・ココナッツオイルなど、油の原料として使用される。

また、大豆の種子も脂肪を多く含むため、大豆油などに加工されるが、「畑の肉」と称されるほどタンパク質の含有量も多いため、フェイクミートの原料にもなっている。和食に大豆は欠かせないが、それは長らく肉を食べることを避けていた日本人にとって、大豆が貴重なタンパク源だったからだといわれている。

# 1つでも欠ければNG 適切な水分と空気と温度

## 発芽の三条件

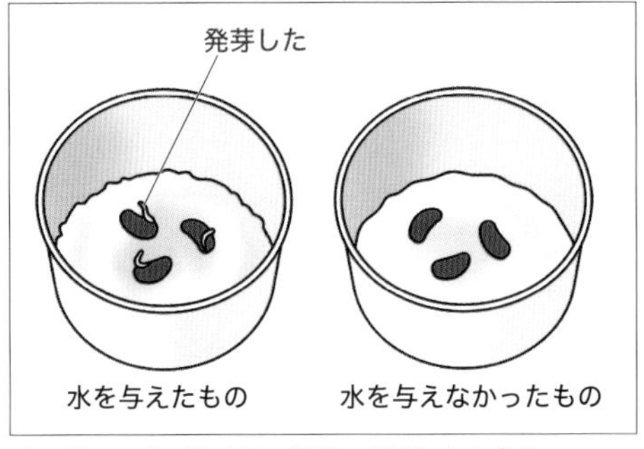


インゲンマメで調べる、発芽に必要な水の条件。

種子の発芽には子葉や胚乳に蓄えられた養分が使われるため、肥料を必要としない。しかし、種子を机の上に置いておいただけでは、いつまでたっても発芽することはない。それは、種子が発芽するために必要な条件が整っていないためだ。

種子が**発芽するときは、適切な水分と空気（酸素）、温度が必要**だ。これを「発芽の三要素」と呼び、どれか1つが欠けても発芽には至らない。

将来成長して植物の体になる**胚は、乾燥した種子の中では休眠**状態にある。その眠りを覚ますのが水だ。脱脂綿を敷いた2つのカップにそれぞれインゲンマメを入れ、片方はそのまま、もう片方は脱脂綿にしっかり水を含ませてしばらくおくと、水を与えたインゲンマメだけが発芽する。種子が水を吸収したことで胚の発芽スイッチが入ったのだ。

しかし、いくら水が必要だからといって、種子を完全に水に沈めるのは一般的な種子では好ましくない。吸水した種子は**呼吸をして、発芽するためのエネルギーをつくり出す**。そのため、空気（酸素）がない環境では発芽することができないのだ。ただし、水に沈めても、エアポンプなどで空気を送り込めば発芽させることができる。

植物が**最も発芽しやすい温度を「発芽適温」**という。発芽適温は植物によって異なり、インゲンマメなら20～30℃、イネなら約30℃。もともと温暖地域に生息する植物は発芽適温が高く、寒冷地域の植物は発芽適温が低いことが多い。発芽適温より高温または低温で発芽することもあるが、その確率は低い。なお、多くの種子は発芽の際に光の影響を受けないが、中には光によって発芽が促進される「好光性種子」や、光が当たらないほうが発芽しやすい「嫌光性種子」もある。

# 発芽した植物は種子よりワガママ

## 成長の5条件



ほとんどの種類の植物の体は、水や水に溶けている養分を吸い上げる「根」、光合成で養分をつくるなどの役割をもつ「葉」、根から吸収した水や養分、葉でつくられた養分の通り道になる「茎」の3つの器官からできている。植物は発芽したあと、これらの器官を発達させながら成長をしていく。発芽するためには、適切な水分と空気（酸素）、温度があればよいが、植物が成長するためには、この3つに加えて、あと2つの条件が必要となる。

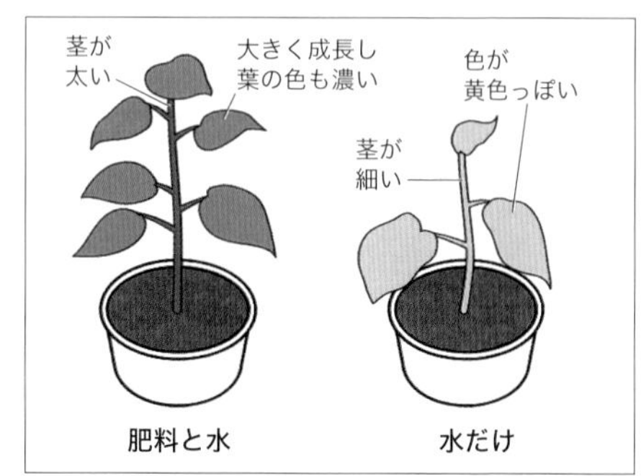


インゲンマメで調べる成長に必要な条件・日光。

**1つ目の条件は光**だ。ある程度育ったインゲンマメの苗を2つ用意し、1つは日当たりのよいところに置き、水と肥料を与えながら育てる。そしてもう一方は、同量の水と肥料は与えるものの、日が当たらないように箱で覆って育てる（通気性は保つ）。すると、前者は大きく育って茎は太くなり、濃い緑色の葉をつけるが、後者は茎が細く、葉も色が薄く、黄色っぽい。大多数の植物は、日当たりがいいところを好む「陽生植物」だ。日当たりが悪いところでは、成長が阻害されてしまい、光を求めて茎をひょろひょろと伸ばす。

**2つ目の条件は養分**だ。これを確かめるため、次もインゲンマメの苗を2つ用意し、片方には肥料と水を、もう片方には水だけを与え、両方とも日当たりのいい場所に置いてみる。すると、前者は先ほどと同様に力強く育つが、後者はそれと比べて草丈は短く茎は細く、葉は緑色が薄くなりその数も少ない。植物が生きるためには、たくさんの養分を必要とするが、ほとんどの植物は土壌中の水に溶け込んだ養分を、根で吸い上げることで体内に取り込んでいる。とくに大切な**窒素・リン酸・カリウムは「肥料の三大要素」**と呼ばれ、不足すると植物の生育に悪影響を及ぼす。

# 植物も刺激によって伸びたりゆがんだり

## 植物の成長運動と屈性

自然な環境の中では、地面に落ちた種子の多くは、適温になり、水分を得ると発芽する。重力や光などの**刺激から方向を感じて、根は地中に、茎はその反対方向に**伸びていく。このように、植物が特定の刺激を受けたとき、**一定の方向へ屈曲する性質を「屈性」**といい、刺激が来る方向に屈曲する場合を「正の屈性」、反対側に屈曲する場合を「負の屈性」という。

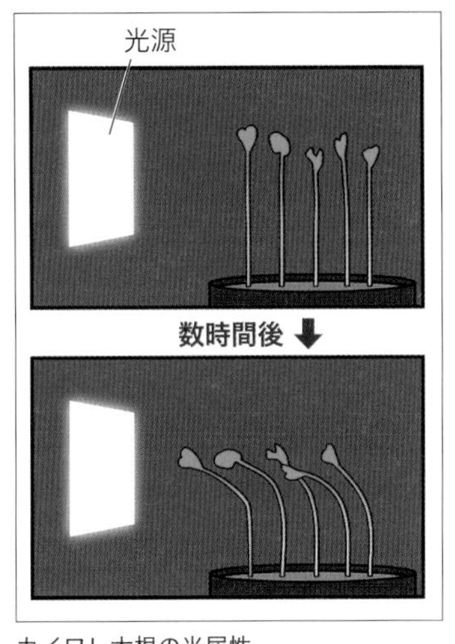

カイワレ大根の光屈性。

たとえば、発芽したてのカイワレ大根を暗い場所に置き、しばらく横から光を当て続けると、カイワレ大根は光のほうに茎を曲げながら成長をする。このような現象を「光屈性」といい、刺激源の方向に向かって屈曲するため、「正の光屈性」と呼ぶ。また、自然な環境のもと、発芽したてのカイワレ大根が植わったプランターを横に倒して育てると、茎は水平方向ではなく、上方向に屈曲して成長を始める。そして正しく置き直すと、そのまま横向きには成長せず、茎は上方向に向かって伸び始める。これは、茎が重力という刺激と反対方向に成長する「負の重力屈性」を示した結果だ。刺激の種類にはほかにも、接触・水分・化学物質などがあり、それぞれを「接触屈性」、「水分屈性」、「化学屈性」と呼ぶ。

このような屈性には、**「オーキシン」と呼ばれる植物ホルモン**が深く関わっている。オーキシンは茎や根の先端部分や、若い葉で生成される物質で、必要な部分に移動して、その部分の伸長を促進する。先ほど見た光屈性の場合、横から光が当たると、芽の先端で生成されたオーキシンは陰側へ移動。オーキシンが集まる（濃度が高くなる）ことで、陰側の成長速度が増すため、結果的に茎は光の方向に曲がることになったのだ。

# 姿や大きさが違っても発芽し枯れていくのは同じ

## 種子植物の一生



私たちが、乳幼児期、児童期、青年期、成人期、老年期と成長の段階を歩むように、**植物にもライフサイクル**がある。たとえば私たちにとって身近なアサガオ（種子植物）は、一般的に次のような一生を過ごす。種子が発芽し、本葉が出て茎が成長、花芽（芽のうち花になるもの）が形成され、やがて開花して果実がつくられる。そして果実ができてからしばらくすると、枯れて種子を残すのだ（枯死）。種子植物といっても、花や葉の形、果実の付き方、種子の種類などはそれぞれ異なるが、そうした違いにかかわらず、この**ライフサイクルはほぼ共通**している。

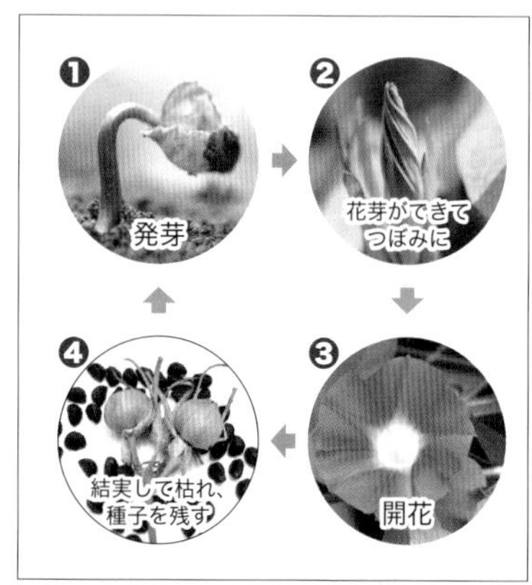


アサガオの一生。

ただし、その**スパンには違い**がある。ほとんどのものは次の２つのどちらかに分類される。

１つ目の**「一年生植物」は、種子が発芽してから１年以内に種子を残して枯れる**植物のことだ。イネや大豆などが代表的。

２つ目の**「多年生植物」は、地下の部分に養分を蓄えるなどして、１年よりも長く生存**する。多年生植物といってもその生存方法はさまざまで、シバザクラやクリスマスローズのように常緑のもの、キクやスミレのように地上部分だけが枯れるもの、チューリップやヒヤシンスのように根や茎などを球根として残すものなどがある。基本的には樹木も含まれる。

余談になるが、乾燥する砂漠には一年生植物が多い。過酷な環境を種子の状態で乗り切るためだ。植物の機能は、このようにそれぞれが繁殖している環境で生きていくのに都合よくできている。これを「適応」という。環境への適応によって表れる生活様式の違い、それを反映した姿形を「生活形」と呼び、一年生植物や多年生植物といった生活様式も生活形だ。

# 花は子孫を育むカラフルなベッド

## 種子植物の花のつくり

**花は、種子植物が子孫を残すための生殖器官**だ。植物の種類によって、その形や色、花弁の枚数などはさまざまだが、外側から順に、がく・花弁（花びら）・おしべ・めしべがあるものが多い。アブラナを例に、さらに詳しいパーツを見ていこう。

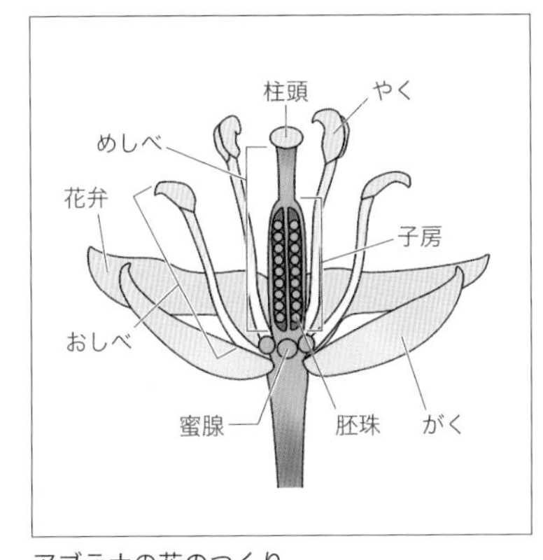

アブラナの花のつくり。

一番外側にあるがく、黄色い花弁はともに4枚。その内側には6本のおしべがあり、先端に黄色く小さな袋がついている。これは「やく」と呼ばれる部分で、中には花粉が入っている。おしべの根元にある緑色の粒は「蜜腺」といい、花はここから蜜を出す。おしべの内側、花の中心にあるのがめしべだ。めしべの先端には、触ると粘り気を感じる「柱頭」があり、根元には「子房」と呼ばれる膨らんだ部分がある。子房の中には、「胚珠」と呼ばれる小さな粒が入っている。

アブラナのように、**胚珠が子房の中にある植物が「被子植物」**と呼ばれる。めしべの柱頭に花粉が付くことを「受粉」といい、受粉するとやがて子房は成長して果実に、その中にある胚珠は種子になる。そして地面に落ちた種子がその後発芽して、次の世代の植物になるのだ。

受粉に必要なめしべとおしべが、1つの花の中にそろっているものを「両性花」といい、その中でも、アブラナのように1つの花にがく・花弁・おしべ・めしべがそろっているものを「完全花」という。

しかし、植物によっては1つの花にめしべかおしべのどちらかしかない花もある。そういった花を「単性花」という。おしべだけをもつ花が「雄花」、めしべだけをもつ花が「雌花」だ。単性花には、同じ株が雄花と雌花をつける「雌雄同株（雌雄異花）」ものと、雄花だけをつける株と雌花だけをつける株に分かれている「雌雄異株」のものがある。前者の例がカボチャやトウモロコシ、ヘチマなど、後者の例がキウイやアオキ、イチョウなどだ。

# 動けない植物はほかの生物を利用する

## 受粉の仕組み



受粉の仕方には、**「自家受粉」と「他家受粉」**の２種類がある。他家受粉は、別の株の花の花粉がめしべに付くことで、自家受粉は、同じ花または同じ株の花の花粉がめしべに付くことだ。自家受粉のほうが手っ取り早いように思えるが、遺伝的な多様性の面で不利になる。自家受粉を防ぐ生態をもつ植物は多い。たとえばキキョウは、おしべが先に成熟して花粉をつけ、その後にめしべが成長してほかの株から受粉する。

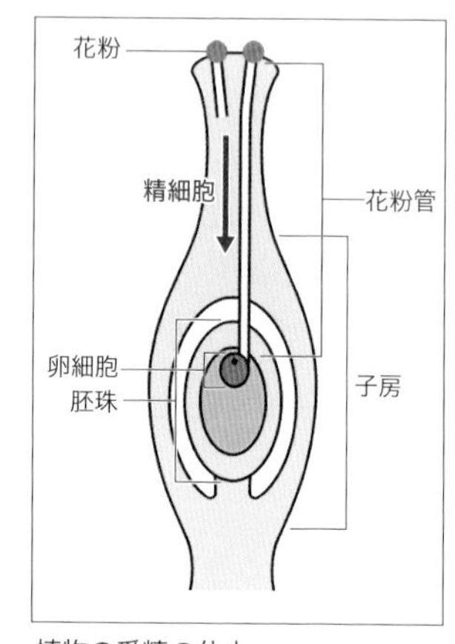


植物の受精の仕方。

植物は動物のように自由に動けないため、同じ花で自家受粉を行なう場合を除き、受粉するには**何かに花粉を運んでもらう必要**がある。その「何か」によく利用されるのが、虫・鳥・風・水の４つだ。虫が花粉を運ぶ花を「虫媒花」、鳥が花粉を運ぶ植物を「鳥媒花」という。虫媒花や鳥媒花は、目立つ花弁をもち、よい香りや甘い蜜を出すものが多い。これは虫や鳥を誘い込むための植物の仕組みで、中には虫が花弁にとまるとおしべが揺れて花粉が付着するような構造をもつものや、特定の虫や鳥しか蜜にありつけないような形をしてターゲットを絞っているものもある。一方、風媒花や水媒花は、受粉に虫や鳥を必要としないため、地味な花を咲かせるものが一般的だ。また、花粉自体も、媒介に合わせて形状が異なり、虫媒花粉や鳥媒花粉は虫や鳥の体に付きやすいよう、粘液やトゲをもったものが多く、風媒花粉は通常小さくて軽い。

受粉をすると、花粉からは**「花粉管」と呼ばれる細い管が、めしべの根元、子房にある胚珠に向かって伸びる。**そして、**胚珠にたどり着くと、精細胞を流し込む。**これが胚珠にある卵細胞と受精することで胚ができ、胚珠は種子に、子房は種子を守る果実になるのだ。

# 種子のもとが裸んぼう 子房をもたない裸子植物

## 裸子植物の特徴

受粉すると果実になる子房がなく、種子のもととなる**胚珠がむき出しの植物を裸子植物という**。胚珠が裸でいるためこの名が付いた。その一例が、古くから日本人に親しまれ、庭木や盆栽、防風林などによく用いられてきたマツだ。

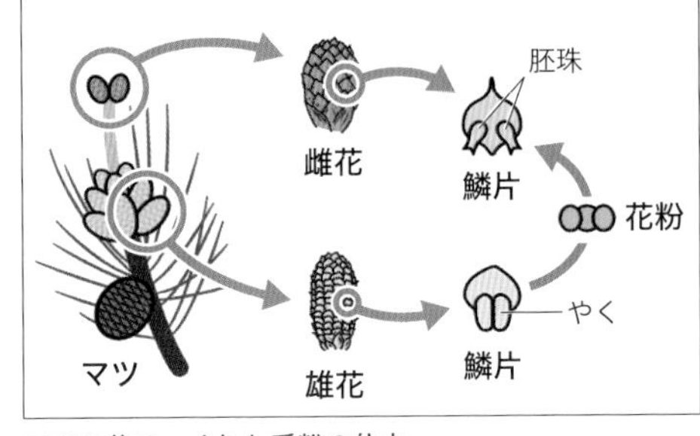


マツの花のつくりと受粉の仕方。

マツは春になると、枝の先から細長い穂のようなものを伸ばし、その先端に雌花、下部に雄花を咲かせる。一般にイメージする「花」とは異なり、雌花・雄花ともに花弁やがくをもたない地味な姿をしているが、それはマツの花粉が風媒花粉だからだ。虫に花粉を運んでもらうヘチマなどの虫媒花や、鳥が花粉を媒介するツバキなどの鳥媒花とは異なり、派手な花で虫や鳥をおびき寄せる必要がないため、目立たない花でOKなのだ。

マツの花は雌花も雄花も、うろこのような「鱗片」が多数集まったつくりになっている。雌花の鱗片には子房がなくむき出しの胚珠が、雄花の鱗片には花粉が入った「やく」と呼ばれる袋が付いている。

マツの花粉を顕微鏡で観察すると、左右に風船のような空気袋を見ることができる。これが花粉を風に乗せて遠くまで運ぶのに都合よくできている。飛ばされた花粉は雌花の鱗片の隙間から入って、胚珠に直接付くことで受粉する。雄花は花粉を飛ばしたあと、枯れ落ちるが、雌花は1年以上かけて「まつかさ」となり、胚珠は種子となる。子房がないため、受粉後にヘチマのような果実はできない。子房をもつ被子植物に比べて裸子植物の数は少なく、スギやイチョウ、ソテツなどがそれにあたる。

**被子植物と裸子植物との差は、胚珠が子房の中にあるか否か**だ。しかし、**どちらも種子をつくって子孫を残す**という点では仲間であり、**両者とも種子植物**に分類される。

# 大根とイネとでは、根の生え方が異なる

## 根のつくりと働き



植物の体は、大別して根・茎・葉の３つの器官からできている。根の主要な働きは２つあり、１つは**成長に必要な水や水に溶けている養分を吸い上げる**こと。もう１つは**地上の植物体を支える**ことだ。

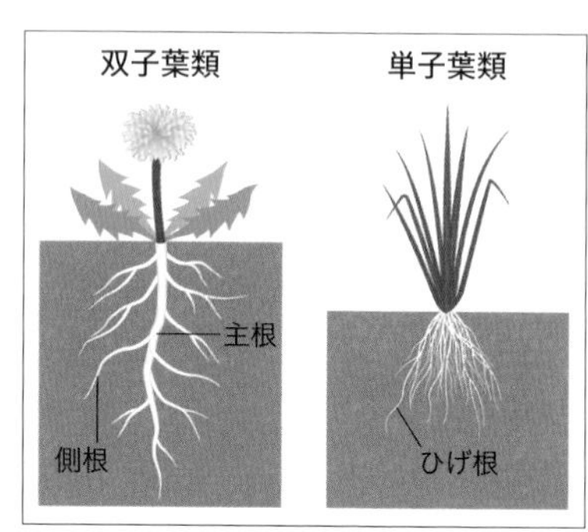

双子葉類と単子葉類の根。

根の形はたいていの場合、発芽したときの葉（子葉）の枚数が２枚の双子葉類と、子葉が１枚の単子葉類とで異なる。タンポポやアブラナ、エンドウなどの双子葉類は、中心となる太い根を伸ばし、そこから枝分かれした細い根を広げる。この太い根を「主根」、細い根を「側根」という。このタイプは、食卓にもよく登場する大根やニンジンを思い浮かべるとわかりやすい。普段食べている部分が主根、皮をむくときに引っかかる細い根が側根だ。一方、イネやユリ、トウモロコシなどの単子葉類は、太い根がなく、無数の細い根を放射線状に広げる。このような根を「ひげ根」という。

そしてどちらのタイプの根であっても、よく観察すると、**先端近くに細い毛のようなもの**を見ることができる。これを**「根毛」**という。カイワレ大根の根元を切り落とすとき、発芽したての種から白い綿毛のようなものが生えているのを見たことはないだろうか。一見、カビのようにも見えるが、これが根毛だ。根毛は土の隙間に入り込んで、土の細かな粒と密着し、根と土が接する表面積を増やすことで、効率よく水や水に溶けた養分を吸収することができるのだ。

それにしても、植物の根はどうして硬い土の中でも下へ下へとスムーズに成長できるのだろうか。その秘密は根の先端を覆う「根冠」という組織にある。植物は根や茎の先端付近で活発に細胞分裂を行ない、成長をしている。この部分を「成長点」という。成長点を失うと植物は成長できなくなるため、根冠は根の成長点をキャップのように覆って保護するとともに、土壌を根の成長に適した環境に調整している。さらに、重力の方向を感じ取るセンサーの役割も果たし、根が確実に下に向かって伸びるようにコントロールをしている。

# 茎の中には2種類のパイプが通っている

## 茎のつくりと働き

植物の茎は、**枝や葉、花を支える**とともに、**水や養分の通り道になる**という重要な役割がある。茎の形には、クズ（マメ科）のようにツタ状になっているものや、サボテンのように柱状もしくは球状をしたものなどさまざまなパターンがあるが、いずれの場合も共通した役割がある。

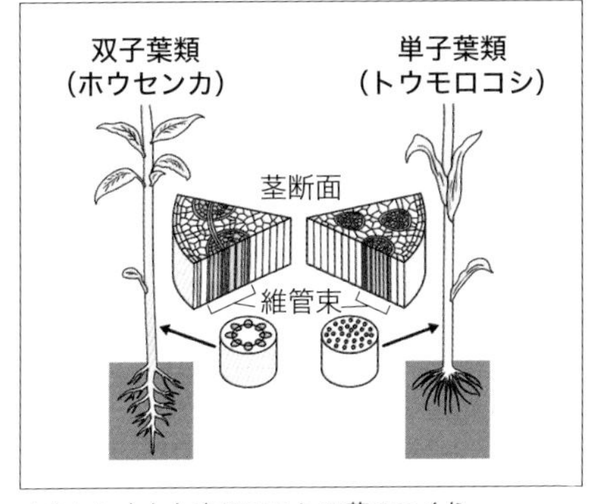

ホウセンカとトウモロコシの茎のつくり。

茎の中には、**根から吸収した水や水に溶けた養分などが通る「道管」**と、**葉でつくられた養分を運ぶ「師管」**という２種類の管が通っている。

道管を形成する細長い細胞は、初めは核などをもつ生きた細胞（生細胞）だが、成長に伴って中身が失われて筒状の細胞（死細胞）となる。この死んだ細胞が縦につながって１本のパイプになったものが道管だ。道管の側面には穴が開いており、水や養分は、その穴を通って道管から道管、道管から葉や茎の細胞へと効率よく運ばれる。

一方、師管は細長い生きた細胞が縦に連なったもので、つながった細胞の仕切りに無数の小さな穴が開いている。イメージとしては、ブロックでできたパイプの中にふるい（篩）を設置したような構造だ。そのため、昔は「篩管」と表記された。葉でつくられた養分は、このふるいの目のような穴を通って運ばれる。

以上のような道管と師管は、根から茎、葉へとつながっており、この２つの管が数本集まって束になった部分を「維管束」と呼ぶ。一部に例外はあるが、維管束は双子葉類と単子葉類とで配列が異なる。これを実際に目で確認するには、インクや花用染色液などを溶かした色水に植物を挿し、吸水した状態の茎を切って観察するとわかりやすい。図の中で着色した部分が維管束だ。双子葉類であるホウセンカなどの場合、図の左のように色づく部分が環状になる一方、単子葉類であるトウモロコシなどは、図の右のように色づく部分が全体に散らばっている。

DAY 13

January 13th

# 大葉の表と裏で色の濃さが違う理由

## 葉のつくりと働き



植物であっても動物であっても、生物が生きるためにはエネルギーが必要だ。私たち人間は、食べ物から栄養分を取り込んでいるが、一般的な植物は光合成によってみずから養分をつくることができる。葉はその**光合成とともに、蒸散と呼吸**という２つの大切な働きも行なう器官だ。

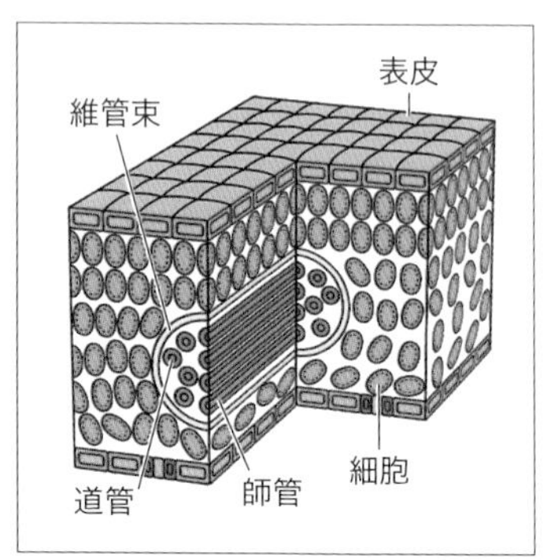

葉の断面図。

葉の詳しい役割を知る前に、まずは葉のつくりを確認しておこう。植物の葉には、一面に張り巡らされた筋のようなものがある。これを「葉脈」という。葉脈は維管束が枝分かれしたもので、水分や栄養分などの通り道という役目のほか、薄い葉をしっかり広げるのにも役立っている。

葉脈の広がり方は植物ごとに一見千差万別だが、大きく２つのパターンに分類できる。１つは葉脈が平行に並んでいる「平行脈」。もう１つは葉脈が網目のように広がっている「網状脈」だ。例外はあるものの基本的には、イネやユリ、トウモロコシなどの単子葉類は平行脈、タンポポやアブラナ、エンドウなどの双子葉類は網状脈の葉をもつ。

そんな葉の断面を顕微鏡で観察すると、図のようになっている。一番表側にあるのは、内部を保護するための「表皮」と呼ばれる細胞の層。その内部にも細胞がぎっしり詰まっているのがわかる。一般的な葉が緑色をしているのは、**細胞の内部に「葉緑体」と呼ばれる緑の粒**があるからだ。ここで刺身などに添えられている大葉を思い浮かべてほしい。表と裏で緑色の濃さに差があるはずだ。それは、葉緑体が葉の表面に多く分布しているからだ。これは葉緑体が光合成と深く関係しているため（詳しくはDAY15）。逆に、ほとんどの植物の葉の**裏側には、「気孔」が多く分布**している。気孔は２つの三日月形の細胞（孔辺細胞）で囲まれており、水蒸気の出口、酸素や二酸化炭素の出入り口としての役割を果たしている。

# 植物も暑いと汗をかく

## 葉の蒸散作用

葉のつくりを押さえたところで、1つ目の葉の役割「蒸散」について見ていきたい。蒸散とは、葉の裏側に多く分布する**気孔から水蒸気を排出**することだ。気孔を形づくる孔辺細胞は、細胞内の水圧の変化で孔を開閉し、外に出す水分量を調節している。この蒸散には、単純に植物の体内の水分を一定に保つこと以外に、2つの大切な効果がある。

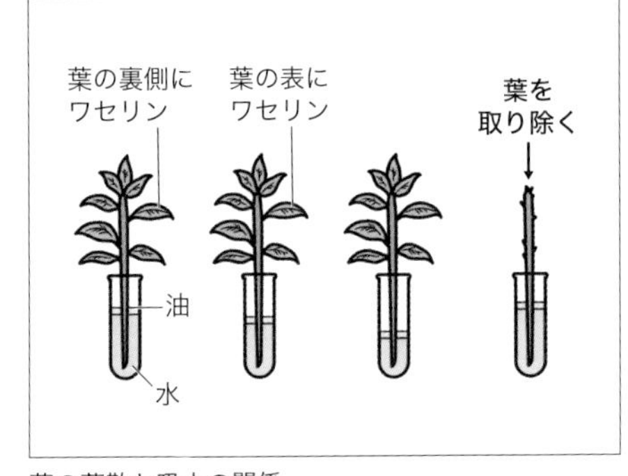

葉の蒸散と吸水の関係。

**1つ目の効果は温度調整**だ。体の表面から水分を排出するという意味では、植物の蒸散は人体でいう汗を流すことに似ている。ヒトは汗をかくことで体温を調節するが、植物の場合は蒸散によって葉の温度上昇を抑えている。仕組みとしてはどちらも同じで、水分が蒸発する際に周囲の熱を奪う（気化熱）ことによる効果だ。夏場、建物の陰より木陰に入ったほうが涼しいと感じたことはないだろうか。それは葉が日光を遮るからという理由だけでなく、蒸散作用もあるからなのだ。

**もう1つの効果は吸水の原動力**となることだ。サクラやホウセンカなどを使い、葉の裏側だけにワセリンを塗った枝と、葉の表側だけにワセリンを塗った枝、すべての葉を取り除いた枝、何も処理しない枝を準備し、同量の水にさしてしばらく放置してみよう。すると、気孔の多い葉の裏側にワセリンを塗った枝と比べ、表側にワセリンを塗った枝や何も処理しなかった枝は水が多く減り、葉を取り除いた枝ではほとんど水は減らない。蒸散が行なわれることで、植物は水を吸い上げることができるのだ。

多くの植物では、気孔は夜に閉じ、昼に開いて蒸散が盛んになる。蒸散が盛んになると、植物の体内の水は減るが、その分、根から吸い上げられる水や水に溶けた養分の吸収量は増える。植物に必要な水や養分はこのようにして体全体に行き渡っていく。

# 葉っぱは植物のデンプン工場

## 光合成の仕組み



植物が**光のエネルギーを利用して、デンプンなどの必要な養分をみずからつくり出す働き**を「光合成」という。

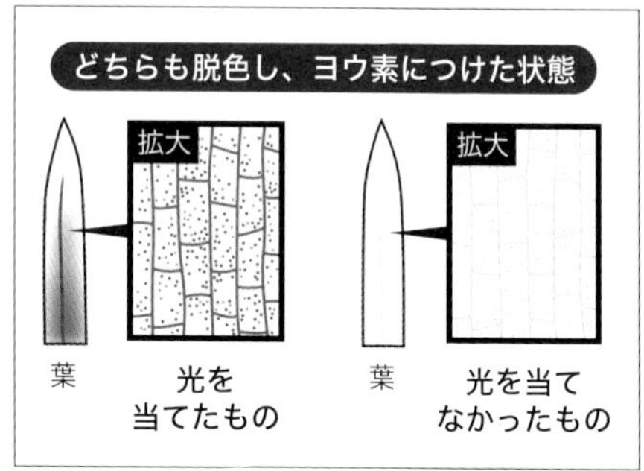


オオカナダモを使った光合成の実験結果。

夏草が生い茂る頃、アルミ箔を貼った段ボール箱を草地の上に置いて１カ月ほど放置すると、その部分の草は大半が枯れてしまう。光を遮られたことで光合成ができず、蓄えた養分も使い切ってしまうからだ。

また、植物の葉の付き方を上から見ると、どの葉も互いに重なり合わないようになっているが、これは光合成を行なうのに都合がよいからだ。

植物は**水と二酸化炭素を原料に光合成**を行なう。それを確かめるため、タンポポなどの葉を入れた試験管と、何も入れない試験管に息を吹き込み、ゴム栓をして光を当ててみる。そして30分後、それぞれの試験管に、石灰水を入れて振るとどうなるだろうか。石灰水は二酸化炭素に反応して白く濁る性質をもつ。何も入れなかったほうは石灰水が白く濁るのに対し、葉を入れたほうは色が変わらない。二酸化炭素が光合成に使われたからだ。

では、光合成は葉のどこで行なわれ、どのような養分を合成しているのだろうか。アクアリウムでよく使われるオオカナダモを使った実験結果を見てみよう。光によく当てたオオカナダモと暗室に置いたオオカナダモを用意し、葉を顕微鏡で観察すると、どちらも細胞の中に緑の粒「葉緑体」がたくさんあることがわかる。しかし、それぞれを熱湯で温めたエタノールで脱色し、薄めたヨウ素液を垂らしてから顕微鏡で観察すると、異なる様子を見ることができる。ヨウ素液はデンプンに反応すると青紫になる試薬だ。図のように光に当てたほうは明らかに反応を見せるのに対し、暗室に置いたほうは反応が現れない。このことから、光合成は**葉緑体で行なわれ、デンプンがつくられている**ことがわかる。

DAY 16

January 16th

# 葉っぱは植物の酸素工場でもある

## 光合成と酸素の生成

光合成について改めてまとめてみると、光合成とは光のエネルギーを利用して、細胞の中にある葉緑体で二酸化炭素と水を材料に、デンプンなどの栄養分を生み出すことだ。

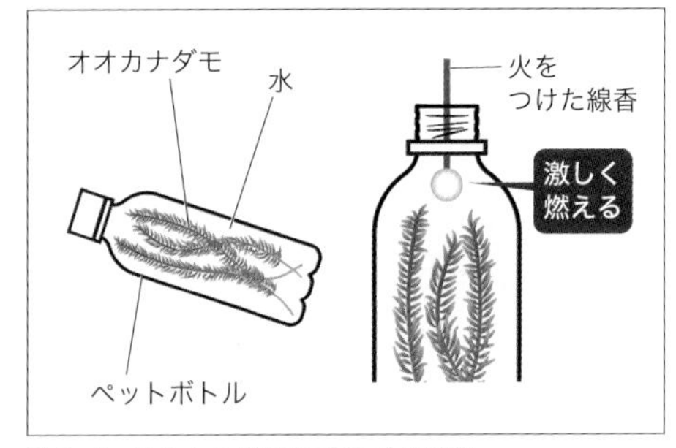

光合成で発生した酸素を確かめる実験。

**光合成の際、排出する気体が酸素**だ。オオカナダモを水の入ったペットボトルに入れ、しばらく光を当てると、オオカナダモから泡が出てくる。そして飲み口付近の隙間に火をつけた線香を差し込むと、線香は激しく燃え上がる。これは光合成の際に酸素が発生していることを意味する。

葉でつくられたデンプンは、水に溶けやすい物質（糖）に変化し、師管を通って植物のすみずみまで行き渡る。運ばれた栄養分は植物の成長に使われたり、再びデンプンに変わって果実や種子、茎や根などに蓄えられたりする。茎に蓄えられた例がジャガイモ、根に蓄えられた例がサツマイモだ。

地球上の生物で、二酸化炭素や水といった**無機物から、デンプンという有機物を生み出すことができるのは植物だけ**だ。

光合成の仕組みは未だにすべて解明されてはいない。しかし2011年、岡山大学の沈建仁教授と大阪市立大学の神谷信夫教授のグループが、葉緑体の中で光合成の中核となる物質の構造を解明した。これは、約200年にわたって世界の科学者が追究してきた大きな謎だった。

そして現在、水と二酸化炭素から人工的に有機物と酸素を生み出す技術**「人工光合成」の研究**が進められている。まだデンプンを合成するまでには至っていないが、人工光合成装置によってメタンやギ酸など、有益な物質を生み出すことにも成功している。この技術が実用化されれば、地球温暖化対策に大きく貢献するのではと期待が寄せられている。

# 植物は二酸化炭素も排出している

## 植物の呼吸と光合成

私たち動物は活動をするために呼吸をし、酸素を取り入れて二酸化炭素を排出する。植物は光合成を行なうため、二酸化炭素を取り入れ、酸素を生み出している。しかし、それはあくまで光合成だけに注目した場合の話だ。では、植物は呼吸をしないのだろうか。

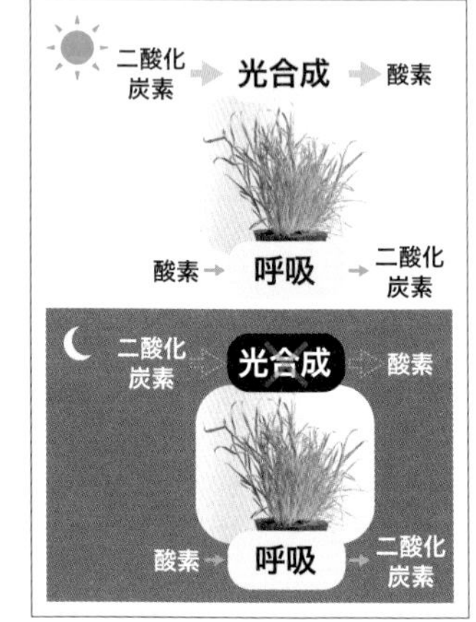


昼間と夜の植物の気体の出入り。

それを確かめるためには、次のような実験が有効だ。まず、ポリ袋に空気と植物を入れたものと、空気だけを入れたものを準備し、それぞれの口にゴム管を付けて輪ゴムでしばる。中の空気が漏れないように、クリップなどでゴム管をとめたら装置の完成だ。これらを暗い場所に一晩置き、それぞれの袋の中の空気を石灰水に通してみる。すると、植物を入れたほうは石灰水が白く濁るのが確認できる。石灰水は二酸化炭素に反応して白く濁る性質をもつため、この実験から、植物から二酸化炭素が排出されている、つまり呼吸を行なっていることがわかる。

じつは、**植物も動物と同じように呼吸**を行なっており、**酸素を取り入れて二酸化炭素を排出**している。実験のような光が当たらない環境ばかりでなく、光の当たる環境でもそれは変わらない。

植物は、**光が当たらないときは呼吸だけ**を行なっているが、光が当たるようになると光合成を始め、二酸化炭素を取り入れて酸素を排出するようになる。強い光が当たる時間帯などには光合成が盛んになり、呼吸で放出する二酸化炭素よりも、光合成で取り入れる二酸化炭素のほうが多くなる。同時に、呼吸で取り入れる酸素より、光合成で放出する酸素のほうが多くなる。そのため、まるで光合成だけを行なっているように見えるのだ。

DAY
18
January 18th

# 光が強いほど光合成が盛ん……とも限らない

## 光の強さと光合成

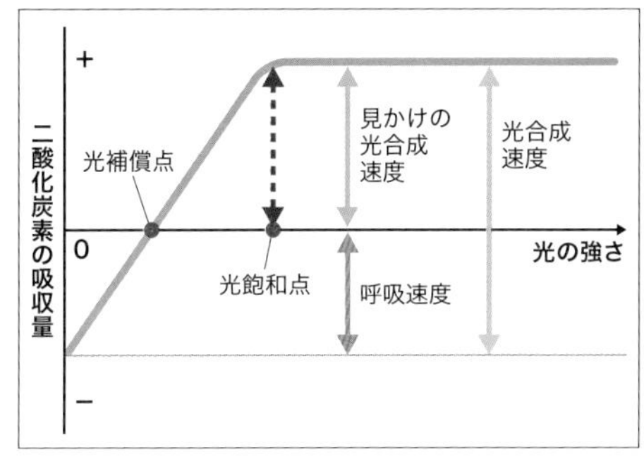

光の強さと光合成速度の関係。

光の強さと光合成の関係を、もっと詳しく見ていこう。単位時間あたりの光合成量を「光合成速度」、呼吸量を「呼吸速度」という。光合成によって生成されたデンプンの量を調べるのは困難なため、光合成速度は一般に、二酸化炭素の吸収量で測定される。なお、二酸化炭素の吸収量から光合成速度を測定する場合、測っているのは植物が実際に光合成で使った二酸化炭素の総量から、呼吸で放出した二酸化炭素の量を差し引いた値だ。本当の光合成速度ではないため、この差のことを「見かけの光合成速度」という。

光の強さと光合成速度の関係を示したのが、上の図だ。横軸に光の強さ、縦軸に二酸化炭素の吸収量を示している。まずは横軸の「0」に注目してほしい。ここが示しているのは、光の強さが0、つまり光がない真っ暗な状態だ。**光がなければ、植物は呼吸をして二酸化炭素を放出するだけ**なので、二酸化炭素の吸収量は0より下のマイナスからスタートする。光が強くなるにつれ、光合成による二酸化炭素の吸収量も少しずつ増加。そして**ある一定の光の強さになると、放出する量と吸収する量が等しくなる**。つまり、見かけ上、二酸化炭素の出入りがなくなる。このときの光の強さを、「光補償点」という。光補償点以下の弱い光の下では、植物は成長することができない。

そしてさらに光を強くしていくと、光合成速度はさらに増加するが、**ある強さ以上になると、光合成速度は変化しなくなる**。このときの光の強さを「光飽和点」という。

光補償点や光飽和点は、植物の種類によって異なる。ヒマワリやタンポポのように、日なたを好む「陽生植物」は、光補償点も光飽和点も高いが、シダ植物のような日陰でも育つ「陰生植物」は、光補償点も光飽和点も低くなる。

DAY 19
January 19th

# カタクリが初夏には枯れてしまうわけ

## 葉の形態と光合成



植物には、日陰でも育成できる陰生植物と、日なたを好む陽生植物があるが、同じ１本の木の葉にも、陰生植物のような性質をもつものと陽生植物のような性質をもつものがある。日当たりの悪いところにできる葉は、薄いが、少ない光をなるべく多く受け取るために大きい。このような葉を「陰葉」という。逆に、日なたにできる葉は、分厚いが、陰葉と比べて大きさは小さい。このような葉を「陽葉」という。

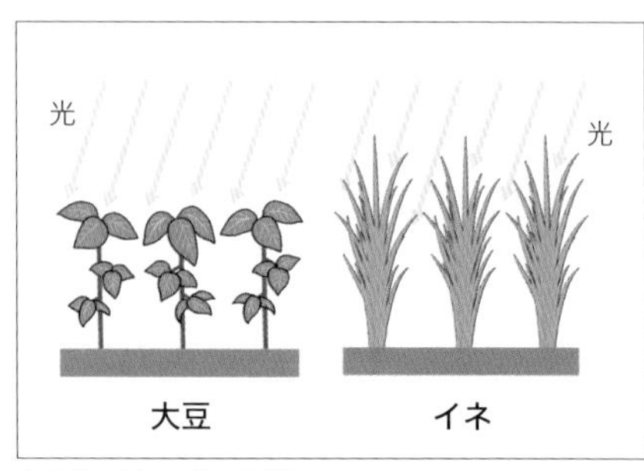

大豆とイネの葉の形態。

光の強さと光合成速度の関係からもわかるとおり、光なくして光合成は成り立たない。植物は、**効率よく光を取り入れるため、さまざまな生態**をもっている。たとえば、クヌギやコナラなどの落葉樹の林で生きるカタクリは、木々がまだ葉を生い茂らせない早春に、茎や葉を伸ばして、薄紫色の花を咲かせる。この間に球根（地下茎）に養分を蓄え、頭上が葉で覆われる初夏には、種子を落として地上部分は枯れてしまう。フライングで成長することで、光を得にくい場所でも生育することができるのだ。

また、植物の種類によって異なる**葉の形態と伸び方も、光合成量と密接に関係**している。大豆とイネを例に、その特徴を見てみよう。

大豆は、大きな葉が上層について多くの光を受け取るため、光が差し込みにくい下層には葉が少ない。そのため、上層の葉は光合成量が多くなり、下層の葉は少なくなる。このような構造は、一見、効率が悪いように思えるが、ほかの植物より丈が高くなれば、光を多く捉えることができ、光合成が有利になるのだ。

もう一方のイネでは、細い葉が斜めに立ち上がるため、下層にも光が届きやすい。上層と下層で光合成量の差は小さく、全体的に多くの葉をつける。イネのようなパターンの構造をもつ植物は、草原など丈の高い植物が少ないところで有利になる。

DAY
20
January 20th

# 葉脈が平行か網目状か

## 被子植物の単子葉類と双子葉類

地球上には、20万種とも30万種ともいわれる、さまざまな植物が生息しているが、それぞれの特徴に注目すると、いくつかのグループに分類することができる。

まず大きく分けるポイントとなるのが、**種子をつくって増えるか、胞子で増えるか**という点だ。胞子で増えるのはコケ植物・シダ植物だけなので、身近にあるほとんどの木や草は、種子をつくる「種子植物」に当てはまる。種子植物は、一見してわかりづらい場合もあるが、原則として種子をつくるために花を咲かせ、根・茎・葉の区別があり、葉緑体で光合成を行なって養分をつくるといった共通点がある。

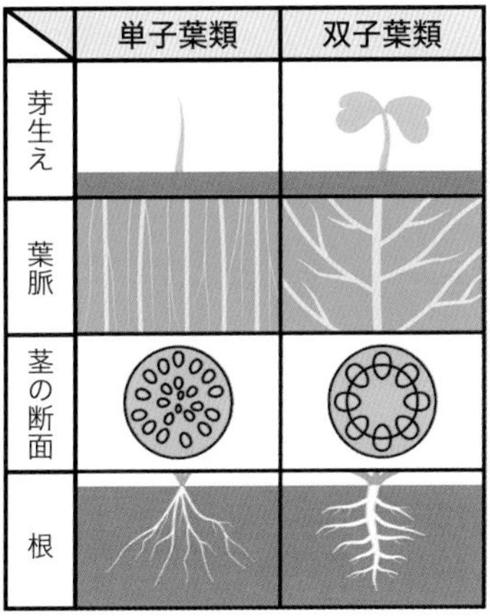

| | 単子葉類 | 双子葉類 |
|---|---|---|
| 芽生え | | |
| 葉脈 | | |
| 茎の断面 | | |
| 根 | | |

単子葉類と双子葉類の特徴。

種子植物はさらに細かく分類することができる。次のポイントは、種子のもととなる「胚珠」が、**果実へと成長する「子房」に包まれているか否か**だ。胚珠がむき出しの植物を「裸子植物」、子房に包まれている植物を「被子植物」と呼ぶのは、DAY8、10で説明したとおり。裸子植物はこれ以上細かく分類されていないので、ここからは被子植物に焦点を当てて見ていこう。

被子植物は、**芽吹いたときの最初の葉「子葉」の枚数**で、単子葉類と双子葉類に分けられる。ユリやアヤメなどのように子葉が1枚なのが単子葉類、アサガオやアブラナなどのように2枚なのが双子葉類だ。これまで見てきたとおり、単子葉類と双子葉類では、根・茎・葉のつくりが異なる。改めて整理すると、単子葉類は葉脈が平行脈で、茎の維管束はランダムに散らばり、たくさんの細いひげ根をもつ。一方、双子葉類は、葉脈が網状脈で、茎の維管束は環状に並び、1本の太い主根とそこから伸びる側根からなる。

DAY 21
January 21st

# 花占いができるかどうか

## 双子葉類の合弁花類と離弁花類

子葉が2枚の「双子葉類」は、花弁に注目すると、さらに2つのグループに分類することができる。「合弁花類」と「離弁花類」だ。文字どおり、**合弁花類は花弁が1つに合体している植物**のことで、アサガオやツツジなどがこれに当たる。一方、**離弁花類は、花弁が1枚1枚離れているグループ**のことを指す。サクラやバラなどがこれに当たる。

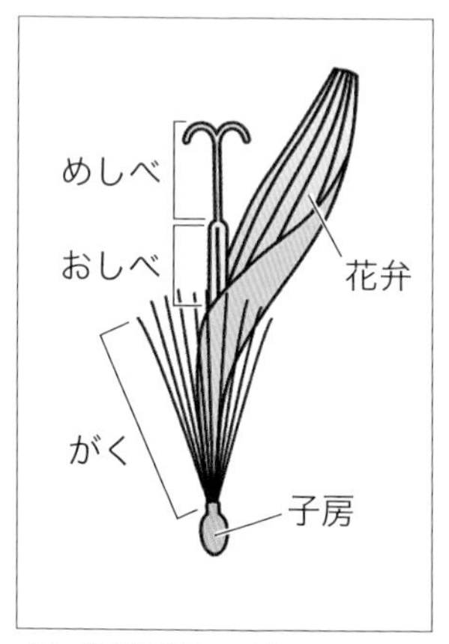


タンポポの花のつくり。

では、タンポポは合弁花類と離弁花類のどちらに属する植物だろうか。タンポポは一見、何枚もの花弁をもつ離弁花類のように見えるが、種子ができたあとの「綿毛」を思い出してほしい。白くふわふわになったタンポポを手折り、ふーっと息を吹きかけると、無数の綿毛が風に乗って飛んでいく。いくつもの綿毛が飛ぶということは、それだけ種子があるということ。タンポポは、あの花弁に見えるそれぞれが、めしべ、おしべ、花弁、がくをもつ、独立した花の集合体なのだ。そんなタンポポの花を1枚むしってじっくりと観察すると、4本の薄い筋が見える。つまり、タンポポは5枚の花弁が1つにつながった合弁花類なのだ。

と、ここまで植物の分類について見てきて、「キノコはどのグループに当てはまるのだろうか」と、疑問に思う人もいるかもしれない。キノコの種というものは存在しないから、明らかに種子植物ではない。しかし、シダ植物やコケ植物とも違うように見える……。じつは、植物のように思えるが、**キノコはカビと同じ菌類**だ。菌糸と呼ばれる細い糸のようなもので体が構成されている。植物の仲間に分類されていた時期もあるが、近年は動物でも植物でもない新しい生物群と捉えられ、区別されているため、植物のどの分類にも当てはまらないのだ。

DAY
22
January 22nd

# 葉も茎もあるが胞子で増えるシダ植物

## シダ植物の体のつくりと繁殖

種子をつくらない植物の仲間には、**シダ植物とコケ植物**がある。どちらも光合成をするという点では種子植物と同じだが、「胞子のう」と呼ばれる袋でつくられた**胞子で増える**のが特徴だ。

胞子のう。 ©Doctor-K / PIXTA

まずはシダ植物から見ていこう。山菜として春の食卓にも登場するゼンマイやワラビ、正月飾りに使われるウラジロなどは、身近なシダ植物の例だ。種子植物と同じように、体の中に**維管束があり、葉・茎・根の区別があるのが、シダ植物**とされる。小さなたくさんの葉を支える細い部分が茎のように見えるが、あれは葉の柄であって茎ではない。シダ植物の茎はほとんどの場合、地中もしくは地表付近にはうように伸び、そこから根を張る。このような茎を地下茎という。例外として、ヘゴ科のように茎が立ち上がり、大きな葉を付けるものがある。これらは木質シダと呼ばれる。

夏場に山を散策したとき、林のへりや路傍に生えているシダ植物の葉の裏に、茶色もしくは黒っぽいものがたくさんついているのを見たことはないだろうか。知らずに見ると少々驚くビジュアルだが、これは胞子のうの集まり。よく観察すると小さな粒がたくさん集まっているのを見ることができる。肉眼では見えないほど小さな**胞子が、胞子のうの中で数多くつくられる**。それが、**成熟すると弾けて胞子を飛び散らせる**。

地面に落ちた胞子は、**発芽するとハート型の「前葉体」**というものになる。多くのシダ植物では、前葉体に卵(らん)をつくる「造卵器」と、精子をつくる「造精器」があり、**前葉体の上で卵と精子がつくられる**。そして雨などで水にぬれると、造精器から精子が飛び出し、別の前葉体の卵まで泳いで受精する。受精すると前葉体から受精卵が伸びて若い葉・茎・根が育ち、やがて胞子のうをもつ葉を出す。

DAY 23

January 23rd

# 胞子で増えるコケ植物は全身で光合成をする

## コケ植物の体のつくりと繁殖



コケ植物も、**シダ植物と同じく胞子で増える**植物だ。昔は「コケ」を「木毛」と表記し、木の幹や枝に生える毛のような植物全般を指していたという。

身近なコケ植物の代表格であるゼニゴケやスギゴケなどには雌株と雄株があり、胞子は雌株の胞子のうにできる。シダ植物と同様に、雨にぬれると雄株から精子が出て、雌株の卵まで泳いで受精。受精卵は成長して、やがて胞子のうを形成する。極地や高地、熱帯林の樹上などで育成するコケ植物も存在するものの、どちらかといえば日陰や湿った場所で育つコケ植物が多いのはそのためだ。

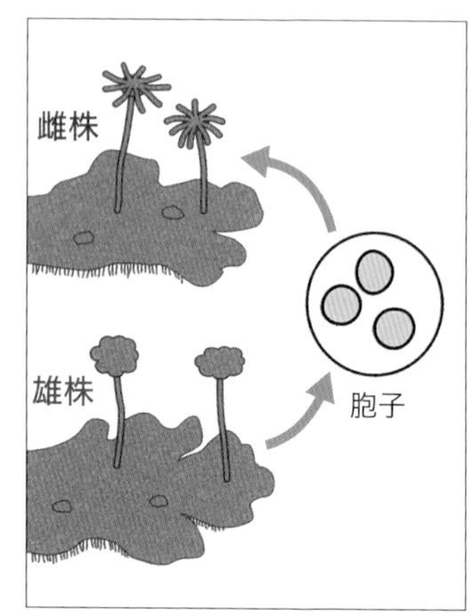


ゼニゴケの体のつくりと胞子。

このように、シダ植物と同じような受精の仕方をして命をつなぐコケ植物だが、シダ植物とは決定的な差がある。それは**維管束がなく、根・茎・葉の区別もない**ことだ。そう聞くと、「コケには根がある！」という反論があるかもしれない。確かにコケ植物には、根のように見える「仮根」と呼ばれる部分がある。しかしこれは、おもに体を土や岩などに固定するためのもので、水や水に溶けた養分を吸う働きは弱く、シダ植物や種子植物の根とは役割が異なる。コケ植物は、必要な水分などを体の表面全体から直接吸収しているのだ。また、蘚類（せんるい）（マゴケ植物門）のコケ植物には葉や茎に見える部分があるが、これもただ葉や茎に見えるだけで、シダ植物や種子植物の葉・茎と同じ働きをするわけではない。

では、光合成はどこで行なっているのだろうか。一般的な種子植物の場合、「光合成は葉で行なう」とはいうものの、正確には「葉の表面に多く分布する葉緑体で行なっている」のは、今まで見てきたとおり。コケ植物は、**葉はなくとも体に葉緑体**をもっており、種子植物やシダ植物と同じように**光合成を行なう**ことができるのだ。

DAY
24
January 24th

# オールドスタイルの胞子 最先端をいく種子

## 種子と胞子の生存戦略

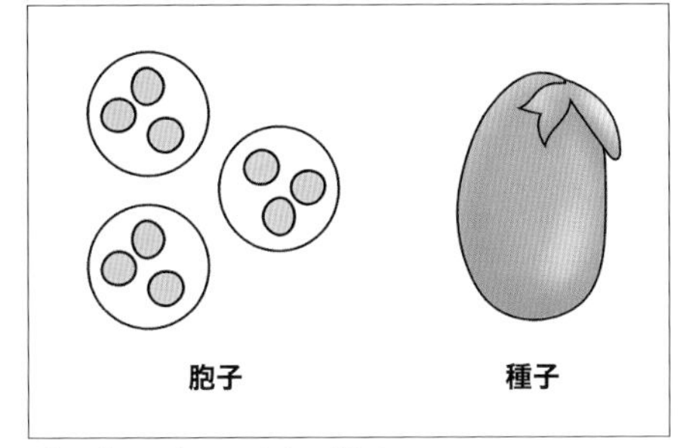

ゼニゴケの胞子とカキの種子。

これまで、裸子植物や被子植物といった種子で増える植物と、シダ植物やコケ植物のように胞子で増える植物が、それぞれにどのような特徴があるのかを見てきた。しかし、そもそも同じ植物なのに、増え方が異なるのはなぜなのだろうか。

陸上で生きる植物は、まず現在の**コケ植物に近い仲間から始まり、シダ植物、裸子植物、被子植物**の順に現れたと考えられている（シダ植物が退化してコケ植物になったという学説もある）。形状が確認できる現状最古の陸上植物は「クックソニア」という。これは先端に胞子のうのようなつくりをもつシンプルな植物だった。胞子で増えるコケ植物やシダ植物は、その古い時代のやり方を今も続けているわけだ。しかし種子も胞子も、植物から散布されて新たな個体を発芽させるという点では、同じもののように思えるが、何か差があるのだろうか。

ここで改めて、胞子の特徴をおさらいしてみよう。胞子はそれ自体が受精するのではなく、**胞子が発芽してできる体の上で受精**が起こる。つまり**胞子→発芽→受精**の順で命をつないでいるのが特徴だ。そして構造は種子と比べて単純で小型なため、遠くまで散布される機会が多いと考えられている。

一方、**種子は受精が行なわれて初めて胚珠が種子になる**。つまり、**花→受粉（受精）→種子→発芽**という過程をたどる。そのため種子の中には、成長して植物の体となる「胚」と呼ばれる部分がある。また、周囲の環境変化に強い仕組みをもち、発芽に必要な養分も蓄えられているため、自力で発芽でき、土の中に栄養がなくても発芽してある程度まで成長することができるのだ。このように整理すると、胞子と種子では、つくられる過程や構造がまったく異なるのがわかる。

DAY 25
January 25th

# 藻類も光合成をするが植物ではない

## 藻類の体のつくりと繁殖



植物がこれほど多様化する以前、はるか昔の地球で、**陸上植物の起源**となったと考えられているのが「藻類」だ。藻類の幅は広く、光合成をする生物のうち、**コケ植物・シダ植物・種子植物を除いたものすべて**を指す。池や川などの淡水に生息する小さなアオミドロやボルボックスも、海に生息し私たちの食生活にも馴染み深いコンブやワカメ、ヒジキなどの海藻も藻類だ。ここでポイントとなるのは、藻類は光合成をするが、おもな**生活の場を水中**としていることから、植物とは分けられているということだ。以前は植物に分類されていたが、分類体系の見直しが進められる中、**現在は植物と区別**されている。

さまざまな藻類。

藻類には、アオサなど緑色をした「緑藻類」だけでなく、コンブやワカメのような「褐藻類」、寒天の原料となるテングサのような「紅藻類」など、さまざまな色をしたものがある。緑色以外のものも含め、藻類はすべて**葉緑体をもち、光合成をする**。褐藻類や紅藻類など緑色ではない藻類は、別の色素も多く含むために緑色に見えていないだけだ。そのため、海の中でも光が届かない深海では生きていくことができない。仮にコンブを40～50℃に温めたアルコール（エタノール）に入れると、しばらくすればコンブから葉緑素が溶け出し、アルコールが緑色になる様子を観察できる。

そんな藻類は、**コケ植物と同じく体全体で光合成**を行ない、**必要な水や養分を体の表面全体から吸収**している。そのため、**根・茎・葉の区別がない**。また、海藻の仲間の多くは、維管束がなく、岩にしがみつくための仮根をもち、胞子をつくって増える。

DAY
26
January 26th

Column
暮らしの中の“エセ科学”

# 植物に優しい言葉をかけるとよく育つ?

**「身を守るトゲは要らないよ。私がお前たちを守ってあげるから」。アメリカの植物学者、ルーサー・バーバンクは、サボテンの品種改良を進める中、しばしばサボテンにこのような言葉をささやき、ついにトゲなしサボテンを生み出したという。植物は本当にヒトの言葉を理解しているのだろうか。**

---

植物が言葉の内容を理解しているかどうかを考える前に、まずはヒトがどのように音を聞いているのかを整理しよう。音の本質は空気の振動だ。ヒトはその振動を鼓膜で受けとめ、それを内耳にある蝸牛が電気信号に変換して脳に伝えている。そして脳で情報が処理されることで、初めて「音」として認識しているのだ。(詳しくはDAY48参照)

当然、**植物には、その耳や脳に代わる器官がない**。しかし、DAY6の「屈性」の項目でも見たように、植物の茎は光に向かって伸びる「正の光屈性」を示す。つまり、目がないのに光刺激を検知することができるのだ。それなら、植物は音という刺激も、何らかの方法で検知しているのだろうか。

音と植物の関係に関する研究はまだ少なく、その作用については不透明な部分が多いが、音を与えることで葉にある気孔が開く回数が増えた、特定の音域で発芽や根の伸びが促進された、などの報告例はある。ただ、これは**空気の振動という物理的な刺激に反応**した例であって、植物がその**音の内容を聞き分けているか、というのは別**の話だ。

昔から、クラシックとロックではどちらが植物の成長を促すか、などの議論がなされてきたが、検証方法やサンプル数などに疑問の余地が残り、結論には至っていない。空気振動の集合である音楽でもそうなのだから、「日本語」や「英語」などという知識を要し、意味を解釈するという、より高度な知的作業が必要な「言葉」を、植物が理解しているか否かについては推して知るべしだ。データを出せない以上、現時点では「植物は言葉の意味を理解していないだろう」といわざるをえない。

まとめ Summary

# 寿命の長いスギが理想の生育環境を手に入れた



スギは多年生の種子植物。枯死までの期間は日本産樹木の中では最も長く、一般的に400～500年とされる。樹木（生物学用語では「木本（もくほん）」）であり、幹の大部分は死細胞となっている。芯にある死細胞部分が骨格のように体を支え、大きく成長できる。屋久杉のように太くなる例はまれだが、高さの成長が止まっても樹皮近くの形成層では細胞分裂が行なわれているので、環境が合っていれば太くなり続ける。

ではスギの生育には何が必要なのだろうか。スギは陰生植物（陰樹）であり、光はほどほどでよい。また、さほど土壌の栄養を必要としない。スギが生きていくためには、水が重要となる。

屋久島の年間降水量は、山間部で8000～10000mmに及び、日本の年間平均降水量の2倍を上回る。降水量が多いということは、日照時間が短いということでもある。また、ほとんどが花崗岩（かこうがん）でできた屋久島の大地は養分が少ない。水が豊富な、スギには好ましい環境なのだ。ふつうの植物にとっては厳しい環境のため、競争に有利となる。

こうした貧栄養の環境で、屋久杉はゆっくりと成長する。そのため年輪が密で強度が高くなる。樹脂も多く、腐りにくく育つという。

スギの種子は軽く、近距離であれば風で運ばれる。その性質を利用して縄文時代後期から弥生時代にかけて、急激に生存域を広げたことがわかっている。そうして、屋久島などの成長に適した環境を手に入れたのだ。

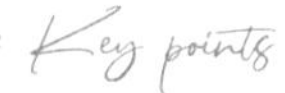


- もともとスギは多年生植物のなかでも長寿。
- 樹木は死細胞が体を支え、条件が合えば太くなり続ける。
- 種子によって生存域を広げ、理想的生育環境を手に入れた。

# 眠ると疲れがとれるのはなぜ？

私たちは夜になると自然に眠くなり、基本的に毎晩睡眠をとっている。そしてしっかりと眠れば、仕事でクタクタになって「もうこれ以上は働けない！」と思っても、翌日また元気に働くことができる。眠ることで疲れがリセットされているのだ。眠っている間、体の中ではどんなことが起こっているのだろうか。

## ▶体はどうやって維持されているのか？

ヒトの体内には心臓や肺、胃、小腸などの臓器があり、生命維持に大きな役割を果たしている。しかし、改めてそれぞれがどのような役割を果たしているのか、どのように制御･管理されているのかと聞かれると、「はて？」となるかもしれない。日々、私たちの体の中で何が起こっているのかをまずは確認したい。

## ▶眠っているときと起きているときは何が違うのか？

体の機能の維持に睡眠が役に立っていることは、実感としてわかるだろう。しかし、眠らずにただ横になって体を休めている状態でも、体は休まるのではないだろうか。眠っているときの体には、どのような違いが生じているのだろうか。

## ▶なぜ夜眠るのか？

ではなぜ眠るのは夜なのだろう。夜ふかしをして家族から叱られたという話は、学生時代によく耳にするものだが、同じだけ昼に眠った場合と何か違いがあるのだろうか。暗くなると自然と眠くなるのだから、その答えは体の中に隠れているはずだ。

DAY 29
January 29th

# 今や希少生物のメダカは生物を理解する第一歩

## 身近な生物の観察

関東から沖縄に分布するミナミメダカ。
©けぐり / PIXTA

ヒトの眠りについて考察する前提として、まず生物全体について学んでいこう。現在知られているだけで、地球上に生息している**生物の種類は、約190万種**。未発見のものも含めると、数千万種とする研究もある。しかしその中には、環境の変化や外来生物・化学物質などの影響などで**絶滅の危機に瀕している生物が少なからずいる**。たとえばメダカもそうだ。メダカは童謡にも歌われるほど日本人に身近な魚だったが、今では全国的に数を減らし、自然環境の中では、めったに見られない存在になってしまった。

**その場所に、どの生物がどれほどいるか**、そして**どのように変化したか**を調べることは、**環境の状態や変化を知る**ことにつながる。あなたがいる場所の周囲には、どんな生物がいるだろうか。自分で調べてみるのもおもしろい。

普段の生活で気にすることはほとんどないだろうが、目線を下げて足もとを見てみるだけでも、新たな発見がある。私たちは図鑑などを読み、情報を知っただけでその生物を知った気になってしまいがちだ。しかし､実際に自分の目で見て、自分なりに情報をまとめ、形や行動の共通点を見つけることが観察の本道といえるだろう。

どのような見た目をしているか、触った感触はどうか、大きさはどの程度か、似た生き物でも何か違いはないか、ひれの数、何を食べていたかなど、確認すべきことは多数ある。そこから、自分なりに仮説を立てて実験などを通して正否を検証していくプロセスも重要だ。

DAY 30

January 30th

# モンシロチョウは5回脱皮する

## 昆虫の一生

モンシロチョウの成長。

花壇や野原、畑などで見かけるチョウも日本人にとって身近な生物の一種だ。小学校で飼育し、観察した人も多いのではないだろうか。ここではモンシロチョウをモデルケースに、チョウの成長の仕方を見てみよう。

モンシロチョウの卵は、高さ1mm程度で細長く、表面に凹凸がある。産卵して間もない卵は白く透き通っているが、3日ほどたつと黄色に変化する。春から初夏の時期だと3～5日程度で**卵からかえる**。ふ化したての幼虫の体長は2mmほどで、自身の入っていた卵の殻を食べたあと、植物の葉を食べ始める。モンシロチョウの幼虫が食べるのは、キャベツやコマツナなどアブラナ科の植物の葉だ。幼虫は葉をどんどん食べ、**脱皮を繰り返して大きくなる**。モンシロチョウの幼虫の脱皮の回数は4回で、幼虫期間は10日間前後。幼虫の成長段階は脱皮によって区切られており、卵からかえったものを「1齢幼虫」、最初の脱皮を終えたものを「2齢幼虫」という。モンシロチョウは5齢幼虫になると、次の脱皮でサナギになる（この脱皮を含めると計5回）。最終段階の幼虫は「終齢幼虫」とも呼ばれる。

サナギになる準備ができると、5齢幼虫は口の下にある「吐糸管」から糸を吐き、葉や茎などに糸をかけて体を固定する。この状態を、サナギになる前段階の意で「前蛹（ぜんよう）」という。モンシロチョウは前蛹の状態で、半日から1日かけて体内の準備を進め、**最後の脱皮をしてサナギになる**。サナギになることを「蛹化（ようか）」という。

そして通常は1週間前後、寒い時期だと数カ月をサナギで過ごし、**サナギのからを破って成虫**の姿で出てきたら、翅が伸びるのを待って空へと飛び立つ。サナギから成虫になることを「羽化」という。モンシロチョウの成虫の寿命は長くて2週間程度。寒い時期にはそれより短くなる。

# 3つの部位と3対の脚、2対の翅（はね）をもつものが昆虫

## 昆虫の定義と体のつくり



日常生活のなかで一般的に「虫」といったとき、チョウやバッタ、クモなど、脚に節をもつ小さな生物を幅広く指すのではないだろうか。だが、古くは蛇を「長虫」と呼んでいたこともあり、その定義は曖昧だ。生物学に虫類という分類はないからだ。私たちが日頃から虫と呼んでいるものの多くが含まれるのが、「昆虫（昆虫綱）」というグループだ。

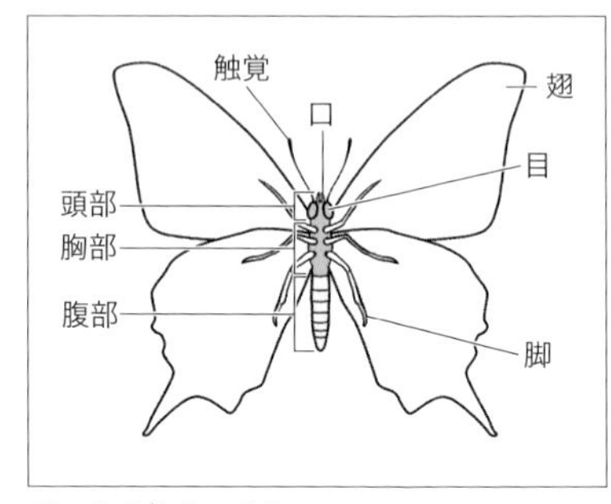

チョウの体のつくり。

基本的には、**体が「頭部」、「胸部」、「腹部」の３つにはっきり分かれ、胸部に３対の脚と２対の翅**をもつものを昆虫と呼ぶ。体が頭胸部と腹部の２つに分かれ、頭胸部に４対の脚をもつクモや、体が頭部と多数の節がある胴部からなり、胴部の節ごとに１対の脚をもつムカデなどは昆虫の仲間に入らない。ただ、中には翅が退化したアリ、前脚が退化してほとんど見えないタテハチョウなどの例外もありややこしい。

昆虫の頭部には、触覚・嗅覚・聴覚などを感じ取る１対の触角、摂取する食べ物に最適化された口、そして多くの場合、３個の単眼と１対の複眼がある。単眼はおもに光の強弱を感じる目で、複眼は多数のレンズが集まった目。中にはどちらかしかもたない昆虫もいる。

そんな昆虫の成長は、ふた通りある。１つは、モンシロチョウのように、**卵から幼虫となり、サナギの段階を経て成虫になる「完全変態」**。カブトムシやハチ、ハエなども完全変態する昆虫だ。完全変態する昆虫は、サナギのときに体をつくり直すため、幼虫と成虫の形が大きく異なる。

もう１つが、**サナギという段階がなく、卵から幼虫、成虫と成長をする「不完全変態」**だ。不完全変態の昆虫は、バッタやカマキリのように、幼虫と成虫の姿が似ていることが多い。ただし、中にはセミやトンボのような例外もいる。「セミの抜け殻」は、地中から出てきた幼虫が脱皮して成虫になったときの抜け殻であって、サナギの殻ではない。

DAY
32
February 1st

# 植物も動物も体の最小単位は細胞

## 細胞のつくりと働き

植物と動物は、体のつくりも仕組みもそれぞれにまったく異なるが、**体を構成する最小単位が「細胞」**であることは変わらない。

植物と動物の細胞は形や大きさに違いがあるが、**共通して存在しているのは、「核」と「細胞膜」、「細胞質」**だ。核は、酢酸オルセイン溶液や酢酸カーミン溶液などの染色液で細胞を染めたときによく染まる球状の部分だ。中には生物の設計図となる「遺伝子」が書き込まれたDNAが入っている。細胞膜は細胞の中と外を分ける非常に薄い膜のこと。細胞質とは、細胞膜を含む核以外の部分全体を指す。

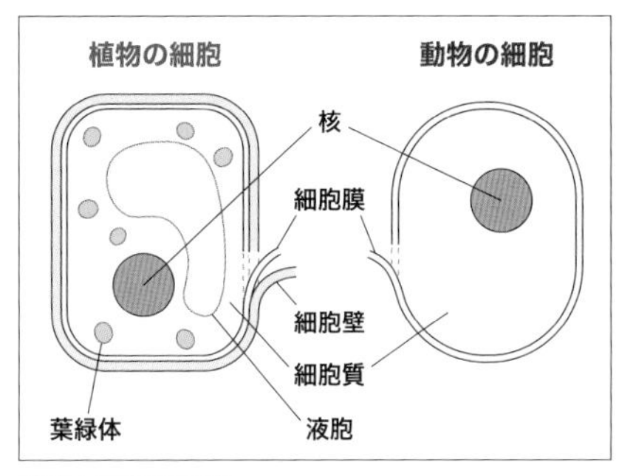

植物と動物の細胞。

一方、**植物の細胞にしかないものは、「葉緑体」、「液胞」、「細胞壁」**だ。葉緑体は、葉や茎の緑色をした部分の細胞に含まれる、光合成を行なう場所。液胞は多くの場合において袋状をしていて、細胞の活動に伴ってできた物質や水が入っている。花弁の色の元になる色素や、果実の甘味成分なども液胞にためられた物質の1つだ。細胞壁は、細胞膜の外側を包んでいる、細胞を保護する厚い仕切りのこと。植物は骨格をもたないため、1つひとつの細胞にしっかりした細胞壁をつくることで、ブロックを重ねるように体を支えているのだ。

細胞はそれ以外にも、リボソームやゴルジ体、ミトコンドリアなどの器官（細胞小器官）をもっている。リボソームはタンパク質をつくる役割を担い、ゴルジ体は細胞の中でつくられた物質の輸送に関わる。そしてミトコンドリアは、酸素を使って養分からエネルギーを取り出す役目を果たしている。

ちなみに動物同士でいえば、ゾウのような大きな動物も、ネズミのような小さな動物も、驚くことに体をつくり上げている細胞の大きさはほぼ同じ。違うのは細胞の数だ。ゾウの体が大きいのは、ネズミより圧倒的に多くの細胞からできているためなのだ。

DAY
33
February 2nd

# ヒトの体をつくる細胞は約60兆個

## 単細胞生物と多細胞生物



アメーバやゾウリムシ、ミカヅキモのように、**体が１つの細胞でできている生物は「単細胞生物」**という。単細胞生物は、その１つの細胞の中に、体を動かしたり、養分を取り込んだり、仲間を増やしたりするための仕組みをすべて備えている。これに対して、ミジンコやヒト、サクラなどのように、**多くの細胞が集まって１つの体ができている生物は「多細胞生物」**という。

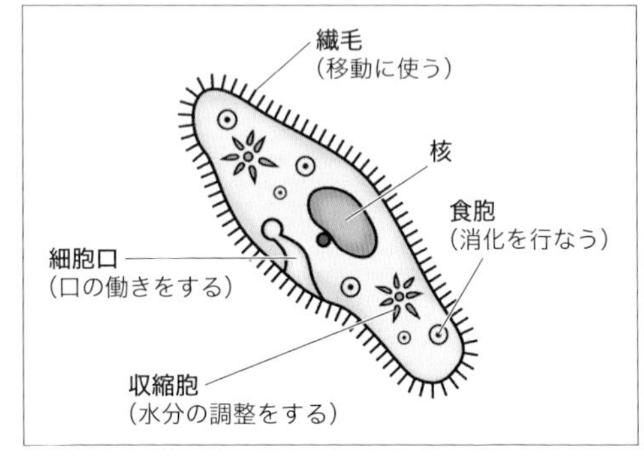

単細胞生物（ゾウリムシ）の体のつくり。

多細胞生物の細胞にはさまざまな形質が見られるが、**形や働きが同じ細胞が集まって「組織」**を、いくつかの種類の**組織が集まって特定の働きをする「器官」**をつくる。そしてその**器官が集まって「個体」**という独立した１個の生命体がつくられている。

ヒトの場合、成人で約60兆個（37兆との説もある）もの細胞から体が構成されている。その細胞の種類は200種類以上に及ぶ。それらが集まって組織を、そして目・耳・心臓・小腸・心臓などの器官を形づくるわけだ。「胃」を例に見てみると、一番内側には粘膜をつくる上皮細胞が集まって、上皮組織という層をつくっている。そして上皮組織のところどころに、胃液の分泌を担当する胃腺細胞が集まって胃腺組織を形成。さらにその外側には、筋細胞が筋肉組織をつくって、胃という器官が動くようになっている。

サクラなど植物の場合、体を構成する器官は根・茎・葉などだ。葉という器官は、内側の組織を守る表皮細胞が表皮組織を、活発に光合成を行なう葉肉細胞が葉肉組織を形成するなどして形づくられている。

DAY
34
February 3rd

# 1つひとつの細胞も呼吸している

## 細胞呼吸の働き

植物も動物も、成長や体内での物質変換、運動や思考などを行なうために、たくさんのエネルギーを必要とする。そこで、多くの生物は**外から取り入れた酸素を使い、細胞内で栄養分を分解**することで、生命活動に必要なエネルギーを取り出している。この働きを「細胞呼吸」といい、肺やえらなどで行なっている酸素と二酸化炭素の交換と区別するため、「内呼吸」とも呼ばれる。対して、肺呼吸・えら呼吸は「外呼吸」とも呼ぶ。

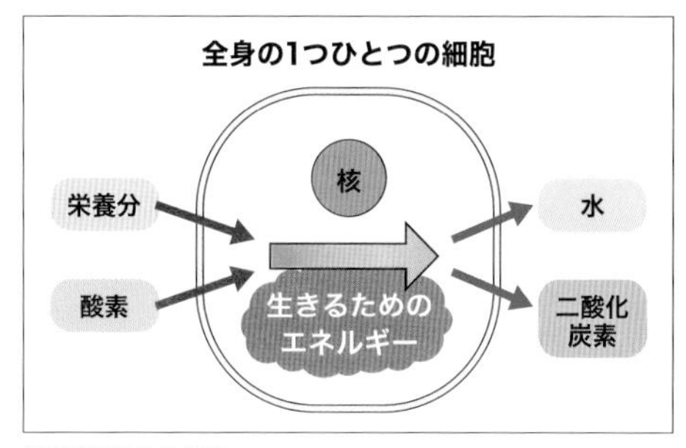

細胞呼吸の仕組み。

細胞呼吸のエネルギー源となるのは、光合成を行なう植物なら、みずからつくったデンプンなどの養分、自分で養分をつくれない動物なら、食物から摂取した炭水化物などの有機物だ。有機物の構造には必ず「炭素」と「水素」が含まれるので、**分解するときには、二酸化炭素と水が発生**する。この仕組みは単細胞生物も同じで、アメーバなどは、酸素や栄養分を体外から直接取り入れ、二酸化炭素と水を体外に直接排出している。

このようなエネルギーの取り出し方は、ガソリン車のエンジンの仕組みとよく似ている。燃料となるガソリンは、大昔の生物由来と考えられている石油（原油）から精製したものであるため、有機物を多く含んでいる。ガソリン車は有機物を含んだ燃料を、酸素を使ってエンジンで燃焼させ、そのときに発生するエネルギーを動力として利用。発生した二酸化炭素と水は、マフラーから排ガスとして排出しているのだ。エンジンに出入りする物質だけを見てみると、細胞呼吸のそれとほとんど同じだ。しかしおもしろいことに、エンジンは動かすと触れないほど高温になるが、生物の細胞は呼吸をしてもそれほど高温になることはない。

DAY 35
February 4th

# 口から肛門まで続く食べ物の長い通り道

## 消化の仕組み



動物は、生きていくために必要な栄養分を、食物を食べることで外部から取り込んでいる。中でもとくに主要な栄養分である**炭水化物・脂肪・タンパク質の３つは、「三大栄養素」または「エネルギー産生栄養素」**と呼ばれる。いずれも細胞呼吸に使われるエネルギー源だ。

タンパク質はおもに体をつくる材料に使われる。なお、三大栄養素にカルシウムや鉄などといった無機物（無機質・ミネラル）、ビタミンを加えたものを「五大栄養素」という。

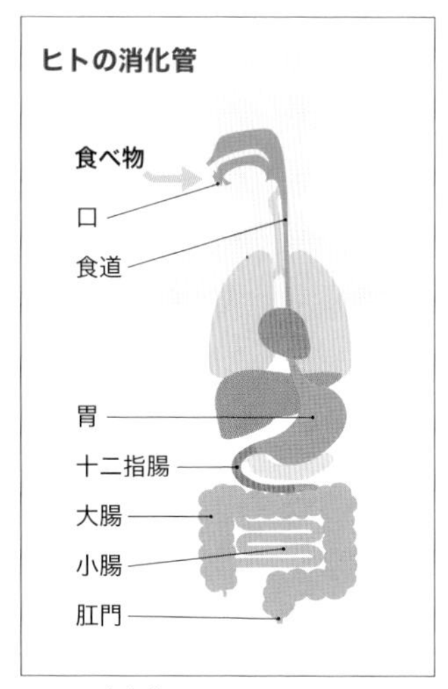

ヒトの消化管。

炭水化物・脂肪・タンパク質は、大きな分子でできていることが多く、そのままだと細胞内に取り込んで利用することができない。そのため、動物の体にはこれらの**栄養分を小さな分子に分解し、吸収しやすい状態に変化させる器官**がある。**この器官の働きを「消化」**という。

消化は、口から肛門に至る食物の通り道「消化管」で行なわれる。**消化管は口、食道、胃、十二指腸、小腸、大腸、肛門と続く一本の長い管**になっている。食物は消化管を通る間に砕かれ、消化管の運動によってこねられるが、それだけでは吸収できるほど細かくならない。**「消化液」の働きがあって初めて、小さな分子へと分解**されるのだ。

消化液には、唾液腺から分泌される「唾液」、強い酸性の「胃液」、肝臓でつくられ、胆のうに蓄えられて十二指腸から分泌される「胆汁」、膵臓でつくられ十二指腸から分泌される「膵液」などがある。このうち、胆汁以外の消化液には、**化学的に栄養分を分解する「消化酵素」**が含まれている。消化酵素にはいくつかの種類があるが、それぞれ特定の物質にだけ働きかけるという性質がある。

DAY 36
February 5th

# 天津飯のあんがサラサラになるわけ

## 消化酵素の種類と働き

| 消化酵素 | 分解する栄養分 |
|---|---|
| アミラーゼ | デンプン |
| ペプシン | タンパク質 |
| トリプシン | タンパク質 |
| リパーゼ | 脂肪 |

消化酵素の働き。

口に入れたごはんをしっかりかむと、だんだん甘く感じられるようになる。これは**唾液に含まれる消化酵素「アミラーゼ」が、デンプンを麦芽糖に分解**したためだ。このアミラーゼの働きは、日常生活でも実感することができる。天津飯や八宝菜などあんかけの料理を食べたとき、最後のほうはあんがサラサラになっているという経験をした人も多いのではないだろうか。この現象は、とろみのもとである片栗粉などのデンプンが、箸やレンゲなどに付着した唾液中のアミラーゼによって分解された結果だ（具材から出た水分も関係している）。

ただ、デンプンが麦芽糖に分解されただけでは、まだ吸収できるほどのサイズまで至らない。デンプンは唾液中と膵液中にあるアミラーゼで麦芽糖に分解されたあと、**小腸の壁にある消化酵素「マルターゼ」によってさらに分解**され、**最終的にはブドウ糖**になる。

タンパク質を分解するのは、胃液中の「ペプシン」や膵液中の「トリプシン」、小腸壁の「ペプチダーゼ」だ。これらの働きによって、**タンパク質はアミノ酸にまで分解**される。

脂肪は「水と油」といわれるように、水に溶けないため、まず胆汁の働きで小さな粒にされ、水に混ざりやすい状態になる。そして、**膵液中の「リパーゼ」の働きで、脂肪酸とモノグリセリドに分解**される。

このように、食物に含まれる炭水化物・タンパク質・脂肪といった大きな分子からなる有機物は、消化管を通る間にたくさんの消化酵素の働きによって分解。それぞれブドウ糖・アミノ酸・脂肪酸とモノグリセリドまで消化され、ようやく吸収できる状態になるのだ。

# 小腸を広げるとテニスコート1面分

## 栄養分の吸収



分解されながら消化管を通ってきた栄養分は、**小腸を通る間にほぼ完全に消化**され、おもに**小腸の壁から吸収**される。小腸の壁にはたくさんのひだがあり、表面には「柔毛」と呼ばれる無数の突起がある。これにより、小腸の表面積は非常に大きくなり、効率のよい吸収を行なうことができるのだ。ヒトの場合、小腸を広げると、テニスコート1面分もある。柔毛の内部には、いろいろな物質を運ぶリンパ管と、直径約0.001mmの細い毛細血管が分布している。

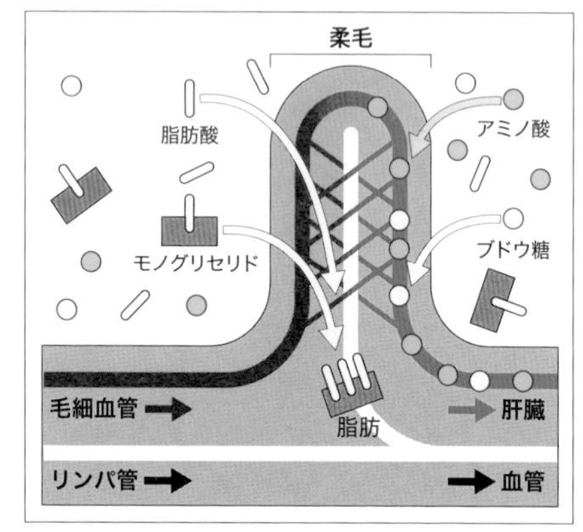

吸収された物質のゆくえ。

**デンプンから分解されたブドウ糖**と、**タンパク質から分解されたアミノ酸**は、**柔毛から吸収されて毛細血管に入り肝臓へ**。その後、**心臓へ運ばれ、血液の流れに乗って全身**の細胞に送られる。また肝臓では、ブドウ糖の一部が「グリコーゲン」という物質につくり変えられ、一時的に貯蔵される。蓄えられたグリコーゲンは、激しい運動をして一度に大量のエネルギーを使うときや、栄養摂取ができずエネルギー源が不足したときなど、必要に応じて再びブドウ糖に合成され、血液中に送り出される。アミノ酸も一部は肝臓で体に必要なタンパク質に変えられてから、血液中に送られる。

一方、**脂肪から分解された脂肪酸とモノグリセリド**は、**柔毛から吸収されたあと、再び脂肪**となって**リンパ管を通って血管に入り、血液によって全身**の細胞に運ばれる。

水分はおもに小腸で吸収されるが、残りは大腸で吸収される。消化吸収されなかった食物の繊維などは、便として肛門から排出される。

DAY 38

February 7th

# 最大の臓器である肝臓は大きな化学コンビナート

## 肝臓の働き

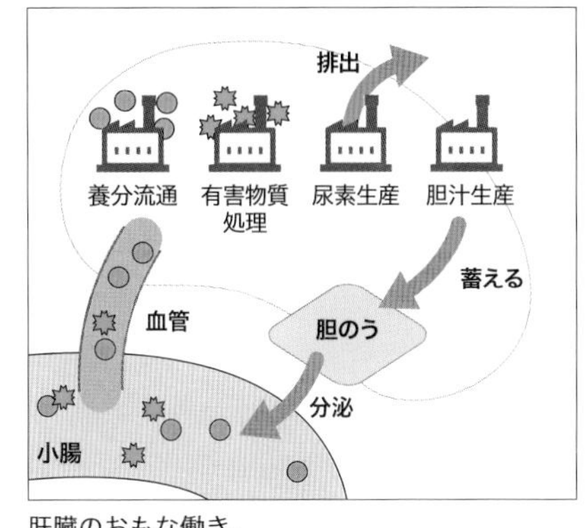

肝臓のおもな働き。

肝臓はヒトの体の中で**最も大きな臓器**だ。肝臓の主要な役割は3つある。1つ目は、前ページでも少しふれた、**栄養分の合成と貯蔵**だ。肝臓は、小腸で吸収され、運ばれてきたブドウ糖の一部をグリコーゲンに合成して貯蔵。血糖値が低下すると再びブドウ糖につくり変えて、血液中に送り出している。また、運ばれてきたアミノ酸の一部を、血管内の水分を保持するために必要な「アルブミン」や、出血を止める際に必要な「フィブリノゲン」というタンパク質につくり変えるなどの働きも行なっている。

2つ目の役割は、**有害物質の処理**だ。お酒が好きなら、身内や医者から「もっと肝臓をいたわってください」と、注意された経験がある人も多いのではないだろうか。アルコール飲料に含まれる「エタノール」は、「酔って気持ちいい」という感覚をもたらすもとだが、言い換えればそれは脳を麻痺させる有害な物質ということだ。肝臓は胃や腸から吸収された**エタノールを、まずアセトアルデヒドに分解**。この時点ではまだ有害なので、**さらに無害な酢酸へと分解**して血液に送り出している。飲みすぎると二日酔いになるのは、肝臓がアセトアルデヒドを処理しきれなかった結果だ。また、細胞の活動に伴ってできたアンモニアも有害なため、肝臓で無害な尿素に変えられてから排出される。

3つ目は、**胆汁の生産**だ。**胆汁は脂肪の消化を助ける消化液の一種**で、生成されると胆のうにためられ、摂食によって十二指腸から分泌される。こうして見ると、肝臓は栄養分の生産流通センター・有害物質の処理場・胆汁の生産工場の機能を兼ね備えた、大きな化学工場のようなものであることがわかる。

DAY 39
February 8th

# 気管支先端の肺胞で酸素と二酸化炭素を交換

## 肺呼吸の仕組み



細胞はエネルギーを取り出す際、栄養素と酸素を使い、水と二酸化炭素を出す（細胞呼吸）。ここまではこの細胞呼吸に必要な各栄養分について見てきたが、それでは酸素はどのように調達されているのだろうか。

ヒトをはじめ多くの動物には、**細胞呼吸に必要な酸素を体内に取り入れ、二酸化炭素を体外に排出**する仕組みが備えられている。ヒトの場合、その働きを担っているのが「肺」や「気管」などだ。呼吸に関わる器官をまとめて「呼吸器系」と呼ぶ。

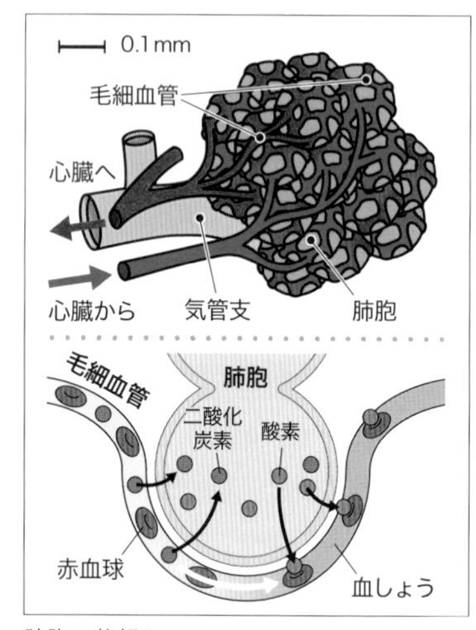


肺胞の仕組み。

鼻や口から吸い込まれた空気は、気管から２本に分かれた気管支を経て左右の肺に到達する。気管支は肺の中でさらに枝分かれを繰り返して細くなり、その先端にあるたくさんの小さな袋のようなもので行き止まりになっている。これが「肺胞」だ。**肺胞は薄い膜でできており、その周囲には毛細血管**が巡っている。肺胞内の空気に含まれている酸素は、この毛細血管から血液中に取り込まれて全身に運ばれる。一方、細胞呼吸によって生じた二酸化炭素もやはり血液によって運ばれ、毛細血管を経て肺胞へ。その後は気管支、気管を通って体外に放出される。**肺胞を取り巻く毛細血管の中で酸素と二酸化炭素が交換**されているわけだ。

肺は、息を吸うときに膨らみ、吐くときに縮むのだが、胃と違って筋肉をもたない。そのため、**肺はみずから動くことができない**。そこで活躍するのが、肋骨の間にある筋肉と横隔膜だ。肺は肋骨や横隔膜などに囲まれており、この空間を「胸腔」と呼ぶ。横隔膜が下がり、肋骨が筋肉によって引き上げられると、胸腔が広がって圧力が下がるため、結果として肺が膨らみ空気が流れ込むことになる。逆に胸腔が狭くなると、空気が肺から押し出されるという仕組みだ。

DAY 40 February 9th

# 腎臓が処理する水分は1日あたり150L！

## 腎臓の仕組み

動物の体をつくっている細胞は、栄養分や酸素を使ってさまざまな活動を営んでいるが、それに伴って**二酸化炭素やアンモニアなどの不要物も生じる**。これらは蓄積されると有害なため、体の外に捨てる機能が備わっている。この働きを「排出」という。排出に関わる器官は「腎臓」や「膀胱」などだ。

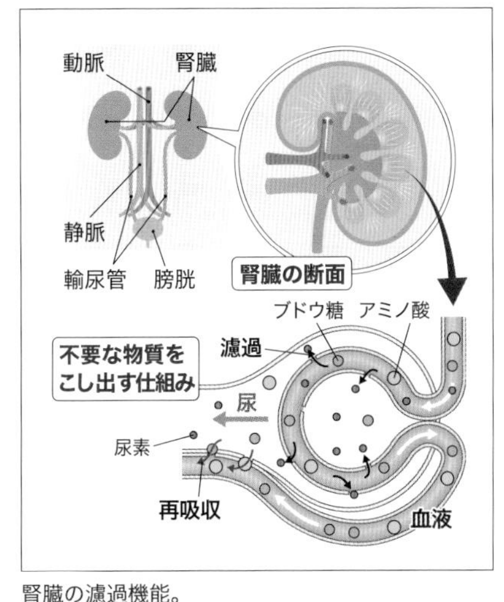

腎臓の濾過機能。

前ページでふれたとおり、二酸化炭素は血液によって肺まで運ばれ、息に混じって口や鼻から排出される。だが、アミノ酸を分解する際に出るアンモニアはそうはいかない。まず、**アンモニアは血液によって肝臓まで運ばれ、毒性の低い尿素に**つくり変えられたあと、再び**血液の流れに乗って腎臓へ**と運ばれる。

ヒトの腎臓は、ソラマメのような形をした臓器だ。成人なら握り拳ほどの大きさがあり、腰よりやや高い背中側に左右1つずつある。尿素などの不要な物質は、腎臓内にあるフィルターのような構造の**「糸球体」によって、余分な水分とともに血管の外にこし出され「原尿」**となる。その後、原尿は「尿細管」という曲がりくねった管を通るが、必要であるにもかかわらずこし出されてしまった物質や水分はこの途中に血液中に戻され、残りが「尿」として調整される。つくられる原尿は1日150L以上に及ぶが、そのほとんどが再吸収され、実際に尿となるのは1.0～1.5L程度。そして尿は一時的に膀胱にためられ、やがて体外に排出される。

このような腎臓の働きによって、**血液中の不要物は取り除かれ、体に必要な物質の量が調整**されているのだ。それ以外にも、一部の不要物は皮膚にある「汗腺」から水とともに汗として排出される。汗の成分は尿と似ているが、濃度は低い。

# 酸素を運ぶ赤血球 栄養分を運ぶ血しょう

## 血液の成分と働き



細胞に必要な栄養分や酸素、体外に排出する不要物、それらの**運搬を行なっているのが、体中を巡っている血液**だ。ヒトの血液は、絶え間なく動く心臓の働きによって、全身に張り巡らされた血管内を循環している。心臓・血液・リンパ管など、体液の循環に関わる器官を、まとめて「循環系」という。

| 成分 | 形 | 働き |
|---|---|---|
| 赤血球 | 中央がへこんだ円盤 | 酸素を運ぶ |
| 白血球 | 多様 | 病原体を分解する |
| 血小板 | 小さくて不規則 | 出血時に血液を固める |
| 血しょう | 液体 | 栄養分や不要物が溶け込む |

ヒトの血液を構成するもの。

血液を構成するのは、**赤血球・白血球・血小板などの「血球」と、液体成分の「血しょう」**だ。

**赤血球は、酸素の運搬を行なう血球**で、「ヘモグロビン」という物質を含んでいる。**ヘモグロビンは、酸素の多いところでは酸素と結び付き、酸素の少ないところにいくと酸素と分離**するという性質をもっている。そのため、血液は肺で新鮮な酸素を取り込み、酸素を必要としている細胞にそれを届けることができるのだ。ちなみにヒトの血液が赤く見えるのは、ヘモグロビンを含む赤血球が赤いためだ。イカ・タコなどの軟体動物や、エビ・カニなどの節足動物は、ヘモグロビンをもたず、代わりに酸素と結び付くと青色になる物質をもつため、血液が青く見える。

白血球は、体の外から侵入してきたウイルスや細菌を食べるなどして体を守り、血小板は、出血したときに傷口の血液を固まらせて出血を止める役割を担う。

**血しょうは、栄養分や不要な物質などを運ぶ液体**だ。血しょうの一部は、毛細血管の隙間から染み出して、細胞のまわりを満たす「組織液」となる。血液に乗って運ばれてきた栄養分や酸素は組織液を介して細胞に取り入れられ、逆に細胞が排出した不要物も組織液を介して血管に取り込まれる。なお、組織液の多くは血管に戻るが、一部は「リンパ管」に入って、首の下付近で静脈と合流する。

DAY 42

February 11th

# 心臓という名のポンプと血管という名のホース

## 心臓と血管のつくりと働き

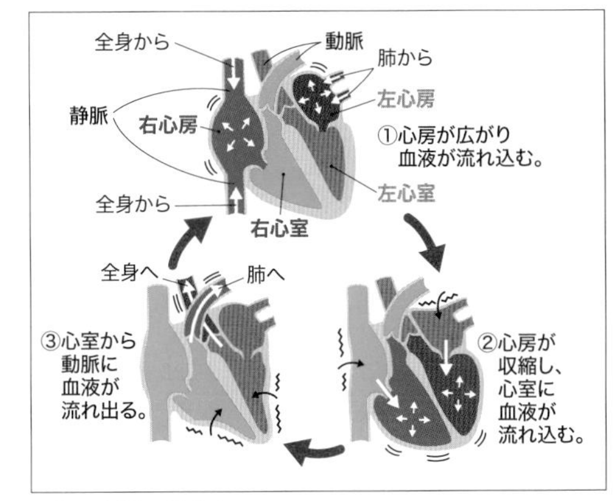


ヒトの心臓の動き方。

さまざまな物質を運ぶ血液の通り道が血管だ。大人のヒトの血管は、すべてつなぎ合わせると総延長約10万km。地球の赤道2周半もの長さになるという。

血管には、**動脈・静脈・毛細血管**がある。

**心臓から送り出された血液が流れる血管を「動脈」**という。動脈の壁は、心臓から勢いよく送り出された血液の圧力に耐えるため、弾力と厚みがある。これに対し、**心臓に戻る血液が流れる血管を「静脈」**という。静脈の壁は動脈より薄く、血液が逆流しないように、ところどころに弁がある。

心臓を出た動脈は、枝分かれを繰り返して全身に広がり、**末端では赤血球がやっと通れるほどの細い血管**になる。これが**「毛細血管」**だ。毛細血管では、染み出した血しょう（組織液）を介して細胞と物質のやりとりが行なわれる。その後、静脈を通って心臓にたどり着く。この一連の流れを「血液の循環」という。

血液の循環をつかさどる**ポンプの役割を果たしているのが心臓**だ。心臓は意識せずとも自動で動く筋肉でできており、ヒトの場合は右心房・右心室、左心房・左心室の4つの部屋に分かれている。この部屋が規則正しく収縮することで血液に圧力をかけ、左心室から全身に血液を送り出しているのだ。このような心臓の動きを「心拍」（心臓の拍動）という。

ヒトは激しい運動をすると、一定時間の心拍の回数、すなわち心拍数がはね上がる。全身に流れる血液の量を調節するためだ。心臓が1回の拍動で送り出すことのできる血液の量は変わらないため、**心拍数を上げることで送り出す血液を増量**している。血液の量を増やすことで細胞に普段よりたくさんの酸素と栄養分を届け、生み出すエネルギーを増やしているのだ。

DAY
43
February 12th

# 動脈と静脈があべこべな肺循環

## 2系統の血液循環



血液の循環は、大きく2つの道筋に分けることができる。**「体循環」と「肺循環」だ。**

**体循環は、肺で酸素を取り入れた動脈血が、心臓から送られて全身を巡り、再び心臓に戻る道筋**のことだ。血液は、左心室→大動脈→全身の毛細血管→大静脈→右心房という流れをたどる。全身の毛細血管を通る際、血液は細胞に酸素や栄養分を渡し、細胞から二酸化炭素やアンモニアなどの不要な物質を受け取る。**受け渡しが終わったあとの血液は「静脈血」**と呼ばれ、暗赤色をしている。

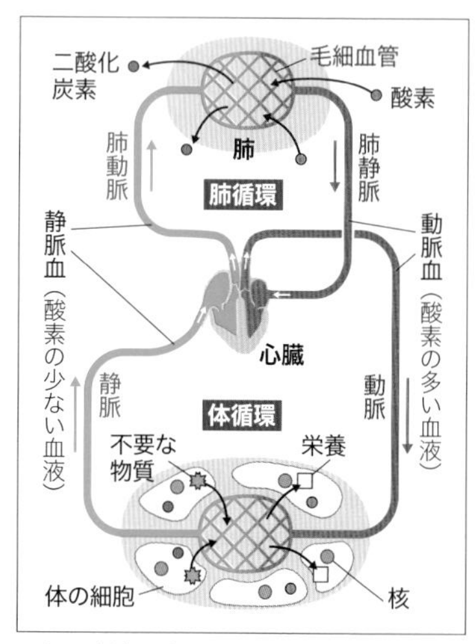

ヒトの血液の流れ。

これに対して**肺循環は、心臓を出た血液が肺に送られ、再び心臓に戻ってくる道筋**のことだ。血液は、右心室→肺動脈→肺の毛細血管→肺静脈→左心房の順をたどり、肺の毛細血管を通るときに酸素を取り入れて、二酸化炭素を排出する。**この酸素を多く含んだ血液を「動脈血」**という。血液中の赤血球に含まれるヘモグロビンは、酸素と結び付くことでより赤くなるため、動脈血は鮮やかな赤色だ。

ここで注意しておきたいのは、「肺動脈」には「静脈血」が、「肺静脈」には「動脈血」が流れているという点だ。動脈は心臓から血液を送り出す血管、静脈は心臓に血液が戻る血管のことであるため、血管の名称と流れている血液の名称が、あべこべになってしまうのだ。

ヒトを含むほ乳類や鳥類の心臓は、二心房二心室からなるため、このような循環を行なうことができ、動脈血と静脈血が混ざることはない。しかし、動物の種類によって心臓の形は異なり、例えばカエルの心臓は二心房一心室なため、心臓で動脈血と静脈血が混ざり合う。なお、カメや蛇などは、心室の壁が完全にはつながっていない不完全な二心房二心室、フナやマグロなどは一心房一心室の心臓をもつ。

DAY
44
February 13th

# においを感じるのは鼻ではなく脳

## 外界からの刺激を感じ取る仕組み

私たちはつねに、周囲の様子や変化を感じ取り、それに反応して生活を営んでいる。たとえば、暑いと感じて上着を脱いだり、大きな音に驚いてビクッとしたりするのも、そういった反応の1つだ。光や音、においや温度など、動物に作用して何らかの反応を引き起こす要因を「刺激」という。そして、そういった**外界からの刺激を受け取る器官を「感覚器官」**と呼ぶ。

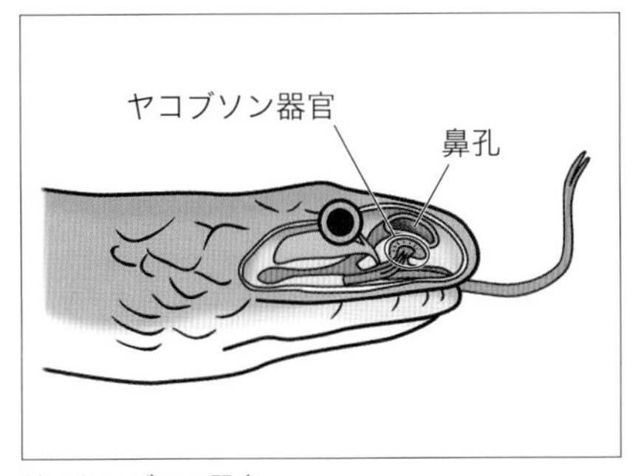


蛇のヤコブソン器官。

ヒトに備わっている**感覚器官は、目・耳・鼻・舌・皮膚**などだ。感覚器官は、それぞれ特定の刺激を受け取る「感覚組織」の密度が高い。しかし、感覚細胞が刺激を受け取っただけでは、まだ「感覚」としては成立しない。受け取った**刺激は、「感覚神経」を通って脳に伝えられ、情報として処理**をされることで、初めて感覚として認識されるのだ。ヒトの感覚には、視覚・聴覚・嗅覚・味覚・触覚のいわゆる五感のほか、痛覚・温覚・圧覚などがある。

感覚器官の種類や能力は、動物によって異なる。たとえば蛇は、よく舌をチロチロと出しているが、あれは舌なめずりをしているわけではない。蛇をはじめ動物の一部は、口の中に「ヤコブソン（ヤコプソン）器官」という嗅覚器官をもっている。蛇は舌を細かく動かすことで周囲のにおいの分子を吸着。それをヤコブソン器官で受け取って、においを感じ取っているのだ。蛇の舌先が二股になっているのは情報を立体的に感じるためだ。また、蛇の中でもニシキヘビやマムシなどの仲間は、目と鼻孔の間、または口の周囲に「ピット器官」という空洞のくぼみをもっている。ピット器官は、赤外線を感知するセンサーのような役割を担っており、これがあることで、獲物が発するわずかな体温を正確に察知し、夜でも獲物を捕らえることができるのだ。

# 光をキャッチする高性能カメラ

## 目のつくり



意識するしないにかかわらず、さまざまな刺激をキャッチしている感覚器官。ヒトの場合、その構造はどのようになっているのだろうか。

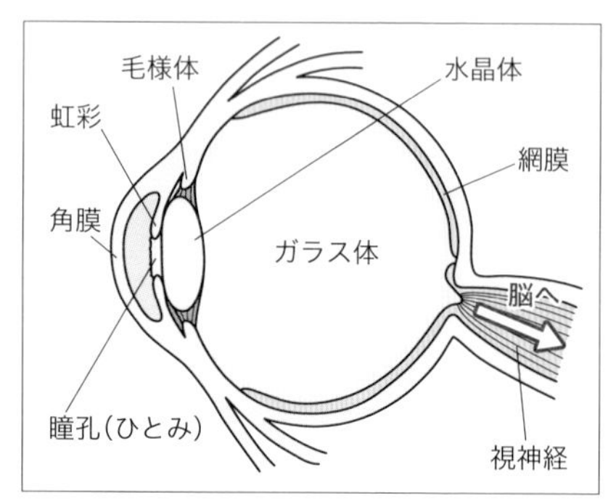

ヒトの目のつくり。

目は、光という刺激を受け取る感覚器官だ。「角膜」、「虹彩」、「水晶体（レンズ）」、「ガラス体」、「網膜」などからなる。物体を透過したり、反射したりした光は、まず角膜を通過する際に屈折し、凸レンズのような水晶体でさらに屈折して、**網膜に上下左右が逆の「実像」**を結ぶ。網膜には光に反応する視細胞が高密度で存在している。**光の刺激は網膜で電気信号に変えられ、視神経を通って脳に送られる**。虹彩は周囲の明るさに応じて伸縮し、瞳孔（どうこう）（ひとみ）に入る光の量を調整する働きをもつ。眼球の中を満たすゼリー状のガラス体は、眼球の形を保つ役目だ。いわゆる目の色は、虹彩の色で、虹彩に含まれるメラニン色素の量によって決まり、虹彩の色やパターンは１人ひとり微妙に異なるため、個人認証に使われることもある。

このような**ヒトの目のつくりはカメラの構造に似ている**。光を集めるレンズが角膜と水晶体、像を結ぶフィルム（デジタルカメラの場合は撮像素子）が網膜、光量を調整するしぼりが虹彩というわけだ。

ヒトの目は２つがそろって前向きに付いている。これはライオンやクマなどの肉食獣も同じ。両目で捉える範囲が広くなるため、前方のものを立体的に見たり、対象物との距離を正確に捉えたりするのに適している。一方で、同じ向きに付いているため視野は狭い。対して、ウサギやシカなど草食獣の目は顔の左右に付いており、立体視は得意ではないが、後背部まで見渡せる広い視野をもっている。この目の位置は、外敵の存在をいち早く察知するのに適している。

DAY
46
February 15th

# 網膜には像を結べない点がある

## 視覚の仕組み①

網膜は、眼球の後ろ側をぐるりと取り囲む、目のスクリーンだ。ここにある視細胞によって光の刺激がキャッチされ、その刺激が電気信号に変えられて視神経に送られているわけだが、この**網膜には1カ所だけ、像を結べない場所**がある。それは、神経が束になって眼球から出ていく「盲斑」、一般には「盲点」と呼ばれる部分だ。ここでは、**視神経が網膜を貫いているため、視細胞が分布していない**。そのため、光を感じ取ることができないのだ。

盲斑の存在は、簡単な実験によって確かめることができる。まず、このページを開いたまま、目から20cmほど離してもつ。次に、左右どちらかの目を閉じ、開いているほうの目で、下の図の真ん中の記号を正面からじっと見つめる。そして本を前後にゆっくり移動させると、左右どちらかの記号が見えなくなる瞬間があるはずだ。片方の目で確認できたら、もう片方の目でも確認してみよう。

この実験からもわかるとおり、**左右の目にはそれぞれ見えない部分**がある。しかし、私たちは日頃、視野の空白を感じることはない。それは私たちが両目でものを見ているからだ。盲斑は重複しないので、**一方の目で見えていなくても、もう一方の目では見えており、情報を補う**ことができるのだ。

また、盲斑の実験のときのように片方の目だけで視点を固定すると視野の空白ができてしまうが、日常生活の中では視点は絶えず動いているため、見えない部分は一瞬前の残像を重ね合わせることで補完されている。加えて、視覚を生じる脳には、見えない部分の情報を推測によって補う機能も備わっている。そのため、盲斑の存在になかなか気づくことができないのだ。

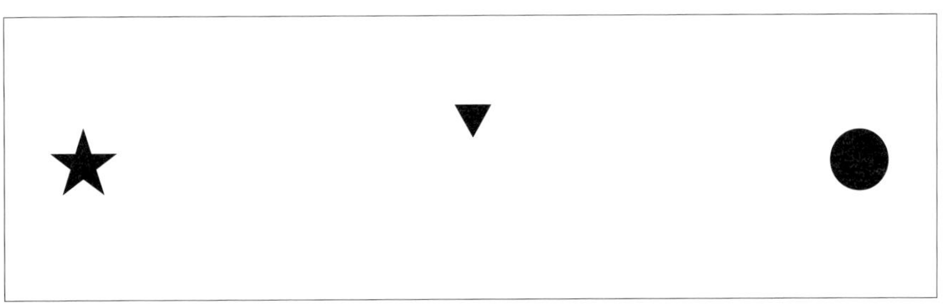

盲斑を確認するための図。

# 左右の目で捉えた映像を脳が合成

## 視覚の仕組み②



ヒトはものを見るとき、2つの目を同時に使っている。しかし、両方の目が、網膜にまったく同じ像を結んでいるのかというと、そうではない。試しに、右手の人差し指を顔から近い位置、左の人差し指を顔から遠い位置で一直線に立て、両目で右手の指を見つめたあと、片目ずつ交互にウインクをするとどうだろう。左手の指が、右手の指の左右に交互に現れるように見えるはずだ。左右の目は、少し離れた場所に付いているため、このように**左の目と右の目が捉える映像には、距離に応じてわずかなずれ**が生じるのだ。このずれを「両眼視差」と呼ぶ。

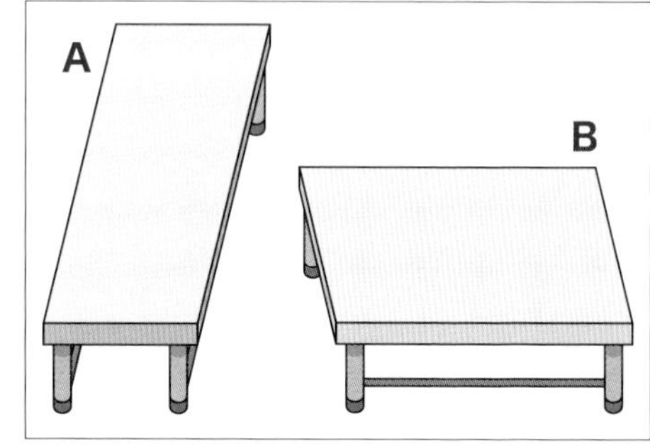

錯視の例（シェパード錯視）。

この左右でずれた映像は視神経を介して脳に送られるのだが、その途中、視野の半分がクロスする「視交叉」という現象が起きている。これはヒトの場合、左目の網膜に映った右半分が左脳に、左半分が右脳に送られ、右目も同様に、右半分が左脳に、左半分が右脳に送られるというものだ。つまり、映像の右半分は左脳でまとめて情報処理し、左半分の映像は右脳でまとめて情報処理しているのだ。そして角度のずれた二重の映像を**1つに統合することで、奥行きや立体感を感じ取っている**。この原理を利用したのが3D映像だ。3D映像では右目用の画像と左目用の画像を二重に映し出し、人工的に視差をつくり出している。

優れた視覚の情報処理能力をもつ脳だが、ときには線の長さや図形などが、実際とは異なったものに見えてしまうことがある。その現象が「錯視」だ。たとえば、図のAとBの机の面の形を見比べると、Aのほうが細長いように見える。しかしじつは、AとBはまったく同じ平行四辺形。この錯視は、遠近法に従って脳が奥行きを補っているために起きている。このような現象は、脳がだまされているともいえるが、私たちが生きている世界に合わせて、脳が視覚情報を補正してくれているとも捉えることができる。

DAY 48
February 17th

# 音と平衡感覚の2つを担うマルチプレーヤー

## 耳のつくりと聴覚の仕組み

耳は**音、つまり空気の振動を捉える感覚器官**であると同時に、**平衡感覚を保つ器官**でもある。

耳は大きく分けて、耳介と外耳道からなる「外耳」、鼓膜と耳小骨、耳管などがある「中耳」、おもに前庭・半規管（三半規管）・蝸牛（うずまき管）で構成される「内耳」の3つの部分からできている。

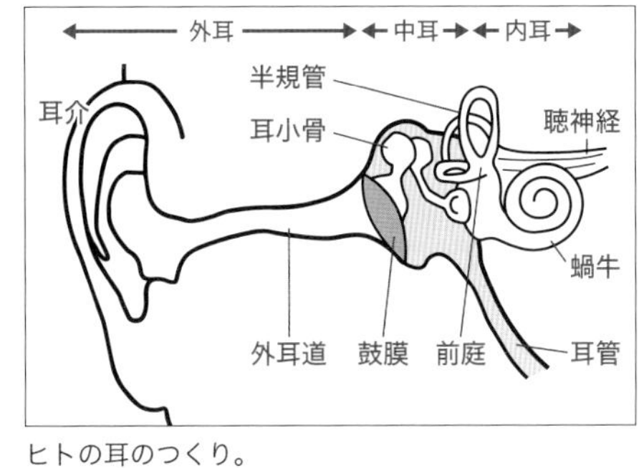


ヒトの耳のつくり。

外耳の「耳介」は、一般に「耳」と呼ばれている部分だ。耳介で集められた空気の振動は、「外耳道」を通って中耳の「鼓膜」へ伝えられる。そして鼓膜の振動は、3種類の骨が集まった「耳小骨」で増幅され、内耳へ送られる。内耳では、リンパ液で満たされた「蝸牛」によって空気の振動が液体の振動に、さらに感覚細胞で電気信号へと変換され、聴神経を通して脳に送られる。

つまり、**音が脳に伝わる経路は、耳介→外耳道→鼓膜→耳小骨→蝸牛→聴神経**の順なのだ。では、残りの部分にはどんな役割があるのだろうか。

「耳管」は中耳と喉をつなぐ管で、空気の出入りを調整して鼓膜の内側と外側の気圧のバランスを保つ働きがある。いわゆる「耳抜き」という行為は、耳管を通して耳に空気を送り、気圧を調整することだ。

**内耳の「前庭」と「半規管」は、平衡感覚に関わる部分**だ。前庭にある感覚細胞には「耳石」というカルシウムの塊が付いており、体や頭が傾くとその方向に耳石が動いて、それを感覚細胞がキャッチする。半規管はリンパ液で満たされた3つの半円形の管で、中には突起があり、これを「クプラ」と呼ぶ。体の動きに合わせてリンパ液が流れるとクプラが傾き、感覚細胞が情報を受け取る。クプラの傾きで回転方向を、傾く角度で回転速度を認識している。そして、感覚神経が受け取ったそれぞれの情報は聴神経を通して脳に伝わるのだ。

DAY 49 February 18th

# 鼻の奥に集まった5000万個のセンサー

## 鼻のつくりと嗅覚の仕組み



鼻は、単なる呼吸のための空気の通り道ではなく、**においの刺激を受け取る感覚器官でもある**。そもそも「におい」とは、空気中を漂っている化学物質（におい分子）だ。鼻の中にある嗅細胞がそれを感知し、嗅神経によって脳に送られ、感覚が生まれるわけだ。つまり「くさい」と思ったときには、すでににおいのもとは体内に入っているということだ。そんなにおいの受信機・鼻は、ヒトの場合、どんなつくりになっているのだろうか。

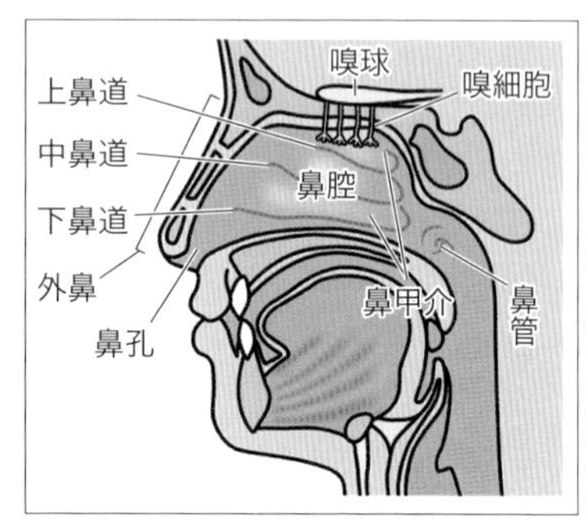


ヒトの鼻のつくり。

顔の中央に鎮座する、外から見える部分は「外鼻」。外鼻には「鼻孔」、つまり鼻の穴があり、その奥には「鼻腔」という空間が広がっている。そして鼻腔は「鼻中隔」という壁で左右に仕切られ、「鼻甲介」というひだによって、上・中・下の3つの「鼻道」に分かれている。鼻中隔と鼻甲介は毛細血管が集中した粘膜で覆われており、鼻孔から入った空気はここを通るときに加湿・加温され、同時にほこりや微生物も吸着・除去されたあと、鼻腔の奥に続く気管支へと送られるのだ。

**においの刺激を受け取る嗅細胞があるのは、上鼻道の天井部分**。切手1枚ほどのスペースに、2000～5000万個の嗅細胞が並んでいる。嗅細胞の表面には、**1つにつき1種類の化学物質に反応する「嗅覚受容体」**と呼ばれるセンサーがあり、ここでそれぞれが1つの刺激をキャッチする。その刺激を組み合わせることで、さまざまなにおいのバリエーションが生まれるのだ。ヒトの場合、そのセンサーは400種類程度だが、犬は倍の800種類あり、嗅細胞の数自体も約2億個あるといわれている。そのため、ヒトにはわからないにおいも嗅ぎ分けることができるのだ。

# 辛さは味ではない

## 舌のつくりと味覚の仕組み

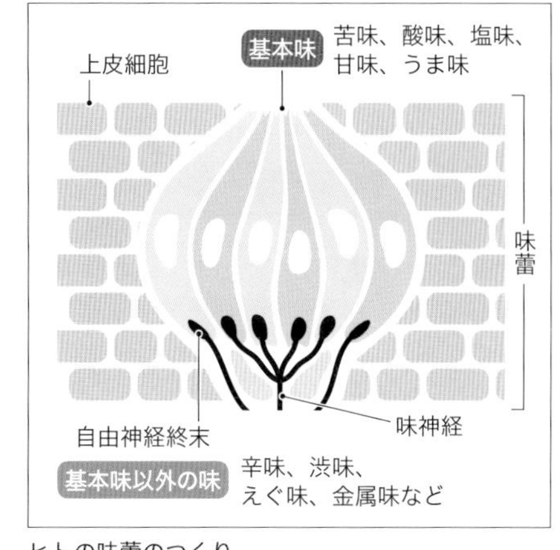

ヒトの味蕾のつくり。

私たちが摂取する食物の中には、味のもととなる物質が含まれている。それを感知するのが、**口の中にある「味蕾」という味覚センサー**だ。味蕾には味という刺激を受け取る「味細胞」が含まれており、キャッチした情報は神経を通して脳に伝えられる。ヒトの場合、その数は8000～1万個ほどといわれ、じつは上顎や喉にも存在しているのだが、最も多く分布している場所が舌だ。

舌を触るとザラザラしているが、これは「舌乳頭」という小さな突起が密集しているため。舌乳頭は4種類あり、一番多く存在するのは、舐めとる役割に特化した「糸状乳頭」と呼ばれるもの。猫に舐められると少し痛みを感じるが、それはこの糸状乳頭がヒトより発達しているためだ。味蕾は、糸状乳頭以外のほとんどの舌乳頭に存在している。

あらゆる味は、**「苦味」、「酸味」、「塩味」、「甘味」、「うま味」**から成り立っている。**この五つの味を「基本味」**という。その中でも、苦味と酸味に対する反応がとくに敏感だといわれているが、これは、苦いもの＝毒、酸っぱいもの＝傷んだ食物として、有害な物質を摂取しないようにするためだ。

しかし、ここで気になるのは「辛味」の存在だ。カレーやキムチなどを食べたとき、私たちは辛さを感じているが、なぜ基本味に含まれていないのだろうか。

これは、辛味のもととなるカプサイシンなどの物質が、味蕾ではなく、別の場所で「痛さ」として感知されているからだ。**辛味は痛み刺激であるため、味に含まれていない**。なお、痛さを受け取る部分は、温度刺激が同時に加わると、より活性化される。私たちが冷めたカレーより、熱いカレーのほうにより辛さを感じるのはこのためだ。

DAY 51

February 20th

# 寒い日に手袋なしだと指先が痛くなるわけ

## 皮膚のつくりと働き



目・耳など、ほとんどの感覚器官は頭部に集中しており、光や音という特定の刺激を受け取ることに特化している。それに対し、全身の表面を覆う皮膚は、その役割も受け取る刺激もじつに多様だ。皮膚のおもな働きは、**外部の細菌やウイルス、紫外線などから体を守る**こと、**水分の過剰な蒸発を防ぐ**こと、**汗をかいて体温を調整する**こと、そして**刺激を受け取る**ことだ。

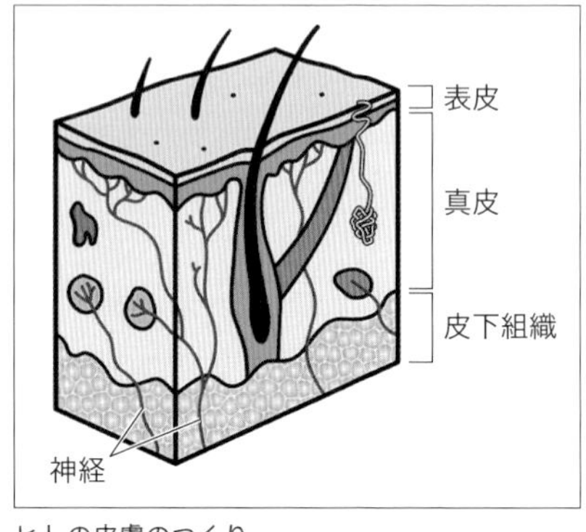


ヒトの皮膚のつくり。

ヒトの皮膚は「表皮」、「真皮」、「皮下組織」の３層からなる。体の最も外側を包む表皮は、バリア機能をもった約0.2mmの薄い膜で、多くの脂肪を含んだ一番下の皮下組織は、保温ができるクッション的な存在。**刺激を受け取るセンサーがあるのは、真ん中の真皮の中だ。**

ヒトが皮膚を通して感じる感覚には、「触覚」、「圧覚」、「痛覚」、「冷覚」、「温覚」がある。受け取る刺激の内容は漢字が示すとおりで、刺激を受け取る場所を「感覚点」という。それぞれの刺激は、同じ感覚点ですべてをキャッチしているわけではなく、圧覚なら「圧点」、痛覚なら「痛点」というように、**各刺激専用のセンサー**がある。それらが受け取った信号は神経を通して脳に送られる。ただし、冷覚と温覚がよく働くのは、16～40℃の温度帯といわれており、それより冷たかったり暑かったりすると、痛覚のほうがよく働く。冬の寒い時期、手袋をせずにしばらく外を歩くと、指先が痛く感じられるのはそのためだ。

ちなみに、存在する感覚点の数にはばらつきがあり、一番多いのは痛点、一番少ないのは温点だ。また、分布する密度も場所によって異なり、触点は手足の指先や唇には密に、背中や太もも、お尻などには粗く分布している。

DAY 52
February 21st

Column
暮らしの中の"エセ科学"

# 石油由来の製品を使うと体に毒が蓄積するって本当?

**私たちが日頃使っているシャンプーやリンス、洗剤、化粧品などには、石油をもとにした化学物質が使われているものもある。近年、「経皮毒」という言葉を耳にすることが増えたが、これは化学物質が皮膚を通して体内に蓄積して将来的に毒性を発揮するというものだ。果たして真実なのだろうか?**

ヒトの皮膚は、表皮・真皮・皮下組織の3層からなり、真ん中の真皮には、外界からの刺激を受け取る感覚点をはじめ、毛細血管や神経など、体にとって大切な器官や組織がある。それを守るために存在しているのが表皮だ。

表皮は、内側から順に「基底層」、「有棘層」、「顆粒層」、「角質層(角層)」の4層構造をもつ、外部からの異物の侵入を阻む高性能なバリアだ。物質が皮膚から吸収されるには、これらのセキュリティをすべて突破し、真皮にある毛細血管までたどり着く必要がある。しかし、**ほとんどの物質は角質層でブロック**され、万が一、角質層を通過したとしても、ほかの3層や真皮自体の防御機能に阻まれて、そうやすやすと浸透することはできない。

そう聞くと、「湿布やニコチンパッチはどうなんだ」と疑問に思うかもしれない。確かに薬剤には、経皮吸収という投薬方法がある。これは注射のように痛くもなく、血中の薬物濃度を長時間一定にしやすいなどメリットが大きい。にもかかわらず、全部の薬が経皮吸収にならないのは、日進月歩で開発が進む**薬ですら角質層というバリアを突破できない**からだ。少なくとも日用品については、角質層を破れる成分が使われているという話は聞かない。

ただし、毛穴から化学物質が入って、毛穴内部の組織を通り、血液に入る可能性はゼロではない。しかしその場合も、**血液には悪いものを排除するシステムがある**ため、過度な心配はいらない。

そもそも**「経皮毒」という言葉は近年の造語**。2008年には、他社の合成洗剤による経皮毒の危険性をあおって自社製品を販売した業者が、経済産業省から業務停止命令を受けたこともある。洗剤やシャンプーに石油由来の物質が入っていても、体内に毒が蓄積されることはない。

DAY 53
February 22nd

# 脳と脊髄は体のコントロールセンター

## 末梢神経と中枢神経の働き



感覚器官で受け取った刺激は、感覚細胞で信号に変わり、感覚神経によって伝達される。ヒトの場合、その送り先は脳と脊髄（背骨の中の神経の束）からなる「中枢神経」だ。無数の神経細胞が複雑に接続している**中枢神経では、体の各器官から送られてくる情報を整理**している。そして**処理方法を判断**して、反応させたい**該当部位に命令を**送っている。中枢神経はコントロールセンターの役割を担う、まさに体の中枢なのだ。

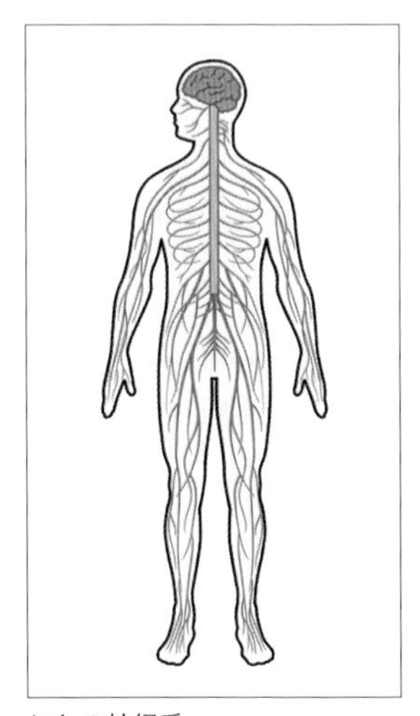

ヒトの神経系。

これに対して、中枢神経から枝分かれして**全身に広がる神経を、まとめて「末梢神経」**と呼ぶ。末梢神経は、どのような情報を伝えるかによって**「体性神経」と「自律神経」**に分けられる。

さらに体性神経には、**感覚器官から中枢神経に信号を伝える「感覚神経」**と、**中枢神経から運動器官などに信号を伝える「運動神経」**の２つがある。運動神経は左脳から出た命令を右半身に、右脳から出た命令を左半身に伝達する。

**自律神経は、自分の意思とは無関係に、内臓や器官のコントロール**をする神経で、**「交感神経」と「副交感神経」**の２種類がある。交感神経は覚醒や緊張などの、副交感神経は睡眠や弛緩などの命令を器官に伝える。たとえば、暗い場所に入ったときには交感神経が働いて目の瞳孔が広がるが、副交感神経は瞳孔が広がりすぎないように逆の働きかけをする。このように、交感神経と副交感神経は、シーソーのようにバランスを取り合って、体の機能を調整しているのだ。

また、末梢神経は連絡している中枢神経の部位によって、「脳神経」と「脊髄神経」の２つに分けることもできる。脳から出ている「脳神経」は12対、脊髄から出ている「脊髄神経」は31対ある。末梢神経と中枢神経を合わせて、「神経系」と呼ぶ。

DAY
54
February 23rd

# 脳からの指示を待たずに現場判断で動くこともある

## 反射の仕組み

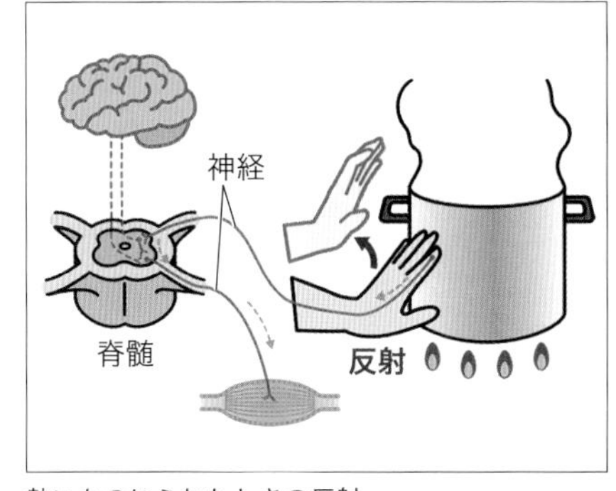

熱いものにふれたときの反射。

たとえば「手を握られたから握り返す」という行動をとるとき、まず、感覚器官である皮膚がその刺激を受け取り、感覚神経がその信号を脳に伝達。すると脳で「手を握られた」という感覚が生じ、「握り返す」という判断をして命令を出す。すると、その命令の信号は運動神経を通して手の筋肉に伝えられ、「握り返す」という反応になる。このように**意識して行なわれる反応には、時間がかかる**。脳で刺激を感じて判断し、命令を出すというプロセスがいるためだ。しかし、生きていくうえでこのように時間をかけていては、危険だったり、体の働きに問題が生じたりする場合もある。そのようなリスクを避けるため、**生まれつき備わっているのが「反射」という無意識**の反応だ。

熱い鍋を触って、とっさに手を引っ込める。目の前に不意にものが飛んできて、思わず目をつむる。これらの行動は、どちらも反射によるものだ。この場合、刺激の信号が脊髄に届いたその時点で、脊髄から運動神経に直接命令がくだされる。**反射は脳を通さないため、刺激を受けてからごく短い時間で反応**を起こすことができるのだ。もちろん、脳にも情報は届けられるが、脳に伝わったときにはもう反応が進んだあと。鍋を触って「熱い」と思った頃にはすでに手を引っ込めることができていて、ひどい火傷を負わずに済むのだ。

反射にはもう１つ、「条件反射」というものがある。反射が生まれつきの反応なのに対し、**条件反射は生まれてからの経験による反応**だ。犬にベルの音を聞かせながら繰り返しエサを与え続けると、ベルの音を聞くだけで唾液を分泌するようになったという有名な「パブロフの犬」は、まさにこの条件反射。私たちが梅干しを見ただけで唾液が出るのも、条件反射によるものだ。

DAY 55
February 24th

# 自分の意思で動かせるのは筋肉の一部だけ

## 筋肉と骨の仕組み



脳からの命令は運動神経を通して運動器官に伝わり、そこで運動という反応が起こる。手や足などの**運動器官は筋肉によって動かされ、骨によって支えられている**。

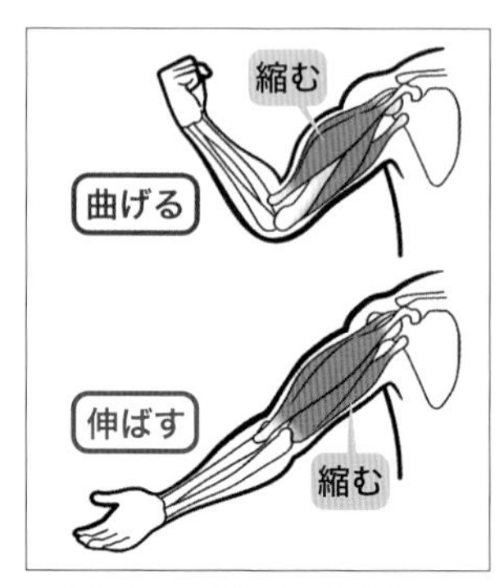

ヒトの腕に見る運動の仕組み。

ヒトの体には200以上のさまざまな形をした骨がある。これらの骨は、組み合わさって「骨格」を形成している。この骨格によって体は支えられ、同時に脳や内臓なども守られているのだ。一般に「骨」と呼ばれているのは、リン酸カルシウムや炭酸カルシウムを豊富に含む「硬骨」。中には「骨髄」で満たされた隙間があり、ここで白血球や赤血球などがつくられている。

そんな骨と骨のつながり方は、大きく3つに分けられる。1つは骨同士ががっちりかみ合って動かない「縫合結合」。これは頭蓋骨に見られるつながり方だ。2つ目は「軟骨結合」で、背骨などに見られる。「脊椎骨」という多数の小さな骨からなる背骨は、ゼラチン質の軟らかい「軟骨」でつながることで、足からの衝撃を和らげ、体、とくに脳に衝撃が届かないようになっている。そして3つ目が、肩や膝、ひじなどに見られる「関節結合」。関節では骨同士がひも状の「じん帯」で結ばれ、関節がずれないようになっている。

**骨格を動かす役目をしているのが、「骨格筋（横紋筋）」**と呼ばれる筋肉だ。骨格筋は**意思で自由に動かせる「随意筋」**で、両端が丈夫な「腱」になっており、関節をまたいで2つの骨に付着している。そして脳の命令で筋肉が収縮すると、片方の骨が支えとなり、もう片方の骨が動くのだ。なお、筋肉は縮むことはできるが、みずから伸びることはできない。ヒトの腕の場合、骨を挟んで向き合うように筋肉が付いており、どちらか1つが縮むと、もう1つが伸ばされる仕組みになっている。これによって腕を曲げ伸ばしすることができるのだ。

骨格筋は、自分で意識して動かすことができる随意筋だが、**心臓を動かす「心筋」、内臓を動かす「平滑筋」は自分で動かすことができない「不随意筋」**。骨格筋とは細胞のつくりや組織も異なる。

DAY
56
February 25th

# 飛んで火に入る夏の虫 泳いで光に集う夜のイカ

## 光に対する動物の反応

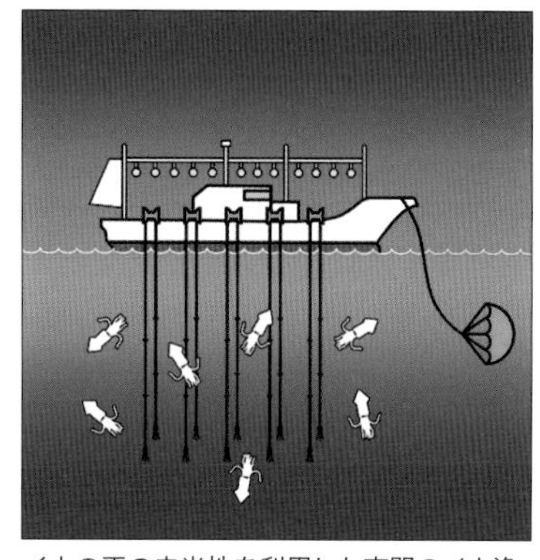
イカの正の走光性を利用した夜間のイカ漁。

動物が**特定の刺激を受けたとき、一定の方向に移動する行動を「走性」**という。走性は刺激の種類によって、「走光性」、「走化性」、「走音性」などに分けられる。「飛んで火に入る夏の虫」ということわざは、まさに灯火に誘われてみずから身を滅ぼしてしまう、虫の走光性に事よせたものだ。光に向かっていく虫のように、**刺激源に向かう走性を「正の走性」**、逆に**刺激源から遠ざかる走性を「負の走性」**という。

虫のほかにも走光性を示す動物は多く、イカやミミズ、ウニの一種であるガンガゼなどもそうだ。イカは光に対して正の走性を示すため、夜間のイカ釣り漁業では、船上に大きな出力光源の集魚灯を設置し、イカを船の近くに誘引する。ミミズやガンガゼは逆に負の走光性を示す生物だ。また、ガンガゼは体の上に影が落ちると、それに反応して無意識にトゲを振りかざすという「陰影反射」も示す。

このように、光によって行動を起こす生物もいれば、みずからが光る生物もいる。有名なところでは蛍だ。蛍の下腹にある発光器には、ルシフェリンという発光物質があり、これがルシフェラーゼという酵素と反応して発光をする。光る理由は、メスとオスのコミュニケーションのためだ。

蛍の場合、飛び回るのはほとんどがオスだ。オスが断続的に光りながら飛んでくると、メスは葉の上などで不規則に光ってオスを待つ。オスはときに、いっせいに明滅の周期をそろえることがあるが、それは、集団同時明滅に同調しない光、つまりメスを見つけやすくするためといわれている。そしてメスを発見したオスは、さまざまなパターンの光を発してメスに信号を送り、交尾に至る。

DAY 57
February 26th

# ヒトは時計がなくても一定のリズムで生活する

## 約24時間で繰り返される概日リズム



光の強さは昼と夜で変わり、気温も変化する。そういった環境サイクルに対応するため、地球上に生息するほとんどの生物には**一定の周期で繰り返す活動のリズム**がある。たとえば、アサガオが朝になると咲き、セミの多くが夜に羽化をするのも、そのリズムが備わっているからだ。**ヒトの睡眠も同じ**で、通常であれば私たちは朝に起きて夜に眠る。「暗いと眠り、明るくなると起きるのだから、そのリズムは太陽によってつくられているんじゃないの？」と思うところだが、では、昼も夜もまったく光が差し込まない、洞窟のような場所でしばらく暮らしたら、そのリズムはどうなってしまうのだろうか。

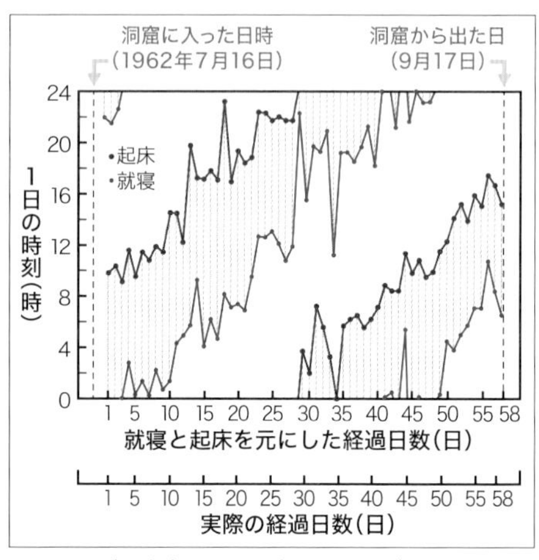


シフレ氏が洞窟内で示した寝起きのリズム。

人間本来の生物リズムを知るため、実際にその実験に挑んだ人がいる。時間生物学のパイオニアといわれる、フランス人科学者のミッシェル・シフレ氏だ。シフレ氏は1962年、フランスとイタリアにまたがるアルプス山脈の洞窟の中で、2カ月もの間、単独生活を行なった。時計やカレンダーなどはもち込まず、洞窟滞在中は完全に本能だけで時間の経過を判断。そして、就寝や起床、食事など自分の1日を、電話で地上に知らせたのだ。すると結果はどうなったか。シフレ氏はほぼ1日周期の寝起きのリズムを示したのだ。しかしその周期は、地球の自転による明暗のリズムより少し長い、約25時間だった。

生物リズムの中でも、このように光や温度などの**環境条件に左右されず、ほぼ24時間の周期で繰り返す**リズムを、**「概日リズム（サーカディアンリズム）」**と呼ぶ。この概日リズムをもつのはヒトだけでない。若干の周期の違いはあれど、多くの動物は、暗闇の中でもほぼ1日周期の活動リズムを示す。

DAY
58
February 27th

# 脳の中ばかりでなく各細胞にも時計がある

## 動物の体内時計

概日リズムをつくり出しているもの。それが「体内時計（生物時計）」だ。私たちヒトは、睡眠をはじめとして、心拍数や血圧、体温などの生物機能もこの**体内時計によってコントロール**されている。

時差ぼけが起こる理由。

ヒトの場合、概日リズムを刻む**体内時計の中枢機構があるのは、脳の中の「視交叉上核」**と呼ばれる部分だ。一方、**全身の細胞の中にも「時計遺伝子」**があり、これが一定の周期でタンパク質を合成・分解することで、1日のリズムを刻んでいる。しかし、末梢にあるそれぞれの時計がバラバラに動いては、「胃は夜だけど腸は昼」というような不具合を起こす。そこで、**視交叉上核が司令塔**となり、全身の**細胞にある体内時計のリズムを統率**しているのだ。

視交叉上核は、いわば「体内標準時」を示すのだが、その**周期は約25時間と、地球の自転による24時間周期より少し長い**。これを放置すると、毎日約1時間のずれが生じてしまうため、ヒトの体には**時間合わせを行なう機能**が備わっている。

時間合わせを行なう因子はいくつかあるが、その中で**最も重要なのが光の刺激**だ。目から光刺激の信号が届くと、視交叉上核の時計遺伝子がリセットされ、それに合わせて全身の細胞にある体内時計もリセットされる。この光の刺激による時間合わせはタイミングが重要で、朝の強い光は体内時計を早める方向に、夜の光はこれを遅らせる方向に働く。そのため、夜間に強い光を受けてしまうと、外部環境と体内時計のずれを増強することになってしまう。

飛行機で時差の大きい場所に移動すると、夜になっても眠れなかったり、昼に眠気に襲われたりする。いわゆる「時差ぼけ」だ。これは、出発時の環境に合わせていた体内時計のリズムと、渡航先の時間がずれているために起こるのだ。

DAY 59

February 28th

# 「子どもは外で遊びなさい」の科学的根拠

## 日光のメリットとデメリット



体内時計をリセットするだけでなく、**日光は体に必要なビタミンDの合成を促進**してくれる。

ビタミンDは骨の形成に関わる重要な栄養素だ。腸でのカルシウムの吸収を助け、骨でのカルシウムの沈着を促進する働きがある。そのため、ビタミンDが不足すると幼児の場合は骨が変形する「くる病」（骨軟化症）を、大人の場合は骨がもろくなる骨粗しょう症を発症したりする。サンマやカレイなどの魚類、シイタケなどのキノコ類を食べることで摂取できるが、**ビタミンDは、紫外線を浴びることで体内でも合成**される。サプリメントなどがなく、後述する紫外線の影響があまり知られていなかった時代、大人が「子どもは外で遊んで日光を浴びなさい」といっていた背景には、そういう理由があったのだ。

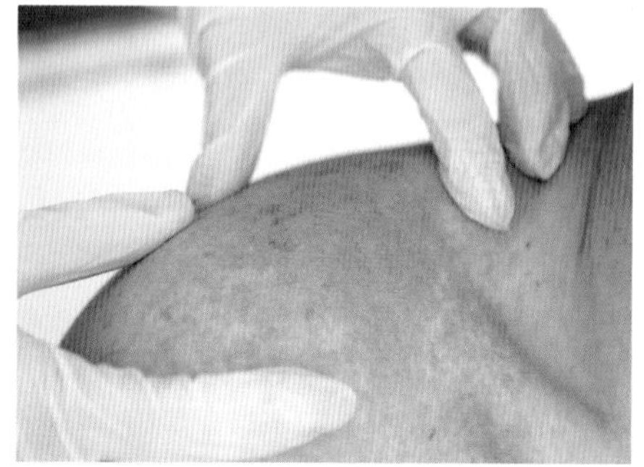

日焼けによって水ぶくれができた肌。 ©Hanna / PIXTA

では、日光は浴びれば浴びるほど体によいのかといえば、そうではない。それどころか、**日光に含まれる紫外線に当たりすぎると人体に悪影響**を及ぼす。とくに影響を受けるのは皮膚と目だ。紫外線を浴びたあと、皮膚は数時間で赤くなり、さらに大量の紫外線を浴びると水ぶくれが起こる。これは皮膚の炎症だ。強烈な紫外線にさらされた場合、目も急性の角膜炎症を起こす。よく晴れた日にスキーをしたときになる「雪目」はその代表例だ。

紫外線の悪影響にはこのような急性のものもあるが、慢性のものもある。肌でいえば、紫外線を浴びる量に比例して、**シミ、しわ、たるみが生じやすくなる「光老化」**がそれだ。紫外線は皮膚の細胞のDNAを変化させることがあり、その変化が皮膚がんの原因となることがある。また、目においては、紫外線が原因で、水晶体が白く濁る白内障を発症することがある。

# 眠ることで体の活動が低下するため疲れがとれる

ヒトの体は、無数の細胞からできた組織や器官の集まりだ。臓器や感覚器官、神経や筋肉などが絶え間なく働き、体の各部から届けられる膨大な情報を脳が整理・判断し、各部に命令を出すことで私たちは生命活動を維持している。

制御しているとはいうが、体の大部分は自分の意思とは関係なく動いている。末梢神経の中でも、自分の意思とは関係なく動く内臓や器官をコントロールするのが、自律神経だ。このうち、体を緊張させる命令を伝えるものを交感神経、弛緩させる命令を伝えるものを副交感神経という。

交感神経よりも副交感神経が優位になってくると、人は眠くなる。意識的に動かせない臓器や器官まで含めて、全身の活動が低下し、効果的に体を休めることができる。ただし、眠っている間にも刺激を受けることで、交感神経が優位な浅い眠りになることがある。すると脳は活動状態に入り、体は十分に休まらない。浅い眠りと深い眠りを繰り返すのはふつうのことだが、浅い眠りが長く続くと、寝ても疲れが取れないということになる。

基本的に暗くなると人は眠くなるが、それ以外に睡眠の周期に影響を与えているのが体内時計だ。私たちの体の中には、地球の1日にほぼ同調する体内時計があり、ヒトの体内時計は日中に活動し、夜に休息をとる昼行性のリズムを刻んでいる。それは睡眠の周期だけでなく、あらゆる器官の働きに関係している。

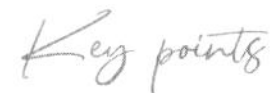


- ヒトの各器官は、脳などの中枢神経が管理している。
- 睡眠時には、脳をはじめとしたほとんどの器官の活動が低下する。
- ヒトには概日リズムがあり、睡眠をはじめあらゆる活動に関係する。

# 生物が多様になった理由は？



動物の体は種によって大きさや機能が多様だ。最終的に死を迎えることは同じだが、そこまでの時間やプロセスは異なる。植物に目を向けると、大きさや生き方はさらに多様だ。数百年、数千年単位で成長を続けるような種もある。この違いはどこにあるのだろう。どのような経緯で、その違いが生まれたのだろう。

## ▶動物にはどんな種類があるのか？

動物の姿形や生態は多様だが、中には似た骨格や体の機能、生態などをもつものもいる。たとえば私たちヒトがほ乳類だということは、誰もが知るところだ。陸上で生活して同じように体内に骨格をもつ動物たちは、虫や魚よりはヒトに近い動物が多い。こうした共通点や相違点を比較し、整理していくことで、生物についてより深く知ることができるはずだ。

## ▶生物はどうやって形質を受け継いでいくのか？

DNAや遺伝子という言葉はよく耳にする。私たちの姿形や身体機能を受け継いでいくにあたって、何かしら重要な役割を果たしているらしいことは知られているが、どのようなものなのだろうか。同じ形質を延々とコピーしているだけでは、生物の多様性は生まれないはずだが、なぜ形質は変化していくのだろう。

## ▶いろいろな生物が共存できるのはなぜか？

私たちは魚や豚、牛などほかの動物を食べて生きている。強い生物が、周囲の生物を食べ、極端に数を減らしてしまうこともあるだろう。それでも多様な種が同じ場所で暮らしている。バランスを崩さず共存していけるポイントはどこにあるのだろう。

DAY
62
March 2nd

# 姿かたちは違っても栄養分と酸素は必須

## 動物が生命を維持する仕組み

**生命を維持するためには栄養分と酸素が必要**だ。ヒトをはじめとして、動物はさまざまな役割をもつ組織や器官が機能することで、栄養分や酸素を全身に行き渡らせ、生命を維持している。

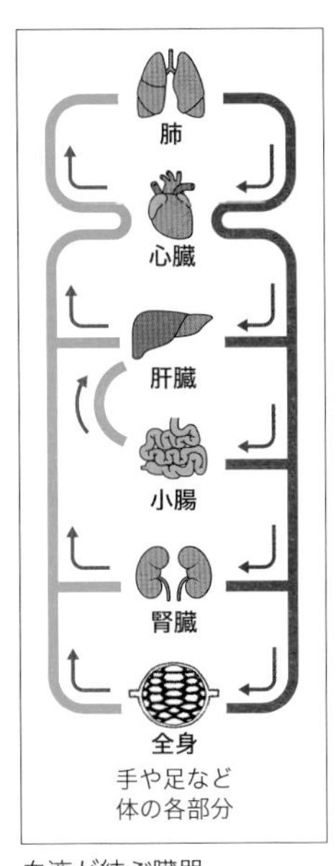

血液が結ぶ臓器。

DAY35～38の確認になるが、口から摂取した食物は、食道から胃、十二指腸、小腸、大腸を経て、肛門につながる全長約9mの消化管を通る過程で吸収される。唾液や胃液など、それぞれの臓器から分泌される消化液の働きによってじょじょに分解され、最終的には小腸の内側の柔毛、大腸によって吸収される。吸収されなかった不要物などが便として排出される。動物は基本的に同じような消化の仕組みをもっているが、そのつくりは動物によって異なる。犬はヒトと同じように、食道や胃、小腸、大腸、肛門を備えているが、フナのような一部の魚には胃に相当する臓器がない。逆に牛のように胃が複数の部屋に分かれている動物もいる。

空気を吐いたり吸ったりすることで、二酸化炭素を排出し、空気中の酸素を取り込む。これが呼吸だ。詳しくはDAY39のとおり。陸上で生活する動物は大部分がこのように肺を使って呼吸している。水中で生活する魚なども酸素が必要なことは同じだ。ただし、肺ではなくえらという器官を使って酸素を取り込み、二酸化炭素を排出している。えらはふれた水から酸素を取り込む。

吸収された栄養分、そして肺やえらから取り込まれた酸素を全身の細胞に届け、不要物を回収するのが血液だ。詳しくはDAY41でも説明したとおり。各臓器は血管・血液によって互いにつながり、それぞれが役割を果たすことで働きを維持している。このように、**同じような仕組みで生命を維持**しているものの、**動物の臓器には形や機能の差**がある。

# 0.14mmの受精卵からヒトの生命が始まる

## 卵生と胎生



**魚類や両生類、は虫類、鳥類のようにたまご（卵）で増える動物を「卵生」**という。さらに、魚類や両生類のように水中で産卵する動物と、は虫類や鳥類のように陸上で産卵する動物に分けられる。

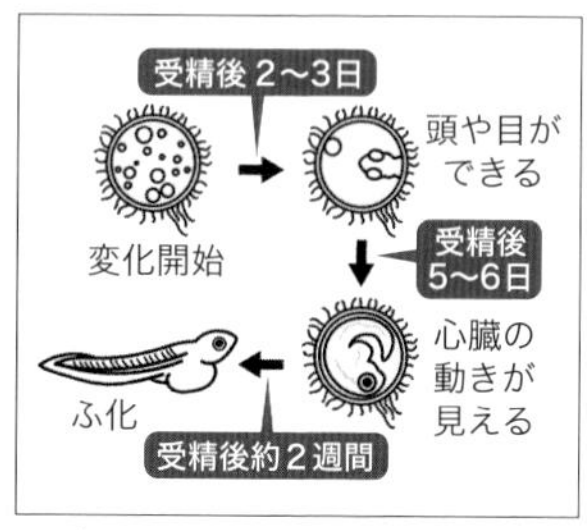

メダカの受精卵の変化。

卵生のメダカの場合、メスが一度に生む卵は20～40個。卵の直径は約1mmで、表面は細かい毛で覆われ、水草などにくっつきやすい。卵とオスの出した精子が受精すると、わずか数時間後には受精卵の中で変化が始まり、2日目には稚魚の原型となる膨らみが発生。3日目には頭部が大きくなり、さらに5～6日目には黒い目、心臓の動き、さらに血流まで認識できる。8日目には、受精卵の中で稚魚がくるくると動くまでに成長し、受精から約2週間で卵の膜を破ってふ化して、稚魚が出てくる。

卵生に対して、ヒトを含む**ほ乳類のように母親の子宮内で育つ動物は、「胎生」**に分類される。妊娠期間や誕生時の大きさは、動物の種類や子育てをする環境によってさまざまだ。女性の卵（卵子）と男性の精子が受精する点は同じだが、ヒトの受精卵は直径約0.14mmとメダカの卵よりも小さく、約38週かけて成長する。

胎児は子宮内を満たす羊水に浮いている状態で、羊水はクッションの役割も担っている。胎児は胎盤とへその緒を通して母親とつながっていて、そこから成長に必要な栄養分や酸素を受け取り、不要になった老廃物を渡している。へその緒には胎児の血液が流れているが、さまざまな交換は胎盤を通して行なっているため、母親と子の血液が混ざることはない。

4週目でまず動き始めるのが心臓。8週目頃には手足の形が認識できるようになり、目と耳も形成され始める。24週目頃から骨や筋肉が発達し、お腹の中で胎児が動く胎動を感じやすくなる。32周目になると爪や毛髪なども形成され、生まれてくるときと大差ない姿になる。

このように方法は多様だが、**どの動物も子どもをつくり世代を重ねていく**。後ほど説明するが、**この繰り返しの中で動物は多様性を獲得**してきた。次からは、そうした動物の多様性や共通点についてみていきたい。

Column
暮らしの中の“エセ科学”

DAY 64
March 4th

# 「プラセンタ」のアンチエイジング効果は本当?

**近年、CMでよく目にする「プラセンタ」。美肌やアンチエイジングに効果があるといわれ、プラセンタ配合の化粧品や健康食品など、さまざまな製品が販売されている。また、それらの効果を期待して、美容皮膚科などでプラセンタ注射を受ける人も多いというが、効果は本当にあるのだろうか。**

---

プラセンタは、英語で「胎盤」を意味する言葉で、胎盤から抽出したエキスを指す。ほ乳類の胎盤は、妊娠中の母体に一時的にできる器官で、へその緒を通して胎児とつながり、栄養分や酸素、老廃物や二酸化炭素の受け渡しを行なう。この胎盤にはタンパク質やアミノ酸、糖質、ビタミン、核酸、ミネラルなどが豊富に含まれている。多くの動物が、出産後に排出される胎盤を食べるが、その理由の1つは栄養補給のためだといわれる。

現在では、もっぱら美容方面で注目を集めるプラセンタだが、**ヒトの胎盤に含まれる成分を原材料にした注射剤は、医薬品**として認可されている。その用途は、更年期障害や乳汁分泌不全、肝機能障害に限られる。また、医薬品であるため、化粧品や健康食品などに使用することはできない。

一方、化粧品や健康食品に使われるプラセンタが何由来かというと、**おもに豚や馬、羊の胎盤**だ。これらにも、ヒトの胎盤由来のプラセンタと同じようにさまざまな成分が含まれているとされるが、国立健康・栄養研究所がまとめた「『健康食品』の素材情報データベース」によると、その有効性については「情報の信頼性が高いとされる研究方法で検討した報告は見当たらない」。また、サプリメントの場合は、経口摂取をするわけだが、プラセンタエキスに含まれる成分の中には、**口から摂取しても吸収される前に消化管で分解されるものがある**ことも留意しておきたい。

プラセンタには、前述したようにさまざまな成分が含まれている。しかし、販売メーカーなどはさまざまな発表をしているものの、その中の**「有効成分」はまだ特定されていない**。作用についても十分なデータがなく、健康食品や化粧品としての有効性・安全性については、「わからない」のが現状だ。

DAY 65
March 5th

# 背骨のありなしが繁殖方法まで左右する

## 脊椎動物と無脊椎動物



地球上には、多種多様な動物が暮らしている。それらを分類する方法はさまざまだが、見た目が大きく異なるにもかかわらず、体のつくりには共通点がある例も見られる。そうした、体のつくりの共通点としてとくに重要なものの１つが背骨（脊椎）だ。

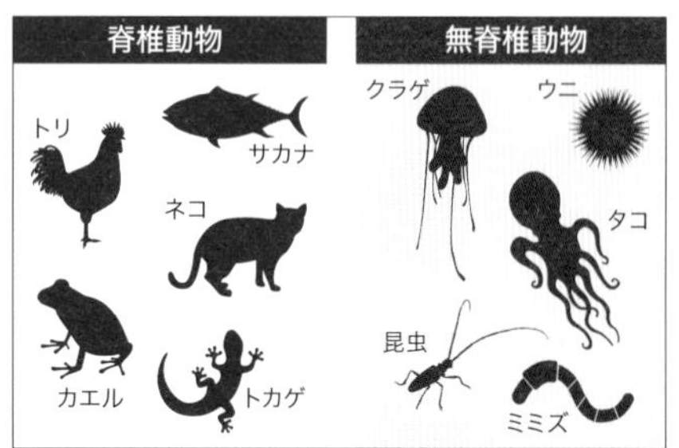

脊椎動物と無脊椎動物の分類。

動物には、**背骨を中心とした骨格をもつ「脊椎動物」**と、**背骨をもたない「無脊椎動物」**がいる。脊椎動物は、魚類、両生類、は虫類、鳥類、そしてほ乳類の5つに分類され、ヒトもこの仲間。一方の無脊椎動物は、昆虫類や甲殻類などの節足動物、イカやタコ、貝類などの軟体動物などが該当し、脊椎動物よりも圧倒的に種類も個体数も多い。

ヒトの場合、関節や筋肉とともに体を支えているのが、さまざまな大きさ・形をした約200個の骨。複雑に組み合わされるこれらの**骨の中心が脊椎**であり、その**脊椎に守られているのが脊髄**と呼ばれる神経の集まりだ。脊髄はDAY53でも説明したように、中枢神経の一部。中枢神経からは枝分かれした末梢神経が全身に張り巡らされていて、これらの神経がさまざまな信号を伝達し合っている。脊髄は脊椎に守られているので、**脊椎の有無は神経系といった体のつくりとも密接に関係**している。

脊椎がある場合とない場合では、**骨や筋肉の構造**も大きく異なる。そのため、脊椎の有無はそれぞれの動物が得意とする**運動の仕方、住む場所や繁殖方法**とも切り離せない、生物の体系を理解するうえで大きな要素なのだ。さらに骨格は、**生命の進化の歴史をひも解く鍵**でもある。

DAY 66
March 6th

# ヒトも魚も鳥もみんな仲間

## 脊椎動物の特徴

脊椎動物は、**魚類、両生類、は虫類、鳥類、ほ乳類**の5グループに分類される。さらに、生活の場所、繁殖方法、呼吸の方法、体温の変化など、いくつかの特徴で仲間分けが可能だ。

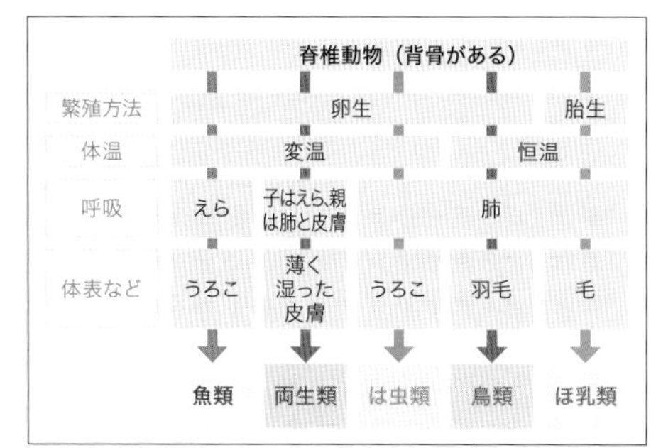

脊椎動物の分類。

まず**呼吸方法には、えら呼吸、肺呼吸、皮膚呼吸の３つ**がある。水中で生活する魚類・幼生時期の両生類はえら、は虫類・鳥類・ほ乳類は肺（正確には鳥類・ほ乳類の一部にはごくわずかに皮膚呼吸するものがおり、ヒトも0.6%ほどが皮膚呼吸）、両生類の成体は肺と皮膚で呼吸する。

次に**繁殖方法には、胎生と卵生**がある。これについてはDAY63で述べたとおりだ。卵生のなかでも、水中で産卵する魚類や両生類の卵は乾燥に弱く、陸上で産卵する鳥類やは虫類の卵は殻があり一定期間の乾燥にも耐えうる。また、種によって一度に生む卵や子の数もさまざまだ。胎生動物の多くは、ある程度成長してから生まれてくるが、卵生動物の多くは未熟な状態で生まれてくる。これを補って生き残る子の数を増やすため、卵生のほうが一度にたくさん生む傾向がある。

**体温調節の方法**も2種類に分かれる。ほ乳類と鳥類は、**気温が変化しても体温をほぼ一定に保てる恒温動物**。体毛や羽毛で体表が覆われていて、体温の維持に役立つ。魚類・両生類・は虫類は、**気温に伴って体温が変化する変温動物**だ。そのため、陸上で生活する変温動物の場合は、冬になると冬眠するものが多い。

イルカや鯨などの鯨類がほ乳類に含まれるということは多くの方がご存じだと思うが、上の3つの特徴を整理してみると、ほ乳類の特徴をもっていることが明らかだ。イルカや鯨は水中で生活していながら肺で呼吸する。また胎生であり、体温もほぼ一定だ。こうしてさまざまな切り口から分類すると、見た目ではわからない共通点が見えてくる。

DAY 67
March 7th

# 全動物種の96％ 地球は無脊椎動物の星

## 無脊椎動物の特徴



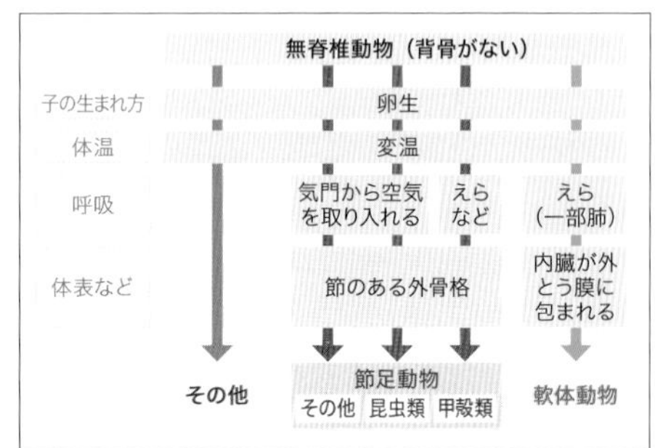

無脊椎動物の分類。

**全動物種数の約96％**を占めるとされる無脊椎動物。**脊椎はもたず、筋肉を使って体を動かす点が共通**している。

無脊椎動物は脊椎動物以上に種類が多く、体のつくりも多種多様だが、大きく3つのグループに分けることができる。1つは**「節足動物」**。カブトムシやカニ、クモなど、**硬い殻のような外骨格をもち、体や脚が節に分かれている**動物のグループだ。筋肉は外骨格の内側についている。もう1つが**「軟体動物」**。イカや貝類、カタツムリのように、**外とう膜という内臓を覆う膜をもっている**動物のグループだ。節足動物のような体や脚の節はもたない。しかし、無脊椎動物はじつに多様で、ヒトデやウニ、クラゲ、サンゴなどのように、これらに**分類しきれない種も多い**（上の図の「その他」）。

節足動物は外骨格をもつこと以外にも、卵生、変温動物、脱皮をするという共通点がある。一方で、体のつくりの違いから、さらに分類することもできる。「昆虫類」は体が頭部・胸部・腹部の3つの部分に分かれ、頭部には目と口、触覚、胸部に3対の脚と2対の翅（アブのように退化して1対に見えるものもいる）があり、胸部や腹部の気門で呼吸をしている。「甲殻類」の体は、頭部・胸部・腹部の3つ、あるいは頭胸部と腹部の2つに分かれていて、脚の数は昆虫類より多く、えらや皮膚で呼吸をする。ただし、クモやムカデのように、この2グループに分けきれない節足動物もいる。

種名が決定しているものだけでも節足動物は世界でおよそ100万種、未発見もしくは種名が未決定のものを含めると500万種以上になるとも考えられている。ほ乳類は約5500種、魚の仲間でも3万3000種ほどだ。この数字を見ても、無脊椎動物がいかに多様な進化を遂げたかがわかる。

# 魚たちは5億年前から栄えている大先輩

## 進化の歴史① 脊椎動物の出現

現在、地球上に生息する生物は、気の遠くなるような長い年月をかけ、何世代にもわたり、環境に合わせて体を変化させてきた。この変化を「進化」といい、**進化の過程を知る手がかりの1つが、地層に存在する化石**だ。化石として発見される生物と現存する生物には、共通点も多い。これらを比較することで、生物の進化を推測することができるのだ。

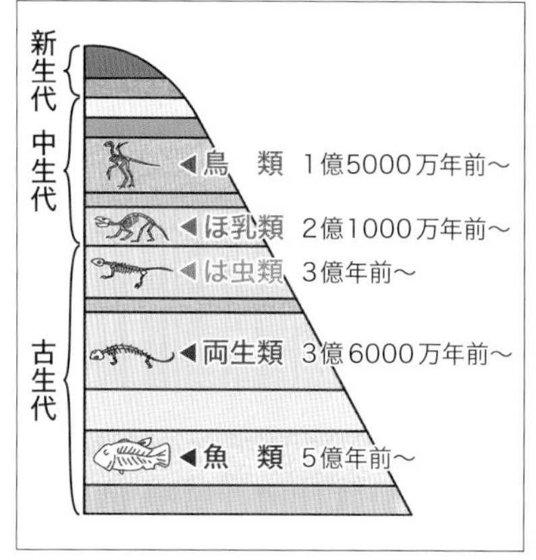


脊椎動物の化石とその年代。

崖の断面が層状になっているのを見たことはないだろうか。見た目が異なるのは、層ごとに構成する岩石や岩片の種類が異なるからだ。ふつう地表近くのほうが年代は新しい。各地層の形成された時代にはその頃に生きていた生物を基準に名前がつけられている。脊椎動物が見つかっている地質時代の名称は、古いものから順に「古生代」「中生代」「新生代」と呼ばれる。

脊椎動物の5つのグループのうち、**最も古い時代の地層から見つかっているのは、原始的な魚類の化石**で、約5億年前にはすでに出現していた。魚類に続いて、約3億6000万年前に両生類が、次に3億年前頃には虫類が出現した。ほ乳類が現れるのは約2億1000万年前だ。最後に出現するのが鳥類で、1億5000万年前頃の地層から、始祖鳥と呼ばれる、鳥類とは虫類の両方の特徴をもつ化石が発見されている。ちなみに、最も初期のヒトの祖先が現れるのは700万年前頃だ。

各グループの特徴から共通点を見ていくと、グループの関係性が推測できる。まず化石の登場年代からして、脊椎動物は魚類から進化してきたと考えるのが妥当だ。そして登場年代や魚類と共通する特徴から考えて、**両生類、は虫類、ほ乳類、鳥類へと進化**してきた。こうした進化の過程や分岐点を表したものを「系統樹」と呼ぶ。

# 魚類なのに肺をもつ ユーステノプテロン

## 進化の歴史② 脊椎動物が水中から陸上へ



**魚類から両生類への進化については裏付けとなりそうな化石**が見つかっている。原始的な両生類である「イクチオステガ」が登場する前、約4億年前の地層からは「ハイギョの仲間」の化石が、約3億8500万年前の地層からは「ユーステノプテロン」の化石が発見されている。ともに**肺をもつ魚類**だ。とくにユーステノプテロンは、ひれに両生類の脚と似たような骨格をもち、両生類の祖先に近い生き物だ（異論もある）。進化を読み解く鍵になるのは化石だけではない。太古の生物の特徴を保ちつつ現在まで系譜をつなぐ**「生きている化石」**と呼ばれる生き物もいる。「シーラカンス」「オウムガイ」「メタセコイア」などがその例だ。シーラカンスは約4億年前から姿を変えておらず、ユーステノプテロン同様に、ひれに両生類の脚に似た骨格をもっている。また、先ほど紹介したハイギョの仲間も生き残っている。こうした中間的な性質の生き物が存在することからも、両生類は魚類から進化したと見られているのだ。

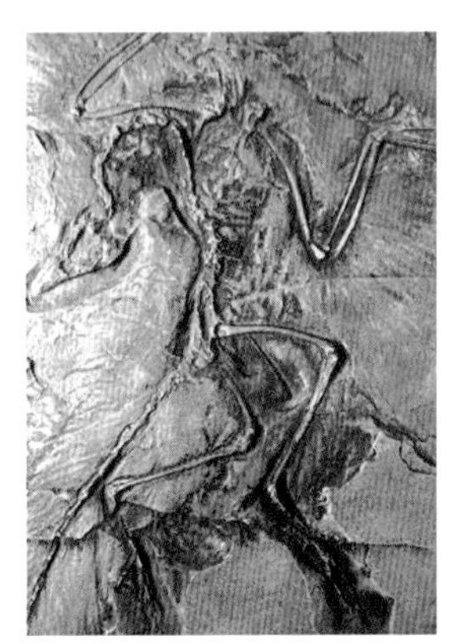
始祖鳥の化石。

脊椎動物の5つのグループのうち、最後に登場した鳥類。その進化の過程を示すのが、約1億5000万年前の地層から発見された**「始祖鳥」の化石**だ。翼のような形状の前脚に羽毛という、現在の鳥類の特徴をもちながら、口には歯、翼の中ほどに爪があるというは虫類の特徴も併せもつ。始祖鳥のように中間的な特徴をもつ生物の化石が見つかったことで、**鳥類は、は虫類から進化**したと考えられるようになった。

このように魚類から両生類、は虫類から鳥類への進化は比較的わかりやすいのだが、複雑なのが、両生類からは虫類、ほ乳類への進化についてだ。両生類の肌は乾燥に弱く、繁殖にも水が必要だが、その**両生類の中から体内で受精を行ない、乾燥に強いうろこをもったもの**が現れる。これが**は虫類と鳥類、ほ乳類の共通祖先**だ。そこから、ほ乳類の祖先である単弓類と、は虫類と鳥類の祖先である双弓類が分かれたというのが、過去の証拠から示された説の1つだ。

DAY
70
March 10th

# カタチが似ているのは起源のせいか機能のせいか

## 骨格に刻まれた進化の証拠

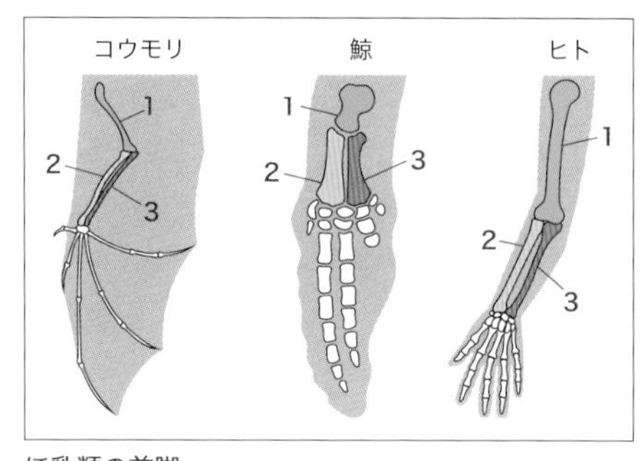

ほ乳類の前脚。

ユーステノプテロンや始祖鳥のように、2つのグループにまたがる特徴を備えた生物の化石は、進化の過程を知る重要な手がかり。このような中間的特徴をもった生物以外の化石からも読み取れることはある。たとえば、コウモリと鯨、ヒトの前脚。これらはすべてほ乳類ではあるが、見た目も生活環境も前脚の働きも異なる。しかし、よくよく骨格を観察してみると、基本的なつくりに共通点を見つけることができる。このように、**同じ器官を起源にもつと考えられるものを「相同器官」**という。このような相同器官の存在は、これらの動物が**共通の祖先から進化してきた証拠**だ。形状や機能が異なるのは、それぞれが生息する環境に都合のいい形や働きへと進化してきたためだ。

一方、相同器官とは逆に、**元は別の働きをしていた器官が、進化によって似た働きをするようになったものを「相似器官」**と呼ぶ。たとえば、昆虫類の翅は皮膚が変形したもので、鳥類の翼は脊椎動物に共通する前脚が変化したものだが、どちらも飛ぶための機能を有している。

また、**かつては機能していた器官が、現在使われていないケース**もある。たとえば、現在の鯨には後ろ脚はないが、鯨の祖先がかつて陸上生活していたことをうかがわせる骨が残っている。これらを**「痕跡器官」**という。ヒトの耳を動かす筋肉や尾の名残(なご)りとされるヒトの尾骨（尾てい骨）なども痕跡器官で、なくてもヒトの活動に影響はない。

起源が同じ相同器官、起源は異なるが機能が同じ相似器官、進化の名残りを示す痕跡器官。化石を読み解くことで進化に関する多くの情報が得られる。

# 約30億年も続いた単細胞生物の時代

## 進化の歴史③ 単細胞から多細胞へ



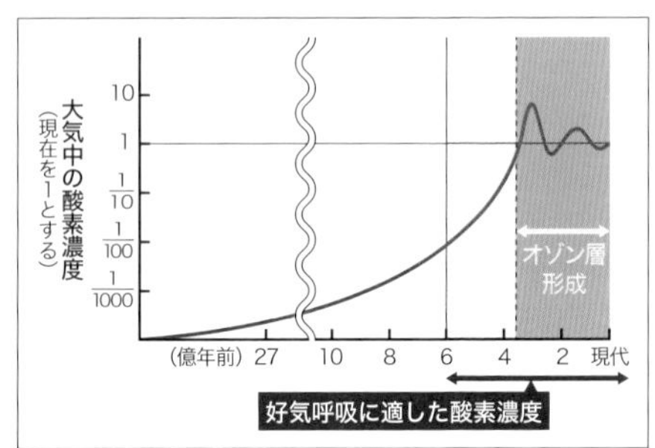


地球大気の酸素濃度の変化。

次に魚類以前の生物について見ていきたい。約46億年前に誕生したばかりの地球は、表面をマグマで覆われた灼熱の惑星だったと考えられている。大気の大部分を占めていたのは水蒸気、二酸化炭素、窒素だった。数億年かけて地表が冷え始めると、大気中に大量に含まれていた水蒸気が雨となって地表に降り注ぎ、約40億年前に原始的な海が形成された。この頃までには生物も誕生していたと考えられている。現在見つかっている**最古の生物の痕跡は約38億年前**のもので、**最古の化石は約35億年前**のもの。1つの細胞だけで成り立つ**「単細胞生物」が最初の生物**だった。やがて、光合成により酸素を放出する「シアノバクテリア」が生まれ、水中で活発に光合成を行なったことで大気中に酸素が増えていった。シアノバクテリアが生まれたのは約27億年前のことだ。

私たちヒトのような複数の細胞で体が構成されている生物を「多細胞生物」というが、**原始的な多細胞生物が生まれたのは、約10億年前**と考えられている。生物誕生から30億年ほど、地球上には単細胞生物しかいなかったわけだ。**約5億4000万年前から多細胞生物が急増**し始める。この時代を「カンブリア紀」、この生物種の爆発的な増加を**「カンブリア紀の大爆発」**と呼んでいる。

植物の祖先は水中生活をしていた藻類だと考えられているが、カンブリア紀には藻類もおおいに栄えた。その結果、酸素の放出が増加し、オゾン層が形成される。オゾン層が生物にとって有害な太陽からの紫外線を減少させたことで、生物の陸上進出が始まっていった。

**陸上植物の化石は約4億2000万年前の地層**から見つかっている。「クックソニア」というコケ植物だ。次いでシダ植物が上陸を果たした。前後して、昆虫類などの節足動物も上陸したと考えられている。脊椎動物が陸上進出を果たしたのは、DAY69でふれたイクチオステガの頃。約3億6000万年前のことだ。

DAY
72
March 12th

# 生まれたときの3兆個が大人になると60兆個に

## 細胞分裂と成長

ここまで見てきたように、生物は世代を重ねる中で進化し、多様性を獲得してきた。では、なぜそのような変化が起こるのだろうか。その理由は生物の体をつくる細胞に秘められている。

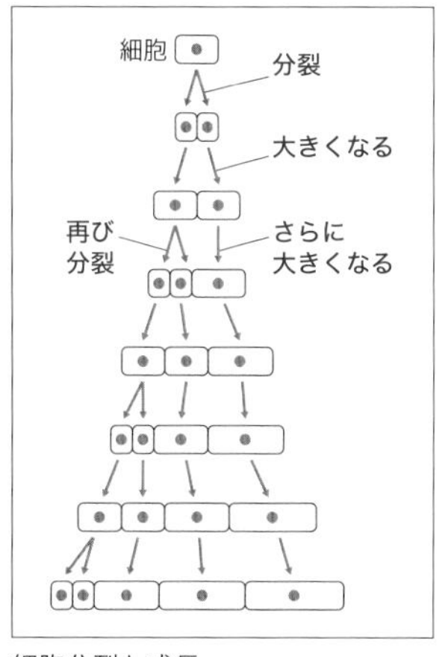

細胞分裂と成長。

DAY32でも説明しているように、生物の体をつくる最小単位は細胞だ。生物の成長にはこの細胞が重要な役割を果たしている。1つの細胞が2つに分かれることを「細胞分裂」といい、**多細胞生物はこの細胞分裂を繰り返して細胞の数を増やしていく**。分裂した細胞は一定の大きさになると成長が止まり、または次の分裂が始まる。細胞の大きさは、生物の種類などによって大体決まっている。ちなみに、誕生直後のヒトの細胞は3兆個ほどで、成人にする頃に約60兆個（37兆との説もある）まで増加。

植物の根の細胞を顕微鏡で見てみるとわかるのだが、根の先端に小さな細胞が集まり、付け根には大きな細胞が集まっている。これは、植物の細胞分裂が根や茎の先端に近い部分（成長点）だけで起こっているからだ。細胞はそれぞれ大きくなり、それが2個の細胞に分裂する。こうして植物は成長していく。**活発に細胞分裂する場所が限られている**のは動物も同じだ。

細胞分裂するとき、まずは細胞内部の「核」に変化が起こる。細胞分裂の準備に入った核の中では、ひも状のものがほどけ、顕微鏡で確認できるようになる。これが「染色体」だ。生物の形質（形や性質など）を決める**「遺伝子」が、染色体には書き込まれている**。染色体の数は生物ごとに決まっている。たとえば、キイロショウジョウバエの染色体は8本（4対）、ヒトは46本（23対）、犬は78本（39対）、キンギョは100本（50対）。植物ではタマネギで16本（8対）、イネで24本（12対）、サツマイモで90本（45対）とされる。

DAY 73
March 13th

# 同じ染色体を保ったまま1つの細胞が2つに分裂

## 体細胞分裂の経過



多細胞生物の体をつくる細胞は、大きく分けると**子孫を残すための「生殖細胞」**と、**体をつくる「体細胞」**の2種類がある。このうち、体細胞で起こる細胞分裂を「体細胞分裂」という。

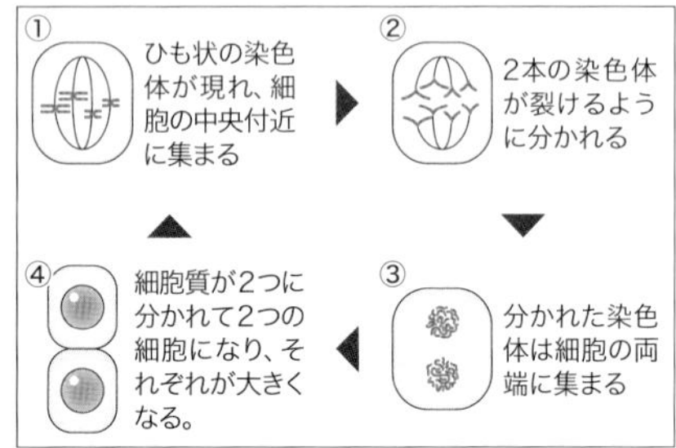

体細胞分裂の過程。

体細胞分裂は、前ページで述べたとおり、細胞の真ん中にある丸い形をした核の中で染色体がほどけることから始まる。それぞれの染色体は分裂前に複製され、同じものが2本ずつある状態に変化、細長かった染色体は太く短くなる。変化した染色体は細胞の中央付近に集まり、2本の染色体が引き裂かれるようにして1本ずつに分かれる。分かれた染色体はそれぞれが細胞の両端に移動。2つの核が形成されたあとに、核を包む細胞質の中央に仕切りができて、細胞自体も2つに分かれる。こうして、**分裂前と同じ数・内容の染色体をもつ、2つの細胞が完成**するのだ。こうした体細胞分裂の流れについては、**動物であっても植物であっても大きな違いはない**。

細胞分裂によって増えた細胞は、それぞれ大きくなるわけだが、前ページでも述べたように、活発に細胞分裂が起こる部位は限られている。

植物の場合は根や茎の先端付近などだ。新しい細胞が次々につくられることで、根や茎は長くなる。双子葉類では、これに加えて茎の外側に近い維管束やその周囲で細胞分裂が活発に起こり、茎が太くなる。

動物の体も同様だ。ヒトの体でいえば**皮膚の表面近くにある上皮組織や骨の内部にある骨髄で活発**に細胞分裂が行なわれている。とくに脊髄では、赤血球や白血球、血小板といった各種の血液細胞がつくられる。

DAY
74
March 14th

# 同じ遺伝子を引き継いでクローンを量産

## 無性生殖の仕組み

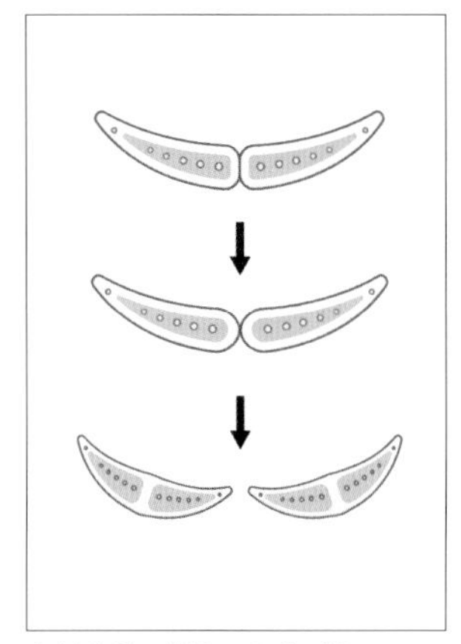
無性生殖で増えるミカヅキモ。

動物も植物も、生殖によって何世代にもわたって生命をつないできた。生殖のパターンは、卵細胞・精細胞の結合＝受精によって子をつくる「有性生殖」と、受精を行なわずに子をつくる「無性生殖」の２種類がある。まずは無性生殖について見ていきたい。

**無性生殖では体細胞分裂によって新しい個体（子）をつくる**。ゾウリムシやミカヅキモ、アメーバなどの単細胞生物の場合がわかりやすい。単細胞生物は体細胞分裂で細胞を増やし、この増えた細胞がそのまま新しい個体になる。多細胞生物にも無性生殖を行なうものはいる。イソギンチャクは有性生殖もするが、親の体の一部が分かれて子になることもできる。

植物の場合、身近なところではサツマイモやジャガイモが無性生殖を行なう。私たちが食べるサツマイモのイモは根が養分を蓄えて太ったものだ。受精を経て形成される種子とは別物だ。サツマイモをそのまま土に植えておくと芽を出し、成長すると葉・茎・根がそろって親と同じ１個体となる。一方、ジャガイモのイモは茎が変形したものだが、サツマイモ同様に地中に埋めると芽を出す。ちなみに、どちらとも花を咲かせ受粉することで有性生殖を行なうこともできる。

体細胞分裂で子をつくる無性生殖では、**子は親の染色体をそのまま受け継ぐため、形質も同じ**だ。無性生殖における親と子のように、起源が同じで、同一の遺伝子をもつ個体の集団をクローンという。

また、体の一部から新しい個体をつくる無性生殖のことを「栄養生殖」という。栄養生殖を利用して人工的に植物個体を増やす方法の１つが挿し木。挿し木は、増やしたい個体の枝を切り離して土などに挿し、根を出させて葉・茎・根のそろった植物体にする方法だ。一定の質と収穫量を保つ必要がある農業、または園芸の分野で広く活用されている。ソメイヨシノなどはほとんどが挿し木だ。

DAY 75
March 15th

# 精細胞と卵細胞が合体して受精卵に

## 有性生殖の仕組み



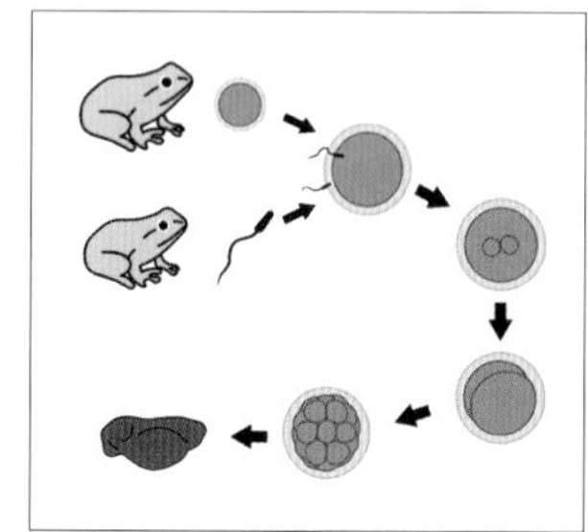

ヒキガエルの受精卵と体細胞分裂の様子。

体細胞分裂によって増える「無性生殖」に対して、「生殖細胞」である卵細胞と精細胞の結合＝**受精によって子孫を増やす**ことを「有性生殖」という。多細胞生物の多くがこの有性生殖で子孫を増やし、動物の生殖細胞は卵と精子とも呼ばれる。

動物では、メスの卵巣で卵が、オスの精巣で精子がつくられ、**精子が卵に入って核同士が合体することで、新たな細胞「受精卵」ができる**。たとえば、ヒキガエルなら受精後約3時間で、**受精卵は体細胞分裂を開始**する。受精卵は、その後も細胞分裂によって細胞数を増やしながら、形や働きの異なるさまざまな細胞、さらには組織や器官となり、生物の体を形成していく。

このように、受精卵が体細胞分裂を始めてから**自分で食物をとれるようになるまでの状態を「胚」**（ほ乳類では多少成長の進んだ段階を胎児ともいう）、個体としての**体のつくりや働きを完成させる過程を「発生」**と呼ぶ。

被子植物が種子をつくるにも受精が必要だ。DAY9で説明したとおり、まず、おしべでつくられた花粉がめしべの柱頭について受粉することがスタート。受粉すると、花粉管と呼ばれる管が子房（のちに果実となる部分）に包まれた胚珠（のちに種子となる部分）に向かって伸び、胚珠内の卵細胞まで精細胞を運ぶ。その後は動物と同じように、受精卵が体細胞分裂を繰り返して胚になる。

一方、裸子植物の場合は、DAY10で見たとおり、子房がなく、胚珠がむき出しになっているため、花粉は胚珠に直接付く。胚珠に付いた花粉から花粉管が伸びて受精するまでの速度は非常にゆっくりだが、受精して種子ができる。

DAY
76
March 16th

# 両親から半分ずつ染色体が受け継がれる

## 生殖細胞と減数分裂

有性生殖であろうと無性生殖であろうと、子には親の染色体が受け継がれ、親がもっているさまざまな形質も伝わる。ただし、その受け継がれ方には差がある。体細胞分裂で増える無性生殖の場合は、親の体の一部がそのまま子になるため、染色体はそのままコピーされる。数などが同じなのはもちろん、そこに含まれる「遺伝子」も親とまったく同じものを受け継ぐため、同じ形質が現れる。一方、受精によって増える**有性生殖では両方の親から半分ずつ染色体を受け継ぐ**。この場合、形質の伝わり方は単純ではない。

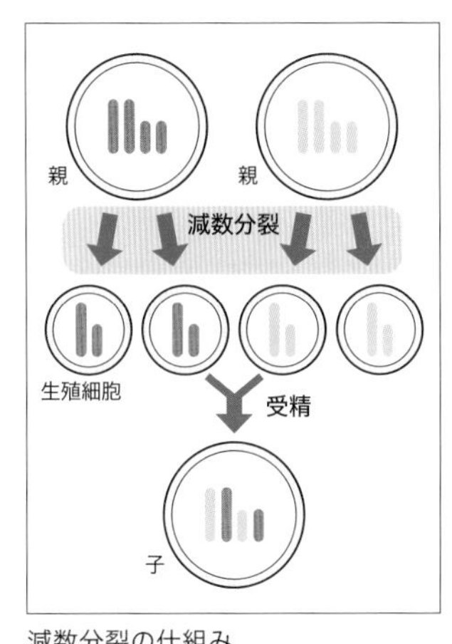

減数分裂の仕組み。

まず、どのように染色体が受け継がれるのかから見ていこう。有性生殖を行なう生物も体細胞分裂によって細胞を増やすが、生殖細胞についてだけは異なる。**生殖細胞をつくり出す場合は、「減数分裂」**という特殊な細胞分裂が行なわれる。染色体は2本が1対になっているのだが、生殖細胞にはこの**対から1本ずつ選ばれる（分離の法則）**。これにより、卵細胞（卵）と精細胞（精子）の染色体の数はそれぞれ半分（ヒトの場合は23本）になるのだ。受精すると、**両親から半分ずつ受け継いだ染色体が合体**し、親と同じ本数（ヒトの場合46本）となる。このように、減数分裂と受精によって、親と子の染色体は同数に保たれているのだ。

子に引き継がれる染色体は両親から半数ずつになるわけだ。結果として、子に受け継がれる**染色体の組み合わせは多様**になる。形質を左右する遺伝子も染色体に書き込まれているため、**遺伝子の組み合わせも一様ではない**。同じ両親から生まれた兄弟姉妹であっても、見た目や性質が異なるのはこのため。親と子がまったく同じ遺伝子をもつ無性生殖とは違い、有性生殖のこのような仕組みが、地球上の生物の多様性を支えているともいえる。

# 子に現れない形質が孫には現れることもある

## メンデルの遺伝の法則①



生物が子を残すとき、親がもつ形質が子に伝わる。これを遺伝といい、その形質を決定付けているのが染色体に書き込まれた遺伝子だ。前ページで説明したとおり、有性生殖では両親から染色体、そして遺伝子が半分ずつ受け継がれる。そのため、**子に現れる形質は、親と同じ部分もあれば異なる部分もある**。

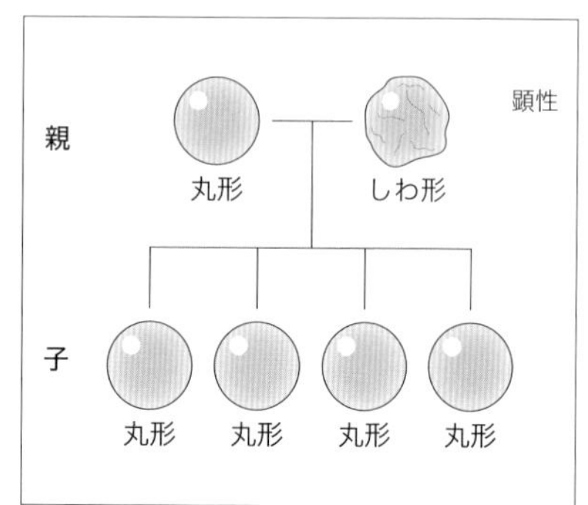


エンドウの種子に見る顕性形質と潜性形質。

親から子へ形質が受け継がれることは古くから経験則で知られていたが、その仕組みが明らかになったのは19世紀中頃のことだ。オーストリアの生物学者メンデルが行なった、有名なエンドウの交配実験がそれを明らかにした。メンデルは、世代を重ねた個体の種子の形や色など7種類の形質を調べた。

この実験では「対立形質」をもつ「純系」のエンドウが使われた。純系とは、自家受粉（めしべに同じ株の花粉がつくこと）する限り、世代を重ねても同じ形質が現れるもののこと。対立形質とは同時に現れることのない対となる形質のことだ。エンドウでいえば、種子に「丸形」と「しわ形」があり、いずれか一方が遺伝する。

メンデルの実験のうち、有名なのはこの種子の形質に着目した実験結果だ。実験では第1段階として丸形の種子をつくる純系と、しわ形の種子をつくる純系の親を受粉させた。するとその子の種子はすべて丸形となった。実験の第2段階では第1段階で生まれたエンドウを自家受粉させた。親はどちらも丸形だったのに、子にはしわ形の種子も混じっていた。

この結果から、丸形の種子のように**子に現れる形質**としわの形のように**子に現れない形質**があるということがわかった。**前者を「顕性形質」、後者を「潜性形質」という**。**以前は「優性」「劣性」と呼ばれていた**が、能力の優劣を示すかのように誤解されることがあるため、変更された。

# 受け継がれる遺伝子の数は父と母とでいつも半分ずつ

## メンデルの遺伝の法則②

なぜ孫の代に潜性形質が現れたのだろうか。まずは実験結果をもう少し詳しく見ていこう。

丸形の種子をつくる純系としわ形の種子をつくる純系を交配させると、子の代ではすべて丸形になったが、孫の代では丸形5474個、しわ形1850個になった。種子の形以外に、子葉の色や花の付き方などの形質で調べても、孫の代には顕性・潜性双方の形質が現れた。顕性形質と潜性形質の割合は、丸形としわ形同様に約3：1となっていた。これらの実験結果から、メンデルは、**生物の体にはそれぞれの形質を支配する要素がある**という仮説を立てた。これが**後に遺伝子と呼ばれる**ようになった。

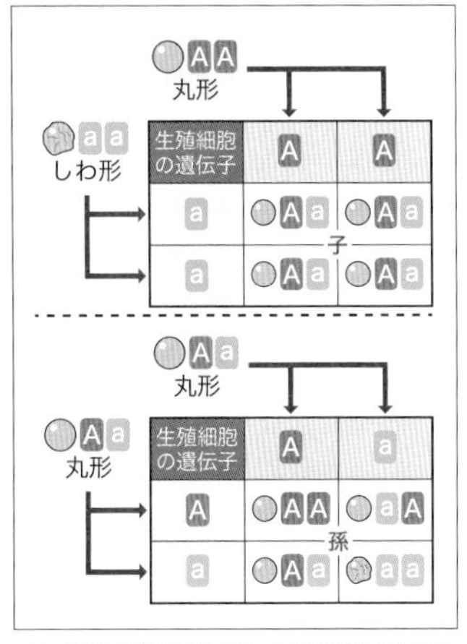

メンデルの実験からわかる遺伝の法則。

繰り返しになるが、染色体、そして染色体に存在する遺伝子は両親から半分ずつ受け継がれる。これをエンドウの種子の形を例に説明すると、次のようになる。まず、エンドウの種子の形を決める遺伝子を、丸形は「A」、しわ形は「a」とした場合、丸形純系の遺伝子は「AA」、しわ形純系の遺伝子は「aa」と表すことができる。エンドウの親の遺伝子が「AA」と「aa」の場合、受精してつくられた子の遺伝子は「Aa」という組み合わせになる。顕性形質の遺伝子をもつ場合、子はすべて丸形になり、潜性形質は現れない。

次に、「Aa」の遺伝子をもつ子から孫をつくった場合。孫の遺伝子には「AA」、「Aa」、「aA」、「aa」の4種類の組み合わせが現れる。「Aa」と「aA」は同じものとみなせるので実質は3種類だ。この結果、「AA」「Aa」(aA)のものは丸形に、「aa」のものだけがしわ形になる。

**このような規則性から、子に現れない形質が孫に現れることがある**のだ。すべての組み合わせが同じ程度の頻度で現れるため、**顕性・潜性の比率は3：1**になる。

DAY 79
March 19th

# A・G・C・Tの4物質が生物の遺伝情報を記述する

## DNAの仕組み

Part I 生物（生命）

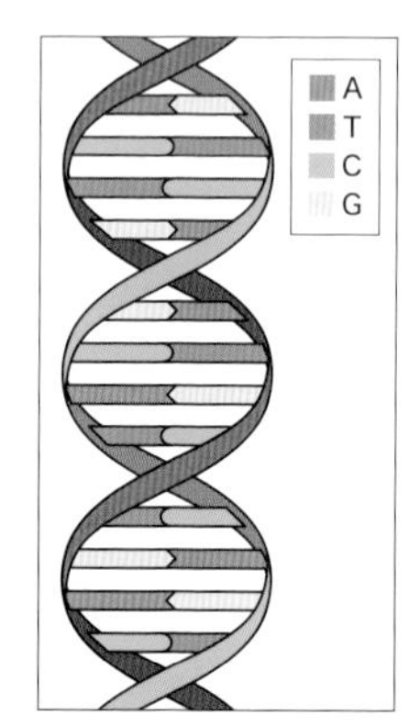

DNAの二重らせん構造と構成要素。

染色体には遺伝子（遺伝情報）が書き込まれている。この**染色体の正体が、DNA**（デオキシリボ核酸、Deoxyribonucleic acidの略称）という物質（高分子化合物）だ。DNAの一部に重要な遺伝情報が書き込まれている。

DNAは体をつくるための設計図である**遺伝情報を保存し複製**する。そこで重要なのが、DNAを構成する4つの要素「アデニン（A）」「グアニン（G）」「シトシン（C）」「チミン（T）」の並び方だ。DNAは、この**4つの物質が1列につながった、長い鎖のような「二重らせん構造」**をもっている。この4物質の並び方によって遺伝情報が記述されているのだ。この構造はすべての生物のDNA（DNA以外で遺伝情報を伝達する生物もいるが）に共通しており、体細胞分裂が行なわれる際には、染色体を構成するDNAも複製されている。

ところで、生物は長い歴史の中で多様な進化を遂げてきた。同じ形質を伝え続けるだけで、これほどの多様性を獲得できるものだろうか。DNAは基本的には変化することなく親から子へ伝えられる。しかし、絶対に変化しないということではない。**まれにDNAを構成する物質の並び方に変化**が生じる場合があり、それによって**遺伝情報も書き換わる**ことになる。すると**形質にも変化**が生じる。この現象は**「突然変異」**と呼ばれている。たとえば、病原菌が抗薬剤性を獲得し、抗菌作用のある薬剤が突然効かなくなるのも突然変異の結果だ。

エンドウの種子の丸形としわ形も、もともとは突然変異によって生じたものだと思われる。突然変異といっても、現れるのはこのように種の保存にとって有利にも不利にも働かない形質が大半だ。ただ、小さな変異でも集団の中で繁殖を繰り返すことで、**現れる頻度に偏りが生じることがある（遺伝的浮動）**。たとえば血液型の比率は国や地域によって異なる。

また、まれに生存や生殖にとって**有利な形質をもつ個体が生まれる**こともある。こうした形質をもつものは**多くの子孫を残す（自然選択）**。

一般にこの**遺伝的浮動と自然選択が進化の要因**とされる。

DAY 80 March 20th

# 低アレルゲンの農作物や浄化能力の高い微生物も誕生

## 遺伝子組換え技術の応用

近年、遺伝子に関する研究はめざましく、農業や医療、環境保全などさまざまな分野で応用されている。その１つが「遺伝子組換え」。これは、ある生物の遺伝子に、**特定の形質をもった遺伝子配列を人工的に組み込み、新たな形質をもつ遺伝子を生み出す技術**だ。

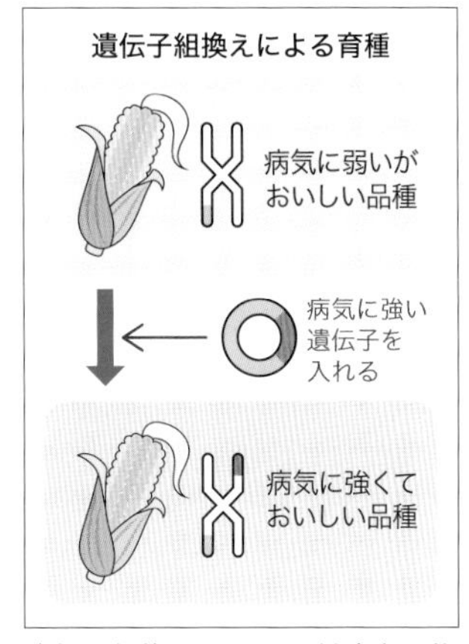

遺伝子組換えによる品種改良の仕組み。

たとえば農業分野では、害虫やウイルスに強い作物、除草剤に耐えうる作物の開発により、農薬の使用量軽減や収穫量増加が期待される。また、栄養価の高い作物、低アレルゲンの作物、より日もちのよい作物など、従来の技術では実現が難しかった農作物の開発も考えられている。従来、農作物の品種開発では、特定の形質をもつ品種が育つまで何代にもわたって交配を繰り返してきたが、遺伝子組換え技術により、比較的**短期間で品種の開発を行なうことが可能**になった。

また環境保全分野では、廃水処理や環境汚染物質の分解除去などのために、より浄化能力の高い微生物を開発したり、干ばつにも耐えうる植物を開発したりと、活用が進んでいる。

医療分野では、**医薬品として有効な物質の大量生産**にも利用されている。遺伝子組換え技術でつくられた植物や微生物を用いて、医薬品成分・原料が製造されていて、すでに商品化されているものもある。

このように、多岐にわたる用途で遺伝子組換え技術が活用され始めている。一方で、遺伝子組換え生物が、野生動植物の減少や生物多様性に悪影響を及ぼすことを防止するために、国際的な法律が定められている。日本においても安全性評価の枠組みが定められている。

# どんな細胞にもなれる夢の万能細胞

## 再生医学の発展とiPS細胞



動物の受精卵は、細胞分裂を繰り返して胚になり、組織や器官がつくられる。発生の初期段階では、どのような細胞にもなれるが、発生が進むとそれぞれ決まった役割をもつ細胞に変化し、**ほかの役割をもつ細胞には変化できなくなる**。ヒトの体の組織や臓器が失われても、再生が難しいのはこのためだ。

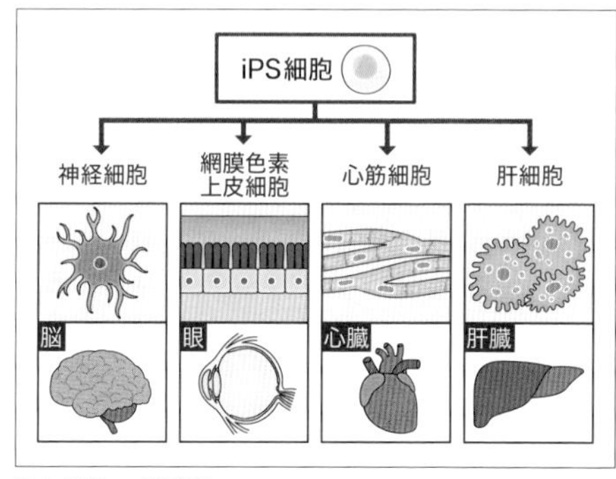

iPS 細胞の利用例。

一方、自然界にはヒトと違って、体の一部を再生できる能力をもつものが存在する。たとえば、「プラナリア（ナミウズムシ）」は、体を切断すると、尾部からは頭部が、頭部からは尾部が再生し、やがて2個体となる。

この再生能力の秘密は、「幹細胞」という特別な細胞にある。**幹細胞は分裂を繰り返して、さまざまな細胞に変化**することができる。ヒトの体にも幹細胞はあるが、能力は限定されている。そこで、イモリのように、失われた組織を再生するための研究が「再生医学」の分野で行なわれてきた。

2007年11月、画期的な研究成果が京都大学の山中伸弥氏の研究グループによって発表された。ヒトの皮膚細胞から**人工的な幹細胞「iPS細胞（人工多能性幹細胞）」**をつくることに成功したのだ。この細胞は、人体をつくるすべての細胞に変化することができ、事故や病気で失われた**臓器や組織を人工的につくり出せる可能性**をもっている。また、自分のiPS細胞からつくり出された組織は、移植した際に定着しやすいと考えられており、「夢の万能細胞」として、今後の可能性に期待が寄せられている。山中氏はこの業績により、2012年にノーベル生理学・医学賞を受賞した。

# 生物は食物だけでなく空気や水でもつながっている

## 食物連鎖と空気・水の循環

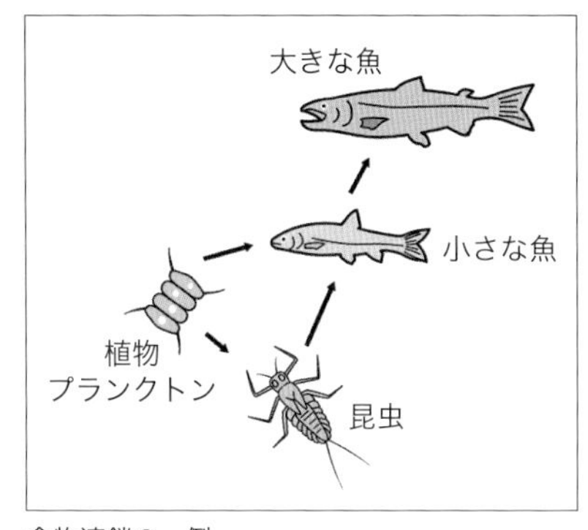

食物連鎖の一例。

多くの生物は、生きるためにほかの生物を摂取している。私たちヒトも、必要な栄養分を得るためにほかの生物を食べている。家畜も飼料の植物などを食べており、魚もさらに小型の魚や水中を漂う動物・植物プランクトンなどを食べている。このように、生物は食物を通してつながっているのだ。その食べる・食べられるという関係の最下層には、植物などのような自分で栄養分をつくり出せる生物がいる。こうした生物同士の**食べる・食べられるというつながりを「食物連鎖」**という。

生物同士のつながりはこれだけではない。

多くの動物は、食物から摂取した栄養分を体内で分解・吸収し、エネルギーを得ている。栄養分のエネルギーへの変換は、動物の体を構成する細胞の中で行なわれている。詳しくはDAY34で説明しているが、エネルギーを生み出すには酸素が必要になる（細胞呼吸）。動物は空気や水から、呼吸によって酸素を得ている。その**酸素を生み出しているのは、植物や藻類などの葉緑体をもつ生き物**だ。DAY15で見たように、多くの植物は光合成を行なっており、二酸化炭素と養分から酸素とデンプンを生み出している。

もう1つ、多くの生物にとって欠かすことのできない**水も、環境の中で循環**している。植物体内から空気中に放出された水蒸気が雲となり、雨として地上に降って生物を潤し、再び根から植物に吸収されるというサイクルをもっている。動物の場合、水は、口から入った栄養分を体中に運んだり、不要物を尿として排出したりする過程で重要な役割を担う。ヒトの場合、必要な水分の約半分は食物から摂取している。

このように、生物はそれぞれに影響を与え合いながら生きている。

DAY 83
March 23rd

# ため池にも地球にもそれぞれ1つの生態系

## 生物と環境



食物連鎖の起点となるのは、光合成ができる植物や水中の植物プランクトンだ。海での食物連鎖を見てみよう。植物プランクトンは動物プランクトンや小型の魚に食べられ、動物プランクトンは小型の魚に食べられる。そして、小型の魚は大型の魚に食べられる。海での食物連鎖には、鳥類、ほ乳類、は虫類が加わる場合もある。

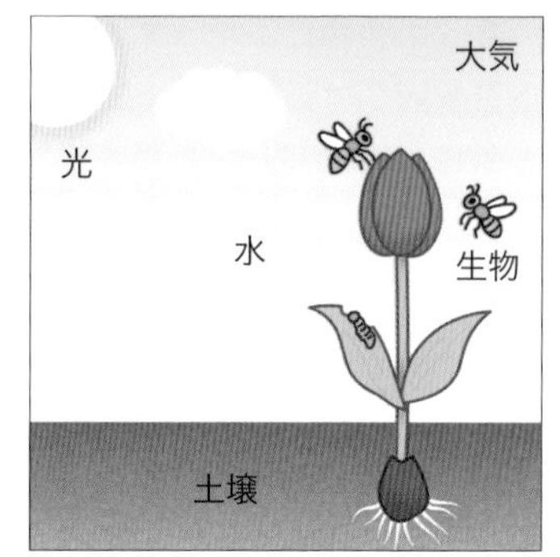

環境の構成要素。

食物連鎖は生物が生活する自然界のあらゆる場所で見ることができるが、生物同士の関係は一対一とは限らない。多くの**生物は、何種類もの生物と食物連鎖の関係にある**。その生物同士のつながりは、生物全体で見るとさながら網の目のように複雑であるため、最近では**食物連鎖に代わって「食物網」**という言葉も使われるようになってきている。

生物同士ばかりではない。**生物は、周辺の「環境」とも影響を及ぼし合って生きている**。ここでいう環境とは、生物の活動に影響を与える外界の要素すべてのことだ。温度や光、空気の成分、土の状況などの非生物的な要素はもちろんだが、周辺で生きる同種の生物や別種の生物なども環境の一部といえる。非生物的な環境が生物に作用することはわかりやすいと思うが、生物の活動が非生物的な環境に作用し、変えてしまうこともある。

**ある場所に生活する生物と環境をまとめて「生態系」という**。海洋、湖沼、河川、森林、草原なども、それぞれが１つの生態系として成立している。小さなため池も、地球全体も１つの生態系だ。そして、それぞれの生物は生態系の中でさまざまな役割を担っており、その役割によって互いにつながり、バランスが維持されているのだ。

# 食物連鎖を通じて有毒物質が数万倍に濃縮

## 食物連鎖のピラミッド

ある生態系における生物の個体数を調べてみると、一般的に**食べる生物より食べられる生物のほうが個体数は多い**。こうした数量的な関係は、植物や植物プランクトンなどを底辺として、それらを食べる昆虫や小型の草食動物など、今度はそれらを食べる小型の肉食動物、そしてさらにそれらを食べる大型の肉食動物や大型の猛禽類などを頂点としたピラミッドで表すことができる。頂点に位置する動物の個体数は非常に少ない。

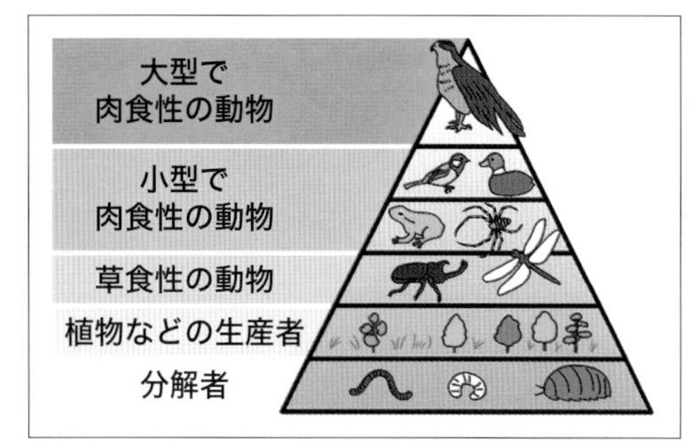

食物連鎖のピラミッドの一例（人里の生物の場合）。

自然界では、食物連鎖の中でそれぞれの生物が増減を繰り返しながら、こうした数量的なつり合いを保ってきた。しかし、環境破壊やある生物の乱獲、自然災害などの**人為的な要因によって、生物の数量的なつり合いが崩れてしまう**ことがある。一度崩れた生態系が元の状態に戻るには長い年月がかかり、すでに手遅れになった例も多い。

**環境破壊や生物に健康被害をもたらす要因の１つが、「生物濃縮」**だ。生物濃縮とは、生物が取り込んだ物質が体内に蓄積され、物質の濃度が周囲の環境より高くなる現象。生物濃縮は、自然界ではごくふつうに行なわれていて、食物連鎖の**下層の生物が上層の生物に次々と食べられることで進行**する。

生物の生活に悪影響を及ぼす物質の濃縮が、さまざまな問題を引き起こすことがある。殺虫剤に使用されていたDDTや、コンデンサーの絶縁油などに利用されていたPCB、ゴミの焼却時などに発生する毒性の強いダイオキシン類などの有害物質が１つの例だ。これらが、食物連鎖の上層に位置する生物の体内で自然状態の数千倍から数万倍という高濃度に濃縮され、さらに上層の生物に影響を及ぼした例もある。ヒトへの被害でいえば、有機水銀が食物連鎖で濃縮・蓄積された魚介類などを摂取したことで発生した、水俣病がよく知られる。

DAY 85
March 25th

# 土壌生物や菌類、微生物がもし地球にいなかったら

## 生態系における分解者の働き



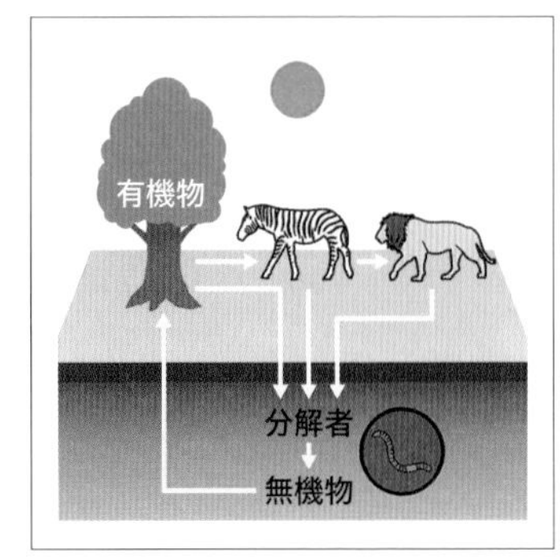

生態系における有機物・無機物の流れ。

植物や水中の植物プランクトンは光合成を行ない、二酸化炭素や窒素などの無機物からデンプンをつくっている。このデンプンは有機物（炭素が原子結合の中心となる物質、ただし二酸化炭素と一酸化炭素を除く）だ。植物のような**無機物から有機物を生み出す生物**を**「生産者」**と呼び、**生産者を直接的あるいは間接的に消費することで栄養分を得ている生物を「消費者」**と呼ぶ。

生産者も消費者も、生命活動を通して有機物を水や二酸化炭素などの無機物や別の有機物に分解している。しかし一方で、植物や動物の**体には多くの有機物**が含まれている。死んだり、動物が体内で分解できなかった有機物をふんとして排出したりすると、**生態系に大量の有機物が残される**ことになる。

こうした**有機物を分解しているのが「分解者」**と呼ばれる生物たち。たとえば、ミミズやダンゴムシなどの土壌動物、カビやキノコなどの菌類、乳酸菌や大腸菌などの仲間である細菌類などの微生物だ。分解者たちによって有機物は無機物に分解され、生産者に再度利用されることになる。分解者がつくり出す無機物の一例としては二酸化炭素がある。つくり出された二酸化炭素は植物の光合成に使われ、また有機物をつくり出すのに役立つ。

細菌のように葉緑体をもたない微生物は、植物と違ってみずから有機物をつくり出すことはできない。そのため、落ち葉や生物の死骸などの有機物を消費し、分解後再び生産者に利用される。つまり、**細菌は、消費者でもあり分解者**でもあるのだ。

DAY 86
March 26th

# 生きた下水処理システム 環境を保つ微生物

## 生態系における微生物の働き

前ページでわかるように、土壌や水質は分解者たちの働きによって、適切な状態に維持されている。森林の例で考えると、たとえば落ち葉をミミズなどの土壌生物が食べて粉々にし、さらに微生物が分解して栄養の豊富な土に変える。

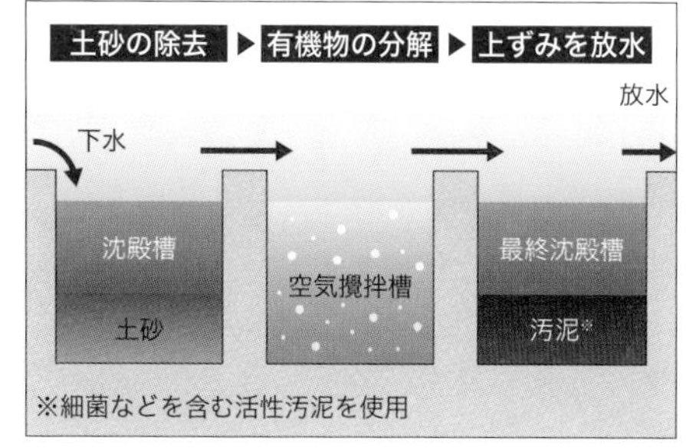

下水処理場の仕組み。

しかし、**人間の活動によって大量の有機物がもたらされる**と、**通常の分解者の働きだけでは、簡単には元に戻らない**場合がある。

海や川の中でも同じようなことが起こっている。汚染された河川や海、つまり大量の有機物を含む水の中では、植物プランクトンや藻類が増殖するのに適した「栄養塩類」と呼ばれる物質が増加する。この状態を「富栄養化」といい、微生物が過剰繁殖することになる。微生物も呼吸はするため、水中の酸素が不足し、魚や水中の生物などが生息できなくなる場合がある。

こうした土壌汚染･水質汚染に対して、土壌洗浄や化学的に処理する方法など、さまざまな対処法が開発されてきた。その1つに**微生物を活用した浄化方法**がある。環境に配慮した浄化法として、利用が広がっている。

浄化方法といっても、それほど特別なことをするわけではない。基本的には自然界に存在する微生物の活動を促すことで、浄化作用を高める。培養した特殊な微生物を投入することもあるが､自然の微生物だけで対応可能な場合が多いようだ。

代表的なところでは、下水処理場で使われる「活性汚泥法」だろう。下水などに酸素を送り込むことで、それまで酸素不足で活動できていなかった分解者の繁殖を促すと、沈殿物が生じる。この「活性汚泥」が生じると、上ずみは比較的きれいな水になる。これをさらに浄化して、川や海に戻している。結局、環境を維持していくうえで頼りになるのは分解者なのだ。

# 腐敗と発酵はじつは同じメカニズム

## 微生物と発酵食品



食品にも微生物の力が生かされていることは先述のとおりだ。代表的なものが発酵食品であり、古今東西、その土地や風土に適した食文化が築かれてきた。炭水化物やタンパク質などの**有機物を微生物が分解し、人間にとって有益な物質がつくられることを「発酵」**という。メカニズムとしては同じだが、**有害な物質がつくられることを「腐敗」**という。

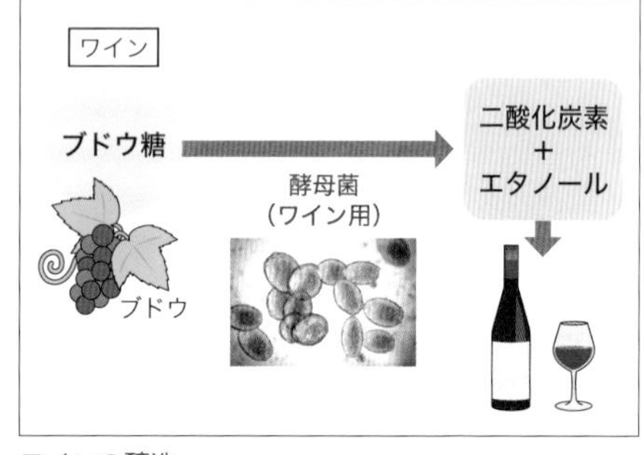

ワインの醸造。

**発酵を促すおもな微生物には、カビ、酵母、細菌**がある。

日本食に欠かせないしょう油やみそなどの発酵調味料をつくるのは、コウジカビというカビ（真菌類）の一種だ。

ワインやビール、日本酒などをつくる「アルコール発酵」や、イーストによってパンが膨らむのは酵母菌の働きによるもの。アルコール発酵でつくられた最も古い飲料は、約8000年前に誕生したワインだと考えられている。ワインは、ブドウの果実に含まれる糖を、酵母菌が二酸化炭素とエタノールに分解することでつくられている。

また、細菌による発酵を利用した食品にはヨーグルトやチーズなどがある。ヨーグルトやチーズの製造に使われる「乳酸菌」は、おもに糖類を分解して乳酸を生成する細菌の総称で、乳酸菌による発酵を「乳酸発酵」と呼ぶ。ヨーグルトは、牛乳に乳酸菌を加えると乳糖が分解され、乳酸発酵することでつくられる。ビフィズス菌やガセリ菌など、加える乳酸菌によって、さまざまなヨーグルトが生産されている。

また、日本の漬物の中でも、ぬか漬けなどは、野菜に付着している乳酸菌が作用してぬか床で発酵が生じ、酸味のある味わいになる。さらに、枯草菌の一種である納豆菌を生かした納豆、酢酸菌を用いてつくる食酢なども、細菌の働きによる発酵食品だ。

DAY
88
March 28th

# おなじみのシイタケから メタンを発生させる菌まで

## 微生物の種類

便宜上、**顕微鏡でしか見えない生物を微生物**と呼ぶ（厳密な定義はない）。肉眼では見えなくとも、私たちの身のまわりにも多数存在している。微生物と一言でいっても、実際には**「細菌」「古細菌」「菌類」などさらに細かく分類**される。

| 細菌 | 古細菌 |
|---|---|
| 乳酸菌<br>枯草菌<br>結核菌<br>など | 超好熱菌<br>高度好塩菌<br>メタン菌<br>など |
| **菌類** | **その他** |
| コウジカビ<br>アオカビ<br>酵母菌<br>など | ゾウリムシ<br>アメーバ<br>ケイ藻<br>など |

微生物の分類。

細菌の中でよく知られているのが、ヨーグルトに含まれる「乳酸菌」や納豆に含まれる「枯草菌」などだ。こうした**食品に利用**されるものがある一方で、「結核菌」や「コレラ菌」といった**病原菌**となるものもある。ヒトの体の中に住む**「大腸菌（腸内細菌）」**も細菌だ。また、自然界においては、太古の地球で誕生した光合成を行なうシアノバクテリアなども細菌の1つだ。

病気の原因となる存在には「ウイルス」もあるが、こちらは細胞膜をもたず、宿主なしでは自己増殖できないため、生物には含まれない。

**「古細菌」の特徴は、ほかの微生物が住めない過酷な環境でも生きられる**種類もあること。高温の環境に住む超好熱菌や、塩分濃度の高い環境に住む高度好塩菌、メタンを合成するメタン菌などが知られる。

**菌類には、「コウジカビ」や「アオカビ」、「酵母菌」のほか、キノコの仲間も**含まれる。光合成は行なわず、養分となる有機物を体の表面から取り入れている。ちなみに、普段目にしているシイタケなどの食用部分は、長い糸状の菌糸という細胞がぎっしりと並んで集合したものだ。

**「ゾウリムシ」や「アメーバ」、水中に住む「ケイ藻」といった単細胞の藻類**など、これらに分類できないものもいる。

微生物は顕微鏡を使わないと見えないほど小さいが、やはり**細胞からできている**。原生生物や菌類などの「真核生物」の細胞は、核内にDNAが存在する「真核細胞」である。一方、細菌や古細菌などの「原核生物」の細胞は、核をもたずに細胞内にDNAが存在する「原核細胞」である。

# 病原菌発見の功労者 細菌学の父・パスツール

## 微生物と医学



つねに人類の身近に存在していた微生物だが、その存在が発見・認識されたのは17世紀半ばのこと。オランダの顕微鏡学者レーウェンフックが、倍率50〜300倍の自作の顕微鏡で池の水を観察し、さまざまな微生物の存在を明らかにしたのが始まりだ。

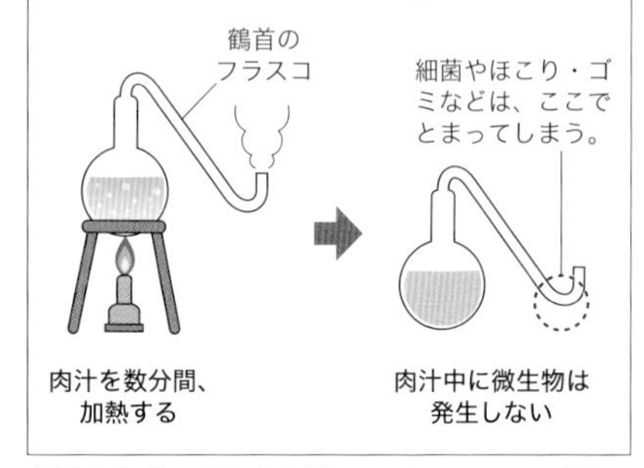


自然発生説の誤りを裏付けたパスツールの実験。

時代は下って19世紀半ば。微生物は栄養さえあれば、自然に発生するという「自然発生説」の支持派と反対派との間で論争が続いていた。これに対して、フランスの化学者パスツールは、外から微生物が入らないよう加工したフラスコを用いて実験し、フラスコ内の肉汁が腐敗するか否かを実験した。**微生物が外から入った場合のみ腐敗することを実証**し、自然発生説は否定されることになった。

また、パスツールは製糸業を支える**カイコの病気の原因究明**を依頼され、原因が細菌であることも特定、約5年の歳月をかけて予防法を研究した。さらに、狂犬病といった当時流行していた**伝染病の原因を究明**するとともに**ワクチンの開発**に尽力した。イギリスの医学者ジェンナーが開発した種痘法（牛痘ウイルスを接種することで天然痘を防ぐ治療法）をヒントに、病原体を無害化したり感染力を低下させたりしたうえでヒトに与えるワクチンを生み出し、**「予防接種」の基礎**を築いた。

ほかにも、ワインの腐敗を防ぐ**低温殺菌法を開発**するなど、幅広い分野の発展に貢献した。

1887年には、世界中から集まった寄付金を元にパリにパスツール研究所が設立され、今も研究・教育・公衆衛生・革新という4つの大きなミッションを掲げて研究が続けられている。

DAY
90
March 30th

# ウイルスという病原体は生物ではない

## ウイルスの発見

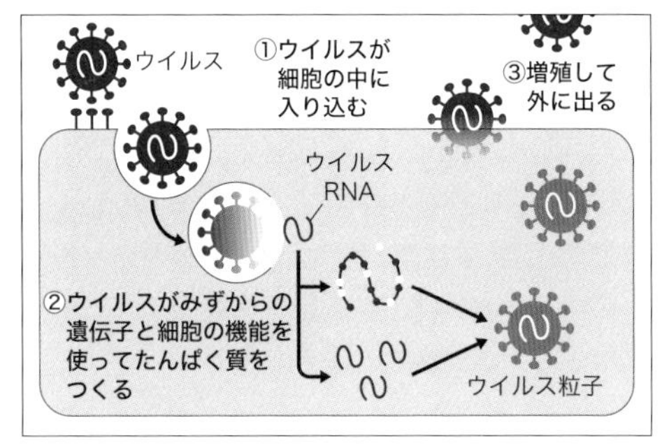

ウイルスの増殖。

パスツールが微生物の自然発生説を覆した19世紀中期以降、細菌学の研究はさらに発展する。1882年には、ドイツの細菌学者**コッホが、結核を引き起こす「結核菌」を発見**し、結核がヒトを介して広がる「伝染病」であることを見出した。

続けてコッホは、家畜の間で流行していた炭疽(たんそ)病の原因が「炭疽菌」であること、インドで大流行したコレラの原因が「コレラ菌」であることを発見し、病原体としての微生物の存在を次々と明らかにした。

この**コッホに師事したのが北里柴三郎**だ。**「破傷風」の予防法を確立**したことや、**「ペスト菌」の発見**で知られる。

こうした研究者たちによって、伝染病の多くは病原性細菌が原因で引き起こされることがわかり、感染症の研究は飛躍的に進歩した。しかし、中には、**病原性細菌が発見されない伝染病**があった。19世紀末、ロシアの微生物学者イワノフスキーはタバコモザイク病研究の中で、細菌を通さないはずの「細菌ろ過器」を通過する、**非常に小さな病原体が存在するという仮説**を立てた。しかし、従来の顕微鏡では確認できなかったため、当時はその実体を証明することはできなかった。**この小さな病原体こそが「ウイルス」**だ。

20世紀に入ると、アメリカの生化学者スタンリーが、タバコモザイク病の原因となるウイルスを結晶化して取り出した。生物は結晶化しないことから、ウイルスが生物か無生物かという論争が起こった。多くの研究者の尽力によりウイルスの実体が明らかになっていくと、ウイルスが細胞膜をもたず、ほかの生物の細胞内でしか増殖できないことが見出された。現在ではウイルスは生物ではない、とされている。

DAY 91
March 31st

# 微生物と闘う物質を微生物が生み出す

## 抗生物質の発見



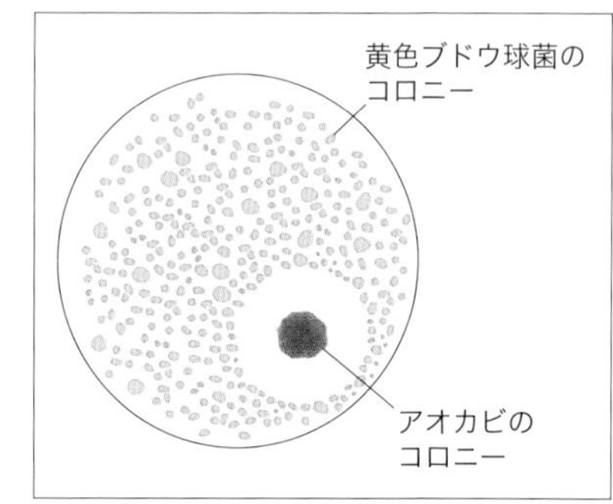

ペニシリン発見につながった実験結果。

微生物が生み出す物質の中でも、20世紀前半に発見された「抗生物質」は、医薬品として多くの命を救ってきた。抗生物質とは、**病原性細菌の増殖を抑えたり機能を阻害したりするものの総称**。細菌が原因で起こるさまざまな感染症の治療や予防に役立つ。

抗生物質を発見したのは**イギリスの細菌学者フレミング**だ。このときに発見されたのが**「ペニシリン」**で、医学史上でもとくに重要な発見の1つだ。フレミングは、第一次世界大戦における戦傷兵の感染症の治療と予防のために、細菌を研究していた。ある日、細菌実験の培地上に偶然アオカビが発生した。そのカビの周縁部だけは細菌が死滅し、増殖も抑えられていることに気づいた。これが、抗生物質発見のきっかけとなった。1928年のことである。

1944年には、**アメリカの微生物学者ワクスマンら**が**「ストレプトマイシン」**という抗生物質を発見した。これは、土壌に住む放線菌という微生物がつくり出す物質で、強い殺菌力をもち、結核の治療薬となった。第二次世界大戦後は、抗生物質の研究・開発、普及がさらに進んだことで、それまで多くの死者を出していた結核や肺炎のような感染症の罹患者がじょじょに減少していった。

抗生物質についてワクスマン以来の大きな発見を成し遂げたのが、**日本の化学者・大村智氏**だ。**寄生虫に有効な物質を発見し、「エバーメクチン」と命名**している。また、エバーメクチンを改良して開発した「イベルメクチン」は、寄生虫が原因となるオンコセルカ症などに対する有効性が確認されていて、熱帯地域などを中心に効果を上げている。その業績から、2015年にノーベル生理学・医学賞を受賞した。

# 微生物を活用してプラスチックの分解もできる

## バイオテクノロジーの発展

20世紀の医療分野では細菌が盛んに利用されてきたが、1980年代に入ると、**微生物の遺伝子を操作して、特定の働きを高めた医薬品**も開発され始めた。たとえば、糖尿病患者の血糖値を下げるインスリンだ。それまでは、豚や牛の膵臓から抽出していたが、1頭から得られる量は少なく、副作用を引き起こすリスクもあった。そこで、遺伝子を操作した大腸菌や酵母菌を培養し、ヒト由来のものと同じ構造をもつインスリンの開発に成功している。

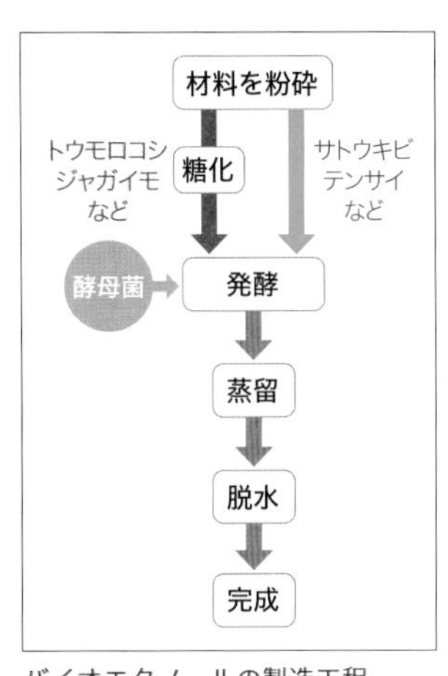

バイオエタノールの製造工程。

このような、微生物をはじめとする**生物がもつ働きを活用した科学技術をバイオテクノロジー**という。医療だけでなく、農業や環境保全などさまざまな分野で活用が進んでいる。

**遺伝子組換え食品**についてはDAY80ですでに述べたが、ほかにも石油や石炭などの化石燃料に代わるエネルギーとして、**バイオマス燃料を使った発電**などもバイオテクノロジーの一端として注目を集めている。バイオマスとは化石燃料を除いた動植物由来の有機性資源のこと。具体的には食品廃棄物、家畜のふん、木くずなどを指す。代表的なバイオマス燃料としては、バイオメタンやバイオエタノールがある。化学的に合成するのではなく、バイオマスから発酵によってつくり出されたメタンやエタノールのことだ。燃焼すると二酸化炭素が排出されるが、原料となっている植物は成長の過程で光合成によって二酸化炭素を吸収している。成長の過程から燃焼までの期間全体で見ると、大気中の二酸化炭素の総量は増えていないことになる。

また、**再生可能な植物原料からつくられるバイオプラスチック**なども開発されている。バイオプラスチックの中には、微生物の働きで水と二酸化炭素に分解可能なものもある。微生物の利用はさらに多様になりつつある。

DAY 93 April 2nd

まとめ Summary

# 世代交代と環境の変化が積み重なり生物は多様化



生物は海の中で発生し、複雑な体を獲得しながら、生存域を広げてきた。ヒトなどの脊椎動物についていえば、魚類から両生類、そこからは虫類とほ乳類に分かれ、は虫類の一部が鳥類へと進化した。その間、地球は何度も環境の変化にさらされ、適応できなかった種は滅んでいった。

こうした進化を生むのは、生物の設計図であるDNAのコピーミスだ。分裂によって増えた細胞は、DNAに刻まれた情報を元に組織や器官へ分化していくが、この設計図は親から子へ受け継がれる際、しばしば書き換わる。その大部分は利にも不利にもならない小さな変化だ。それが積み重なることで、生物は少しずつ姿を変えていく。圧倒的に有利な形質を得るような劇的な変化が起こることも、ごくまれにある。こうした変化が気が遠くなるほど繰り返されることで、生物は別の種へ進化していくのだ。

そうして多様化した生物は、生態系を形づくる。たとえば、有機物を生み出す生産者を小さな生物が食べ、さらにそれを大きな生物が食べる。そして発生した廃棄物は分解者が無機物に戻している。また、オオカミが増えてウサギの多数を食べてしまい、一時的にバランスが崩れても、エサがなくなるとオオカミも数を減らす。するとウサギが数を増やし、オオカミも増える。このように多少の変化は元に戻される。生物は複雑に関わり合って、環境が維持されているのだ。

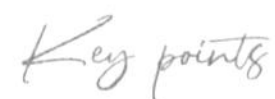


- 生物は、長い時間をかけて姿を変えてきた。
- 進化を生むのは、生物の設計図であるDNAのコピーミス。
- 多様な生物が、相互に関係して、生態系を維持している。

# Part2

# 化学
（粒子）

# 氷が水に浮くのはなぜ？

北極海の氷がすべてとけると、どうなってしまうだろうか？　海面が上昇し、多くの陸地が失われてしまうと思うかもしれないが、現実にそういうことは起こらない。これは北極の氷が海水に浮かんでいることに関わりがある（北極海に陸地は少ない）。さらにいえば、水という物質がもつ性質に深く関係する。氷は水に浮くが、じつはこの現象は大変特別なものなのだ。

## ▶浮くとはどういうことか？

たとえば水に同じ大きさの鉄の塊と氷を入れると、鉄は沈んで氷は水に浮かぶ。この場合、鉄が沈むのは重いからと考えるかもしれないが、では鉄1gと氷100gを水に入れるとどうだろうか？　この場合でも鉄の塊は沈んで氷は浮かぶ。物質が水に浮かぶという現象には、何が関わっているのだろうか？

## ▶水と氷は何が違うのか？

物質は温度によって姿を変える。水でいうなら氷・水・水蒸気だ。このような現象を「状態変化（相転移）」といい、その状態に応じて「固体」「液体」「気体」と呼ぶ。この変化はあらゆる物質で起こるが、水の場合、液体と固体で何か性質が変化しているのだろうか？

## ▶水はどうやって氷になるのか？

それぞれの物質は、固体・液体・気体への相転移を起こす温度が、圧力によって決まっている。その違いを利用して、人類はさまざまな物質を利用している。水の場合、1気圧下で0℃以下になったときに氷ができ始めて、100℃以上になると沸騰してすべて水蒸気に相転移する。そして一般的に物質は温度が高くなるにつれて、体積は大きくなる。しかしそもそも、温度と体積の変化は、どんな仕組みで起きるのだろうか？

DAY
95
April 4th

# しゃがんでのっても、体重計の数値は同じ

## ものの重さと形、体積の関係

私たちの身のまわりには、さまざまな「もの」が存在する。ものにはそれぞれに重さがあり、日本では一般的に「g（グラム）」という単位で表される。ほかにも重さの単位としては、「ポンド（1ポンド＝約453g）」や「オンス（1オンス＝約28g）」「貫（かん）（1貫＝3750g）」「匁（もんめ）（1匁＝約3.75g）」などがある。

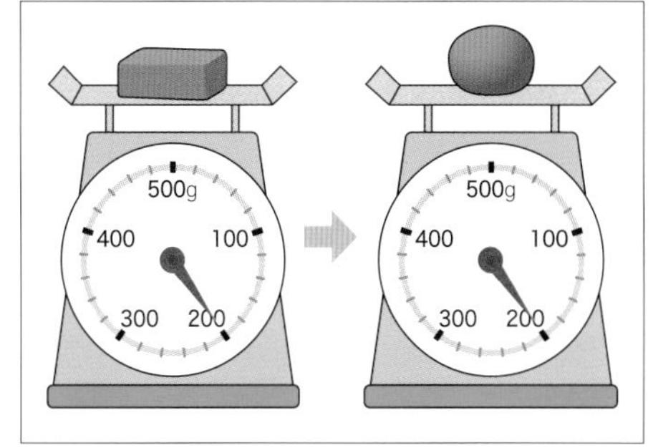

形が変わっても粘土の重さは同じ。

ものの重さを調べる道具としては「はかり」がある。このはかりを使って調べてみると、**ものの重さは形によって変化することはない**ことがわかる。たとえば自由に形状を変えられる粘土で考えてみると、200gの粘土は、丸くしても平らにしても細長くしても200gのままだ。また、広げたアルミ箔（はく）を小さく丸めたり、細かく切断したとしても、全体の重さが変わることはない。

はかりへののせ方によって、ものの重さが変わることはあるのだろうか？　はかりの一種に体重計があるが、立ってのった場合としゃがんでのった場合とでは体重が異なるかといえば、そうはならない。姿勢（形）が変わっても同じ人物（もの）であれば重さは変わらないからだ。

では、違う素材でできた同じ大きさのものの場合、重さも同じになるのだろうか？　ものの大きさ（かさ）のことを「体積」というが、まったく同じ体積の鉄と木とスポンジを並べた場合、それぞれの重さは異なる。一番重いのは鉄であり、木、スポンジの順に軽くなっていく。液体に関しても同様であり、たとえば同じ量の水とサラダ油を比べてみると、水のほうが重い。水と油を混ぜると油が上にたまるのは、重さが異なるからだ。ものの素材が同じなら、形が変わっても重さは変わらず、**同じ体積（大きさ）であっても、ものの素材が異なれば重さも異なる**ということが、「ものと重さ」の基本的な関係だ。

DAY 96

April 5th

# 豆腐の容器の水はクッションの役割

## 閉じ込めた空気と水の性質

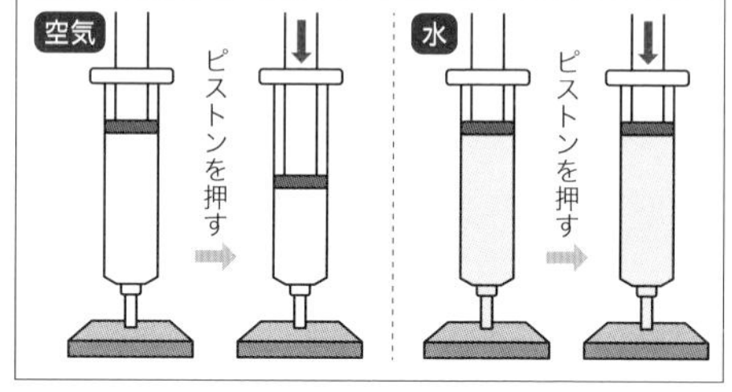


実験器具の注射器の出口を塞いだ状態で空気を入れてピストンを押していくと、ある程度は下がるものの、しだいに抵抗力が増していき、最後まで押し下げることはできない。ピストンが下がるのは、力を加えられることによって空気の体積が小さくなっていることを示す。**空気は押し縮めることができる**という言い方もできる。

最後まで押し下げることができないのは、**空気は体積が小さくなると元の大きさに戻ろうとする**性質があるためだ。ピストンから手を離せばピストンは自然に元の位置まで戻るが、これも空気にそうした性質があるからだ。

このような空気の性質を利用したものとしては、たとえばサッカーボールがある。空気を十分に入れたサッカーボールがよく弾むのは、地面に当たったり足で蹴られたりすることで、押し縮められた内部の空気が元に戻ろうとするからだ。自転車のタイヤにしても同じことがいえる。地面に接することで内部の空気が縮められ、反発することで振動を和らげて快適に走ることができる。

では、水の場合はどうだろうか？　同じように注射器の出口を塞いだ状態で水を入れてピストンを押したとしてもほとんど下げることはできない。つまり水は力を加えられてもほとんど体積が変わらない。空気は縮めることができるが、**水はほとんど縮められない**のだ。

スーパーで売られている豆腐のパックは、水で満たされている。これはパックを積み重ねても中の豆腐が潰れないようにするための工夫だ。力を加えられてもほぼ体積が変わらない（縮みにくい）という水の性質を利用したもので、外部からの衝撃を和らげるクッションの役割を果たしているともいえる。

同じ容器に空気と水を入れて力を加えると、空気だけが縮む。その空気は元の大きさに戻ろうとする。この原理を使ったものにペットボトルロケットがある。縮められた空気が元の大きさに戻ろうとする作用で、空気と水を吐き出しながら飛んでいくという仕組みだ。

DAY

97

April 6th

# 鉄道のレールには隙間が必要だった

## 物質による温まり方と体積変化の違い

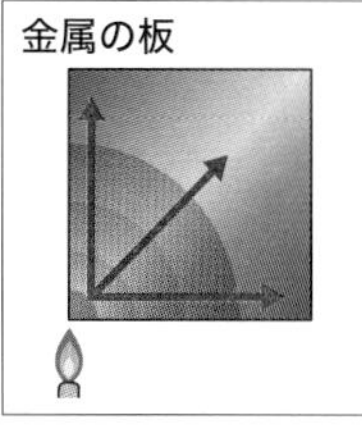

熱したところからじょじょに熱が広がる。

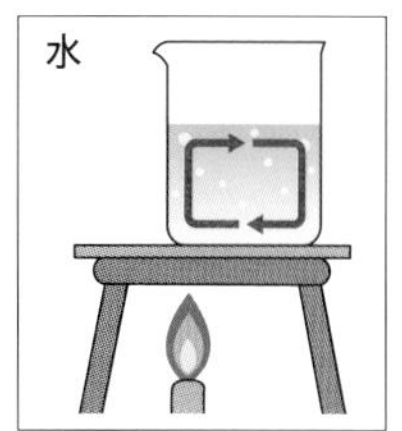

温められた部分が上へ動き、全体が温まる。

空気と水にそれぞれ熱を加えると、同じプロセスで全体が温まっていく。最初に温かくなるのは熱を加えられた部分で、それが上方へと移動する。移動することで、まだ温まっていない水や空気が熱源付近に流れ込んで温まり、また上昇する。その繰り返しで全体が温まる。

お風呂に入ったとき、上のほうだけ熱く、下はまだ冷たいままだったという経験をした人もいるはずだ。また、暖房をつけたとき、なかなか足もとが温まらないということも経験上、多くの人が感じていることだろう。これらは**温まった空気や水は上昇**するという性質による現象だ。この熱の伝わり方を**「対流」**という。

金属の場合は熱を加えられた部分から、じょじょに熱が全体へと広がっていく。たとえば、金属の棒を縦にして、真ん中の部分に熱を加えると、そこから重力とは関係なく、上下それぞれの方向に熱が広がっていく。このように、**熱した部分から順に温まっていく**熱の伝わり方のことを**「伝導」**という。

空気と水の温まり方と金属の温まり方は異なるが、**熱を加えることで体積が大きくなる**という点では共通している。体積が大きくなった物質は、熱が奪われる（温度が低くなる）と元に戻り、さらに温度を下げる（冷やす）と体積は小さくなる（ただし、水は氷になるまで冷やされると、体積が大きくなるという特別な性質をもっている）。

温度による体積の変化が一番大きいのは空気で、次いで水、金属の順となる。温度の高低で体積が変化する性質を考慮してつくられているものに、鉄道のレールがある。金属でできた昔のレールの継ぎ目にはわずかな隙間が設けられているのだが、これは強い日差しで温度が上がり、レールが伸びることを想定していたためだ。継ぎ目をピッタリと合わせておくと、伸びたレール同士がぶつかり曲がってしまうので、それを防ぐための工夫というわけだ。

DAY 98
April 7th

# 水はすべて氷になると0℃よりさらに低温になる

## 温度による物質の状態の変化

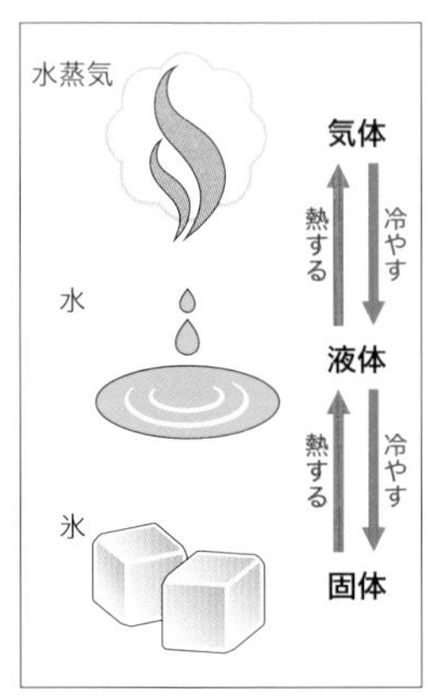

水は温度によって固体・液体・気体になる。

鍋に水を入れて下から火をかけた場合、まず鍋の底の水が温まり、上昇する。入れ替わるようにまだ温まっていない水が鍋の底付近に来て、熱を加えられ、また上昇する。その繰り返しで鍋の水全体が温まる。

さらに熱し続けると、水の中から泡のようなものが出てくる。最初に現れる泡は水に溶けていた気体（おもに二酸化炭素）だが、温度が上がると、水蒸気の泡が出てくる。水蒸気は水が気化したものだ。水面付近からは「湯気」が立ち上るが、これは冷やされた水蒸気の一部が小さな水滴に戻り、白く見えるものだ。

常圧では、水温が**100℃に近づくと、激しく水蒸気の泡が出る**ようになる。この**水面より下で起きる気化が「沸騰」**だ。この場合、**沸騰後も100℃よりも水温が上がることはない**。

温度は上がらないが、鍋の中の水はしだいに減っていく。水が水蒸気へと姿を変えて空気中に出ていくためだ。このときの**水面で起きている現象が「蒸発」**だ。蒸発は100℃にならないと起こらないわけではなく、それより低い温度でも起きる。水たまりがなくなったり、洗濯物が乾くことを考えればわかりやすいはずだ。

では、逆に水を冷やし続けるとどうなるのだろうか。熱を加え続けたときと同じように水は姿を変えて氷となる。水が**氷になり始めるのは0℃になったとき**で、全体が凍るまで0℃の状態が続く。すべてが氷になったあとは、さらに温度は下がっていく。沸騰した水は100℃以上にはならないが、**氷になった水の温度は下がり続ける**という性質をもっている。

このように、水は温度の変化に応じてその姿を変える。水蒸気になった状態のことを「気体」といい、氷の状態は「固体」、水のままの状態は「液体」と呼ばれる。こうした呼び方は水に限定されるものではなく、ほかのものに対しても用いられる。たとえば常温では、酸素は気体、エタノール（アルコールの一種）は液体、鉄や銅は固体だ。

DAY
99
April 8th

Column
暮らしの中の"エセ科学"

# 水素水は体にいいの？

**老化をもたらすといわれる活性酸素と結び付き、アンチエイジング効果が高いと喧伝（けんでん）されていた「水素水」。ダイエットやがん予防にも効くといわれ、一時期、大きな話題となったが、勢いは長続きしなかった。なぜ水素水ブームが短命に終わったのか、経緯を見ていくことにしよう。**

最初に押さえておきたいことは、**「水素に健康効果がないとは言えない」**という点だ。医療の分野には「水素医学」というものがあり、水素による人体への影響に関して研究が進められている。また慶應義塾大学病院では「水素ガス吸入療法」という治療法を試験的に導入している。

その水素の濃度を通常の水より高めたとうたっているのが水素水だ。医学の領域で研究対象となっている水素が入っているのだから健康効果も高いと考えてしまいがちだが、気になる点がいくつかある。1つは国民生活センターの指摘によるもので、市販されている水素水には特定健康保健食品（トクホ）や機能性表示食品として**届け出・許可されたものは存在しない**という点だ。届け出には効果について科学的根拠を示す必要がある。

さらに同センターでは水素水およびその生成器を販売している業者に対して「飲用により期待できる効果」についても尋ねており、最も多かった回答は「水分補給」だった。**水分補給ならふつうの水で十分**ではないだろうか。ダイエットや疲労回復、アンチエイジングに効果があると考えている業者もいたが、「医薬品医療機器等法（医薬品、医療機器等の品質、有効性及び安全性の確保等に関する法律）」に抵触する恐れがあるため、明確に表示できないとのことだった。これは「科学的根拠を示せない」といっているに等しい。なお、2021年には水素水生成器販売事業者4社が**根拠のない効果を喧伝したとして消費者庁から行政処分**を受けている。それ以前にも水素水飲料メーカーが行政処分を受けたことがあった。水素水の健康効果については科学的な検証が待たれるところだが、以上のような経緯もあってブームはすぐに消え去ったのかもしれない。

DAY 100
April 9th

# 物質は見た目だけでは区別を付けにくい

## 物体と物質の違い

コップは物体でガラスやプラスチックが物質。

私たちの身のまわりには数多くの「もの」が存在するが、それは「物体」や「物質」という言葉で表されることがある。両者の違いは何だろうか？コップを例にとって考えてみよう。

ひとくちにコップといっても、ガラス製、プラスチック製、金属製などさまざまな種類がある。紙や木でできたコップもある。何を材料にしてできているかは違っても、「飲み物を入れる」という用途は共通だ。また形状も似たようなものとなる。こうした**目的・形などでものを区別するときは「物体」**という言葉を用いる。

一方、**素材によってものを区別するときに使うのが、「物質」**という言葉だ。コップの例でいえば、ガラスやプラスチック、金属、紙、木などが素材ということになる。

物体は見た目で区別を付けやすいが、物質はそうとは限らない。たとえば、ペットボトルと缶は、それぞれ異なる物質だということはすぐにわかるが、スチール缶とアルミニウム缶の場合、見た目だけではすぐに区別を付けにくい。砂糖と食塩に関しても同じことがいえる。

見た目が似ている**物質を見分けるためには、それぞれの性質の違いを見つけ出す**ことが必要になってくる。砂糖は甘く、食塩はしょっぱいというのも性質の違いだ。スチール缶とアルミニウム缶を区別するには、磁石を使えばいい。スチール缶は磁石に引き寄せられるが、アルミニウム缶は引き寄せられない。

物質の性質を調べるには、見た目や状態の観察、重さの測定、手ざわりやにおいによる判断、熱を加えたときや水に入れたときの変化、電気を通すか通さないかなど、さまざまな方法がある。物質の性質がわかれば、ほかの物質と区別ができるだけではなく、その性質を活用した製品をつくることもできる。その意味でも、物質の性質を調べることは重要なことだ。

# 水に浮く人と沈む人の違い

## 密度と浮き沈みの関係

物質を区別する方法にはさまざまなものがあるが、「密度」を比べることもその１つだ。**密度とは「物質１㎤あたりの質量」**のことを指す。密度を導き出すには、物質の質量（g）を物質の体積（㎤）で割ればいい。単位は「g/㎤」となる。

ここでいう「質量」は「重さ」と似ているようで意味が違う。**質量は物質そのものの量**のこと。物質固有のものなので、地球上であっても月面上であっても質量は変わらない。

一方の**重さは、ものに働く重力**のことをいう。地球上で60kgの重さのものは月面上では約10kgとなる。月の重力は地球の約６分の１だからだ。

小学校の教科書では、「質量」を「重さ」と表現しているが、本来はそれにその場で働く重力を表す「重量」が「物体の重さ」だ。しかし、地球上のほとんどの場所では、質量と重量の値は一致しているので、実際には、どちらも「重さ」で問題ない。

同じ体積のものであっても、**種類によって質量は違ってくる**。たとえば鉄とアルミニウムでは、鉄のほうが質量が大きい。したがって密度も異なる。これは固体にせよ液体にせよ同じで、**ものにはそれぞれ固有の密度がある**。

水にものを入れると、浮くものもあれば沈むものもある。その違いは密度と関係している。水の密度は1.0g/㎤。これより密度が大きいものは水に沈み、小さいものは浮く。たとえば1gの水晶と1kgの氷を水に入れるとする。これらは見た目も似ている。氷は水晶の1000倍の質量だが、水に沈むのは水晶のほうだ。これは水晶が水よりも密度が大きいためだ（水晶の密度は約2.7g/㎤）。一方、氷は水よりも密度が小さい（氷の密度は0.917g/㎤）。こうした性質を利用すると、**液体での浮き沈みでものを区別**することも可能になる。

ちなみに人間の体の密度は、平均すると1.0g/㎤をわずかに超えるくらいで、水の密度に近い。骨や筋肉は水より密度が大きく、脂肪は小さい。また、体内の多くを水分が占める。そのため、骨や筋肉、脂肪のバランスの違いで浮く人もいれば沈む人もいるが、平均的には肺の中に空気をたくさん吸い込めば浮き、吐けば沈む。死体は沈むことが多い。その後、浮いてくることがあるのは、体内でガスが発生し、膨満するからだ。

DAY
102
April 11th

# 金属を区別するには密度が手がかりになる

## 金属の性質と区別する方法



私たちの暮らしを支える重要な物質の1つとして、「金属」がある。金や銀、銅、鉄、アルミニウム、チタンなどが身近な金属として知られるが、これらはもともと地中に眠っているものだ。その多くは酸素や硫黄と結び付いた「鉱石」と呼ばれるものに含まれており、ここから「精錬」という技術によって取り出される。

装飾に使う金箔は展性という性質を利用したもの。

たとえば、「鉄鉱石」をコークスや石灰石とともに溶鉱炉に入れて高温で熱すると、化学反応が起きて鉄が取り出される（実際はさらに複雑な過程を経る）。鉱石ではなく単体で産出する金属は種類が少なく、おもなものとしては金や白金（プラチナ）が挙げられる。

金属にはさまざまな種類があるが、共通している性質としては次の５つがある。①**電気をよく通す**「電気伝導性」、②**熱をよく伝える**「熱伝導性」、③**切断すると特有の光沢**が見られる「金属光沢」、④**外から力を与えると薄い箔に広がる**「展性」と、⑤**引っぱると長く延びる**「延性」だ。

金属は密度を調べることでそれぞれの物質名を知る手がかりを得られる。また、より大きな分類として「軽金属」と「重金属」という分け方もある。**軽金属は密度が４～５g/㎤以下**のもので、**それより大きい金属が重金属**だ。

アルミニウムやチタンは軽金属で、前者は航空機材料、電気材料、建築材料などに、後者はスペースシャトル、ジェットエンジン、装飾品などに使われる。

重金属としては金や銀、銅、鉄などがある。金や銀は装飾品に、金や銅は電気材料に、鉄は機械や建築材料などに使われることが多い。

**金属以外のものは「非金属」**と呼ばれ、おもなものとしてはガラス、木、ゴムなどがある。こうした非金属もまた、私たちの暮らしに欠かせない重要な物質だ。

DAY

103

April 12th

# 砂糖が焦げて食塩が焦げない理由は炭素にあり

## 有機物／無機物の性質と区別する方法

物質を区別する方法として密度のことを学んだが、この方法は金属のように固まった状態にあり、体積が量りやすいものに関しては有効だ。しかし細粒状の物質は正確に体積を量ることが容易ではないため、密度による区別も難しくなってくる。では、どうすればいいのだろうか。

無機物から有機物を合成したウェーラー。

砂糖と食塩とで考えてみよう。いずれも白い細粒状の物質だが、味見以外で両者を見分けるにはどのような方法が考えられるだろうか。1つには水に溶かすという方法があるが、どちらも溶けてしまうと見た目で見分けることはできない。

次に、熱を加えてみるというやり方を試してみる。砂糖に熱を加えていくと、とけ始め、最終的には黒く焦げる。この焦げの正体は「炭」であることが知られているので、**砂糖は「炭素」を含んでいる**ことがわかる。一方、食塩を熱しても砂糖のようにとけたり黒く焦げたりすることはない（ただし、800℃以上になるまで熱すると食塩を液体にすることができる）。

このように、**熱を加えることによって焦げて黒くなる（炭素を含む）もの**と、そうならないものがあることがわかった。前者のことを**「有機物」**という。細粒状の有機物としてはデンプンやグラニュー糖、小麦などがある。細粒状以外の有機物では木やろう、プラスチック、エタノールなどが挙げられる。有機物は炭になったあとさらに熱を加え続けると、二酸化炭素をつくり出す。

有機物に対して、**「無機物」**という言葉がある。定義は**「有機物を除いたすべての物質」**となっている。無機物は熱を加えても焦げることがない。食塩のほかに金属やガラス、水、酸素などが身近な無機物として挙げられる。

かつて有機物は生物がつくり出すもので、無機物から人工的につくることはできないと考えられていた。しかし19世紀のはじめにドイツのウェーラーという化学者が**無機物から有機物を合成**することに成功し、やがてそれはプラスチックの開発につながっていった。

DAY 104 April 13th

# プラスチックは熱に弱いとは限らない

## プラスチックの性質と種類

調理器具の取っ手に使われるフェノール樹脂。

私たちの生活にはプラスチックでできた製品があふれている。ほとんどのプラスチックは、おもに**原油から得られるナフサを原料にして人工的に合成された有機物**だ。「合成樹脂」という呼び方もあり、その種類は多岐にわたる。

一般的な特徴としては「密度が小さくて軽い」「熱や力を加えると形を変えられる」「電気を通しにくい」「さびない」「変質しにくい」といったことが挙げられる。なかでも熱に関しては、多くの人が「プラスチックは熱に弱い（加熱するとやわらかくなる）」という印象を抱いているはずだ。しかしプラスチックには熱に強い種類も存在する。

プラスチックは熱に対する性質の違いにより、「熱可塑性樹脂」と「熱硬化性樹脂」に二分される。**熱可塑性樹脂は、熱を加えることでやわらかくなり、熱が下がると再び硬くなる**性質をもつ（形が元に戻るわけではない）。一方の**熱硬化性樹脂は熱を加えることで硬くなる**という性質をもつ。

熱可塑性樹脂としてはレジ袋などに使われる「ポリエチレン」、家電から文具、スポーツ用品、玩具などに用いられる「ポリプロピレン」、一般的にビニールと呼ばれる「ポリ塩化ビニル」、発泡スチロールという呼び方で知られる「ポリスチレン」、ペットボトルの材料となる「ポリエチレンテレフタラート」などがある。いずれも熱を加えると変形するということは実感として理解できるはずだ。

熱硬化性樹脂としては「フェノール樹脂」がある。これは鍋ややかんの取っ手に使われるほか、ブレーカーなどにも活用されている。また「尿素樹脂」というものもある。「ユリア樹脂」とも呼ばれ、その用途としては日用品・化粧品の容器、食器、コンセント、麻雀牌などがある。

また、熱に対する性質以外の点に着目した分類としては、**「機能性樹脂」**がある。従来のプラスチックでは**不可能とされてきた性能をもつ**もので、身近な例でいえばスマートフォンのパネルに使われる「導電性プラスチック」が挙げられる。

# 空気中の酸素の量は二酸化炭素の500倍以上

## 空気の成分と性質

気体はふつう目には見えないが、「空気」という形で、私たちを取り囲んでいる。**空気は酸素、二酸化炭素、水素、窒素、アルゴンなどの気体（物質）の混合物**だ。これらの気体も金属やプラスチックと同じように固有の性質をもっているのだろうか？　そうだとしたら、その性質の違いによって気体を区別できると考えられる。

まず、身近な気体といえる「酸素」と「二酸化炭素」を見てみることにしよう。

酸素を満たした試験管と、二酸化炭素を満たした試験管を用意する。そこに赤くともした線香を入れてみよう。酸素中では線香は炎を出して燃焼するが、二酸化炭素中ではほどなく消える。燃焼実験前の試験管に「石灰水」を入れてよく振ると、酸素のほうは変化がなく、二酸化炭素のほうは白く濁る。

気体も水に溶けるが、その量は物質の種類によって異なる。酸素は水にわずかな量しか溶けないが、**二酸化炭素は酸素よりもずっと水に溶けやすい**。

ほかの気体はどのような性質をもっているのだろうか。「水素」は非常に軽く、物質の中では最も密度が小さい（$0.00009 g/cm^3$）。水素に火を近づけると、ポンと音をたてて、オレンジ色の炎で燃え、水（水蒸気）が合成される。水素は、ロケット燃料にも用いられている。

**空気中に最も多く含まれる気体は「窒素」**で、その割合は約78％にもなる。窒素はふつうの温度では反応しにくいという性質をもっており、食品の変質を防ぐためにパッケージ袋や缶に充填されることが多い。

ちなみに空気中における酸素の割合は約21％で、二酸化炭素は約0.04％だ。私たちは呼吸で酸素を吸って二酸化炭素を吐き出すというメカニズムをつい思い浮かべるので、両者の空気中の割合は大きな差がないと考えがちではないだろうか？　実際は500倍以上もの量の違いがあるのだ。

このように、気体も種類によって性質が違っており、なかには危険なものもある。洗濯用の漂白剤には、よく「まぜるな危険」という表示がある。これは異なる種類の薬剤を混合すると、ごく少量でも生命に危険を及ぼす、「塩素」という気体が発生することを警告しているのだ。

# 水に溶けやすい気体は密度の差を利用して集める

## 性質に応じた気体の集め方

**「水への溶けやすさ・溶けにくさ」も気体の性質**の1つだ。溶けやすさの度合いを「溶解度」という。水に溶けやすい気体としてはアンモニアや塩素、塩化水素、硫化水素がある。これらはいずれも人体に有害な気体だ。一方、水に溶けにくい気体としては酸素、窒素、水素などがある。

この**水に溶けにくい性質の気体を集める方法**としては**「水上置換法（すいじょうちかんほう）」**がある。水上置換法では、まず水を満たした大きな水槽を用意する。その中に「集気びん」を逆さまに入れ、びんの中も水で満たす。そこに集めたい気体をガラス管で導くと、気体の泡はびんの上方（底）にたまっていく。ただしこの方法は、気体を水にくぐらせるので、水に溶けやすい気体には適さない。

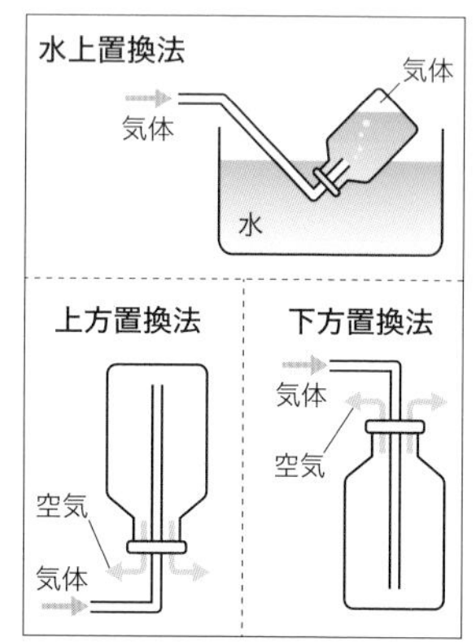

気体を集める方法は３種類ある。

ここで着目するのが気体の密度だ。気体にも固有の密度があり、空気よりも軽いか重いかが集め方の決め手となる。空気よりも密度が小さければ（軽ければ）空気の上にたまり、大きければ（重ければ）下にたまる。この**空気との密度の違いを利用した気体の集め方が「上方置換法」と「下方置換法」**だ。

上方置換法は、空気よりも密度が小さい気体を集めるときに用いる。逆さにした容器に該当する気体を送り込むと、空気より軽いため底部（位置は上）にたまり、空気は口から出ていく。この逆が下方置換法で、底部を下にした容器に空気よりも密度が大きい気体を送り込むと、底の部分にたまっていくというわけだ。

空気よりも軽い気体としてはアンモニア、窒素、水素、メタンなどがある。また空気よりも重い気体には酸素、二酸化炭素、塩素、硫化水素などがある（ただし、これらの気体の収集法は必ずしも、上方置換法や下方置換法とは限らない）。

DAY 107

April 16th

# 気体はそれぞれ物理的・化学的な性質が異なる

## おもな気体の性質

私たちのまわりにあるそれぞれの気体には、物理的・化学的な特性がある。ここではおもだった気体の性質について見ていくことにしよう。

まずは**酸素**。この気体は色やにおいはなく、空気よりも少し重い。また、**ものが燃えるのを助ける**。

次に**二酸化炭素**だが、酸素と同じく色もにおいもなく、ものが燃えるのを妨げる。空気よりは重く、**石灰水を白く濁らせる性質**をもつ。なお、この二酸化炭素が固体の状態となったものがドライアイスで、水に溶かしたものが炭酸水だ。

**窒素**はすでにふれたように空気中に最も多く含まれる気体で、色やにおいはない。空気よりもわずかに軽く、**ほかの物質と反応しにくい**性質をもつ。

**水素**もまた色・においともない。空気に比べて非常に軽く、**火をつけるとオレンジ色の炎を上げて燃え、水を生じさせる**気体だ。

**おもな気体の密度とにおい**

| 種類 | 密度(g/㎤) | におい |
|---|---|---|
| 酸素 | 0.00133 | ない |
| 二酸化炭素 | 0.00184 | ない |
| 窒素 | 0.00116 | ない |
| 水素 | 0.00009 | ない |
| メタン | 0.00067 | ない |
| アンモニア | 0.00072 | 刺激臭 |
| 塩化水素 | 0.00153 | 刺激臭 |
| 塩素 | 0.00299 | 刺激臭 |

密度は、20℃での1㎤あたりの質量〔g〕で表す。
空気の密度は0.00121g/㎤。

天然ガス（都市ガス）の主成分として用いられる**メタン**は空気よりも軽く、やはり**色やにおいはない**。家庭で使うガスににおいが付いているのは、ガスもれに早く気づくための工夫だ。

色はないものの、**強い刺激臭**をもつのが**アンモニア**と**塩化水素**。両者はいずれも有毒な気体で、取り扱いには細心の注意が求められる。なお、アンモニアは空気よりも軽く、塩化水素は逆に空気よりも重い。

色もにおいもある気体としては**塩素**が挙げられる。**黄緑色をしており、刺激臭が強い**。空気よりも重く、アンモニアや塩化水素と比べて有毒性の度合いが別格で、低濃度でも死に至るので、資格をもつ人以外は取り扱ってはいけない。

気体の見分け方としては、「BTB液（指示薬の一種）」を使って、気体が溶けた水の性質（酸性・中性・アルカリ性）を調べる方法もある。BTB液を入れた水（緑色）に、気体のアンモニアを溶かすと、アルカリ性になり青に変化する。二酸化炭素の場合は、酸性になり黄色に変化する。

DAY 108 April 17th

# 酸素は大根おろしからもつくることができる

## 身のまわりで発生する気体

入浴剤を風呂に入れると、シュワシュワとした音をたてて泡がたち上る。これは気体が発生したということだ。また、風呂釜洗浄剤を使ったときも発泡し、気体が出ていることを確認することができる。

このように、私たちの身のまわりには気体を発生させることで、その性質を機能的に利用している製品が数多くある。入浴剤は温浴効果を高める機能があり、洗浄剤は汚れを除去する機能をもつとされる。

ネオンの発光する性質を利用したネオンサイン。 ©monjiro / PIXTA



例として挙げた入浴剤と洗浄剤から発生した気体を試験管に集め、それぞれ石灰水を入れてみた。入浴剤から出た気体は白く濁り、洗浄剤は濁らなかった。また、赤くともした線香を入れたときは、入浴剤では消え、洗浄剤では燃えた。以上のことから、**入浴剤から発生した気体は二酸化炭素**であり、**洗浄剤から生まれた気体は酸素**だということが推測できる。

二酸化炭素は酢に卵の殻を入れることでも発生する。また、オキシドールと大根おろしを混ぜると酸素が発生する。このように、さまざまな方法で固有の気体を発生させることができる。違う方法で発生させたとしても、もちろん気体の性質は同じものとなる。

私たちの生活に役立っている気体についても知識をもっておこう。代表的なものをいくつか挙げてみると、家庭で使う**ガスの成分として使われるのが「メタン」「プロパン」**だ。**「一酸化窒素」は手術の際の麻酔薬**として利用される。

**医療用MRIには「ヘリウム」**が使われるが、このヘリウムは空気よりも軽いため風船でも用いられている。また吸入すると声が甲高くなるパーティーグッズがあるが、これもヘリウムと酸素の混合気体が使われている。

意外に思う人も多いかもしれないが、**「ネオン」も気体**だ。放電で発光する性質があり、それを活用したものがネオンサインだ。また、**蛍光灯や電球には「アルゴン」**という気体が使われている（ちなみに、アルゴンは空気中にも約1%含まれている）。私たちの身のまわりには生活に役立つ気体がたくさんあるのだ。

# 気体の塩素はかつて兵器として使われていた

## 身のまわりの危険な気体

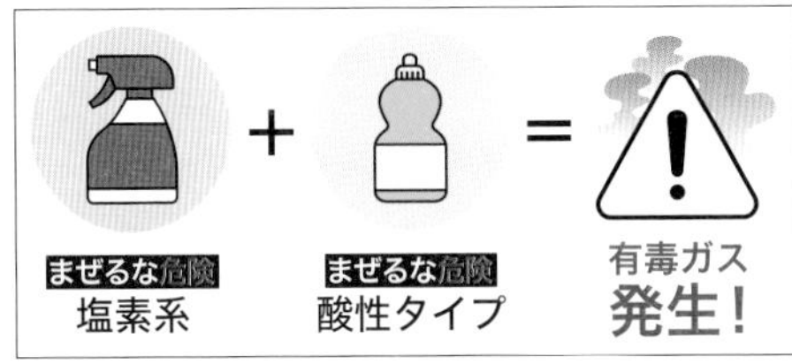

塩素系と酸性タイプの洗剤を混ぜると危険な気体の塩素が発生。

私たちの身のまわりには数多くの役に立つ気体があるが、それらの中には人体に悪影響をもたらすものも存在する。さらに単体では安全だが、混ぜ合わせると有害なガスを発生させる気体の組み合わせもある。

水道水を安心して利用できるように用いられるのが、「塩素」から合成される**殺菌力**の高い化合物だ。塩素には刺激臭があり、プールの消毒や漂白剤にも用いられる。一方、単体の気体の**塩素は第一次世界大戦では毒ガス兵器**として使われていたこともあった。

塩酸の製造や塩化ビニル、塩化アルキルの原料として使われるなど、工業用に幅広く利用される気体としては**「塩化水素」**がある。塩化水素には刺激臭があり、吸い込むと、粘膜の水分に溶けて塩酸となり、**目や鼻、喉、気管などに激痛**を感じる。大量に吸入した場合は**中毒死**することもある。

工業用の気体燃料や鉱石から金属を取り出す冶金(やきん)に使われるのが、**「一酸化炭素」**だが、強い毒性をもち、**吸い込むと命の危険**に関わる。日本におけるガス関連事故の半数は一酸化炭素が原因となっている。これは、無色透明・無臭で、ヒトの体では感知できず、ごく少量の吸引で死に至るという、一酸化炭素の性質によるものだ。

**「二酸化窒素」は合成化学の分野で重視される硝酸の原料として利用される。**二酸化炭素はロケット燃料にも使われる。水に溶けると酸性を示し、**酸性雨の原因**ともなっている。硫酸や肥料の原料となる**「二酸化硫黄」**もまた酸性雨の原因の1つだ。この気体は火山ガスに多く含まれる。

同じく火山ガスに含まれるのが**「硫化水素」**で、腐った卵のにおいがすることで知られている。温泉地でそのにおいを感じた人も多いだろう。硫化水素は硫酸の製造や石油の精製、食品の加工など幅広い分野で活用されるが、濃度の高い状態のものを吸い込むと、**呼吸困難や気管支炎、肺炎**などを引き起こすこともある。

# 透明になって初めて「溶けた」といえる

## 物質が水に溶ける条件

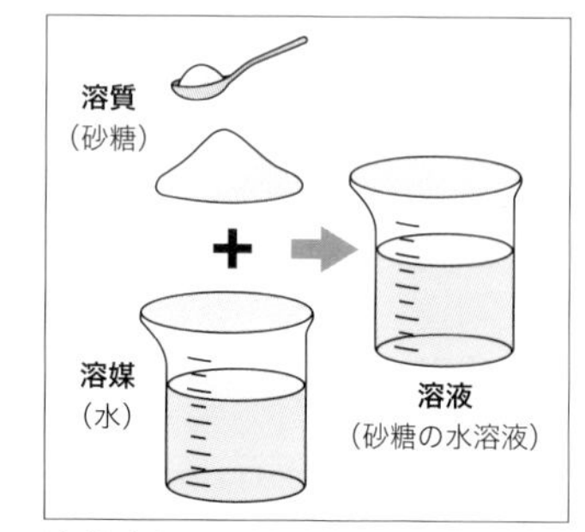

溶質が溶媒に溶けたものが溶液。

コップ１杯の透き通った水の中に小さな角砂糖を入れてかき混ぜると、一時的には白く濁るものの、やがて最初の状態と同じ透明になる。こうした現象のことを「物質（この場合は砂糖）が水に溶けた」という。

物質が水に溶けるというのは「水が透明になる」ことが条件の１つだ。なお、溶かす物質によっては、有色で透明になるものもある。たとえば「硫酸銅」という薬品を水に溶かすと、鮮やかなブルーになるが、これも「溶けた」といえる。

物質が水に溶けたとされる条件としてはほかに、**「濃さが均一」「時間がたっても沈んだり、濃さにむらが生じたりしない」**ことが挙げられる。砂糖を水に溶かすと砂糖水になるが、一部だけ水のままで甘くないというようなことはない。

この砂糖水のように、**物質を溶かした液体のことを「溶液」**という。とくに**水に溶かした場合は、「水溶液」**と呼ばれる。また、**溶けている物質を「溶質」、溶かしている物質（液体）を「溶媒」**という。砂糖水の例では、砂糖が溶質、水が溶媒、できた砂糖水が溶液（水溶液）だ。塩酸も水溶液の一種で、塩化水素（気体）が溶質となっている。ほかに、食塩も溶質になりえるし、エタノール（アルコールの一種）は、溶媒にも溶質にもなる。ちなみに金属は溶質にはならない。食塩が水に溶けるのは「溶解（溶ける）」だが、金属（たとえば金属ナトリウム）が水にとけるのは「化学反応」だ。

溶質が溶媒に溶ける量には限度があり、その限度に達した状態は「飽和」と呼ばれる。飽和状態の水溶液が「飽和水溶液」だ。後に改めて説明するが、このとき、温度（水温）によって限度（溶解度）が異なることが重要だ。

溶かす前の溶質と溶媒の質量の合計と、溶かしたあとのそれとを比較すると同じであることがわかる。溶質は溶けて見えなくなったとしても、物質自体が消滅したわけではない。したがって、再び溶質として取り出すこともできる。その場合、溶液を冷やしたり、溶媒が蒸発するのを待つといった方法がある。

# 砂糖水の甘さの違いは「%」で表せる

## 溶液の濃さを示す質量%濃度

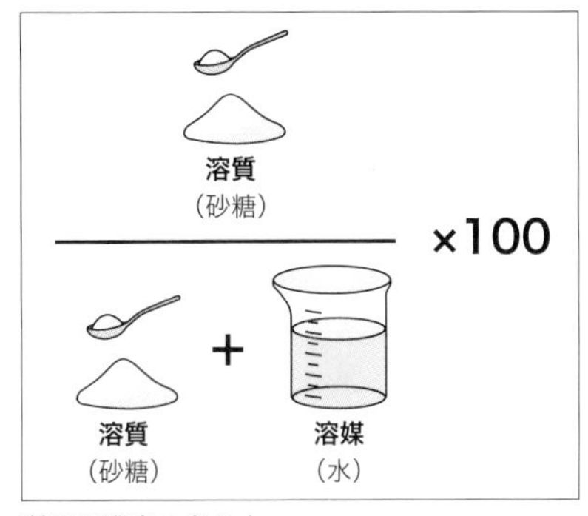

質量%濃度の考え方。

水溶性物質のほとんどは、水に入れると、かき混ぜなくても自然に溶けていく。青い結晶の硫酸銅もその1つだ。溶け出すにつれて水は透明な青色に染まっていくが、硫酸銅の量が少ないと青色は薄く、多いと濃くなる。これは色の度合いによって溶けている量（濃度）が判断できるということだ。

一方、砂糖の場合は、水に溶けると無色透明になるため、見た目だけでは判断することが難しい。たとえば、角砂糖を1つ溶かした場合と2つ溶かした場合では、見た目は同じでも濃度は異なる。

このように、同じ溶質・溶媒を使っても、それぞれの質量が異なれば溶液の濃さ（濃度）は違ってくる。溶液の濃さは数値で表すことが可能だ。**溶液の質量に占める溶質の質量の割合を%で示したものを「質量%濃度」**という。

**溶質の質量〔g〕÷溶液の質量〔g〕× 100**

溶液は溶媒に溶質が溶けたものなので、「溶質の質量〔g〕÷（溶質の質量〔g〕＋溶媒の質量〔g〕）× 100」という計算式も成り立つ。

簡単な例を考えてみよう。190gの水に10gの砂糖が溶けている水溶液の場合、溶質の砂糖は10gで、溶媒の水は190g。つまり溶液は200gとなる。上記の計算式に当てはめると「10g ÷ 200g × 100=5」となり、質量%濃度は「5%」になることがわかる。

水の量を変えずに砂糖の量を増やすと、質量%濃度は高くなり、砂糖の量を減らすと質量%濃度は低くなる。逆に、砂糖の量はそのままで水の量を増やすと質量%濃度は低くなり、水の量を減らすと質量%濃度は高くなる。こうしたことは日常生活で感覚的につかんでいるはずだ。たとえば紅茶の甘みを増すために砂糖の投入量を増やした場合、砂糖の質量%濃度を高くしていることになる。

DAY 112
April 21st

# 溶液の温度が上がると溶ける量が増える

## 溶けやすさと温度の関係



溶質が溶媒に溶ける量には限度があり、その状態になったことを「飽和」と呼ぶことはすでに学んだ。この溶質が溶ける量は溶媒の温度によって変わってくる。水とお湯で考えてみると、感覚的にわかりやすいだろう。水とお湯に砂糖を入れたとき、より多くの量が溶けるのはお湯のほうだ。物質の多くはこのように、**溶媒の温度が高くなると、溶ける量も増える**。

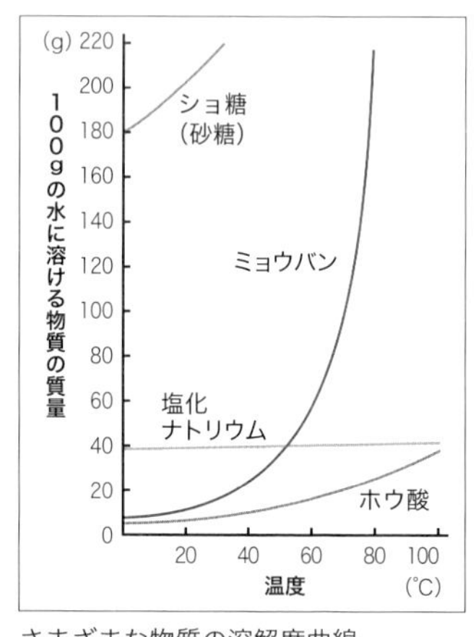


さまざまな物質の溶解度曲線。

100gの溶媒にある物質を溶かし、飽和状態にしたとする。このときの溶けた物質の質量は「溶解度」と呼ばれている。溶解度は温度によって変化するため、グラフで表すことも可能だ。このグラフのことを「溶解度曲線」と呼ぶ。

飽和状態が温度によって変化するという性質を使えば、溶媒に溶けた溶質を取り出すことができる。たとえば「ミョウバン（結晶）」という溶解度の変化が大きな物質で水溶液をつくってみる。

ミョウバンは、水の温度が60℃のときは約60gまで溶ける。60℃の飽和水溶液における溶解度が約60gということだ。水温が20℃のときの溶解度は約10gなので、60℃の飽和水溶液をその温度まで冷やすと、それまで溶けていたミョウバンが結晶となって姿を現す。その量は60gから10gを差し引いた50gとなる。

このように、**温度の違いによって溶解度に差があることで、物質が再び結晶として現れる現象を「再結晶」**という。しかし、この現象はすべての物質に当てはまるわけではない。たとえば溶解度に大きな変化のない食塩の場合がそうだ。

塩化ナトリウム（食塩）の80℃における溶解度は40.0gで、100℃だと41.1g。その差はわずかだ。こうした場合は、溶媒に熱を加え蒸発させるほうが物質を取り出しやすい。日本では古くから海水を蒸発させて塩をつくる製塩技術が発達していたが、溶解度の変化が少ない塩の性質を考えると、理にかなったやり方といえる。

DAY 113
April 22nd

Column
暮らしの中の"エセ科学"

# 焦げた部分を食べるとがんになる？

**「焦げた魚の皮を食べるとがんになる」。子どもの頃、家庭でそう教えられた人はきっと多いはずだ。焦げた部分を避けるようにと提唱していたのは、国のがん研究機関。しかし現在では焦げたものに対してさほど神経質になる必要はないといわれている。昔と今では何が変わったのだろうか。**

---

有機物を焼くと焦げて黒くなる。この現象を私たちは日常の食生活においてよく目にしている。ごはんのお焦げ、肉や魚を焼いたときに生じる焦げ、トーストした食パンの表面などがそれにあたる。こうした焦げた食品を食べると「がんになる」といわれたことのある人は少なくないはずだ。多くの人がそう思うようになったのには理由がある。

日本のがん研究を牽引してきた「国立がん研究センター（旧国立がんセンター）」はかつて、「がん予防の12箇条」としてバランスのとれた食事や禁煙など12項目を掲げていた。その中には「焦げた部分は避ける」という項目も含まれていた。国の専門機関（当時）が明言していることなので、多くの人がそれを信じたというわけだ。

「がん予防の12箇条」が発表されたのは1978年だが、2011年になって「新12か条」が発表された。そこでは先の「焦げた部分は避ける」という項目が削除されている。これはがん研究が進んだ結果、焦げた部分を食べても発がんには至らないことが判明した——というわけではない。

**焦げた部分に発がん性物質が含まれている**ことは、これまでの研究で明らかになっている。しかしその量は**微量であるため、よほど非常識な食べ方をしない限りは心配することはない**というのが、現在のがん研究における認識なのだ。

非常識な食べ方というのは、茶碗に山盛りの焦げた部分を1日に何杯も、しかも数十年にわたって食べ続けるというものだ。非常識というよりは非現実的といったほうがいい。そういうこともあり、焦げた部分に関しては、さほど神経質になる必要はないと考えられているのだ。

# 二酸化炭素を冷やすとドライアイスになる

## 加熱・冷却による物質の状態変化

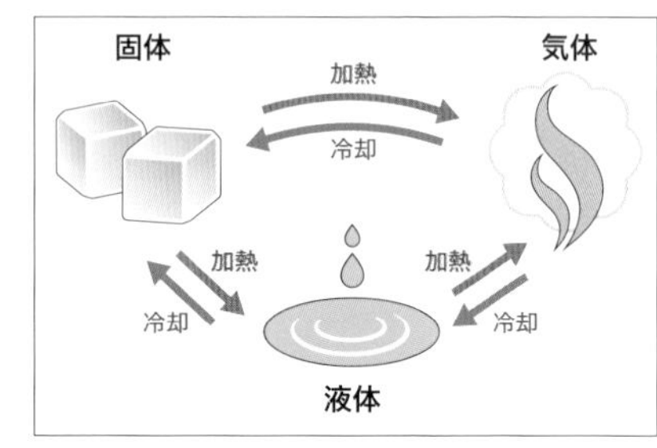


物質の状態変化と温度の関係。

氷を常温に置いておくと、やがて水になる。その水を加熱すると水蒸気になる。温度の変化によって固体から液体、さらに気体へと姿を変えたわけだが、こうした変化は水に限らず、ほかの多くの物質でも起きる。溶解炉の中の真っ赤にとけた（液体になった）鉄や、二酸化炭素を冷やして固体にしたドライアイスがわかりやすい例となるはずだ。



このように、物質が**温度の変化に伴って固体→液体→気体**、またはその**逆の気体→液体→固体**に姿を変えることを**「状態変化（相転移）」**という。基本的に、固体→液体→気体は「加熱」することで起き、その逆の気体→液体→固体は「冷却」することで起きる。状態変化を細かく分類すると、固体→液体を「融解」、液体→固体を「凝固」、液体→気体を「気化」、気体→液体を「液化」または「凝集」という。

**固体から気体**になったり、**気体から固体**になる物質もある。これらはいずれも**「昇華」**という現象だ。先に挙げたドライアイスも、昇華によってできたものだ。二酸化炭素は常圧では冷やしても液体にはならず、そのままダイレクトに固体になる（酸素や窒素は液体になる）。その性質を利用してつくったのがドライアイスだ。なお、ドライアイスはステージなどの演出で使われることがあるが、モクモクと流れ出るあの白いスモークは二酸化炭素が気体となったものではない。空気中の水分がドライアイスに冷やされて水や氷の粒になったものだ。

物質は**状態変化をしても質量が変わることはない**。物質の多くは温度を上げることによって体積が大きくなり、温度を下げると小さくなる。物質は小さな粒子が集まってできており、固体の状態では隙間なく並んでいるが、液体や気体になると粒子と粒子の間に隙間ができる。その**隙間の大きさの変化が、物質の体積も変化させる**というわけだ。なお、**水は例外的な物質**で、温度が下がって氷になると、体積が大きくなる。

# 660℃になるとアルミニウムも液体に

## 状態変化と温度の関係

やかんがピーッと音を鳴らしたとき、私たちは「水が沸騰した」と判断する。水の沸騰とはすでに学んだとおり、水面下で泡（気体）が生じている状態（気化）のことであり、水面で起きる気化が「蒸発」だ。この沸騰は、水以外の液体でも起きるのだろうか。

結論から先にいえば、起きる。酸素や窒素などの気体であれ、鉄や銅などの固体であれ、沸騰する。もっとも、沸騰が起きるには、固体から液体に状態変化していなければならない。その**固体から液体へと変化する温度のことを、「融点」**という。一方、**液体から気体に変化するときの温度は「沸点」**だ。

| 物質 | 融点 (℃) | 沸点 (℃) |
|---|---|---|
| 鉄 | 1538 | 2862 |
| 金 | 1064 | 2856 |
| アルミニウム | 660 | 2519 |
| 水銀 | −39 | 357 |
| 水 | 0 | 100 |
| エタノール | −115 | 78 |
| 酸素 | −219 | −183 |

さまざまな物質の沸点と融点。

**沸点も融点も、物質によってそれぞれ決まった温度**がある。たとえば水なら沸点は100℃で、融点は0℃だ（1気圧のとき）。酸素の場合はマイナス183℃が沸点で、マイナス219℃が融点。鉄の場合は沸点が2862℃、融点は1538℃となる。

物質が沸騰をしている間は、熱を加え続けても温度は維持される。水でいえば、沸騰している間は原則としてずっと100℃のままだ。

私たちの身のまわりにはさまざまな液体があるが、これはその物質が固有の融点と沸点の間の温度内に存在しているためだ。たとえばお酒の成分の「エタノール（エチルアルコール）」は融点がマイナス115℃で、沸点は78℃だ。私たちが普段過ごす生活空間はその間の温度だから、エタノールは液体の状態になっている。

それと同じような考えで鉄や銅、アルミニウムなどの金属を見ると、融点が高いことで固体の状態を保っている物質だという捉え方もできる。たとえばアルミニウムの融点は約660℃だが、もし表面温度が700℃近くある惑星があれば、銀色に輝く「アルミニウムの湖」があるかもしれない。

DAY
116
April 25th

# 固体のろうを液体のろうに入れると沈む

## 状態変化と体積・質量の関係



物質は加熱や冷却によって状態変化をするが、質量自体は変わらない。ただし、体積は変わる。ろうを使って確かめてみることにしよう。

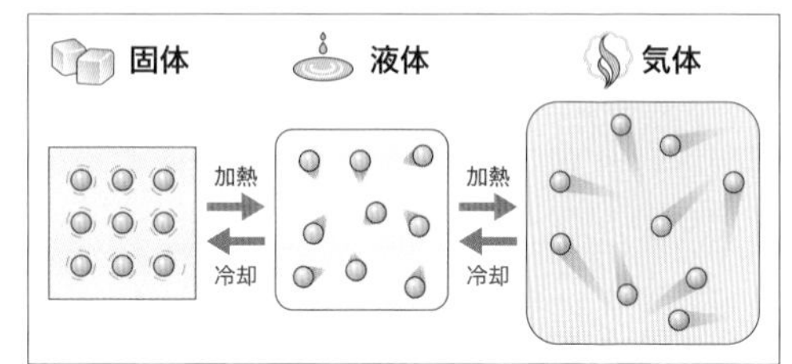

温度が上がると粒子の動きも激しくなる。

細かく砕いたろうをビーカーに入れて質量を量っておく。次にゆっくりと熱していくと、ろうはとけ出して液体へと状態変化をする。このときの質量と体積を量り、今度はビーカーを冷やしていく。するとろうは固まり始め、固体へと状態変化をする。最初は細かく砕いた破片の集まりだったが、このときは１つの固まりになる。**液体のろうと固体のろうを比べると、質量は同じだが体積に違い**が生じていることが確認できる（液体のときのほうが体積は大きくなる）。同じ質量で体積にこのような違いがあるとすると、液体のろうに固体のろうを入れた場合、沈むことになる。

ここで「密度」のことを思い出してほしい。密度は「物質1㎤あたりの質量」のことで「g/㎤」と表される。液体のろうは固体よりも体積が大きいので、密度は小さくなる。したがって固体のろうは沈むというわけだ。

体積に変化が生じるのはなぜだろうか？　それを理解するには、**物質が肉眼では見えない粒子の集まり**であることを知っておく必要がある。固体のときはその粒子の集まりは緊密だが、液体になるとやや緊密さが弱くなり、気体ではさらに弱くなる。**粒子と粒子の間に隙間ができることで体積は大きくなる**のだ。

会社で集会が行なわれていて、社員たちが演台の近くの１カ所に整然と並んでいる光景をイメージしてみよう。社員を物質の粒子と見立てると、この状態が固体だ。やがて集会が終わり、社員たちは三々五々、出口へと向かう。列は乱れるが、まだ多少の密集状態は続く。これが液体における粒子の状態だ。さらに昼休みになると、社員たちは好きな場所に向かう（社員数は同じとする）。これが気体の状態だ。つまり隙間が大きくなる。物質の状態変化でいえば、体積が大きくなったということだ。

# ワインを蒸留してブランデーがつくられる

## 混合物から物質単体を取り出す方法

海水に熱を加えると、水が蒸発してあとには食塩が残る。製塩方法の1つにはこの現象を活用したものがある。蒸発した水は水蒸気となって空気中に広がるが、温度を下げて集めると水が得られる。

基本的にその水には塩は含まれていないと考えていい。船が漂流し、飲み水がなくなったとき、代わりに海水を飲用すると死に至ることもある。しかし、海水に溶けていたさまざまな物質を、蒸発によって分離すれば、飲める水に変えることもできる。

赤ワインを蒸留するとエタノールを取り出せる。

海水のように**複数の物質が混ざり合ったものを「混合物」**といい、**単一の物質でできているものを「純物質」**という。海水という混合物は水を蒸発させることで、水（純物質）と、塩などの混合物に分けることができる。

混合物には、液体と液体が混ざり合ったものもある。たとえばみりんやワインなど、水とエタノールの混合物からそれぞれを取り出すにはどうすればいいだろうか？　海水と同じように加熱してみることにしよう。

水の沸点は100℃で、エタノールの沸点は78℃だ。両者の混合物を加熱すると、沸点の低いエタノールから気体になることが推測できる。

実際に熱を加えていくと、水よりも低い沸点で沸騰が始まり、蒸気が生じる。この蒸気を冷やして集めることで液体に戻し、火を近づけてみるとポッと燃え上がる。エタノールは可燃性の液体で、水は燃えない。したがって、最初に出てきた気体はエタノールであることがわかる（ただ、厳密にいえば多少の水も混ざっているので純物質とはいえない）。

この水とエタノールの混合物のように、**液体を沸騰させ、蒸気として出てきた気体を冷やすことで改めて液体にする方法を「蒸留（じょうりゅう）」**と呼ぶ。ウイスキーや焼酎などは「蒸留酒」と呼ばれるが、それらもこの蒸留の仕組みを使っている。ブランデーはワイン（醸造酒）を蒸留したものだが、ワインよりも度数が高いのは水が少なくなっているからだ。

DAY 118
April 27th

# 原油を分留すると ガソリンや軽油が取り出せる

## 沸点の差を利用した分離方法

蒸留の技術は私たちの暮らしに密接に関わっている。というのも、日々の生活に欠かすことのできない**ガソリンや灯油などは蒸留によってつくられている**からだ。その仕組みを見てみよう。

ガソリンや灯油といった物質は、もともと地下からくみ上げられた「原油」に含まれているものだ。原油はさまざまな有機物が混じった黒い液体として採掘される。

| 成分 | 沸点（℃） |
|---|---|
| 石油ガスなど | ～30 |
| ナフサ、ガソリンなど | 30～180 |
| 灯油など | 170～250 |
| 軽油など | 240～350 |
| 重油など | 350～ |

原油の成分。

この原油は「蒸留塔（精留塔）」と呼ばれる巨大な設備の加熱炉で熱を加えられる。その温度は約350℃で、加熱された原油は蒸気となり、約50mの高さの塔の内部に送り込まれる。塔内部は上に行くほど温度が低くなるように設定されており、原油から分離したそれぞれの物質が取り出せるようになっている。

塔内部の温度は下段は240℃から350℃、中段は170℃から250℃、上段が30℃から180℃だ。蒸気は上に行くほど冷やされるので、沸点がより高い物質（有機物）から順に、液体へと状態変化することになる。

その順番としては、重油→軽油→灯油→ナフサ、ガソリン→石油ガスとなる。つまり、この順番で沸点が高いということになる。蒸留塔が約50mもの高さをもつのは、これだけの種類の物質を取り出す必要があるからだ。このように、沸点の異なる2種類以上の液体を含む**混合物を蒸留によって分離する操作を、「分留（分別蒸留または精留とも）」**という。

重油は工業や船舶の燃料として使用され、軽油はバスやトラックなどのディーゼルエンジンの燃料に用いられる。また、灯油は暖房器具、ガソリンは自動車、石油ガスは家庭のガスコンロの、それぞれ燃料となる。また、原油を分留するとナフサという物質も取り出せる。これをさらに分留するとプラスチックの原料となるエチレンやプロピレンといった物質ができる。こうして見てみると石油がいかに広範囲で私たちの暮らしを支えているかがわかる。

# 水は固体で密度が小さくなる特別な物質

物質は細かな粒子の集まりであり、その量は質量で表される。物質の重さ（重量）は質量に働く重力で量る。したがって、同じ質量の物質でも、地球上と月面上では異なる重量になる。

また、物質の単位体積あたりの質量を密度という。つまり粒子の詰まり具合の疎密さだ。それぞれの物質は固有の密度をもち、それによって物質の性質が変わってくる。水の密度は1.0g/㎤。これより密度が大きいものは水に沈み、小さいものは浮く。

物質の多くは温度の変化によって状態を変える。固体・液体・気体それぞれの状態を比べると、固体よりも液体、液体よりも気体のほうが密度は小さくなっていく。

これは物質が細かな粒子の集まりであり、固体のときはそれら粒子の結び付き方が密であるのに対し、液体になるとやや疎になり、気体ではさらに疎になることが原因だ。粒子と粒子の間に隙間ができることで体積は大きくなる。

その例外的な存在が「水」だ。水は液体から固体になると（冷やされると）、体積が大きくなる。いい換えれば、氷は水よりも密度が小さくなるので、水の上でプカプカと浮くことになる。

この水のような性質をもった液体を「異常液体」という。金属では「ビスマス」がそれにあたるが、それ以外にはほんの数種類の物質しか知られていない。

*Key points*

- 物質は、温度や圧力によって固体・液体・気体の状態をとる。
- 物質の多くは、固体→液体→気体の順で密度が小さくなる。
- 水は、液体よりも固体のほうが密度が小さい、特別なもの。

# ハサミはなぜさびるの？

最近のものでは少ないが、昔のハサミはよくさびていた。最近のハサミがさびないのは、塗装されていたり、さびにくい物質でできているからだが、では塗装すると、なぜさびにくくなるのだろうか？　また、金などある種の金属は野外にさらしていても、さびにくい。ということは物質ごとにさびやすさが決まっているのだろうか？

## ▶さびるものとさびないものがあるのはなぜか？

昔のハサミはよくさびた一方で、金はさびにくいことから、物質によってさびやすさが異なると考えられる。では、物質の違いとは何だろう？物質は光学顕微鏡でも見えないほどの、小さな粒子でできている。その小さな粒子は「原子」であり、これが物質を構成する基本要素だ。一方で「分子」というものもある。原子と分子はどう違うのだろうか？

## ▶さびるとはどういう現象か？

鉄に塗装やめっきを施すと、さびにくくなる（めっきについてはChapter 3でふれる）。経験的に、野外で鉄を雨風にさらすとさびていくことはわかるが、塗装やめっきは物質が空気や水に接することを防いでいる。つまり、物質が空気や水に接すると、化学的に何かが起こっているということになる。いったい何が起こっているのか？

## ▶サビ取り剤でサビが取れるのはなぜか？

逆に、さびた鉄にサビ取り剤をかけて、サビが落ちるとき、どういう反応が起こっているのだろうか？　じつは砂鉄から鉄を製造する過程でも、サビ取り剤と似たような現象が起こっている。このさびることと逆の現象はいったい何なのだろう？

DAY
121
April 30th

# カルメ焼きの穴は二酸化炭素が逃げた跡

## 熱分解という化学反応

お祭りの懐かしい味「カルメ焼き」。

カルメ焼きというサクサクした食感のお菓子がある。縁日の屋台でよく売られているものだが、懐かしく思い出す人も多いのではないだろうか。

カルメ焼きの材料は砂糖、水、重曹で、つくり方も簡単だ。砂糖水を煮詰めたあと重曹を加えてかき混ぜると、膨らんでできあがる。このカルメ焼きを２つに割ると断面は穴だらけになっている。この穴は「化学反応」によって生じたものだ。

**化学反応とは、もともとの物質が性質の異なる物質に変化**することをいう。では、カルメ焼きの穴はどういう物質がなんという物質に変化したのだろうか。

砂糖水を煮詰めたあと重曹を入れずに加熱を続ければ、膨らむことなく黒く焦げつく。加熱を止めれば、そのまま冷えて飴（あめ）ができる。このことからカルメ焼きの穴は重曹に関係があると考えられそうだ。

重曹の正体は「炭酸水素ナトリウム」という物質だ。この物質だけを加熱してみることにしよう。試験管に炭酸水素ナトリウム（粉末状の固体）を入れて熱を加えていくと気体が発生する。また試験管の内側には無色透明な液体が付着する。もともとの炭酸水素ナトリウムは変化がないように見える。このことから、炭酸水素ナトリウムを加熱すると気体と液体と固体に分かれることが確認できる。

次にそれぞれの性質を調べてみると、気体は「二酸化炭素」、液体は「水」、固体は炭酸水素ナトリウムではなく「炭酸ナトリウム」であることがわかる。ここでカルメ焼きの穴の正体に話を戻せば、気体として生じた二酸化炭素が内部にたくさんの隙間をつくったというわけだ。

化学反応に関して炭酸水素ナトリウムのように**１つの物質が２種類以上の物質に分かれることを「分解」**と呼ぶ。とくに熱を加えることで生じる分解は、「熱分解」と呼ばれる。お祭りの懐かしい味わいは熱分解によってもたらされるものなのだ。

# 水は電気を通すと水素と酸素に分かれる

## 電気分解という化学反応

化学反応における分解は熱分解に限らない。**電流を通すことでも分解が生じる**ことがある。これを**「電気分解」**という。

加熱によって分解することはないが、電流を通すことで分解する物質もある。代表的なものが「水」だ。これまで学んできたとおり、水は加熱すると水蒸気になる。水蒸気をさらに熱すると、近づけたマッチが発火するほどの高温になるが、よほど高温にならなければ別の物質に分かれることはない（約3500℃以上になると熱分解を起こし、酸素と水素に分解する）。しかし電気を通すと、日常的な温度下で気体として２つの物質に分解される。

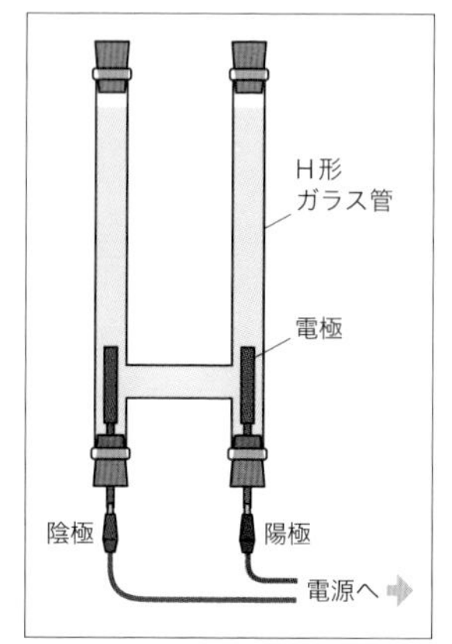

電気分解装置の一例。

電気分解の実験には、細長い特殊なガラス器具を使う。左右の太いガラス管は、横の管で「H」形に連結されている。もともと水は電気を通しにくいので、通りやすくするために水酸化ナトリウム水溶液を使う。左右のガラス管の下部には、陽極（＋）と陰極（－）の電極があり、そこに電流を通すと、電極付近から泡（気体）が発生し、左右のガラス管の上部にたまる。

陰極のガラス管にたまった気体にマッチの火を近づけると、ポンと音をたてて燃え上がる。一方、陽極のガラス管の気体に赤くともした線香を近づけると激しく燃え出す。このことから、陰極側には「水素」が、陽極側には「酸素」がそれぞれ生じたことがわかる。加熱では分解しなかった（化学反応を起こさなかった）**水が、電流を通せば水素と酸素に分解**したというわけだ。

カルメ焼きで使った炭酸水素ナトリウムを熱分解すると水ができ、その水を電気分解すると水素と酸素ができた。では、水素や酸素もさらに分解できるのだろうか？　基本的には、できない（超高圧電流下では酸素分子は分解する）。

物質の分解を繰り返していくと、それ以上は分解ができないというところまで行き着く。水素や酸素はそうした物質だ。ほかにも**それ以上は分解ができないという物質は 110 種類以上**ある。

# 原子が集まって物質はできている

## ドルトンの原子説

物質が、肉眼では見えない小さな粒子が集まってできていることはすでに学んだ。この粒子は水素や酸素など「それ以上は分解できない物質」のもととなるものであり、その種類によって質量や性質も異なってくる。この、**物質を構成する最小単位の粒子を「原子」**という。原子の概念は19世紀の初め、イギリスの化学者ドルトンによって提唱された。

原子1個の大きさは1cmの1億分の1程度で、当然のことながら肉眼で見ることはできない。野球ボールは地球の大きさの約2億分の1だが、銀の原子はその野球ボールの約2億分の1の大きさだ。

原子には3つの性質がある。

①化学反応によって、それ以上には分割することはできない。

②種類によって質量や大きさが決まっている。

③化学反応によってほかの原子になったり、新しい原子ができたり、なくなったりすることはない。

たとえば、金は金の原子でできているので、ほかの原子を使っても金をつくり出すことはできない（ちなみに、現代の技術ではじつは錬金術は可能なのだが、その理屈はこの本で扱う範囲を超えるので割愛する）。

現在、**原子は110種類以上**が知られている。そしてすべてに「原子記号」が与えられている。原子記号は基本アルファベット1文字または2文字で表されるが（未命名の元素は3文字で表記する。元素とは物質を構成している基本的な成分）、これは世界共通の表現方法だ。たとえば水素は「H」、炭素は「C」、酸素は「O」だ。この原子記号の読み方は、アルファベットの読みと同じだ。2文字で表す場合も変わらず、たとえばナトリウムの「Na」は「エヌエー」と発音する。なお、1文字目は大文字、2文字目は小文字となる。

原子はその化学的性質が似ているものもあり、そうした**性質を整理して並べた表を「周期表」**という。周期表を考案したのはロシアのメンデレーエフという化学者だ。「水兵リーベ、僕の船……」という語呂合わせで覚えようとした人も多いのではないだろうか。

# 原子と原子は結び付く

## アボガドロの分子説

ドルトンの原子説を進めて分子説を唱えたアボガドロ。

ドルトンが原子という概念を発表した数年後、今度はアボガドロというイタリアの化学者が「分子」の考えを提唱した。**分子とは複数の原子が結び付いた粒子**であり、この**分子が物質の性質を決めている**という考え方だ。

たとえば、酸素の分子は２個の酸素原子が結び付いている。この酸素分子の集まりが、普段私たちが「酸素」と呼んでいるものだ。私たちが吸気を体内に取り入れるとき、そこに含まれている酸素は原子１個ずつの状態ではなく、２個の原子が結び付いた状態の酸素を吸い込んでいるということだ。また、水は酸素原子１個と水素原子２個が結び付いた分子が集まったものであり、水の原子というものは存在しない。

このように、分子には**同じ原子同士が結び付いたものや、異なる種類の原子が結び付いたもの**がある。水素分子は２個の水素原子からなり、二酸化炭素分子は２個の酸素原子と１個の炭素原子からなる。水素原子３個と窒素原子１個が結び付くとアンモニア分子となる。

アボガドロは、酸素や水素などの気体に対してこの分子説を唱えた。しかし現在では固体や液体も分子からできていることがわかっている。

アボガドロの分子説によって、それまで原子説では説明できなかった実験結果も筋の通った説明ができるようになった。分子説は近代化学成立の基礎となる重要な考え方だったが、当時の化学者たちは否定的に捉えた。原子説を唱えた当のドルトンさえ分子説を否定したほどだ。分子説がじょじょに受け入れられていったのは、発表から半世紀以上がたってから。アボガドロの死後のことだった。

ただ、**すべての物質が分子の集まりかというと、そうとは限らない**。たとえば金や銀、銅、鉄などの金属は１種類の原子だけが集まってできており、分子をつくっていない。また、塩化ナトリウムはナトリウム原子と塩素原子からできているが、分子をつくらず交互に規則的に並んでいる。

DAY
125
May 4th

# 原子は決まった数の「結合の手」をもつ

## 化学結合のルール

酸素分子は2個の酸素原子が結び付いたもので、水素分子は2個の水素原子が結合したものだ。そして水分子は2個の水素原子と1個の酸素原子が結び付いたものとなる。これは前ページで学んだことだ。

このように、分子は原子と原子が決まった数で結び付くことでできているわけだが、その**組み合わせのパターンは固有**のものだ。たとえば酸素分子にもう1個の酸素原子が加わった場合、オゾン分子ができる。同じ酸素原子だけでできた分子でも、**酸素分子とオゾン分子の化学的な性質は異なる**。ちなみに酸素は呼吸という生命活動に欠かせないが、純粋なオゾンは「猛毒」だ。

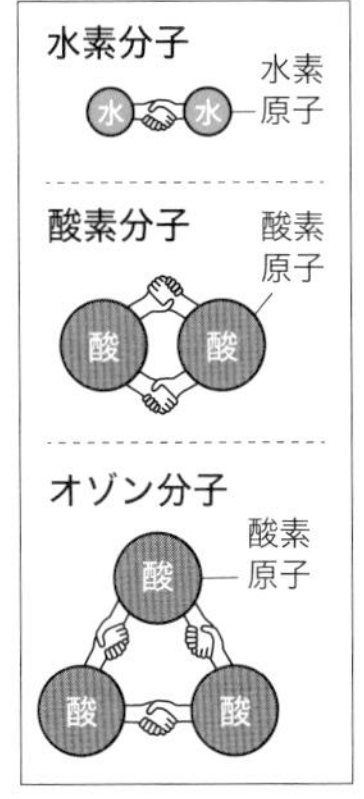

原子のもつ「結合の手」のイメージ。

では、水素原子2個にもう1個の水素原子が結び付くと別の分子ができるかといえば、この場合はできない。水素原子同士は3つ結合すること自体が不可能だからだ。しかし、ここに窒素原子1個が加わると水素原子3個と結び付き、アンモニア分子ができる。水素原子3個だけだと結合できない（分子がつくれない）のに、窒素原子があるとなぜ分子になれるのだろうか？

その理由としては、**原子はそれぞれに決まった数の「結合の手」をもっている**からだと考えればいい。たとえば水素原子のもつ結合の手は1つだ。2個の水素原子は互いの手を握って結び付くが、ここにもう1個の水素原子がやって来ても握る手がないのだ。酸素原子は結合の手が2つだ。原子が2個の場合は互いに握り合える（正面を向き合って握り合うイメージ）。3個の場合でもやはり握り合える（輪になって握り合うイメージ）。窒素原子は結合の手が3つある。それぞれの手が水素原子の手を握れば過不足なく握り合えることになる。このことでアンモニア分子ができるわけだ。

原子には、**結合の手を余らせないようにして結び付こうとする**性質がある。そのため水素や酸素、窒素など同じ原子が2個ずつ結び付いている分子が多くなるのだ。

DAY
126
May 5th

# 初期には、周期表の空欄から未知の原子の存在を予測

## 周期表の仕組み

周期表の原形をつくり出したメンデレーエフ。

原子を一覧表にした「周期表」については簡単にふれたが、もう少し詳しく学んでみることにしよう。周期表には原子番号の順に原子が並んでいる。たとえば原子番号1は水素で、原子番号2はヘリウムだ。現在確認されている原子の数は110個以上。ちなみに原子番号113は「ニホニウム」といい、これは日本の研究チームが発見したものだ（正確には一瞬だけ「観測」に成功した）。

原子番号は発見された順に付けられているのではなく、原子の構造に基づいて与えられたものだ（原子の構造に関しては後にまた詳しく学ぶ）。周期表の横の行は「周期」、縦の列は「族」という。周期や族もまた原子の構造に関わるものだが、ここでは「周期表は**似たような性質をもつ原子を整理して一覧**できるようにしたもの」と簡単に覚えておくことにしよう。族は化学的に似たような性質を整理するための目安となるものだ。

周期表を考案したのは、すでにふれたようにロシアの化学者メンデレーエフで、1869年のことだった。当時、発見されていた原子は63種類。メンデレーエフはそれらを質量順に並べて周期表の原形を作成したのだが、そのときに表にはいくつかの空欄ができることがわかった。それを見たメンデレーエフは「**空欄にはまだ発見されていない原子が入る**のでは？」と考え、その空欄の周囲にある原子の性質から未知の原子の性質を予測した。

たとえば既知の原子「ケイ素」から「エカケイ素」という未知の原子を想定し、その性質を「原子量（原子の質量）72、密度5.58g/㎤、灰色・融点は高い」と予測したのだ。後に発見された「ゲルマニウム」という原子の性質はメンデレーエフの考えたエカケイ素とほぼ同じだった。

このことから周期表は化学者たちの間で有効性が認められることになり、現在でも化学を学ぶにあたって重要な役割を果たしている。

DAY
127
May 6th

Column

暮らしの中の"エセ科学"

# ゲルマニウムは健康にいいのか？

**体内の生体電流のバランスの乱れを整えることで血行をよくし、肩こり解消などに効果がある――。そんなうたい文句が躍るゲルマニウム入りアクセサリーの広告がある。だがゲルマニウムの健康効果について現時点では「科学的根拠が見つからない」との見解が発表されている。**

周期表を考案したメンデレーエフは、当時未発見だった原子の存在を予測した。周期表は似た性質をもつ原子を整理した表なので、既存の原子から未知の原子を推測したというわけだ。「ゲルマニウム」もその1つだ。

ゲルマニウムはトランジスタやダイオードなど半導体の分野で使われることが多いのだが、なかには「健康効果がある」とのイメージをもっている人もいるかもしれない。たとえば、ゲルマニウムを含んだブレスレットやネックレスなどのアクセサリーの広告を、今も目にすることがある。ゲルマニウムの働きによって体内の電気バランスが整い、肩こりが解消したり血行がよくなったりするというのがそうした商品の主張だが、じつはその効果に関しては**国民生活センターが「科学的根拠を示す文献が確認できない」と発表**している。

同センターでは、2009年に健康効果をうたい文句にしている12種類のゲルマニウム入りブレスレットを調査した。その結果、高純度のゲルマニウム使用と表示しているのに、大半はごく微量しか含んでいないことを明らかにした。また、**健康効果の科学的根拠を示す文献は確認できなかったという**。

アクセサリーの場合、体内に取り込むことはないので健康を害する可能性は低い。しかし食品となると話が違ってくる。ゲルマニウムの健康効果をうたうサプリメントも販売されているが、これらに関して厚生労働省は1988年に**「継続的な摂取と健康被害に強い因果関係がある」**と表明している。

ゲルマニウムの健康効果の根拠が見つからないうえに、健康への悪影響もはっきり指摘されている。それにもかかわらず、ゲルマニウム関連の健康商品は今も販売されている。くれぐれもだまされないようにしたいものだ。

DAY 128

May 7th

# 水のことを「$OH_2$」と呼ばない理由

## 物質の構造を表す化学式

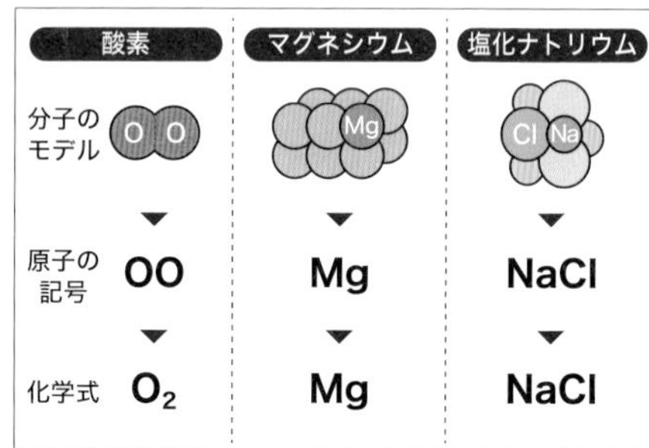

化学式のつくり方

酸素は「$O_2$」、二酸化炭素は「$CO_2$」、水は「$H_2O$」と表すなど、物質にはそれぞれ別の表記の仕方があることは誰もが知っているはず。この表記方法のことを「化学式」という。原子の記号と数字だけで表すものだが、世の中にある**すべての物質は、化学式で示すことができる**。

$O_2$ や $CO_2$、$H_2O$ はいずれも分子だが、その表記方法にはルールがある。まず、分子をつくっている原子を原子の記号で表す。酸素分子なら「OO」であり、水素分子なら「HH」だ。同じ記号が並ぶ場合は1文字にまとめ、右下に個数を書く。したがって、酸素分子は「$O_2$」に、水素分子は「$H_2$」になる。

水の分子は「HOH」なので「$H_2O$」になるのだが、この場合「$OH_2$」としない理由は何だろうか？　これは原則として、非金属の原子は「C → N → H → Cl → O」の順に書くというルールがあるためだ。二酸化炭素を「$CO_2$」と書いて「$O_2C$」としないのも、このルールに則ったものだ。

物質には分子をつくらないこともある、と学んだ。金や銀、銅などの金属、炭素などがそうだ。**分子をつくらない物質の化学式は、原子の記号をそのまま**置き換える。金は「Au」、銀は「Ag」、銅は「Cu」、炭素は「C」だ。

複数の原子から構成されているが、**分子をつくっているわけではない物質は、原子の記号を並べて書く**。たとえば、塩化ナトリウムなどの場合、ナトリウム原子の「Na」と塩素原子の「Cl」を並べて「NaCl」と表記する。ナトリウムが先にくるのは、「金属の原子は先に書く」というルールがあるためだ。

1種類の原子でできている物質は「単体」といい、2種類以上の原子でできている物質は「化合物」という。そして単体と化合物を合わせて、「物質」と呼ぶ。**単体か化合物かは、その物質の化学式がわかれば一目で判断**できる。

# 分解前の水が「$H_2O$」ではなく「$2H_2O$」と記されるわけ

## 化学反応を表す化学反応式

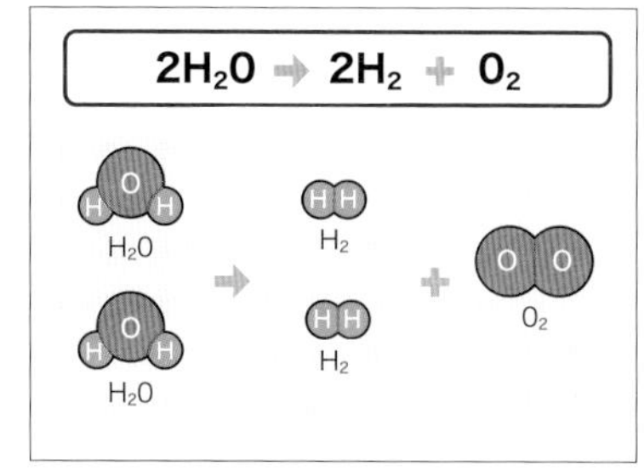


物質が温度によって固体、液体、気体に変わることを、「状態変化」といった。水でたとえると、氷、水、水蒸気だ。これらを化学式で表すと、いずれも「$H_2O$」だ。

一方、熱や電流などによって物質が別の性質をもつ物質になるのが、「化学反応」だ。水でいえば、電流を通すことで水素分子「$H_2$」と酸素分子「$O_2$」になった。この**化学反応は式で表す**ことができ、その式のことを**「化学反応式」**という。

化学反応式の考え方としては、①反応前の物質→反応後の物質（何と何からどういう物質ができるのか）を書く、②次にそれぞれの物質を化学式にする、③化学反応式の左辺と右辺の原子の種類および数が同じになるようにする、のやり方に従ってつくることになっている。

水を例にすると、①水→水素分子＋酸素分子、② $H_2O \rightarrow H_2 + O_2$、③ $2H_2O \rightarrow 2H_2 + O_2$、となる。おそらく最後の③のステップがわかりにくいはずだ。「$2H_2O$」「$2H_2$」というのは、それぞれ2個の水分子、水素分子があるという意味だが、なぜ2個として表さなければならないのだろうか。

その理由は、**左辺と右辺の原子の数を同じにする**ためだ。$H_2O$ は $H_2$ と O の組み合わせでできているが、分解されると $H_2$ と $O_2$ になる。だが「$H_2O \rightarrow H_2 + O_2$」だと右辺の O が1つ多くなる（左辺の原子の総数は3個で、右辺の原子は4個）。これを等しくするためには左辺の $H_2O$ と右辺の $H_2$ を2倍にすればいい。「$2H_2O \rightarrow 2H_2 + O_2$」であれば、どちらも水素分子が4個、酸素分子が2個となり、つり合いが取れるようになるというわけだ。

化学反応式は、**物質が分子でできていない場合でも用いる**ことができる。「酸化銀」は銀の原子と酸素の原子が結び付いたもので、化学式では「$Ag_2O$」と表す。その分解を化学反応式で表すと、①酸化銀→銀＋酸素、② $Ag_2O \rightarrow Ag + O_2$、③ $2Ag_2O \rightarrow 4Ag + O_2$、となる。両辺とも原子の数は同じになることがわかるはずだ（銀原子が4個と酸素原子が2個）。

DAY 130

May 9th

# 容器に水素と酸素を入れて火をつけると水ができる

## 2種類以上の物質が結び付く化合

水を電気分解すると化学反応が生じ、水素と酸素に分かれる。ということは、逆に**水素と酸素を結び付けると水になる**ということだ。実際に容器の中に酸素と水素を入れて点火をすると、激しく燃え上がり、水ができる。

液体酸素と液体水素が反応してロケットは飛ぶ。

日本のロケットの打ち上げシーンを見たことがある人は、白い煙のようなものがもうもうと湧き上がる光景を目にしたはずだ。あれは燃料として使われている液体酸素と液体水素が反応したもので、煙のようなものの正体は、水蒸気に加え、水蒸気が冷やされて見える湯気のようなものだ。水素と酸素による化学反応は巨大なロケットを飛ばすほどの力を生み出すのだ。

このように**2種類以上の物質が結び付いて異なる物質ができる化学反応**のことを、**「化合」**という。1つの物質が2種類以上の異なる物質となる「分解」とは逆の現象だ。化学反応式でいえば「$2H_2O \rightarrow 2H_2 + O_2$」が分解で、「$2H_2 + O_2 \rightarrow 2H_2O$」が化合となる。

2種類以上の原子からできている物質のことを「化合物」と呼ぶことは、すでに学んでいる（化合物ではないものは「単体」）。化合物にはさまざまなものがあり、鉄と硫黄（いおう）からは「硫化鉄（りゅうかてつ）」が、銅と硫黄からは「硫化銅」ができる。化学反応式で表せば、硫化鉄は「$Fe + S \rightarrow FeS$」、硫化銅は「$Cu + S \rightarrow CuS$」となる。硫化鉄も硫化銅ももともとの物質とは性質が異なる。

炭素と酸素の化合物が二酸化炭素になることは、誰もが知っているだろう。では、ダイヤモンドと酸素を化合させるとどのような物質ができるだろうか？　答えはやはり「二酸化炭素」だ。ダイヤモンドは炭素だけでできているので、酸素と結び付くと明るい光を出して、じょじょに小さくなり、最終的には二酸化炭素になってしまう。ただし、よほどの高温（800℃以上）でないと、こうはならないので、普段の暮らしでは心配する必要はない。

# 酸素を消費してものは燃え二酸化炭素が発生する

## ものが燃える仕組み

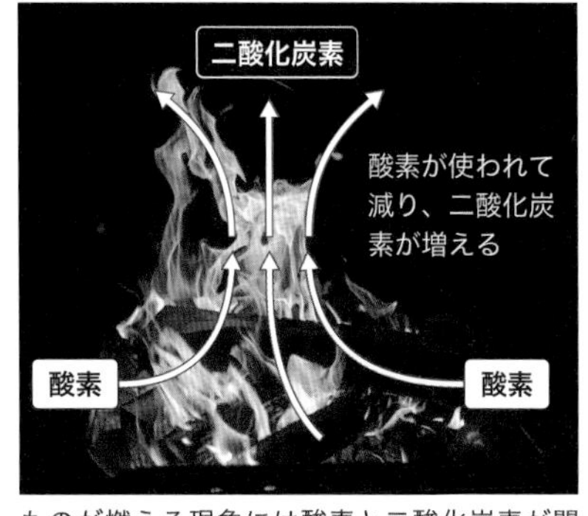


ものが燃える現象には酸素と二酸化炭素が関係する。

火のついたロウソクをガラスの容器に入れて蓋をすると、やがて火は消える。蓋をしなければ、ロウソクは最後まで燃える。両者の違いは空気の出入りがあるかないかだ。このことから、ものが燃えるには空気が関わっていることが推測できる。キャンプで火をおこすとき、パタパタとあおぐ理由は、新鮮な空気を送り込むことで、燃焼を助けるからだ。

その空気だが、複数の物質から構成されていることは多くの人が知っていることだろう。最も多い物質は窒素で、約78%を占める。次が酸素で、約21%。3位はアルゴン（約1%）で、二酸化炭素は約0.04%とはるかに少ない。ここでは窒素、酸素、二酸化炭素とものが燃える仕組みの関係について考えてみよう。

ガラスの容器にそれぞれの気体を満たし、火のついたロウソクを入れて蓋をする。すぐに火が消えるのは、窒素を入れた容器と二酸化炭素を入れた容器だ。酸素を満たしていた容器では火が明るくなる。以上のことから、**ものが燃えるには酸素が必要**であることがわかる。

ここでもう一度、空気を満たした容器に火のついたロウソクを入れてみる。蓋をするとやがて火は消えるが、中の空気はどう変化しているだろうか？　成分を改めて調べてみると、窒素の量は変わらないが、酸素の量が減っていることがわかる。ものは酸素を消費しながら燃えるので、減っているのは当然のことだろう。

一方、二酸化炭素の量は増えている。このことから、ものが燃える過程で**酸素が消費され、二酸化炭素が生み出される**ことがわかる。この現象も**化学反応の1つで「燃焼」**という。燃焼については日を改めてさらに詳しく学ぶことにしよう。

DAY 132
May 11th

# かつて「燃素」の存在が信じられていた

## 酸素と結び付く化合は酸化

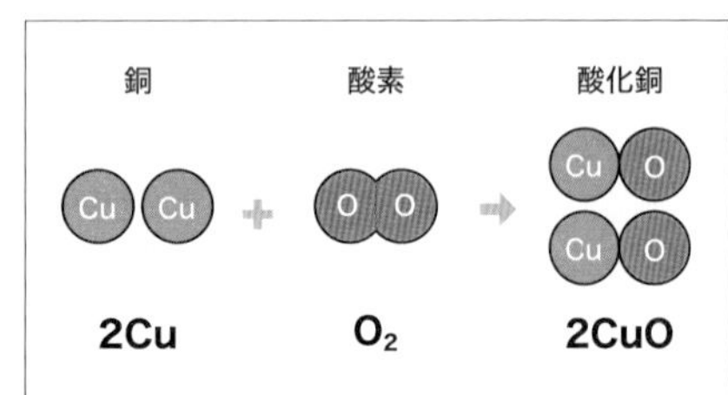

銅が酸化されてできる酸化銅。

2種類以上の物質によって生じる**「化合」の中でも、とくに酸素と結び付く化学反応**のことを**「酸化」**という。酸化によってできた化合物を、「酸化物」と呼んでいる。炭素と酸素の化合物である二酸化炭素も、水素と酸素の化合物である水も酸化物の一種だ。

木炭を燃やすと、火をつける前よりも質量は減少していく。これは木炭の主成分となる炭素が酸素と化合して二酸化炭素になり、空気中に広がったからだ。**酸化した分、質量が減少**したというわけだ。

一方、銅の粉末を加熱すると「酸化銅」という黒い物質になり、もともとの銅よりも質量も体積も増大する。これは銅が酸化したため、**結び付いた酸素の分だけ質量が増えた**ということだ。

酸化は**加熱をしなくても生じる**ことがある。身近な例でいえば鉄のサビがそうだ。あのサビは金属と酸素がゆっくりと化合することでできるものだ。

さびた金属が本来の機能を失ってしまうということは、誰もが経験上知っているだろう。そのため、多くの金属製品は酸素にふれることのないように、塗装やめっきが施されたりしている。

酸化という考え方が生まれる以前は、「燃素説（フロギストン説）」という考え方が化学者たちの間では信じられていた（17世紀後半から18世紀後半）。すべての可燃物や金属には燃素という物質が含まれており、燃えることでこれが放出され、あとには灰が残るという考え方だ。物質は燃素と灰からできていると信じられていたのだ。

しかしこの説では先に見た酸化銅のように、加熱によって質量が大きくなる現象が説明できない。それを説明可能にするのが「酸化」という考え方だった。

酸化を提唱したのは、フランスのラボアジエという化学者だ。彼は近代化学研究の基礎となった「質量保存の法則」を発見したことでも知られるが、フランス革命の際に理不尽な理由で処刑されてしまった。

DAY
133
May 12th

# 鉄が急激に酸化すると光と熱が放出され重くなる

## 燃焼とは短時間で酸化すること

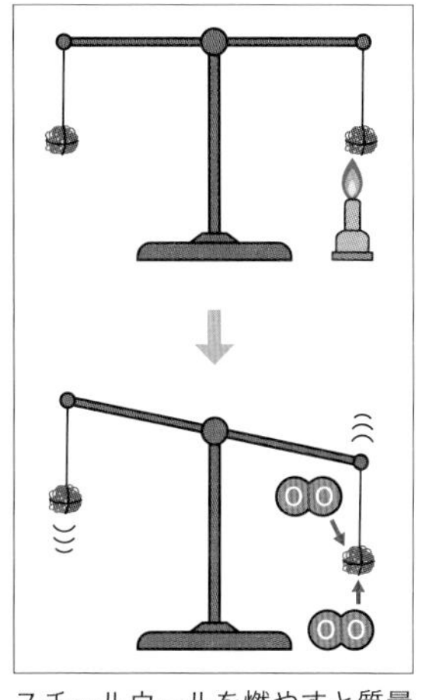


スチールウールを燃やすと質量が増える。

鉄板に火を近づけても燃え上がることはないが、鉄を綿状に加工したスチールウールは燃える。空気中でも熱や光を出しながら燃えるが、酸素中の場合はさらに明るく急速に燃え上がる。これは鉄が酸化しているということだが、このように物質が**熱や光を出しながら急速に酸化することを「燃焼」**という。

この燃焼という化学反応は、私たちにとってはおなじみのものだ。調理や入浴（天然ガスの燃焼）、自動車（ガソリンや軽油の燃焼）など、燃焼を用いない日はないといっていい。火力発電所でつくられる電気も燃焼という化学反応によるものだ。

日常的な感覚では、燃焼が起きると、その物質は軽くなるというイメージがある。たとえば木や紙を燃やすと灰になり、宙を舞う。しかし、すでに酸化銅の例を出したように、**酸化によって質量が増える物質もある**のだ。鉄もまたそうした物質の１つだ。スチールウールで実験をしてみると実際に確かめることができる。

同じ質量のスチールウールを１束ずつ天秤につるし、一方に火をつける。すると、火のついたほうが下に下がる。つまり質量が増えるのだ。

また、酸素がたっぷり入った集気びんを燃えているスチールウールにかぶせると、中の酸素の量が減る。燃焼後の物質は鉄よりも電流を通しにくくなっているが、これは「酸化鉄」という別の物質になったためだ。

鉄のほかには「マグネシウム」という金属も燃焼する。また、ろうやエタノール、石油などの有機物でも、光や熱を伴う酸化（燃焼）が見られる。ただし、銅は**酸化の際に多量の熱や光を出さないので燃焼とはいわない**。このように酸化には燃焼と燃焼ではないものがある。

ちなみに金属は燃焼しても、二酸化炭素を発生させない。そこが有機物の燃焼と異なる点だ。

DAY 134
May 13th

# 酸素は鉄よりも炭素との相性がいい

## 酸化物から酸素を取り除く還元

日本古来の製鉄法に「たたら製鉄」というものがある。これは砂鉄（酸化鉄を含む砂）と木炭から鉄をつくるという技術だ。仕組みとしては、炉の中に砂鉄と木炭を交互に入れて火をつけ、巨大なふいご（これを「たたら」と呼ぶ）で空気を送り込む。すると、内部で化学反応が起きて酸化鉄が鉄となって出てくるというものだ。

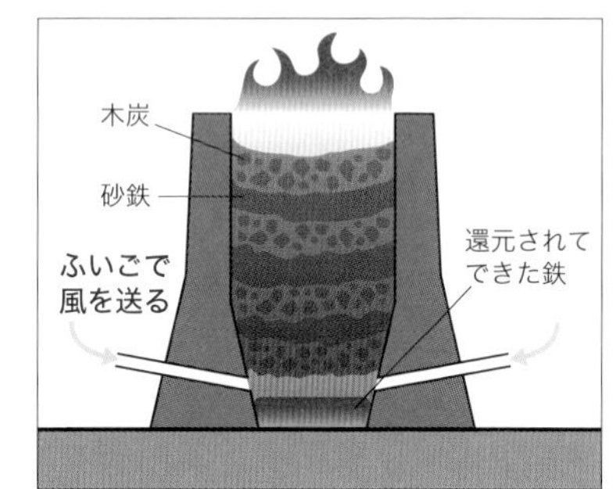

たたら製鉄の仕組み。

なぜ酸化鉄が鉄になるのだろうか？その鍵は木炭（炭素）にある。炉の中では酸化鉄に含まれる酸素が炭素と結び付き、二酸化炭素になる。いい換えれば、炭素が酸化しているのだ。**炭素は酸化鉄から酸素を奪うかたちで酸化**するため、酸化鉄は単体の鉄になるというのが基本的な原理だ。

このように、**酸化物から酸素を取り除く化学反応**のことを**「還元」**という。たたら製鉄の例で炭素の酸化があったように、**還元には必ず酸化が伴う**。製鉄の場合は「酸化鉄＋炭素→鉄＋二酸化炭素」になるが、左辺の酸化鉄が右辺の鉄へと還元し、左辺の炭素が右辺の二酸化炭素へと酸化していることがわかる。

同じように酸化銅に炭素を混ぜ込んで加熱すると、黒い物質だった酸化銅が、赤っぽい銅に変化する。酸化銅の酸素が炭素と結び付いて、二酸化炭素となり、金属の銅が遊離したためだ。

なぜ還元が起きるのかというと、酸素は鉄や銅よりも炭素と化合しやすいためだ。別の言い方をすれば、**炭素は鉄や銅よりも酸化しやすい**ということになる。「酸素は、鉄や銅よりも、炭素と仲がいい」と擬人化して考えることもできるだろう。同じく酸素と仲がいいのが水素だ。

私たちの身のまわりには、さまざまな種類の金属が材料として用いられているが、これらの多くは自然界においては酸化物として存在している。私たちの生活に役立つように単体として取り出すには、還元という化学反応は欠かすことができないのだ。

# 使い捨てカイロが一度しか使えない理由

## 発熱反応と吸熱反応

寒い時期の外出時に、使い捨てカイロが手放せないという人は少なくないだろう。じつは、この使い捨てカイロを発明したのは日本の会社だ。普段なにげなく携帯している便利アイテムであり、すっかり私たちの生活に定着しているが、なぜ使い捨てカイロは火を使わないのに温かくなるのだろうか。

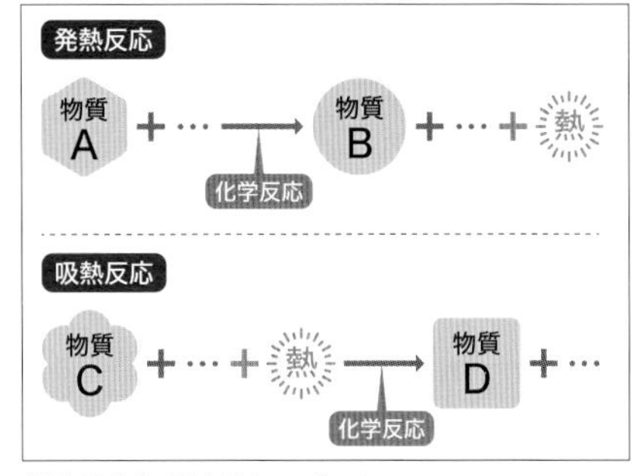

発熱反応と吸熱反応のプロセス。

使い捨てカイロは「化学カイロ」とも呼ばれる。このことからも推測できるように化学反応を活用した商品だ。

その基本的な原理は、鉄と酸素による化学反応だ。使い捨てカイロの中身はほとんどが鉄粉だが、この鉄粉が袋を開封した瞬間から空気中の酸素と反応する。つまり酸化を始める。それに伴って熱が発生するのだ。市販されている使い捨てカイロは温度の調節や酸化を早めるために活性炭や食塩なども入れられているが、基本的には**鉄と酸素の化学反応によって熱くなる**という仕組みだ。

このように、化学反応が起きた際に**周囲の温度が上昇することを、「発熱反応」**という。温度が上がる理由は、熱を周囲に放出しているためだ。

一方、化学反応で**温度が下がることは「吸熱反応」**という。冷却シートや冷却パックはこの吸熱反応を利用した商品だ。吸熱反応を伴う化学反応の例としては、塩化アンモニウムと水酸化バリウムを混ぜてアンモニアを発生させることが挙げられる。また、炭酸水素ナトリウムとクエン酸が反応すると二酸化炭素が発生して、やはり周囲の温度が下がる。

**化学反応には、必ず熱の出入りが伴う**。つまり発熱反応か吸熱反応のどちらかが起きている。ちなみに使い捨てカイロが一度しか使えないのは、中身の**鉄粉がすべて酸化し、そこで発熱反応がストップ**するためだ。

DAY 136

May 15th

# 人類史最古の化学反応の利用とは

## 私たちの生活と化学反応



**私たちの暮らしは、化学反応と密接な関係**にある。そもそも地球上にこれだけ多くの生命体が存在しているのも、二酸化炭素を吸収して酸素を放出するという**化学反応（光合成）を行なう生物が誕生**したからだ。

私たちはさまざまな化学反応を活用している。

さらに、私たち自身も生命を維持するために、**体内では多くの化学反応**を起こしている。たとえば食事でとり入れたタンパク質はアミノ酸に、糖質はブドウ糖に、脂質は脂肪酸とモノグリセリドに分解される。こうした化学反応で栄養素を活用しているのだ。

**ヒトが最初に用いた化学反応は、火の利用**だと考えていいだろう。調理や明かり、暖をとるなど、火をじょうずに使いこなすことから人類の進歩は飛躍的に加速した。その意味では化学は､つねに人間の暮らしとともにあったといえるのだ。

家庭用の燃料として使われているものにメタンやプロパンがあるが、これらはいずれも炭素、水素、酸素を含む有機物だ。空気中で燃焼させることで、二酸化炭素と水ができる。ガソリンや軽油といった燃料は、燃焼によって自動車を動かしている。

暮らしを便利にしているさまざまなものも､化学反応を抜きにしては語れない。プラスチックや金属、合成繊維、ガラス、陶器などがあるが、これらはいずれも化学反応を活用してつくられている。

たとえば金属を鉱石から取り出すには、還元という化学反応を用いる。原油を分留することでプラスチックの原料が生まれる。また、人工的につくった合成繊維のナイロンやポリエステルなどもプラスチックの一種だ。さらに湿布や鎮痛剤をはじめとする身近な医薬品に関しても、化学反応が用いられている。

このように、身のまわりにあるものを見渡して、どのような化学反応によってつくられているかを考えるだけでも化学的なセンスは磨かれていくはずだ。

DAY 137

May 16th

# 化学反応が起きても物質全体の質量は同じ

## 質量保存の法則

酸化や質量保存の法則を提唱したラボアジエ。

酸化という化学反応の考え方を提唱したのは、フランスの化学者ラボアジエだった。彼はまた**「質量保存の法則」**も提唱している。科学的に重要なこの法則について、学んでいくことにしよう。

化学反応に関してはすでに分解、化合、酸化、還元を学んでいる。化学反応を起こすには熱を加えたり電流を通したりする方法があったが、水溶液同士を反応させるというやり方もある。

ここで薄い硫酸と薄い水酸化バリウム水溶液を混ぜてみる。すると化学反応が起き、硫酸バリウムの沈殿が生じる。混ぜる前の硫酸と水酸化バリウム水溶液の総質量と、混ぜたあと（化学反応が起きたあと）の物質の総質量とを比べると、違いがないことがわかる。

スチールウールを燃焼させると酸化鉄になるが、密閉したびんの中でこれを行なった場合、やはり全体の質量が変わらないことが確認できる。燃えたスチールウールは質量が増えるが、その分酸素の質量が減る。

このように、**物質全体の質量は、化学反応の変化の前後で変わることはない**。これが「質量保存の法則」で、すべての化学反応に対していえることだ。質量が変わらないのは、反応前の物質と反応後の物質を構成している原子の数が変わらないからだ。

化学反応式について学んだとき、左辺と右辺の原子の数をそろえる工夫をした。それは全体の原子の数が変化していないことを示すためだったが、ここにも質量保存の法則は反映されている。

また、状態変化や物質が水に溶ける変化を「物理変化」というが、**物質が物理変化をしても質量は変わらない**。たとえば角砂糖が水に溶けるような場合も、溶ける前と溶けたあとで質量は同じだ。これらの変化に関しても質量保存の法則は成り立つのだ。

DAY 138 May 17th

# 酸素は残っているのに酸化がストップする理由

## 化合する物質の割合はつねに一定

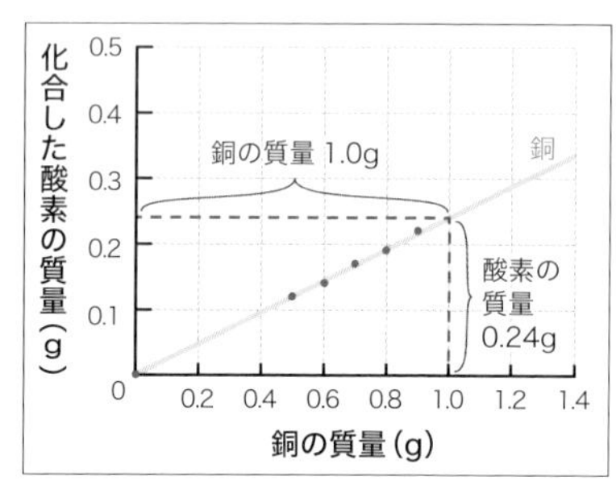


銅と酸素の化合と質量の関係。

銅に熱を加えると、空気中の酸素と化学反応（酸化）を起こし、酸化銅になる。この**酸化銅はもともとの銅よりも質量が大きい**。理由は、化合した分の酸素の質量が加わったからだ。同じことは鉄やマグネシウムの酸化でも起きる。

では、これらの金属を熱し続けると、質量は限りなく大きくなっていくのだろうか。空気中には膨大な量の酸素があり、化合するにあたって不足はない。しかし現実的に、質量が無限に大きくなるようなことはないと、誰にでも予想できるはずだ。

銅やマグネシウムを加熱し続け、その化合物（酸化物）の質量の変化をデータに取っていくと、一定のところまで達したあとは、**それ以上質量が大きくならない**ことが確認できる。

たとえば1gの銅を加熱すると、化合物である酸化銅は約1.24gより大きくなることはない。これにより、1gの銅に結び付くことができる酸素の質量は、約0.24gまでと考えることができる。比率はおよそ4：1だ。マグネシウムも同じようにデータを取ってみると、約3：2（マグネシウム：酸素）の割合で化合することが確かめられる。こうしたことは、2種類の物質が化合する場合、必ず見られることだ。**特定の物質同士が化合するときは、つねに一定の割合**で行なわれる。その割合を超えたとき、**多いほうの物質は化合できずに残る**ことになる。

先の銅と酸素の例でいえば、1gの銅と1gの酸素を化合させようとしても、約0.76g（1g − 0.24g）の酸素が残る。1gの酸素を残らず化合させるには、比率としてその4倍くらいにあたる約4gの銅が必要になる。原子は種類によって質量が異なるが、銅の原子の質量は酸素の原子の質量よりも4倍大きい。酸化銅では銅原子と酸素原子が1対1の比で結び付く。したがって銅に化合する酸素の質量が約4分の1になるのだ。このように、化合物を構成する原子の質量の比がつねに一定であることを発見したのは、プルーストというフランスの化学者だった。

DAY
139
May 18th

# 原子は生生流転している

## 無限に化学反応を続ける物質

原子は化学反応によって、**ほかの原子になることはない**。また、**なくなったり増えたりすることもない**。このことは大きな意味をもつ。これは質量保存の法則の発見が、歴史的に偉大な業績といわれていることにも関わりがある。

地球上のものは、すべて原子からできている。

質量保存の法則は、「無から有は生まれない」ことを明確にした点で意義が大きい。そこから、資源は限りのあるもので、これらを有効に活用しなければならないという考え方の発展につながったのだ（なお、厳密には質量保存の法則は核反応のような大きなエネルギーの変化が生じるときは成り立たないが、通常の化学反応では成立する）。

地球が誕生してからおよそ46億年もの間、原子は原則として増えることも減ることもなく、その原子からできた物質は化学反応を繰り返してきた。植物が光合成によって二酸化炭素から酸素をつくり、その酸素を動物が吸うことによって二酸化炭素を吐き出す。その過程で生命を維持する活動も行なう。ここではいくつもの化学反応が起きているが、全体的な原子の量は変わらない。

私たちの身体はすべて原子でできている。生命活動を終えたとしても、それらの原子が消滅することはない。また新たな化学反応によって、別の物質に生まれ変わることになる。

逆に考えると、今**私たちの身体をつくっている原子には、かつては別の物質を構成していたものもある**ということだ。科学の本にはふさわしくない表現になるが、その意味では、私たちは誰もが「前世」をもっているのだ。

生物だけに限らず、水や空気、土などの自然も原子からできている（そもそも地球自体がそうだ）。さらに住居や道具、衣服など人間がつくり出すものも、すべて原子からできている。長い目で見ると、**原子はつねに化合や分解という生生流転**をしていることになる。その中でさまざまな新しい組み合わせが生じ、新たな物質が生み出されているのだ。

# ハサミがさびるのは酸素と化合するから

このChapterでは物質の成り立ちについて、さまざまな角度から学んできた。物質はもとをたどると極小の原子に行き着く。この原子が複数結び付くことによって、さまざまな分子ができている。原子は現在110種類以上が知られており、わずか100ちょっとの構成要素であらゆる物質ができているのは驚きだ。

世の中にあるすべての物質は、酸素を「$O_2$」、二酸化炭素を「$CO_2$」、水を「$H_2O$」などといった形で、化学式で表すことができる。化学式を見れば、それぞれの分子はどういう原子が何個ずつ組み合わさってできているかがわかる。

原子の組み合わせが変わることを「化学反応」という。化学反応にはさまざまな種類があるが、鉄がさびることもその1つだ。2種類以上の物質が結び付いて異なる物質ができる化学反応のことを「化合」という。化合の中でも、とくに酸素と結び付く化学反応が「酸化」だ。サビは金属と酸素がゆっくりと化合することでできるのだ。

一方、酸化物から酸素を取り除く化学反応が「還元」だ。サビ取り剤がサビを落とせるのは、酸化した金属を還元して金属から酸素を取り除いているのだ。「たたら製鉄」で鉄ができるのは、砂鉄（酸化鉄を含む砂）に炭素を混ぜて還元させているからだ。このとき酸化鉄に含まれていた酸素が炭素と結び付き、二酸化炭素になる。このように、還元は必ず別の物質の酸化を伴っている。



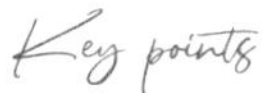


- 宇宙に存在するすべての物質は、原子からできている。
- 原子の組み合わせが変わる化学反応で、物質も変わる。
- 酸素と結び付くのが「酸化」、取り除くのが「還元」。

命題 Theme

# 石けんはどうして汚れを落とせるの？

ウイルス対策として、帰宅時に手洗いをする人は多いはずだ。このとき、石けんを使わなかったとしても、付着したウイルスの大半を除去することができる。とはいえ、石けんを使うほうがさらに効果が高くなるのは事実。石けんにはなぜ、ウイルスや汚れを取る力があるのだろう？　そこには化学的な作用が関係している。

## ▶汚れが落ちるとはどういうことか？

手や衣服に付いた汚れの多くは、油状の物質だ。油は水をはじくので、水だけで洗っても汚れは取れない。しかし、石けんを使うと汚れが取れることから、石けんには油を肌や衣服から取れるようにする働きがあることがわかる。ここではどういった化学反応が起こっているのだろう？

## ▶酸性とアルカリ性はどう違う？

酸性やアルカリ性という言葉は、健康や食品との関連でよく聞くものだ。原子の研究が進められるに従って、原子は電気と深く関わっていることがわかってきた。電気は、よく耳にする「イオン」や「酸性」「アルカリ性」に関係する。これらの性質を分子の世界で見ると、どのような化学反応がかかわっているのだろうか？

## ▶化学が私たちの生活にどう関係するのか？

イオンが関わる化学反応の仕組みが解明されていくことで、人間の生活はより便利になってきた。それは食品や衣料など身近なところにも影響を及ぼしている（かつては高級品だった石けんが、気軽に購入できるのもその成果の１つだ）。石けんがなぜ汚れを落とすのかということも併せて、化学反応の仕組みついて学んでいこう。

DAY 142
May 21st

# 水溶液になると電気を通す物質

## 電解質と非電解質

| 水溶液 | 電流を通したか | 電極付近の様子 |
|---|---|---|
| 蒸留水 | × | 変化なし |
| 水酸化ナトリウム水溶液 | ○ | 電極付近から気体が発生 |
| 砂糖水 | × | 変化なし |
| エタノール水溶液 | × | 変化なし |
| 塩化銅水溶液 | ○ | 一方の電極の色が変わり、もう一方の電極付近から気体が発生 |

食塩（塩化ナトリウム）の固まりに、電流を通そうとしても通らない。蒸留水（より純度の高い水）にも電流が通ることはない。しかし食塩を蒸留水に溶かした水溶液は、電流を通す。豆電球につなげると光るのだ。

これはいったいなぜなのだろうか。ほかの物質も水に溶かせば、電流を通すようになるのだろうか。

それを確かめるために、さまざまな物質の水溶液に電流を通してみることにしよう。塩酸（塩化水素の水溶液）、水酸化ナトリウム水溶液、砂糖水、エタノール水溶液、塩化銅水溶液で確かめてみた。

このうち電流を通したのは、塩酸と水酸化ナトリウム水溶液と塩化銅水溶液だ。砂糖やエタノールは、水溶液にしても電流を通すことはない。このことから、**どんな物質でも、溶かした水が電気を通すわけではない**とわかる。

また、電流を通した物質に関しては、電極付近から気体が発生することも確認できた（塩化銅水溶液はそれに加えて一方の電極の色が変化した）。この現象に関しては日を改めて学ぶことにしよう。

塩化ナトリウムや塩化水素、水酸化ナトリウム、塩化銅などのように、その**水溶液が電流を通す物質のことを「電解質」**という。一方、水に溶けても電流を通さない物質は「非電解質」という。

電解質という言葉は、スポーツドリンクの広告などでおなじみの人も多いだろう。スポーツドリンクにはナトリウムやカリウム、マグネシウムなどの化合物（電解質）が含まれており、電流を通すことができる。

なお、雨水や水道水もわずかに電流を通すことがある。これは蒸留水に比べて、何らかの電解質が溶けているからと考えられる。ちなみに果汁も電流を通す。果汁には、クエン酸など複数の電解質が含まれているためだ。

DAY 143

May 22nd

# 電気を帯びていない原子が電極に集まるという謎

## 電解質の水溶液を電気分解したときの変化

塩化銅水溶液に電流を通すと、陽極（＋）に気体が発生し、陰極（－）の表面が赤くなった。それぞれの物質を調べてみたところ、陽極の気体は塩素で、陰極の物質は銅であることがわかった。塩化銅は電気分解によって「塩素」と「銅」に分かれたということだ。化学反応式としては「$CuCl_2$（塩化銅）→ Cu（銅）＋ $Cl_2$（塩素）」となる。

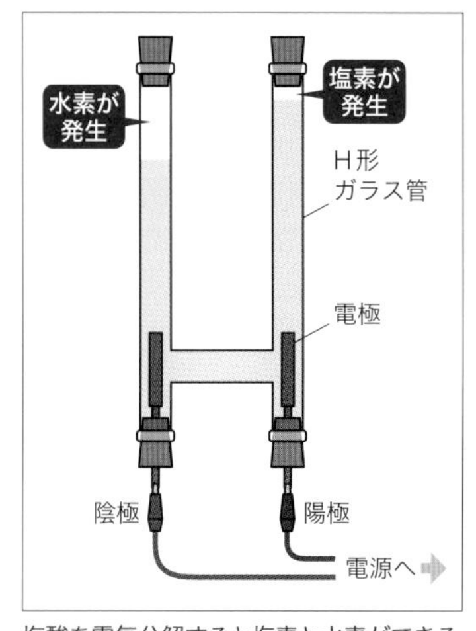

塩酸を電気分解すると塩素と水素ができる。

今度は薄めた塩酸を、同じように電気分解してみる。塩酸は塩化水素の水溶液であり、塩化水素は塩素と水素の化合物だ。この場合、陽極にも陰極にも気体が発生する。陽極から出た気体は塩素、陰極から出た気体は水素だ。塩化水素は塩素と水素の化合物なので、当然の結果といえる。

塩化銅水溶液でも塩酸でも、電気分解をすると陽極に塩素が集まった。プラスとマイナスの電気は引かれ合うので、これらの水溶液では、**塩素原子がマイナス（－）の電気を帯びている**ということが推測できる。反対に、**陰極に集まった銅や水素の原子は、プラス（＋）の電気を帯びている**と考えられる。

しかし**本来、原子は電気を帯びていない状態として存在**する。ということは、電気分解を行なったときに、それぞれの**電極に集まる原子は通常の状態ではない**ことになる。だが、電極から検出された塩素や銅、水素は通常の状態にある。

ここから考えられるのは、通常の状態ではない原子が電極に近づくことで、通常の状態に戻るということだ。そのプロセスを理解するには原子の構造について学ばなければならない。

**※一般家庭でこのページの実験は行なわないでください。**

DAY 144

May 23rd

# 陽子と電子で電気の量はプラマイゼロ

## 原子の構造とイオン

すべての物質のもととなるものが原子だということは、これまで何度も繰り返しふれてきた。原子は、化学反応によってそれ以上は分割できない粒子と学んだが、現在はその構造がより細かいところまで解明されている。

原子は「原子核」と「電子」からできている。原子核のまわりを電子がクルクルと回っているイメージ図を見たことがある人も多いはずだ。

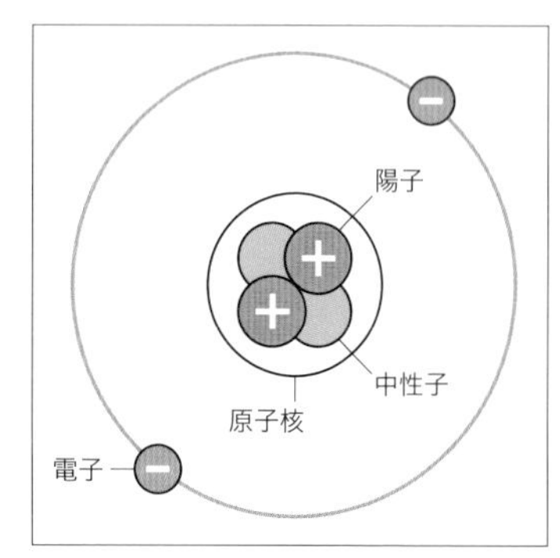

ヘリウム原子の構造。

その原子核は「陽子」と「中性子」からできている。つまり原子は基本的に電子、陽子、中性子から成り立っていることになる。このうち**電気をもっていないのが中性子**。**電子はマイナスの電気**を、**陽子はプラスの電気**をもっている。その**電子と陽子の電気の量が等しいため、原子は電気を帯びていない状態**にあるのだ。

ここで周期表のことを思い出してみよう。周期表に並ぶ原子には、固有の原子番号が付けられていた。この番号は発見された順に付けられたのではなく、陽子の数を表したものだ。たとえば水素の原子番号は「1」。つまり水素原子は1個の陽子をもっているということだ。電気量のバランスが取れているということから、電子の数も1個であることがわかるはずだ（ほとんどの水素原子核は中性子をもたない）。原子番号が「2」のヘリウムは2個ずつ陽子と電子をもつ（中性子は2個）。このように原子はそれぞれに固有の陽子、中性子、電子をもつ。その数がどれだけ多くなっても、陽子と電子の数が等しければ電気を帯びることはない。

では、電解質の水溶液にある原子が、電気を帯びているのはなぜなのか。それは、**原子は電子を受け取ったり、失ったりする**ことがあるからだ。そのことで電気量のバランスが崩れ、原子は電気を帯びることになる。**この状態の原子のことを「イオン」**と呼ぶ。

# 電子を失うとプラスになり受け取るとマイナスになる

## 陽イオンと陰イオン

塩酸を電気分解すると、陽極に塩素原子が集まり、陰極に水素原子が集まった。これらの原子は電気を帯びた状態、すなわちイオンになっているわけだが、電極ごとに集まることから、その**イオンにもプラスとマイナスがある**ことがわかるはずだ。

**陽極に集まるイオンはマイナスの電気**を帯びており、これを**「陰イオン」**という（マイナスイオンとはいわない）。一方、**陰極に集まるイオンは「陽イオン」**で、**プラスの電気**を帯びている。

こうしたイオンも化学式のように、原子記号を使って表すことができる。陽イオンの場合は原子記号の右上に、「＋」の記号を付ける。陰イオンは「－」を右上に付ける。読み方はそれぞれ「プラス」「マイナス」だ。

先の塩酸の例でいうと、塩素の場合は「$Cl^-$」と表し「塩化物イオン」と呼ぶ（「塩素イオン」とは呼ばない）。一方、水素は「$H^+$」と表し、「水素イオン」と呼ぶ。このようなイオンの表し方の化学式を「イオン式」という。

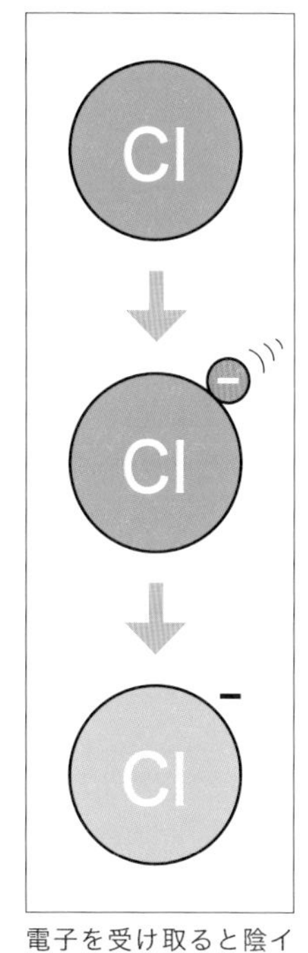

電子を受け取ると陰イオンになる。

原子が受け取ったり失ったりする電子の数は1個とは限らず、2個の場合もある。1個の電子を失うことでできたイオンは「1価の陽イオン」、2個のときは「2価の陽イオン」という。電子を受け取った場合はそれぞれ「1価の陰イオン」「2価の陰イオン」だ。

2価のイオンは、プラスマイナスそれぞれに「2＋」「2－」と表記する。たとえば亜鉛イオンは「$Zn^{2+}$」であり、硫酸イオンは「$SO_4^{2-}$」といった具合だ。

ここで硫酸イオンにある「$SO_4$」という化学式に、目をとめた人もいるかもしれない。「S」は硫黄、「O」は酸素の原子記号であり複数の種類の原子が並んでいる。このように**複数の種類の原子からできたイオン**も存在し、**「多原子イオン」**と呼ばれている。代表的なものとしてはアンモニウムイオン（$NH_4^+$）、水酸化物イオン（$OH^-$）、炭酸イオン（$CO_3^{2-}$）などがある。

DAY 146
May 25th

Column
暮らしの中の"エセ科学"

# マイナスイオンにはリラックス効果があるのか？

森や滝の周辺の空気に含まれ、リラックス効果があるとされていたマイナスイオン。体内の活性酸素を除去し、電気バランスの乱れを正すという効果をうたっていた製品も数多く販売されていた。マイナスイオンとはいったい何だったのだろうか？

原子は電子を受け取ることで、マイナスの電気を帯びるようになる。この状態の原子を「陰イオン」と呼ぶが、「マイナスイオン」と称することはない。**マイナスイオンという言葉は科学用語ではなく、そもそも定義されていない**のだ。

気象学の分野では「大気イオン」が科学的な研究対象となっている。大気イオンにはマイナスの電気を帯びているものがあって「負の大気イオン」というが、これには静電気やチリを除去するなどの働きがある。一時期ブームとなったマイナスイオンは、この**負の大気イオンの「除去」の働きを拡大解釈**した感が否めない。そこから体内の活性酸素を除去したり、体内の電気バランスの乱れを調整する（静電気の除去からの連想か）といった効果がうたわれるようになった。

また、森や滝の水しぶきにはマイナスイオンが多く含まれており、著しいリラックス効果をもたらすという話を聞いたことがある人も多いだろう。マイナスイオンではなく、森の樹木が放出するフィトンチッドをはじめ、**さまざまな環境的な要因に、そのリラックス効果はある**ものと考えられる。

マイナスイオンの効果に科学的根拠はなかったが、国内の大手家電メーカーからは、その効果をうたった製品が数多く発売された。マイナスイオンと銘打っておけば、人々が手を伸ばす時代でもあったのだ。しかし科学的に眉唾という事実が知られるにつれ、ブームは終焉を迎えた。

とはいえ、マイナスイオン効果をうたった製品が市場から完全に消えたわけではなく、今も売られている。マイナスイオン信奉者は現在もまだ少なくないという証（あか）しともいえるだろう。

# 電流を使わずにイオン飲料がつくれるわけ

## 電離のメカニズム

運動中や運動の前後に、スポーツドリンクを飲む人は多いはずだ。スポーツドリンクは「イオン飲料」ともいい、ナトリウムイオンや塩化物イオンなどを含んでいる。汗を流すことで体内の電解質が失われることを予防するために飲むわけだが、スポーツドリンクは、水と砂糖と塩とレモン汁を混ぜるだけでつくることができる。その際、仕上げに電流を通す必要はない。

なぜここで、電流の話が出てくるのか。イオンの考え方を最初に提唱したのは、イギリスの化学者ファラデーだ。19 世紀前半のことだった。

ファラデーはイオンの発生の条件を、「電流を通すこと」とした。電解質の水溶液でイオンが生まれるには、電流が必要だという考えだ。だが、それではスポーツドリンクがつくれる説明ができない。

ファラデーがイオン説を唱えたおよそ半世紀後、スウェーデンの化学者アレニウスは、「電流を通さなくてもイオンは発生する」という説を発表した。1887 年のことだ。

つまり、ファラデーの考えは、電流を通さなければ電解質を構成する原子は通常の状態（電気を帯びていない）にあるというものだが、アレニウスは**水に溶けた時点でイオンの状態になる（電気を帯びる）**という考えを提示した。電解質の水溶液に電流が通るのは、すでにイオンが含まれるからで、電流を通すことがイオン発生の「スイッチ」ではないという考え方だ。

当初、アレニウスの説には反対意見が多かったが、しだいに支持をする人が増えていった。後に彼はこの研究でノーベル化学賞を受賞している。

このように、**電解質が水に溶けることで陽イオンと陰イオンに分かれる現象**を**「電離」（イオン化）**という。たとえば塩化ナトリウムを水に溶かすと、ナトリウムイオンと塩化物イオンに電離する。化学式とイオン式で表すと「$NaCl \rightarrow Na^{+} + Cl^{-}$」だ。塩化水素では水素イオンと塩化物イオンに分かれる（「$HCl \rightarrow H^{+} + Cl^{-}$」）。スポーツドリンクという身近な商品には、電離という化学的に偉大な発見が隠されていたのだ。

DAY 148
May 27th

# 電子のやりとりをするとき原子は安定志向に走る

## 原子の構造とイオンの成り立ち



原子がイオンになるとき、電子のやりとり（受け取ったり失ったり）をする。それを理解するためには、原子核のまわりの電子の配置について学ぶ必要がある。**原子核の周囲には、「電子殻（でんしかく）」と呼ばれる層**がある。この電子殻は実際は原子核を「球状」に取り巻いているのだが、ここではわかりやすいように「環状」の軌道を思い浮かべてみよう。

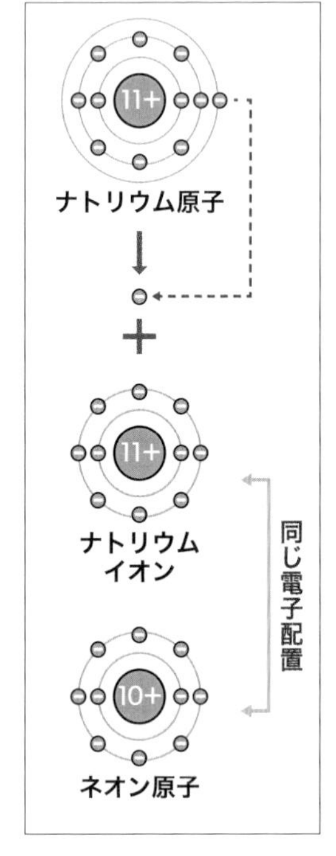


軌道に収まる電子の数は決まっている。1つめの軌道は2個まで。その外側に位置する2つめの軌道は8個まで。3つめの軌道は18個までといった具合だ。電子は内側の軌道から収まっていき、それぞれの収容限度を超えた場合は次の軌道に収まっていく。たとえば電子が3つある場合は、最初の軌道に2個の電子、次の軌道に1個の電子が配置される。それぞれの原子において、基本的に**電子がどの軌道に何個ずつ収まるかは決まっている**。それを**「原子の電子配置」**という。

110種類以上ある原子には、電子配置が**安定しているものとそうでないもの**がある。「電子配置が安定している」とは、電子のやりとりをほとんどしないということだ。具体的にはヘリウム（He）やネオン（Ne）、アルゴン（Ar）といった原子で、これらは「貴ガス（希ガス）」と呼ばれている。

一番外側の軌道の電子配列が安定していない原子は、**電子のやりとりをすることで安定化を図ろうとする性質**がある。たとえばナトリウム原子は3つの軌道をもつが、一番外側の軌道の電子は1個だ。つまり、内側の軌道から2→8→1の順で電子が存在する。この外側の1個を放出すると、電子配置は2→8となるが、その構成は貴ガスのネオンと同じになり、安定する。このように原子によっては、安定した電子配置のために、電子を受け取ったり失ったりするものがある。

# イオン化した原子は電極で電子を清算する

## 電気分解の仕組みとイオンの関係

塩化銅水溶液に電流を通すと、陽極に塩素が発生し、陰極には銅が付着した。陽極に集まってきたのは電離によってできた塩化物イオン（$Cl^-$）で、陰極に集まってきたのは銅イオン（$Cu^{2+}$）だ。

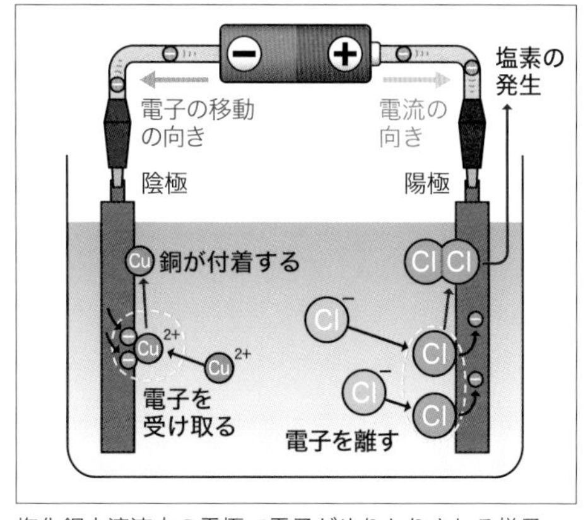

塩化銅水溶液内の電極で電子がやりとりされる様子。

それぞれのイオンは電極にふれることで、通常の状態の原子（電気を帯びていない）に戻っている。塩素原子は分子をつくって気体として、銅原子は金属として現れたことからそれがわかる。これはいったいどういう仕組みなのだろうか。電極にふれて通常の状態に戻るということから、そこに電気が関わっていることは容易に推測できるはずだ。

陽極・陰極間では電子が移動している。**導線内では陽極から陰極へと電子は移動する**が、このとき**陽イオンは陰極から出る電子を受け取る**。一方、**陰イオンは陽極に電子を渡す**。陽イオンはプラスの電気を帯びており、陰イオンはマイナスの電気を帯びていることはすでに学んだが、その**過不足を電極で「清算」**しているというわけだ。

塩化銅水溶液の場合、銅イオンが陰極から2個の電子を取り戻し、塩化物イオンは陽極に1個の電子を返却する。このようにしてイオンだった原子は通常の状態に戻るというわけだ。

**この現象を利用した技術に「めっき」**がある。めっきは金属の薄い膜を金属製のものに密着させる技術で、サビや摩耗からものを守ったり、見た目を美しくするものだ。古くは紀元前から行なわれていたとされ、その方法にはさまざまなものがある。電気分解を使っためっきが登場したのは、19世紀からだ。めっきしたい金属製のものを陰極にし、金や銀、チタンなどの金属やそのイオンを含む溶液を用いて表面をコーティングしていくのだ。

DAY 150

May 29th

# グレープフルーツを電池にする方法

## 化学電池の仕組み



グレープフルーツに導線をつなげた銅板と亜鉛板を差し込むと、微弱ながら電流が発生する。いうなれば「グレープフルーツ電池」になっているのだ。グレープフルーツの果汁には、クエン酸などの電解質が含まれている。ということは陽イオンと陰イオンが存在するということだ。

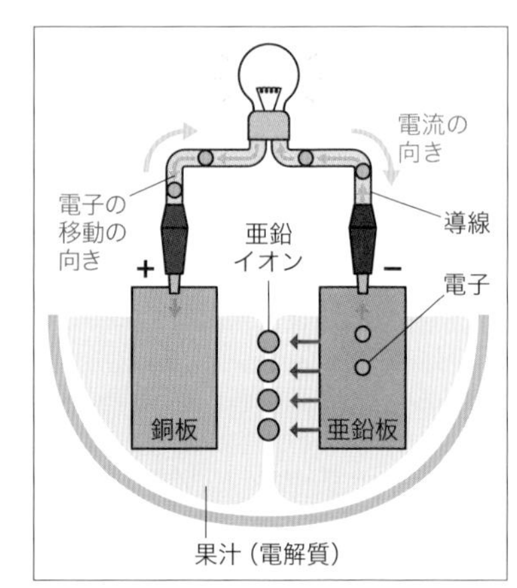

グレープフルーツ電池の仕組み。

そこに金属板を差し込むと化学反応が生じ、一方の金属板は電子を放出して陽イオンとなる。そしてその一部が果汁の中に溶け出す。放出された電子は導線を通って、もう一方の金属板へと移動する。そして果汁に存在する陽イオンに与えられる。この陽イオンはもともと果汁の中にあったもので、溶け出した金属の陽イオンとは別のものだ。

ここで注目をしたいのは、電子の流れだ。一方の金属板で**放出された電子は、導線を流れていく**ことになる。これがつまりは**「電気エネルギー」**だ。電流の向きは電子の動きとは逆方向になるため、「電子を放出した金属に電流がやってくる」というわけだ。電池にはプラスとマイナスがあるが、電流が流れ込んでくる側が−極（マイナス極）と決められている。グレープフルーツ電池で銅と亜鉛を使った場合は亜鉛が溶け出すので、こちらが−極になる。

**物質がもともともっているエネルギー**のことを**「化学エネルギー」**という。化学反応により、**化学エネルギーを電気エネルギーとして取り出す仕組み**のものを**「電池（化学電池）」**という。電流を通すことも、「取り出す」ことに含まれる。

この電池に、同じ種類の金属を差し込んだ場合、今見てきたような化学反応は起きない。一方、異なる金属板であっても、グレープフルーツの代わりに非電解質の水溶液を用いた場合は、電気エネルギーが生じない。**電解質の水溶液に異なる種類の金属板を用いる**ことが、電池の基本的な仕組みなのだ。

DAY 151 May 30th

# 「死んだカエルの足」から始まった電池の歴史

## ボルタ電池とダニエル電池

**電池を発明したのは、ボルタ**というイタリアの物理学者だった。そのきっかけをつくったのは、同じイタリアのガルバーニという生物学者だった。彼は死んだカエルの足に異なる種類の金属をふれさせると、痙攣を起こすことに気づいた。そこで「カエルの筋肉には電気が蓄えられている」と考えたのだが、ボルタは逆に金属に注目した。そして研究を重ねた結果、銅と亜鉛を食塩水につけることで電流を発生させる電池を発明したのだった。

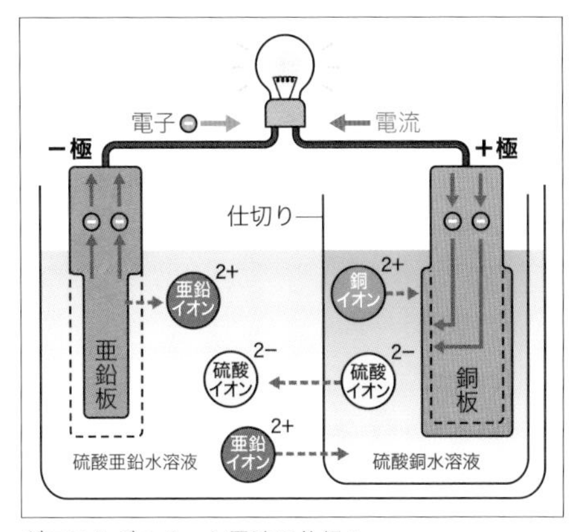

ダニエルがつくった電池の仕組み。

なお、銅と亜鉛を使ったときに－極になるのは亜鉛だが、これには「イオン化傾向」が関わっている。イオン化傾向とは金属の原子が水溶液中で陽イオンになろう（電子を放出しよう）とする度合いのことで、これが大きいほうが－極として適している。

ボルタがつくった電池は実用化しなかった。というのも、すぐに電流が止まるという欠点があったからだ。原因は「水素」だった。亜鉛から放出された電子は銅に伝わり、水溶液中の水素イオンと結び付く。そのことで水素分子が発生し、気体となった水素が銅の表面を覆い尽くしてしまい、その結果、残りの水素イオンが電子を受け取る隙間をなくしてしまうのだ。

このボルタ電池を**改良したのが、イギリスの化学者ダニエル**だ。彼は硫酸亜鉛水溶液と硫酸銅水溶液を用い、間に仕切りを付けた。仕切りはイオンが通り抜けできる穴が開いているので、水溶液中の陽イオンと陰イオンは自由に動ける。銅を差した硫酸銅水溶液には銅イオンが存在しているので亜鉛が放出した電子を受け取り、通常の銅原子に戻ることができる（電極に使う銅は質量が増す）。このことにより長持ちする電池が発明され、電池の実用化を大きく後押しした。

DAY
152
May 31st

# 言葉の遅かったボルタが伯爵になるまで

## 電気の発明者ボルタの人生

ボルタが生まれたのは1745年。イタリア北部のコモという美しい町が出身地だ。貴族の家に生まれ、裕福な暮らしをしていた彼は4歳になるまで言葉がしゃべれなかったという。また、7歳のときに砂金を探しに泉に出かけ、あやうく溺死しかけたというエピソードも残している。

ボルタの肖像画。

**科学に興味をもち始めたのは、13歳**のとき。神学校で学んでいた彼の**愛読書は、『アンシクロペディ（百科全書）』**だったという。ボルタはとくに電気に興味をもち、友人と**イタリアで初めての避雷針**を立てたこともある（避雷針の発明者はアメリカのベンジャミン・フランクリン）。

その後、静電気を用いて電気を持続的につくり出せる**「電気盆」を発明**したり、可燃性の気体である**メタンガスを発見**するなどの業績を残す。電気盆の発明を高く評価したのは、**酸化や質量保存の法則を発見したフランスの化学者ラボアジエ**だ。2人は親交を深め、ともに研究をしたこともある。

ボルタが死んだカエルの足の痙攣をヒントに、世界初の電池を発明したのは、1799年。50代の頃だ。その功績で彼は、ナポレオンから伯爵の称号を与えられている。そしてボルタがこの世を去ったのは、1827年。82歳のときだった。

ボルタの生きた18世紀から19世紀にかけては、科学史においてさまざまな発見・発明があり、社会が大きく進歩しようとする時期だった。その中でもボルタの発明した電池は、その後の社会にとくに大きな影響を及ぼし、現在の私たちの暮らしを支えている。

DAY
153
June 1st

# 太陽電池は電池ではない!?

## 身近にある電池の種類と性質

電池は大きく「一次電池」と「二次電池」に分けることができる。**一次電池は使い切りタイプ**。家庭でおなじみの「マンガン乾電池」「アルカリマンガン乾電池（アルカリ電池）」、腕時計に使われる「リチウム電池」、補聴器に使われる「空気電池」といった電池がこれに当たる。

一方、**二次電池は充電によって繰り返し使えるタイプ**のことを指す。自動車のバッテリーの「鉛蓄電池」、玩具やデジカメなどに使われる「ニッケル水素電池」、パソコンやスマートフォンに採用されている「リチウムイオン電池」などが二次電池として挙げられる。基本的にこれらの電池の**仕組みは、ボルタの時代から変わっていない**。

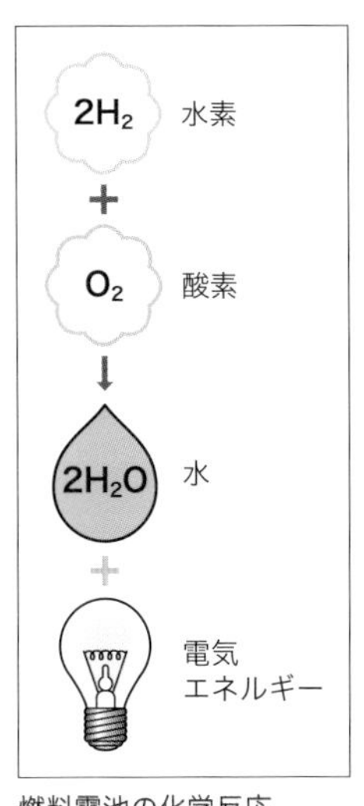

燃料電池の化学反応。

最も身近なマンガン乾電池の構造を見てみることにしよう。マンガン乾電池の内部には、電解質の溶液をのりに混ぜた物質が入っている。－極には亜鉛を、＋極（プラス極）には二酸化マンガンを用いている。亜鉛は電解質を練り合わせた物質に溶け出すことで電子を放出し、電流が生まれているというわけだ。この電解質に「アルカリ性の電解質」の物質を使ったものがアルカリ乾電池で、マンガン乾電池よりも大きな電流を生み出すことができる。

近年、**環境に優しい電池として普及**が進められているのが、**「燃料電池」**だ。燃料電池は水素と酸素が化学反応を起こし、**水になる過程で生じる電気エネルギーを活用**している。水を電気分解すると水素と酸素が発生したが、燃料電池はその逆の化学反応を利用しているのだ。この電池は化石燃料を使用せず、二酸化炭素を排出しない。

ところで、電池と呼ばれるものの中には、厳密には電池の定義から外れるものもある。「太陽電池（光電池）」がそうだ。理由は、**太陽電池は「光エネルギー」を電気エネルギーに変換**しているため。一般的な電池は化学エネルギー（および化学反応）を使っている。

# 酸性もアルカリ性も水溶液は電解質

## 酸性とアルカリ性

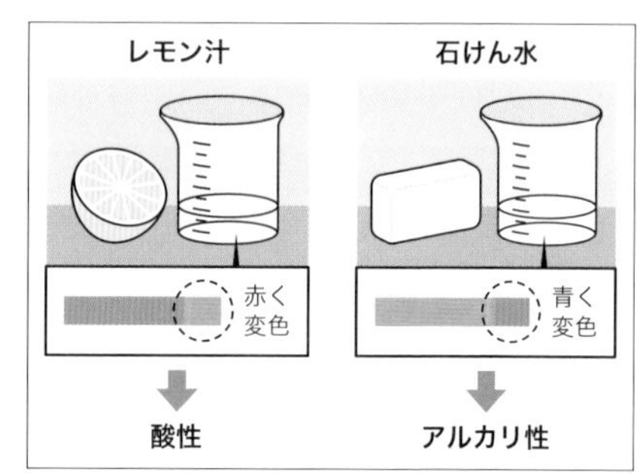

レモン汁と石けん水によるリトマス紙の変化。

日常生活の中でも「酸性」「中性」「アルカリ性」という言葉はよく聞く。これらは水溶液の性質として習ったはずだ。簡単におさらいをしておくと、水溶液はリトマス紙の色の変化によって、それぞれ酸性、中性、アルカリ性に分けることができた。青色のリトマス紙を**赤色に変える水溶液が酸性**、赤色のリトマス紙を**青色に変える水溶液がアルカリ性**だ。中性の水溶液は、青・赤どちらのリトマス紙も色を変えることはない。

酸性の水溶液としては「塩酸」や「炭酸水」、アルカリ性の水溶液としては「石灰水」「アンモニア水」、そして中性の水溶液としては「食塩水」「砂糖水」などがある。では、酸性とアルカリ性は、具体的に何が違うのだろうか。中性に関しては後日改めて学ぶとして、ここでは酸性とアルカリ性の性質の違いについて、考えていくことにしよう。

まず、酸性の水溶液として、薄い「塩酸」を、アルカリ性の水溶液として「水酸化ナトリウム水溶液」を用意する。それぞれにリトマス紙を反応させると、先にふれたように、塩酸は青色のリトマス紙を赤色に変え、水酸化ナトリウム水溶液は赤色のリトマス紙を青色に変える。

次に、それぞれに一片の金属マグネシウムを入れてみる。すると、塩酸は水素を発生させたが、水酸化ナトリウム水溶液では変化は見られなかった。次に、それぞれに電流を通してみたところ、どちらも流れた。

このことから、**塩酸などの酸性の水溶液は、マグネシウムと化学反応を起こして水素を発生**させるが、水酸化ナトリウム水溶液などのアルカリ性の水溶液はそうではないことが考えられる。また、どちらも電流を通すことから、**電解質の水溶液**だということもわかる。電解質が水に溶けているということは、**陽イオンと陰イオンが存在**しているということだ（電離）。

DAY 155

June 3rd

# 酸は電離によって水素イオンを発生させる

## 酸性の正体

酸性・アルカリ性の水溶液は、いずれも電流を通す。つまりイオンが存在していることになる。それぞれの違いを調べるために、そのイオンに注目してみることにしよう。

ここで特殊な装置を用意する。万能pH試験紙（リトマス紙より精度が高い）と濾紙（ろし）を中性の水溶液で湿らせ、両端に陽極と陰極をセット。そして電流を流す。次に薄い塩酸をしみ込ませた糸を、万能pH試験紙に置く。

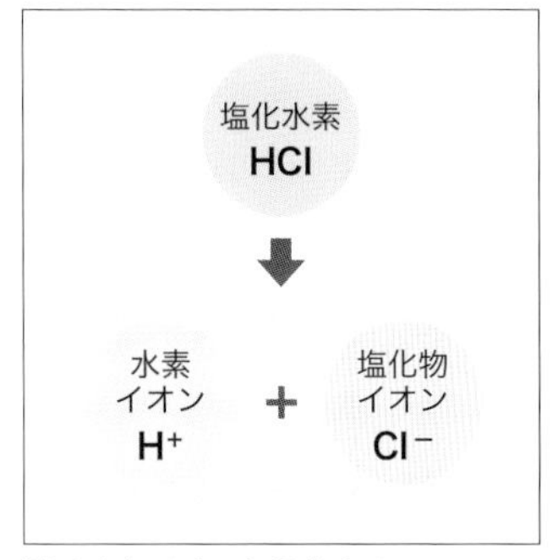

酸は水素イオンを発生させる。

すると、万能pH試験紙は、陰極に向かって赤色に変化していく。万能pH試験紙もリトマス紙と同じように、酸性に反応すると赤色になる。酸性の水溶液である塩酸をしみ込ませた糸なので赤色になるわけだが、陰極に向かうということは、**水溶液中の陽イオンが反応して動いている**ということだ。

この陽イオンの正体は、「水素」だ。塩酸は塩化水素（HCl）の水溶液であり、電離をすると水素イオン（$H^+$）と塩化物イオン（$Cl^-$）に分かれる。水素イオンはイオン式からもわかるように陽イオンなので、万能pH試験紙を移動したのは水素イオンだと特定できる。この現象は硫酸（$H_2SO_4$）や硝酸（$HNO_3$）など塩酸以外の酸性の水溶液を使っても、目にすることができる。硫酸の場合は「$H_2SO_4 \rightarrow 2H^+ + SO_4^{2-}$」となり、硝酸は「$HNO_3 \rightarrow H^+ + NO_3^-$」となる。いずれも水素イオンが陰極に向かっていくのだ。

このように、水溶液の中で**電離をし、水素イオンを発生させる物質を「酸」**という。酸にはたくさんの種類があり、身近なものではクエン酸や酢酸（さくさん）、乳酸などが挙げられる。酸性の水溶液に一片の金属マグネシウムを入れると、気体の水素が発生するのは、水素イオンがマグネシウムから電子を受け取って電気を帯びない水素原子に戻り、2個が結び付いて分子つまりは気体になるからだ。

DAY 156
June 4th

# アルカリは電離によって水酸化物イオンを発生させる

## アルカリ性の正体

ミカンの缶詰の製造にも、イオンの性質が使われている。

前ページで使った特殊な装置を、今度は水酸化ナトリウム水溶液を用いて試してみる。水酸化ナトリウム水溶液はアルカリ性であり、これをしみ込ませた糸を万能pH試験紙の上に置いてみる。結果は容易に推測できるはずだ。

装置にセットした万能pH試験紙は、陽極に向かって青色に変化していく。つまり、**水溶液中の陰イオンが、プラスの電気に反応**していることがわかる。水酸化ナトリウム（NaOH）は電離するとナトリウムイオン（$Na^{+}$）と水酸化物イオン（$OH^{-}$）に分かれるので、陽極に向かっているのは水酸化物イオンだ。水酸化カリウム（KOH）や水酸化バリウム（$Ba(OH)_2$）など、ほかのアルカリ性水溶液を使っても、この現象が確認できる。このように、水溶液の中で**電離をし、水酸化物イオンを発生させる物質を「アルカリ」**という。

これまでのことから、物質が**酸かアルカリかを決めるのは、水素イオンと水酸化物イオン**ということがわかった。図式化すると「酸→水素イオン＋陰イオン」「アルカリ→陽イオン＋水酸化物イオン」だ。

ただ、例外的な場合もあり、アンモニア水がそれに該当する。アンモニア水はアルカリ性を示すが、そもそもアンモニアには、水酸化物イオンが含まれていない（アンモニアの化学式は「$NH_3$」）。

この場合、アンモニアと水とが反応し、水酸化物イオンができると考えれば辻褄があう。「$NH_3 + H_2O \rightarrow NH_4^{+} + OH^{-}$」というわけだ。

一部の酸とアルカリの水溶液には強い反応性があるので、取り扱いには十分な注意が必要だが、うまく活用すれば私たちの暮らしにおおいに役立ってくれる。たとえばミカンの缶詰をつくるときは、薄い塩酸と水酸化ナトリウムによって、内側の皮がきれいに取り除かれる。また、髪にウェーブ感をもたせるパーマ剤にも、アルカリ成分が含まれている。

# 塩酸は危険なのにお酢は安全な理由

## 酸性・アルカリ性の強さを表すpH

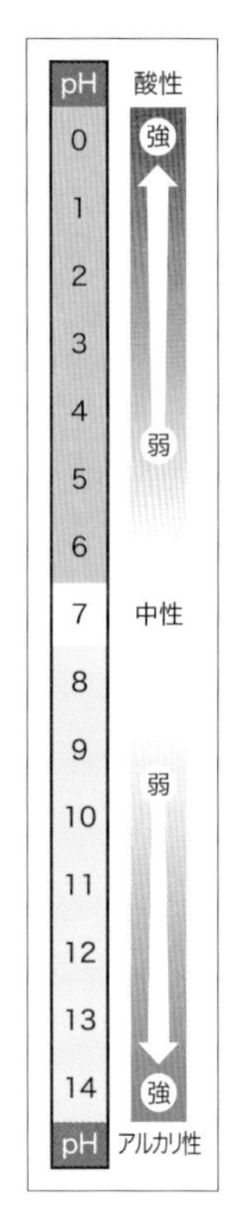


私たちは、塩酸や硫酸が危険な薬品であることを知っている。塩酸や硫酸を殺人手段とした事件も、昔から起きている。私たちが日常生活で、塩酸や硫酸を取り扱うことはほとんどないといっていいが、もしこうした薬品が家庭内にあれば、細心の注意を払うはずだ。

塩酸も硫酸も、酸性の水溶液だ。また、地球環境に悪影響を及ぼすものとして、「酸性雨」がある。こうしたことから酸性の液体は怖いという印象をもつ人も多いかもしれない。しかし、調味料に使われる食酢も酸性だ（酸の主成分は酢酸）。「弱酸性」をうたった洗顔料もある。これらに特別の危険性を感じる人はいないだろう。

アルカリ性に関しても、同じことがいえる。アンモニア水は強い刺激臭を放ち不快感を催すが、肌にふれても問題はない（よほどのことがない限り）。あるものは危険・不快で、あるものはそうではない。酸性・アルカリ性ともに、そのような違いが生じるのは、その「強さ」にある。**酸性・アルカリ性には強弱**があり、その**強弱で性質も違ってくる**のだ。

酸性やアルカリ性の**強弱を示すのが、「pH」**だ。「ペーハー」と読むようにと習った人もいるだろうが、現在は「ピーエイチ」と読むことが多い。このpHは、0から14までの数値があり、**7.0より小さければ酸性、大きければアルカリ性**となる。数値が小さくなるにつれて酸性は強くなり、大きくなるにつれてアルカリ性は強くなる。pH値が7.0の場合、その水溶液は中性だ。

先に「日常生活で塩酸を取り扱うことはほとんどない」といったが、じつは私たちは毎日お腹の中で塩酸を使っている。胃酸のことだ。胃酸は、胃から分泌される水素イオン（$H^+$）と塩化物イオン（$Cl^-$）が混ざってできる塩酸を成分の1つとしている。pH値は1前後なので、かなり強い酸性ということになる。その強い酸で殺菌をしたり食べ物を溶かしているのだ。

DAY
158
June 6th

# BTB溶液を使うと性質の変化が色でわかる

## 酸とアルカリを混ぜ合わせる実験

薄い塩酸（酸性の水溶液）に一片の金属マグネシウムを入れたとき、気体として水素が発生する。これはマグネシウムが反応することで放出した電子を、水溶液中の水素イオンが受け取ったためだ。

このマグネシウムを入れた塩酸に、水酸化ナトリウム水溶液を少しずつ加えていくと、どのような変化が見られるだろうか。水酸化ナトリウム水溶液はアルカリ性なので、何らかの変化が推測できる。塩酸だけの場合は水素が勢いよく発生するが、水酸化ナトリウム水溶液の量が増えるにつれて、しだいに勢いが弱まっていき、最後には水素が出なくなってしまう。

次に、その逆のパターンを試してみる。水酸化ナトリウム水溶液にマグネシウムを入れ、薄い塩酸を少しずつ足していく。水酸化ナトリウム水溶液だけの場合はマグネシウムが反応することはないが、塩酸の量が増えるに従い、しだいに水素の発生量が多くなる。

これらのことから、**酸性とアルカリ性の水溶液を混ぜると、性質が変わっていく**ことがわかる。この時点で推測できるのは、酸性の水溶液にアルカリ性の水溶液を加えていったとき、酸性の力が小さくなっていくということだ（逆も同様）。実際にそうなのかを、「BTB 溶液」を使って確かめてみよう。

BTB 溶液は、水溶液が酸性か中性、あるいはアルカリ性かを調べるもの。リトマス紙や万能 pH 試験紙は、濾紙（ろし）に指示薬の溶液をしみ込ませたものだが、こちらは、指示薬の溶液だ。**BTB 溶液は酸性には黄色、中性には緑色、アルカリ性には青色**となって反応する。

試験管に入れた薄い塩酸に、BTB 溶液を垂らして振ってみる。塩酸は酸性なので黄色になる。次に、少しずつ水酸化ナトリウム水溶液を加えていく。色はどのように変化していくだろうか。

水酸化ナトリウム水溶液の量が多くなるにつれて、試験管の中の液体は黄色が薄くなっていく。その後は緑色になり、さらに加えていくと青色になる。この色の変化から、酸性の液体が中性になり、最後にはアルカリ性になったことがわかる。逆の水酸化ナトリウム水溶液に塩酸を加えていくパターンでも、同じようにアルカリ性から中性、酸性へと変化する。

DAY
159
June 7th

# 塩酸と水酸化ナトリウム水溶液を反応させると……

## 中和の正体

酸性とアルカリ性の水溶液を混ぜ合わせると、性質の変化が見られる。このとき、水溶液中では、**酸とアルカリがそれぞれの性質を打ち消し合っている**。この化学反応を**「中和」**という。

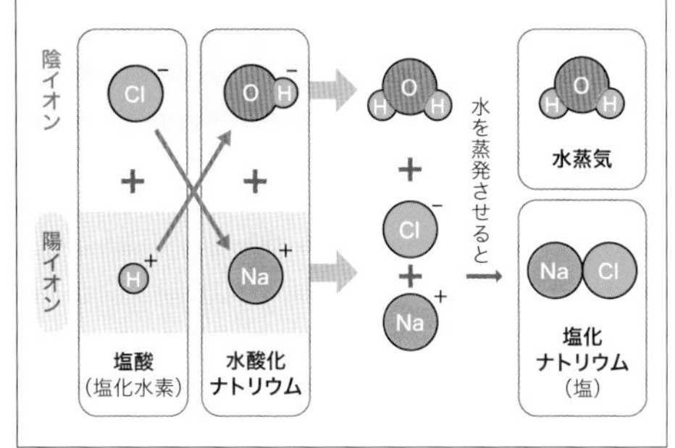


酸とは、水溶液の中で水素イオン（$H^+$）を発生させる物質だった。一方、水酸化物イオン（$OH^-$）を発生させるのがアルカリだ。中和というのは、この2つのイオンが結び付いて、「水（$H_2O$）」になっている状態だ。この反応は、「$H^+ + OH^- \rightarrow H_2O$」で表すことができる。

中和によってできるのは水だけではない。塩酸には、水素イオンと塩化物イオン（$Cl^-$）が存在し、水酸化ナトリウム水溶液には、水酸化物イオンとナトリウムイオン（$Na^+$）が存在する。このうち水素イオンと水酸化物イオンが反応して水ができたわけだが、残りの塩化物イオンとナトリウムイオンもまた反応する。両者が結び付いてできるのは「NaCl」、すなわち塩化ナトリウムだ。したがって、塩酸と水酸化ナトリウム水溶液を中和させた水溶液を蒸発させると、塩化ナトリウムの結晶が現れる。

このように、**酸の陰イオンとアルカリの陽イオンが結び付いてできる物質は、「塩（えん）」**と呼ばれる。塩には塩化ナトリウムだけではなく、硫酸バリウム（薄い硫酸と水酸化バリウム水溶液からできる）など、ほかにも種類がある。酸とアルカリの種類によって、できる塩は異なってくる。

酸とアルカリの水溶液を中和させるということは、化学反応を起こすということだ。化学反応が起きるときには、熱の出入りが伴う。塩酸と水酸化ナトリウム水溶液を混ぜて中和させたときも、水溶液の温度は上がる。**中和は発熱反応**でもあるのだ。

DAY 160 June 8th

# 「相手が倍ならこちらも倍」が中和の掟

## 中和させるコツ

家庭菜園を趣味にしている人は、土の質をよくするために消石灰（水酸化カルシウム）を使ったことがあるかもしれない。消石灰はアルカリ性の物質で、酸性が強くなった土に使うことで、その酸性を弱める働きがある。家庭菜園で育てる植物の多くは、強い酸性の土を好まないことから、こうした作業が行なわれる。

農作業では畑に消石灰を撒くことが多い。

酸の水溶液にアルカリの水溶液を加えていくと、しだいに酸性が弱まっていくことは学んだ。土に消石灰を混ぜるというのは、その現象を利用したものだ。ここで消石灰を入れすぎると、土がアルカリ性になってしまう。この場合は、酸性の土を足すことで、調整が図れることも推測できる。

その「調整」に関して、ここで水溶液の濃度と体積の関係を考えてみることにしよう。酸とアルカリそれぞれの水溶液を混ぜて中和させようとしたとき、一方の体積や濃度を変えると、もう一方はどんな変化が必要になってくるだろうか。

一定の体積の薄い塩酸があり、これを中和させるための水酸化ナトリウム水溶液の体積と濃度もわかっているとする。このとき薄い**塩酸の体積を２倍**にしてみる。両者を混ぜ合わせた水溶液を中和させるには、水酸化ナトリウム水溶液の体積はどう変えればいいだろうか。おそらく答えは簡単に思い付くはずで、これは**水酸化ナトリウム水溶液の体積も２倍**にすればいい。

では濃度に関してはどうだろうか。これも答えは同じで、**塩酸の濃度を２倍**にしたならば、**水酸化ナトリウム水溶液の体積も２倍**にすればいい。

中和とは、水溶液中の水素イオン（$H^+$）と水酸化物イオン（$OH^-$）が結び付くことだった。したがって、それぞれのイオンの数は同じである必要がある。酸とアルカリ、一方の体積や濃度を変えると、それに応じてもう一方も変えなければならないということだ。

# みんなで手をつないでプラスチックをつくろう！

## モノマーとポリマー

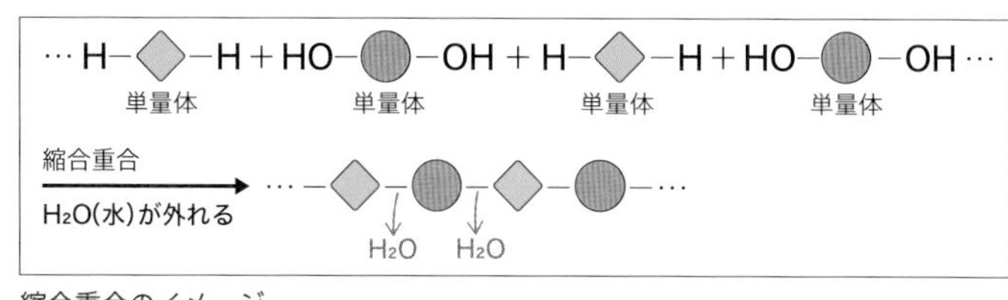


縮合重合のイメージ。

プラスチックは熱に対する性質によって、熱可塑性樹脂と熱硬化性樹脂に分類されることはすでに学んでいる（DAY104）。加熱するとやわらかくなるのが前者で、加熱すると硬くなるのが後者だ。

原油は蒸留することで石油ガスやナフサ、灯油などの成分に分けられるが（DAY118）、このうち、プラスチックの原料となるのがナフサだ。ナフサからエチレンやプロピレンなどの石油化学工業の基本物質がつくられ、これらを原料として**「合成高分子化合物」**ができる。そのうち**樹脂状のものがプラスチック（合成樹脂）**だ。**繊維状のものは合成繊維**で、**ゴム状のものは合成ゴム**だ。

**高分子化合物とは、小さな分子がいくつもつながることで、大きな分子になった状態**のものをいう。その**最小の構成単位は「モノマー（単量体）」**と呼ばれる。**モノマーがたくさんつながってできたものが、「ポリマー（重合体）」**だ。モノマーからポリマーになる反応のことは、「重合」という。

重合には**「付加重合」と「縮合重合」**がある。付加重合を理解するには、こんなイメージを描くとわかりやすい。たとえば校庭に２人１組で両手をつないでいる生徒たちがたくさん並んでいるとする。この生徒のペア１組１組が、モノマーだ（両手をつないでいる状態を「二重結合」という）。ここで教師の笛を合図に、生徒たちはつないでいた手の片方だけを放し、隣のペアの手を握る。それによって生徒たち全員が一体化する。この結び付き方が付加重合だ。

縮合重合は異なるモノマー同士が、それぞれにもっている分子を手放して、新たな分子として結び付くことをいう。手放された分子は$H_2O$（水）のような単純な分子となる。先の生徒のたとえを使えば、両手にHをもっている生徒とOHをもっている生徒がそれぞれにいて、水をつくったあとに手を拭き、解放された手をみんなでつなぐというイメージだ。

DAY 162
June 10th

# 焼却場で燃やすことのできるレジ袋もある

## プラスチックの燃焼

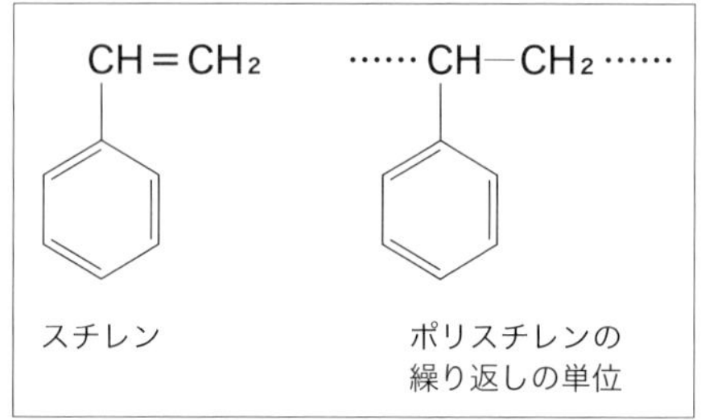


炭素と水素から構成されるポリスチレン。

プラスチックは熱に弱い、という印象をもっている人は少なくないだろう。実際に多くのプラスチックは約70℃から250℃の熱を加えられると、やわらかくなる。なかには300℃の熱にも変形しないフッ素樹脂のようなものもあるが、全体的に見てプラスチックは金属やガラスなどの物質に比べると熱に対して強くないといえる。

熱に弱いということは、火に対しても弱いということだろうか。ここでは、プラスチックの燃焼について見ていくことにしよう。身近なプラスチックであるポリエチレン（レジ袋などに使われる）、ポリスチレン（カップめんの容器など）、ポリ塩化ビニル（ビニールシートなど）を取り上げる*。

ポリエチレンはよく燃えるが、ポリスチレンは不完全燃焼しやすく、すすが出やすい。ポリ塩化ビニルは燃えにくく、燃えたとしても、加熱を止めると炎もすぐに消える。ポリエチレンもポリ塩化ビニルも、とけて燃える。このように、**同じプラスチックでも燃焼の仕方はそれぞれに違う**のだ。

たき火でプラスチックを燃やした経験のある人は、特有のにおいが発生することを知っているはずだ。「プラスチックを燃やすと有毒な気体（とくにダイオキシン）が出る」と信じている人も多いかもしれない。プラスチックを燃やすと、燃焼温度などの条件によっては空気中の酸素や窒素と反応し、有毒な気体が生まれることもある。

ただし、すべてのプラスチックにおいてそうとは限らない。たとえば、**ポリエチレンやポリスチレンは、炭素と水素から構成される高分子化合物**だ。そのため完全燃焼をすると**空気中の酸素と結び付き、二酸化炭素と水が生じる**。理論上、有害な物質が出るとは考えられない。そのため特定のプラスチックを可燃ゴミとしている自治体も多い。

**＊ポリ塩化ビニルは燃えると有毒ガスを発生するので、燃やさないでください。**

# 自然界で分解される プラスチックも登場

## 循環型社会とプラスチック

私たちは、限りある地球の資源を使うことで社会活動を行なっている。これは、資源がなくなれば社会活動が続けられなくなるということだ。そうならないために、資源を無駄に使わず有効活用していくことが重要という考えを示した言葉が、「持続可能な循環型社会」だ。

循環型社会では、廃棄物（ゴミ）をなるべく出さない「リデュース」、ガラスびんなど同じものを再び使う「リユース」、そして、一度使ったものを原料の状態に戻して再び製品をつくり出す「リサイクル」を重視している。これらは「3R」と呼ばれている。

ここからは、プラスチックのリサイクルがどのように行なわれているかを見ていくことにするが、リサイクルには3つの方法がある。「マテリアルリサイクル（材料・原料の再利用）」「ケミカルリサイクル（化学的な再利用）」「サーマルリサイクル（熱の再利用）」だ。

**マテリアルリサイクル**とは、**使用済みの製品を新しい製品の原料として使う**方法だ。たとえばペットボトルは回収されたあと、細かく粉砕され、洗浄される。その後は加熱・加圧されて、ほかのプラスチック製品（容器やプランター、衣類など）に生まれ変わる。

**ケミカルリサイクル**とは、**化学的な処理をすることで再利用につなげる**というものだ。たとえばポリエチレンやポリエステルは炭素と水素から構成される高分子化合物（ポリマー）だが、これらをモノマーの状態にまで戻し、改めてプラスチック製品をつくるための原料にするというわけだ。

**サーマルリサイクル**は、マテリアルリサイクルやケミカルリサイクルができない場合に行なわれるもので、**廃棄されたプラスチック製品を燃やし、その熱エネルギーを活用**する。たとえば発電や温水プールなどに使われる。

プラスチックは自然界では分解されにくい。しかし近年、**生分解性**（せいぶんかいせい）**プラスチック**というものが開発されている。これは通常のプラスチックと同じように使え、使用後は微生物の働きによって水や二酸化炭素といった単純な物質に分解されやすいという性質をもっている。

DAY 164
June 12th

# 火あぶりから電気ショックまで

## 身近な金属の精錬方法

多くの金属は純粋な状態で地殻に眠っているのではなく、酸素や硫黄と結び付いた鉱物や、鉱物を含む岩石で存在する。この鉱物から、精錬によって目当ての金属を取り出すのだ。代表的な金属の精錬方法を見ていこう。

鉄は、酸化鉄を主体とした鉄鉱石を原料とする。鉄鉱石にコークス（C）や石灰石を加えて高熱を与えると一酸化炭素ができる。その**一酸化炭素は、鉄鉱石に含まれる酸素を奪い取って二酸化炭素となる（還元）**。酸素を奪われた鉄鉱石は「銑鉄」となるが、そこには多くの炭素が含まれていて、もろい。そこで**酸素を吹き込んで炭素を燃焼**させ、含有量を減らすと、銑鉄は鋼となる。

銅は電気分解（DAY122参照）によって精錬される。手順としては、まず銅を含む鉱石から、鉄や硫黄を取り除いて「粗銅」にする。この粗銅を陽極に、純銅を陰極にして硫酸銅水溶液に入れる。すると、**粗銅から銅イオン（陽イオン）が溶け出し、陰極の純銅に付着**していく。これを銅として使うわけだが、この方法を**「電解精錬」**という。

アルミニウムもまた電気分解で製造する。アルミニウムの原料はボーキサイトで、これをまず精製し、純粋な「酸化アルミニウム（アルミナ）」をつくる。ここから酸素を取り除けばアルミニウムができるわけだが、酸素とアルミニウムの結び付きは強く、鉄の精錬のときのように炭素を使っての還元が難しい。そのため、**アルミナを高温でとかし、電気分解**によってアルミニウムを取り出している。この方法を**「溶融塩電解」**という。

ちなみに溶融塩電解の「溶融」について。アルミナをとかすといったが、そのとき融点を下げるために融剤（おもに氷晶石）を加える。つまり氷晶石を「融かした」ものに、アルミナを「溶かす」ので、「溶融」という。

溶融塩電解には大量の電気エネルギーが必要となり、コストも大きくなる。かつて日本では国内でもアルミニウムの精錬が行なわれていたが、今はコスト面の問題から製造はストップし、すべて輸入に頼っている。

このように私たちの身近な金属は、これまで学んできた還元や電気分解、イオンなどと深い関係をもっている。

# アルミニウムは再生したほうがおトク

## 金属のリサイクル

アルミニウムには、**「電気の缶詰」**という異名がある。前ページで説明したとおり、原料のボーキサイトから新たに製造するには、溶融塩電解という方法を用いる。この**溶融塩電解で大量の電気エネルギーを使う**ためだ。たとえば350mlのアルミニウム缶（約16g）を1つつくるための電気エネルギーは、40Wの蛍光灯を8時間連続でともすエネルギー量に匹敵する。

そのため日本でアルミニウムの製造は行なわれていないのだが、リサイクルとなると話は別だ。アルミニウムをリサイクルする際に必要なエネルギーは、ボーキサイトから精錬する場合に比べると、わずか数%。つまり**約90%以上のエネルギーが節約**できる。そのことから国内ではアルミニウムのリサイクルが盛んに行なわれ、年間消費量の約90%はリサイクルされている。

スチール缶にしてもその率は高く、年間消費量の約87%がリサイクルされている。スチール缶に関しても、新たにつくるよりも**約75%のエネルギー量を節約**できる。

金属は熱を加えてとかせるため、**使用済みの製品を新たな製品の原料とする**マテリアルリサイクルが行なわれる。マテリアルリサイクルをスムーズに行なうには、**単一素材にすることが必要なので、異物の除去が重要**だ。そのため缶を資源ゴミとして出すときには、水洗いをしてきれいにするなどの一手間を意識したい。

リサイクルに使われる金属は缶だけではない。スマートフォンを含む携帯電話には、さまざまな金属が使われているが、それらも再利用されている。たとえば、金、銀、銅、パラジウム、インジウム、タングステンなどだ。携帯電話1トンから取り出せる金の量は、約300g。一方、金鉱山の鉱石1トンからは5g程度。このことからも、携帯電話が「資源」としていかに大切かがわかるはずだ。ある意味、回収された携帯電話は、良質な鉱山ともいえる。日々の暮らしでリサイクルを意識することは環境への負荷軽減におおいに役立つのだ。

DAY 166
June 14th

# コーティングすれば金属を守れる

## 金属のサビの防止方法

| 名称 | 利用例 |
|---|---|
| 青銅（ブロンズ） | 銅像、鐘、十円銅貨など |
| 黄銅（真ちゅう） | 五円硬貨、装飾品など |
| ステンレス鋼 | 台所用品、鉄道車両など |
| ジュラルミン | 航空機、かばんなど |
| 洋銀 | 時計、食器など |

代表的な合金と利用例。

イソップ童話に、「金の斧」という話がある。正直者の木こりが湖に鉄の斧を落としてしまったところ、女神が現れて金の斧・銀の斧を示すという、あの童話だ。この話では鉄よりも金・銀を貴重なものとして扱っているが、それは鉄がさびやすく、金と銀は水中に長く置いていてもさびないからだと考えられる。

金属の**サビの正体は、酸化による化合物**だ。金属の表面の原子が空気中の酸素（$O_2$）や水（$H_2O$）と反応することで電子を失い、陽イオンとなる。このことで酸化物、水酸化物、塩などの化合物がつくられるのだ。

サビを防ぐ方法としては、酸化の原因となる酸素や水にふれさせないようにすればいい。身近な例としては「塗料を塗る」ことが挙げられる。つまり金属を塗料の薄膜で覆うことだ。そのことで酸化から守る。船や橋など水が近くにある場所で使われるものに対しては、塗料が用いられることが多い。

**めっきは、イオン化傾向の弱い（酸化しにくい）金や銀などを膜として、物質の表面を包み込む**方法だ。サビを防ぐことに加え、見た目の美しさも加えることができる。

めっきの方法としては電気分解を使うほか、真空の容器の中で蒸発させた金属を、物質の表面に付着させる方法もある。これを「真空蒸着」という。真空蒸着は、電子部品や半導体、集積回路に用いられることが多い。

ほかには、「アルマイト加工」という方法がある。日本で発明されたもので、アルミニウムの表面を酸化物（酸化アルミニウム）の薄膜で覆う方法だ。

また**「合金」も、サビを防ぐ方法**として数えられる。鉄にクロムとニッケルを加えたステンレス鋼は通常の鉄よりもさびにくく長持ちする。このステンレス鋼に限らず、現在私たちの身のまわりにあるもので、合金が利用されているものはたくさんある。

# 金属は合体すると パワーアップする

## 合金の種類と用途

金属の中には、暮らしのさまざまなシーンで活用されているものも少なくない。ここでは、代表的な金属が、どのような用途で使われているかを見ていこう。

まず、金属の中で最も多く利用されているのは、「鉄（Fe）」だ。建造物の構造材や機械などに使われている。鉄は堅いというイメージがあるが、じつは精錬されたばかりの鉄はそれほど堅くなく、酸化しやすい。色も灰白色だ。**鋼（スチール）**は鉄に0.02～2％の炭素（C）を加えたもので、そのことによって**純粋な鉄よりも強靭になる**。

一方、ニッケル（Ni）やクロム（Cr）などを加えた**ステンレス鋼**（ステンレススチール）にすると、**さびにくくなる**。このように、**1つの金属にほかの金属元素などを加えたものを「合金」**という。

古くから人類になじみのある金属が、「銅（Cu）」だ。熱や電気をよく通すという性質をもち、電線や電気器具に使われることが多い。銅はまた比較的やわらかいので、合金として使われることも少なくない。スズ（Sn）を加えると**青銅（ブロンズ）**になり、亜鉛（Zn）を加えると**黄銅（真ちゅう）**になる。ニッケル（Ni）の場合は**白銅**だ。現在、青銅は十円硬貨、黄銅は五円硬貨、白銅は五十円・百円硬貨にそれぞれ採用されている。

日本の硬貨で唯一銅を使っていないのが一円硬貨で、100％アルミニウムでできている。アルミニウムは鉄よりも多く地殻中に存在している。密度は鉄や銅の3分の1ほどで、軽金属の代表的な存在だ。このアルミニウムに銅やマグネシウム（Mg）、マンガン（Mn）などを加えてできるのが、**ジュラルミン**。航空機の躯体に用いられるなど**強靭で軽く、比較的安価な合金**だ。

このように金属が暮らしの中で活用される場合には、合金の形で使われているものが少なくない。

なお、金属を「卑金属と貴金属」に分けることがある。貴金属は産出量が非常に少なく、化学的に非常に安定したものを指し、それ以外のものを卑金属と呼ぶことが多い。貴金属としては金や銀、卑金属は鉄や銅、アルミニウムがよく知られる。

DAY 168
June 16th

# セメントもガラスも陶磁器もじつはみんな仲間

## セラミックスの種類と性質

セメントとコンクリートは建築用材料としておなじみだが、その違いを説明できるだろうか。セメントは石灰石と粘土、石こうを原料としている。石灰石（$CaCO_3$）を高温で加熱すると、酸化カルシウム（CaO）と二酸化炭素（$CO_2$）に分解される。この酸化カルシウムに粘土と石こうを加えたのが「セメント」で、粉末状の物質となる。このセメントに、砂と小石と水を混ぜて固めたものが「コンクリート」。つまりセメントは、コンクリートの材料なのだ（砂と水だけを加えた場合はモルタルとなる）。

**セメントは無機物を高温に熱することでつくられる固体材料**だが、**同じようなものにガラスや陶磁器、耐火物**などがある。こうした**固体材料のことを総称して「セラミックス」**と呼ぶ。

一般的にセラミックスは、以下のような性質を備えている。「耐熱性が高い」「電気を通しにくい」「さびたり腐食したりしにくい」「硬くて変形しにくい」「欠けたり割れたりしやすい」。これらに加え、ガラスは透明性が高いという特徴をもつ。

ガラスのおもな原料は、けい砂、炭酸ナトリウム、石灰石だ。これらを1500℃から1600℃の高熱でドロドロにとかし、冷やしたものがガラスとなる。

陶磁器は土器や陶器、磁器などの総称で、粘土とけい砂、長石がおもな原料となる。700℃から900℃で焼くのが土器、1100℃から1300℃で焼くのが陶器、1300℃から1500℃で焼くのが磁器だ。陶磁器には色がつけられることが多いが、そこで使われるのは金属または金属化合物だ。たとえば青色を出すにはコバルト化合物、緑色を出すにはクロム化合物が用いられる。

**ファインセラミックス**もまた、セラミックスの仲間だ。ファインセラミックスは、人工的に合成、あるいは純度を高めた酸化アルミニウム・炭化ケイ素などを原料としている。従来のセラミックスよりも耐熱性、耐薬品性、絶縁性、半導体性などの機能が高く、精密機械や医療用品といった分野で活用されている。

DAY
169
June 17th

# バランスの取れた食事が大切だとされる理由

## 生命活動に欠かせない五大栄養素

私たちは食物を体内に摂り入れることで、日々の生活の活動エネルギーを得ている。食物から得られるそのエネルギーは、もともとは太陽光から生まれるものだ。

DAY15で見てきたとおり、「光合成」は植物が太陽の光を受けて酸素やデンプンをつくり出す働きだ（ちなみに太陽以外の光でも光合成はできる）。私たち動物は、酸素やデンプンをつくり出すことができず、植物を介して太陽の光エネルギーを得ていることになる。

私たちの体内に**エネルギーをもたらしてくれる食物**には、さまざまな成分が含まれている。それらは大きく**「炭水化物」「タンパク質」「脂質」**に分けることができる。これを**「三大栄養素」**という。

この三大栄養素に**「ミネラル」と「ビタミン」を加えたものを「五大栄養素」**という。ミネラルにしてもビタミンにしても、**体の働きをスムーズにする**ためには不可欠だ。

三大栄養素に関してはページを改めて学ぶので、ここではミネラルとビタミンについて見ておくことにしよう。

**ミネラルは、「無機塩類」とも呼ばれる無機物の一種**だ。よく知られるものに「カルシウム」「ナトリウム」「リン」などがある。骨や歯の形成に欠かせないほか、体液の濃度の調整もミネラルが行なっている。「鉄分が不足すると貧血になる」と聞いたことがあるはずだが、ここでいう鉄分もミネラルの一種だ。

ミネラルが無機物であるのに対して、**有機物として体の働きを調節する栄養素がビタミン**だ。ビタミンは、体内における物質の合成や分解などをスムーズに進める働きをもつ。たとえばビタミンCは活性酸素（老化を招く）を破壊したり、ビタミン$B_1$は炭水化物を分解してエネルギーに変える。ビタミンの多くは体内でつくることができないため、食品から摂る必要がある。サプリメントを常用している人もいるだろう。

こうした五大栄養素をバランスよく取り入れることで、私たちは生命活動を維持し、健康な生活ができる。特定の栄養素だけを過剰に摂ったり、あるいは不足させたりすると、健康に大きな影響が出てしまうのだ。

DAY 170

June 18th

# 白米も砂糖もハチミツもみんな同じ仲間

## 炭水化物の種類と性質

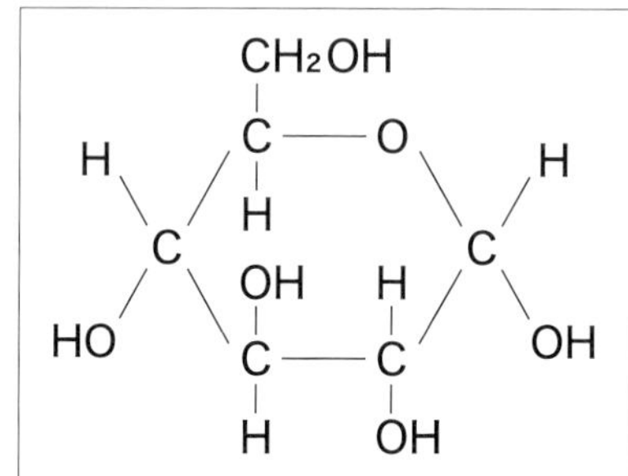

グルコース（ブドウ糖）の構造。

食卓に登場する食べ物のうち、日本人にとって「主食」と呼ばれるのは、米やパン、麺類だ。これらは**「デンプン」**を**多く含んでおり、「炭水化物」または「糖質」**と呼ばれている。炭水化物は、**炭素（C）と水素（H）、酸素（O）**の3種類の元素からできている。主食として用いられていることからもわかるように、炭水化物は私たちにとって重要なエネルギー源となる。



炭水化物は糖質ともいうが、「糖」という言葉から甘味を連想する人もいるだろう。実際に炭水化物と甘味との関わりは深い。果糖や砂糖などの糖はすべて炭水化物だ。

炭水化物は、**「単糖類」「二糖類」「多糖類」**に分類できる。単糖類の「グルコース」は「ブドウ糖」であり、甘味料に使われる。また、同じ単糖類の「フルクトース」はハチミツに含まれている。二糖類としては砂糖の主成分となる「スクロース」や、水飴の原料となる「マルトース」がある。

デンプンは多糖類だが、ごはんをずっとかんでいると口の中で甘くなる。これは唾液に含まれる、消化酵素の一種「アミラーゼ」によってデンプンが分解され、二糖類のマルトースに変化したためだ。

このデンプンの例で見たように、**多糖類は二糖類へと分解**される。さらに**二糖類は単糖類へと分解**される。この変化のことを「加水分解」という。単糖類は、消化によってそれ以上は分解されることはない。

「消化」という観点から見ると、私たちが口にした主食は当初デンプン（多糖類）だったが、口の中でマルトース（二糖類）になり、そのあと小腸でブドウ糖（単糖類）となって吸収される。多糖類は、いくつもの小さな分子が繰り返し結合することで大きな分子となる「高分子化合物」だ。消化によって、**高分子化合物が吸収しやすいようにバラバラにされていく**、というイメージだ。

# ヒトの筋肉は20種類のアミノ酸からできている

## タンパク質とアミノ酸の関係

ヒトの体の半分以上は、水でつくられている。成人の体重に対する割合でいえば、およそ65%が水分だ。次に多いのがタンパク質で、約15%を占める。タンパク質は筋肉をつくっている物質として知られているが、それ以外にも髪の毛や爪、酵素などの材料にもなっている。

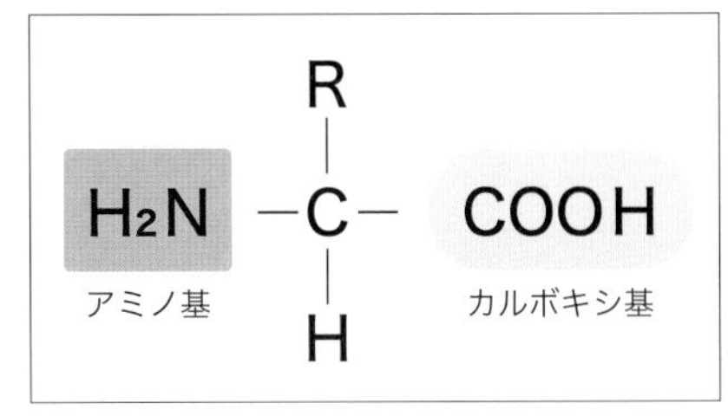


アミノ酸分子。

このタンパク質のもととなるのが、「アミノ酸」だ。**アミノ酸は炭素原子1個に「カルボキシ基」「アミノ基」が結合**している化合物のこと。図の「R」の部分が異なることで、たくさんの種類がある。カルボキシ基は酸性を示し、アミノ基はアルカリ性を示す。この**アミノ酸が数多く結び付いた高分子化合物**が、タンパク質なのだ。

数百種以上にのぼるアミノ酸のうち、**ヒトの身体を構成しているアミノ酸は20種類**だ。この20種類のアミノ酸には、ヒトが**体内でつくり出せるもの**と、**そうでないもの**がある。前者のことを**「非必須アミノ酸」**といい、11種類ある。後者は**「必須アミノ酸」**と呼ばれ、9種類ある。

必須アミノ酸は、イソロイシン、ロイシン、リジン、メチオニン、フェニルアラニン、トレオニン（スレオニン）、トリプトファン、バリン、ヒスチジンの9種類。運動サプリメントとして「BCAA（分岐鎖アミノ酸）」を活用している人もいるだろうが、BCAAとは必須アミノ酸のバリン、ロイシン、イソロイシンのことだ。ただし、必須アミノ酸はとくに偏った食事をしない限りは、一般的な食事で十分に補給ができる。

アミノ酸同士が結合（重合）することを「ペプチド結合」といい、そのときに水分子が生成される。タンパク質とは、アミノ酸がペプチド結合を何度も繰り返すことでできた物質ともいえる。なお、タンパク質は熱を加えられると固まることもあるが、冷やしても元には戻らない。こうした性質を「変性」といい、変性を利用した身近な例では、豆腐やゆで卵などが挙げられる。

# オリーブオイルは脂肪ではない

## 脂質の種類と性質



三大栄養素の中で、人々から敬遠されがちなのが脂質だろう。肥満のおもな原因になると考えられているためだが、脂質は生命活動のエネルギー源として利用されるほか、細胞膜やホルモンの材料としても欠かせない重要な存在だ。また、体温の保持にも役立っている。

| | |
|---|---|
| 飽和脂肪酸 | パルチミン酸 |
| | ステアリン酸 |
| 不飽和脂肪酸 | オレイン酸 |
| | リノール酸 |
| | リノレン酸 |

脂肪酸の分類。

この脂質は炭水化物やタンパク質とは違って、特定の物質の高分子化合物ではない。**「生物の体内に存在し、水に溶けない有機化合物」**を指す。**脂質の代表的なものが「油脂」**だ。油脂は「脂肪」と「脂肪油」を併せた呼び方で、常温で固体のものが脂肪、常温で液体のものが脂肪油と区別されている（「脂」と「油」の違いもこれに関係する）。バターや牛脂には脂肪が含まれ、オリーブオイルやゴマ油には脂肪油が含まれる。

**油脂を構成するのが、「脂肪酸」と「グリセリン」**。1分子のグリセリンに、3分子の脂肪酸が結び付いて油脂をつくっている。脂肪酸にはパルミチン酸やステアリン酸、オレイン酸、リノール酸、ドコサヘキサエン酸などさまざまな種類があり、その違いによって油脂の性質が異なってくる。

また、この脂肪酸は「飽和脂肪酸」と「不飽和脂肪酸」に大きく分けられる。動物性の油脂に多いのが飽和脂肪酸、植物性の油脂に多いのが不飽和脂肪酸だ。飽和脂肪酸は常温で固体のものが多いので脂肪、不飽和脂肪酸は常温で液体のものが多いので脂肪油ということになる。

油脂には「脂肪」と「脂肪油」があると説明したが、じつは油脂に含まれるものはもう1つある。**脂肪油を化学的に処理して固めた「硬化油」**だ。硬化油は脂肪油に水素を反応させることで液体から固体にするというもので「トランス脂肪酸」と呼ばれることが多い（ただし、化学的につくられたものだけに対する名称ではない。トランス脂肪酸は自然界にも存在する）。食品でいえば、マーガリンやショートニングがこれに当てはまる。

DAY
173
June 21st

# 微生物や水、酸素、光の影響を防ぐのが保存のカギ

## 食品保存の知恵と食品添加物

ジャムは砂糖漬けした保存食品。

DAY87でも述べたとおり、納豆は発酵食品の１つだが、じつはその発酵と腐敗は、微生物の働きによる食材の変化という意味では同じものだ。**ヒトに役立つものが発酵で、害をなすものを腐敗と呼んでいる**。

とはいえ、食品の多くは放置しておくと腐敗する。たとえば大豆を放置しておいて、勝手に納豆になることはない。腐敗を防止するためには、腐敗の原因となる微生物の繁殖を抑える工夫が必要となってくるのだ。

その方法としては加熱殺菌や塩漬け、砂糖漬け、酢漬け、乾燥、低温保存、防腐剤添加といったものがある。これらはいずれも、微生物にとって増殖しにくい環境をつくることになる。たとえば乾燥を例にとってみると、代表的な食品にドライフルーツがある。これは微生物が増殖するのに必要な水分を果物から取り去ることで繁殖を抑え、長期保存を可能としたものだ。果物のままだとさほど日持ちはしないが、ドライフルーツに加工すると長期間保存ができる。

食材の中には、微生物以外でも**水や酸素、光などに反応して劣化**するものがある。たとえば、せんべいを放置しておくと、食感を損なってしまう（しける）。これは空気中の水分をせんべいが吸収したためだ。カットしたリンゴがしばらくすると黒ずんでくるのは、酸素にふれて酸化したためだ。このような影響を防ぐために、空気にふれさせない真空保存や脱酸素剤の封入、光の影響を防ぐアルミニウムを使ったフィルム包装といった方法が考え出されてきた。

**食品の保存に加えて、味を調節したり、色合いや食感をよくしたりするため**に用いられるのが「食品添加物」だ。具体的には保存料、甘味料、着色料、香料、乳化剤といったものがある。現在、日本では**1500種類以上の食品添加物**が使用されているが、これらはすべて食品衛生法によって管理されている。同法によって認可された添加物のみが使用可能で、表示が義務付けられている。

DAY 174
June 22nd

Column
暮らしの中の"エセ科学"

# 無添加食品は安全なのか？

**保存料は添加物の１つだが、それを「いっさい使っていません」と、無添加を主張する食品は多い。しかし保存料を使わない食品は傷みやすく、食中毒の危険性も高まる。そもそも食品添加物には厳しい基準が設けられており、健康への悪影響を心配する必要はないのだ。**

---

「これは無添加の豆腐です」と豆腐を差し出されたとする。このときの取るべき対応としては、「遠慮します」が合理的な判断といえる。なぜなら豆腐は「にがり」という添加物を用いずにつくることはできず、「無添加の豆腐」という言葉は論理的に破たんしているからだ。食品としては「怪しい」と考えるのが妥当ということになる。

「無添加とは天然にがりを使っているという意味だ」との反論もありそうだが、自然由来であっても添加物であることには変わりがない。

食品添加物が「健康に悪い」というイメージをもっている人は多いようだが、もしその使用を全面的に禁止したら、私たちの食生活は途端に危険にさらされる。**食品の保存が難しくなり、食中毒の可能性が高まる**ためだ。同時に多くの食品において**食感や味わいも損なわれる**。

食品添加物はかなり厳しい基準で安全性を確保されている。食品添加物はすべて「ADI（一日摂取許容量）」が定められているが、これは「その物質を**毎日、一生涯にわたって摂取しても健康に影響がない**と判断される量」のことだ。

ADIのもととなるのが「無毒性量」だ。多くの種類の動物実験の結果、健康にまったく悪影響が出なかった食品添加物の量（動物によって結果が異なる場合は最も少ない量）を指す。この無毒性量の100分の1がADIとして設定される。つまり健康に影響が出ない量の、さらに100分の1しか使用が許されていないのだ。これを知ると、食品添加物が健康に悪いと神経質になることがいかに非合理的かがわかる。逆に、無添加食品はどこまで安全性が担保されているのかという疑問も生じてくるのだ。

# 布マスクが何度も使える理由

## 天然繊維と化学繊維の違い

新型コロナウイルスの影響に伴って、マスクは生活必需品となった。そのマスクには、「不織布（ふしょくふ）」タイプのものがある。不織布とは読んで字のごとく、「織っていない布」のことだ。

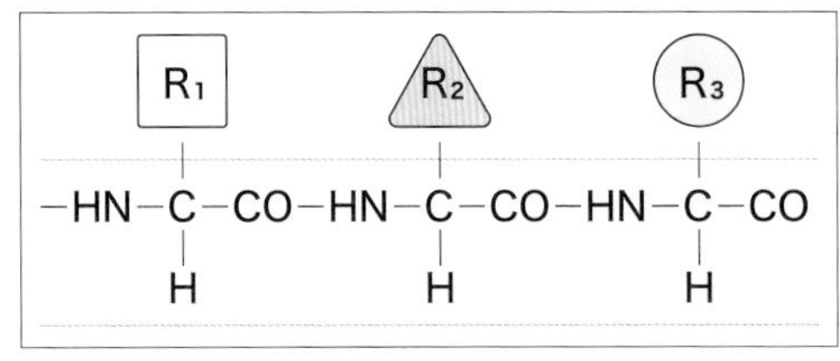

絹の成分であるフィブロイン（タンパク質）。

一般的に布は繊維をより合わせて糸にし、その糸を縦横に織り込んでいくことでできる。しかし**不織布は糸をつくらずに、熱や接着剤などで繊維を結合**して布にする。糸にするプロセスが省かれるため生産コストは低く済むが、糸を使わないため耐久性が低いという面もある。だから不織布マスクは使い捨てにされ、布マスクは何度も繰り返し使えるというわけだ。

その布の原料となるのは、先述したように「繊維」だ。繊維は大きく「天然繊維」と「化学繊維」に分けられる。さらに天然繊維はおもに「植物繊維」「動物繊維」に、化学繊維は「合成繊維」「再生繊維」「半合成繊維」に分けることができる。

植物繊維としては麻や木綿が代表的だが、これらはブドウ糖がたくさんつながった「セルロース」でできている。セルロースはデンプンと同じく多糖類だ。動物繊維としては羊毛や絹がよく知られるが、これらは多数のアミノ酸が結合したタンパク質でできている。

**植物繊維も動物繊維も高分子化合物**だが、これを**人工的につくり出して繊維にしたのが「合成繊維」**だ。世界で最初につくられた合成繊維はナイロンで、このほかにはポリエステルやアクリル繊維などがある。合成繊維の原料は石油だ。また、再生繊維や半合成繊維は、セルロースなどの天然繊維を化学的に加工したものだ。再生繊維はセルロースを溶かしたあとに繊維にし、半合成繊維は酢酸と反応させて繊維にする。このように繊維にはさまざまな種類があり、糸から布となったあとの性質（肌触りや吸湿性、保温性、伸縮性）もそれぞれに異なる。

DAY 176 June 24th

# 合成染料をつくった18歳のパーキン

## 染色の仕組み

私たちが衣服を着用するそもそもの目的は、「身体を守る」ことにある。服を着ることでケガから身を守り、寒さをしのぐことができる。だが、単にそれだけなら、衣服に色合いやデザイン性を施す必要はない。私たちは「身を飾る」という役割も衣服に求めている。

染色、つまりは衣服に色を付けるために用いられるのが「染料」だ。繊維を染める染料には、「天然染料」と「合成染料」がある。

**天然染料は、動植物や鉱物に含まれる色素を原料**とする。よく知られるものとしてはアイ（藍色）、アカネ（茜色）、ベニバナ（紅色）がある。天然染料の多くは植物に由来するもので、そのことから「草木染め」という呼び方も生まれた。

天然染料は染め上げるまでに、**大変な手間**がかかる。また、一般に洗濯や日光などに弱く、**色落ちしやすい**性質ももっている（「堅牢度が低い」という）。そのため現在は工業生産において用いられることはほとんどなく、もっぱら工芸染色の分野で活用されている。

**染色におもに使われるのが合成染料**だ。19世紀中頃に合成染料の特許をとったのは、イギリスの化学者パーキン。アニリンという液体化合物から絹を紫色に染める色素を合成し、これを「モーブ」と名付けた。このことをきっかけに、その後さまざまな染料がつくられていくことになる。なお、パーキンがモーブをつくったのは18歳のときだ。

**染色の仕組みは、繊維の分子と染料の分子が結び付くこと**にある。繊維は高分子化合物が集合したものだが、高分子化合物がいろんな方向を向いた部分は密度が低く、隙間が生じる。そこに染料の分子が入り込み、繊維の分子と結び付くのだ。

染料には、アルミニウムイオンや鉄イオンといった金属イオンを使って色を定着させるものもある。繊維と染料だけでは分子が結び付かない場合に、金属イオンが「仲立ち」をするということだ。こうした金属イオンを含む物質を、「媒染剤」という。

DAY 177
June 25th

# 石けんも合成洗剤も働き手は界面活性剤

## 洗濯で汚れが落ちる仕組み

油脂に水酸化ナトリウム水溶液を加えて熱を与えると、脂肪酸のナトリウム塩とグリセリンができる。この反応を「けん化」というが、ここで得られる脂肪酸のナトリウム塩（脂肪酸イオンとナトリウムイオンの化合物）には、「石けん」として利用が可能なものもある。

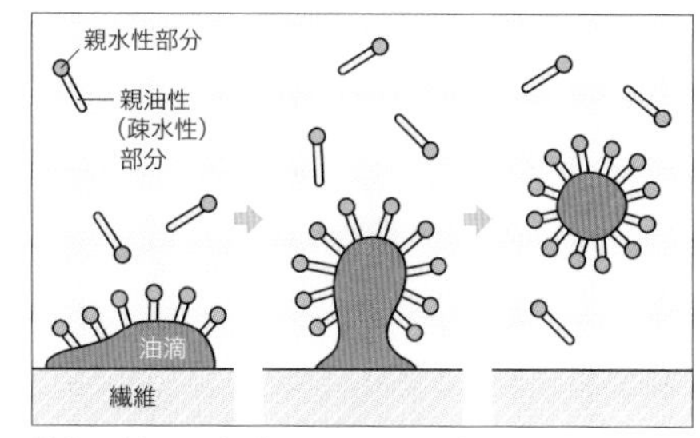

繊維に付いた油が取れるイメージ。

石けんは汚れを取る「洗剤」の一種であり、手洗いや入浴時など肌の汚れに対して使うイメージが強い。一方、衣料品の洗濯には現在、多くの家庭で「合成洗剤」が用いられている。**石けんも合成洗剤も、「界面活性剤」の性質を使って汚れを落とす**という点では共通している。界面活性剤とは、水になじみやすい「親水性部分」と油になじみやすい「親油性部分（疎水性部分）」の両方の性質を併せもつ分子でできた物質だ。

石けんや合成洗剤が汚れを落とすのは、その**親水性部分と親油性部分の働き**による。親水性部分は水とは結び付くが、皮脂など油状の物質に結び付くのは親油性部分で、包み込むようにして覆う。それぞれが水と油で結び付いた状態になってから全体をかき回すと、油状の物質（汚れ）は水の中に分散していく。衣料品の洗濯でいえば、繊維から汚れが離れていくということだ。

石けんと合成洗剤の違いとしては、**石けんがアルカリ性**であることが挙げられる。したがって、アルカリに弱いタンパク質からできている衣料品の洗濯には向かない。具体的には羊毛や絹だ。一方、さまざまな化合物が添加されている**合成洗剤の多くは中性**に保たれている。中性なので動物繊維の衣料品への影響も小さい。

また、石けんの親水性部分はカルシウムイオンやマグネシウムイオンなどと反応して、塩をつくる。そのため海水や硬水（カルシウムイオンやマグネシウムイオンを多く含む）を使った場合、泡立ちが弱くなる。合成洗剤ではそのようなことは起こらない。

DAY 178
June 26th

# 石けんが汚れを落とすのは油を包み込むから

このChapterでは化学反応の仕組みについて学んできた。あらゆる物質のもととなる原子は、陽子、電子、中性子から構成されており、電子を受け取ったり失ったりすることでイオンになる。

陽イオンはプラスの電気、陰イオンはマイナスの電気を帯びているのだが、複数の原子が結び付いて安定しているとき、その過不足が解消される。これがDAY125で説明した、それぞれの原子がもつ「結合の手」に関係し、複数の原子の組み合わせパターンを決める。

石けんは脂肪酸イオンとナトリウムイオンの化合物だ。石けんが汚れを落とす理由は、DAY177で解説したとおり、石けんに含まれる親油性部分が油状のものと結び付くため、皮脂などを包み込み、洗い流すからだ。ウイルスは皮脂に付着しているため、一緒に洗い流される。また、石けんがもつ親水性部分の性質を応用して、より泡立つ合成洗剤も開発されている。

石けんはかつて、一部の人にしか手に入れられない高級品だった。フランスの化学者ルブランが安価で炭酸ナトリウムをつくる方法を開発し（ルブラン法）、それ以降、石けんは大量生産が可能になった。こうして見ると、身近な石けん1つとっても、化学者たちが取り組んできた研究への熱意や努力が込められていることがわかる。石けんがウイルスの脅威から私たちを守っているように、化学者たちの研究の成果は多くの面で社会に貢献しているのだ。

Key points

- 化学反応には、イオンが深く関わっている。
- イオンの研究は、多くの発明・発見に結び付いた。
- 化学者たちの努力は、快適な暮らしを支えている。

# Part3

# 物理
（エネルギー）

# 海も空も青く見えるのはなぜ？

みなさんは「空は青く、海も青い」と口にすると思う。だが科学的にいえば、その表現は正解とはいえない。正確に表現するなら「空と海は青く見える」となる。海の水はほんのわずかに青いだけだし、空そのものには色がないからだ。ではなぜ、青く見えるか？　これらには、物質の色と光の性質の両方が関係している。

## ▶ものが見えるとはどういうことなのか？

私たちヒトは、暗闇の中ではものを見ることができない。このことから、ものを見ることに、光（可視光）が深く関係していることは、比較的たやすく類推できるだろう。しかし、太陽や電球など光を発しているものばかりではなく、リンゴや本など光を発していないものまで見えるのは不思議だ。これには、光のどんな性質が関係しているのだろうか。

## ▶色とは何だろう？

私たちの目は、さまざまな色を捉える。空はいつも真っ青なわけではなく、七色の虹を目にすることもある。そして、ものそのものは変化していないのに、色が違って見えることも少なくない。たとえば、樹木の葉は、近づいて1枚1枚を見るときと、離れて日なた側あるいは日陰側から見るときとでは色合いが違って見えるはずだ。それはなぜだろうか。

## ▶光と音の性質は似ているのだろうか？

ものから一定の距離の範囲なら、私たちヒトの目はその形や色を感知することができる。多少の距離があっても捉えることができるが、離れすぎると感知できなくなるという点では、耳が捉える音も同じだ。①で述べたように、目がものを捉えるのには光が関係しているようだが、その光の性質と耳が捉える音の性質は、似ているのだろうか。

DAY 180

June 28th

# 光は全方向に広がりそれぞれ直進する

## 光の進み方

太陽や蛍、炎、蛍光灯など、**みずから光を発するものは、すべて「光源」**という。私たちの身のまわりには、さまざまな光源があふれており、自然の光源も人工の光源もある。そして、どんな光源から出ていても、**光は四方八方に広がり、それぞれ直進**するという性質をもっている。

ブラインドの隙間から入る光は、平行に進んでいるように見える。

光が原則的に直進していることは、鏡で地面に太陽光を反射させたとき、まっすぐな光の道ができることからわかる。ほかにも、線香の煙を入れた容器や、牛乳を少し混ぜた水で満たした容器に太陽光を当ててみても、光が一直線に進んでいる道筋が見えるはずだ。原則、**光はまっすぐにしか進まず、曲線を描いたり、ジグザグの道筋を描いたりすることはない**（例外は相対性理論による）。

一方、光が四方八方に広がっていることを日常の中で実感することは意外と難しい。たとえば、窓辺のブラインドから差し込む太陽の光は壁に平行な影をつくる。それを目にすると、太陽の光は四方八方に広がっているのではなく、太陽から発せられたあと、平行に進んでいるように感じてしまうだろう。

これは太陽と地球の間の距離が、約1億5000万kmと非常に遠いことから起こる錯覚だ。私たちが太陽から四方八方に広がる光の、ごくわずかな部分しか見ていないことから、この錯覚は生じる。実際の光は太陽表面（光球）から平行に発せられているのではなく、全方向に広がっている。

もっとも、地上の教室や研究室など狭い場所で太陽の光を観察する場合は、太陽からの光はすべて平行に進んでいると認識してもほぼ間違いではない。ちなみに、赤外線やX線など、ヒトの目に見えない電磁波も発生源から出ている。そこから四方八方に広がり、直進するという性質も、目に見える光と同じだ。

DAY
181
June 29th

# 光を集めると明るくなり当たったものの温度が上がる

## 重なった光の性質

光は基本まっすぐに進む性質がある。そして太陽の光には、**重ねれば重ねるほどその光が当たる場所にあるものが明るくなり、温度が高くなる**という性質がある。

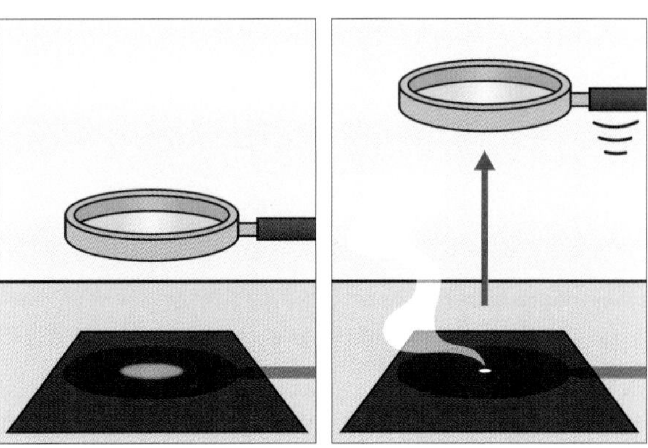

光の集まる範囲を小さくすると、明るくなり温度が上がる。

たとえば、鏡で太陽の光を反射させ、水の入ったペットボトルに当てて水の温度を計るとしよう。次に、鏡を１枚使う場合と３枚使う場合を比べると、３枚のほうが温度が上がり、さらに明るさも増す。温度や明るさがどれくらい上がるかは条件によって変わってくるが、反射させた太陽の光を重ねれば重ねるほど、当たっているものの温度が上がり、明るさも増すという法則は変わることはない。

太陽の光を1カ所に集める方法としては、複数の鏡で反射させた光を重ねるだけではなく、虫メガネを使う方法もある。虫メガネを使って黒い紙の上に太陽の光を集める際、虫メガネを紙に近づけたり、遠ざけたりして、光の集まる範囲の大きさを変えてみると、次のようなことがわかる。

虫メガネによって太陽の光が集まる範囲が大きいときは、あまり明るくならず、温度もあまり上がらない。だが、虫メガネと紙の距離を変えて、光の範囲を小さくすればするほど、明るくなって温度が上がる。光を集めた範囲が一定以上に小さくなれば、やがて黒い紙が焦げ、煙が出てきて、炎を出すこともある。これを利用すれば、マッチやライターのないところでも火をおこすことができる。

DAY 182

June 30th

# 反射する光の入る角度と出る角度は等しい

## 反射の法則

光源から発せられた光は、鏡などに当たるとはね返るが、これを「光の反射」という。そして、鏡に入ってくる光を「入射光」、反射して出ていく光を「反射光」という。鏡に光を当てた際の、鏡に垂直な面と入射光、反射光の間の角度は、それぞれ「入射角」「反射角」と呼ばれている。この**入射角と反射角は、いつでも等しい**角度となる。これを、「反射の法則」という。

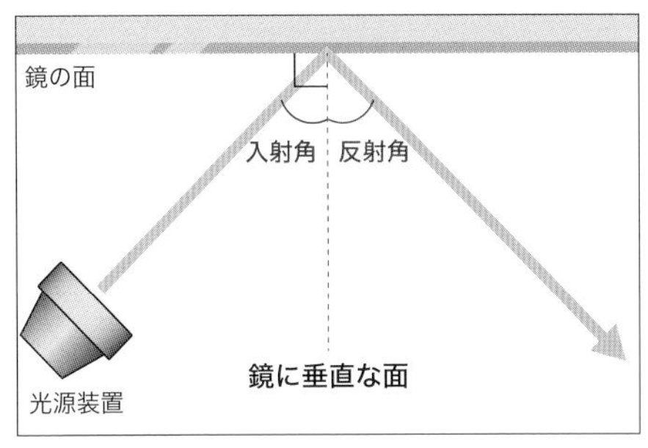

入射角と反射角の関係。

たとえば、入射角が30°なら、反射角も30°になり、入射角が50°なら反射角も50°となる。どのような角度で鏡に光を当てても、入射角と反射角はつねに等しい。つまり、「入射角＝反射角」ということになる。

鏡にものを映した場合、鏡の奥に物体があり、そこからまっすぐに光が進んできたように見える。これは、物体で反射した光が鏡で反射し、目に届いているためだ。

ちなみに、ガラスなど**表面が滑らかな物体は光をよく反射するため、鏡のように物体を映す**ことがある。ただ、つねに明確に物体の像を映すわけではない。夜、窓ガラスを見ると自分の顔が映っているのが見える場所でも、昼間は見えづらいことがある。その理由は、ガラスは光を反射すると同時に、光を通す物質でもあるためだ。昼だと窓の外から入ってくる光の量が、反射される光よりずっと多くなるため、自分の顔がはっきりとは映らないのだ。

ところで、表面が鏡のように滑らかではなく、細かい凹凸がある物体でも光の反射は起きている。その場合、光はさまざまな方向に反射する。これを「乱反射」という。ただ、物体の表面を非常に拡大して見てみると、1つひとつの反射はすべて反射の法則に従っており、入射角と反射角はいつでも等しい。

# ヒトはものではなく光を見ている

## 反射と視覚

私たちヒトは、電灯をつけていない真っ暗な部屋や、月明かりもない夜の屋外ではものを見ることが難しくなる。光がなければ、何も見えないのだ。これは、ものを見るということが、光源から出た光そのものや物体で反射した光を見ることだからだ。私たちは**もの自体を見ているのではなく、光を見ている**のだ。

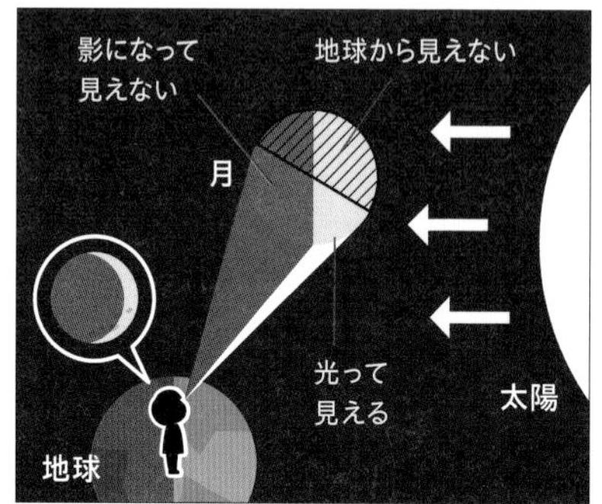

三日月が見える場合の地球・太陽・月の位置関係。

漆黒の宇宙に浮いている太陽や、真っ暗な部屋でともした電球を見ることができるのは、それ自体が光源だからだ。一方、**光源でない物体も光を反射することによって、私たちの目で認識**することができる。

夜空に浮かぶ月はみずから光を発することはないが、地球・太陽・月の位置関係で、月面のうち太陽の光を反射している部分だけが光って見える。月だけでなく、リンゴだろうとケーキだろうと、あるいはこの本だろうと目で見ることができるのは、それらの物体が光を反射しているためだ。

真っ暗な部屋でケーキの真ん中にロウソクが１本立っている場合、光源はそのロウソクの炎１つだ。このとき、ケーキを取り囲む人全員にケーキが見えるのは、ロウソクの光がケーキの凸凹の表面で乱反射しているためだ。

物体の前に衝立（ついたて）などを置くと、衝立の向こう側の物体を見ることができない。これも、物体で反射した光が衝立によって遮られてしまうためだ。もし衝立がガラスなど光を通す性質のものならば、向こう側の物体を見ることができる。

このことからも、私たちがものそのものを見ているのではなく、反射する光を見ているということがよくわかる。改めてそう考えると、ものを見るという当たり前の行為に不思議な感覚を覚える人も少なくないだろう。ちなみに、私たちが感覚を抜きにして、ものの存在そのもの（もの自体）を認識できないと唱えたことで有名なのが、18世紀ドイツの哲学者カントだ。ものが見えるというのは、非常に哲学的なテーマともいえる。

DAY
184
July 2nd

Column
暮らしの中の"エセ科学"

# 写真に光の玉が写ったら悪いことが起きる？

**撮った写真の画面の中に、赤や緑、青、白などの光の玉が写っていることがある。ときには光の十字架のようなものが写っていることもある。これは、「オーブ」や「玉響（たまゆら）」と呼ばれるものだ。赤い玉が写っていると悪いことが起こるとか、白い玉は吉兆などともいわれるが、果たしてその正体は？**

オーブや玉響は、フィルム・カメラの時代からデジタル・カメラの現在まで、よく見られる現象だ。光の玉の色の違いによって、いい意味があるとか、悪い意味があるとかいわれたり、心霊写真の一種として扱われることもある。だが、これは霊的な現象でも何でもなく、カメラで写真を撮る際にはしばしば起こる現象だ。

原因となるのは、おもに次の３つ。①レンズ表面に付いているチリやほこりが、太陽や照明の光に反射して写ったもの。②空気中のチリ・雨がフラッシュに反射して光ったもの。③太陽や照明の光がレンズ内で乱反射したもの。いわゆる**オーブ写真といわれるものは、②が原因**となっていることが多いという。また、③が原因でできる光の玉は、写真だけでなく、テレビや映画を注意深く見ていると、屋外シーンでときどき映っているのがわかるはずだ。それくらい、よくある現象なのだ。

オーブが写真に写らないようにするには、レンズの上に手のひらをかざして余計な光を遮ってみたり、撮影位置を少しずらして光の入り方を変えたりすればよい。ちなみに、プロのカメラマンは、①～③のオーブが写る原理を逆手にとって、幻想的な写真を撮るための**テクニックとして意図的に使う**こともある。それくらいカメラマンにとっては、オーブは慣れ親しんだものなのだ。

ところで、オーブは、白以外では赤、緑、青のどれかの色であることが多い。これは、カメラの中で光の三原色である赤、緑、青が乱反射しているためだ。とくに緑の波長帯はオーブとして出やすい特性があり、反射対策が甘い**スマートフォンのレンズなどでは、緑色のオーブが写りやすい**という。

DAY 185 July 3rd

# 光が屈折するとものが見えなくなることもある

## 光の屈折

白い紙の上にコインを置く。その上に透明なコップを置き、水を注いでいくと、見ている人の位置によってはコインが見えなくなることがある。あるいは、底にコインを置いたコップにそっと水を注ぐと、一部しか見えていなかったコインが浮き上がって見えることがある。こうした現象は、光の屈折によって引き起こされる。

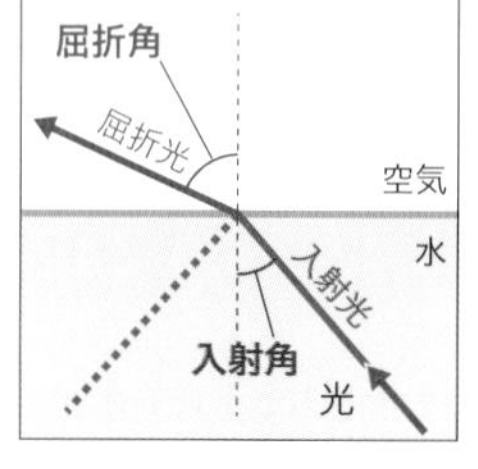


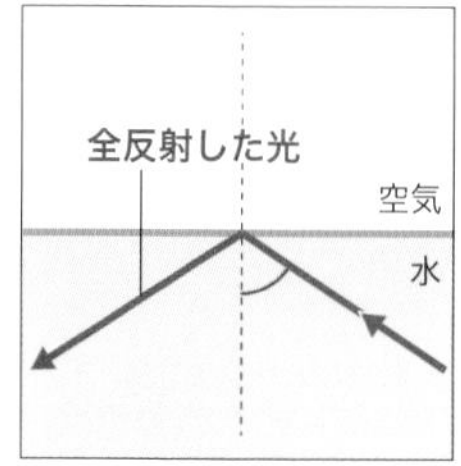


入射角を大きくしていくと、光は全反射する。

光は**異なる透明な物質の境界を斜めに進むとき、境界の面でわずかに曲がる**。この現象を**「光の屈折」**という。そして、屈折して進む光のことを「屈折光」といい、境界の面に垂直な面と屈折光の間の角度を「屈折角」という。

空気中を進んでいた光が水やガラスの中に進むとき、屈折角は入射角より小さくなる。一方、水やガラスの中を進んでいた光が空気へと進むときの屈折角は入射角より大きくなる。光が水やガラスから空気へ進む場合、入射角をしだいに大きくしていくと、やがてすべての光が反射するようになる。これを、「光の全反射」という。

コインの上に置いたコップに水を注いでいくとコインが見えなくなってしまう現象は、コップの底から出た光がコップの壁面で全反射し、光が目に届かなくなるために起こる。底にコインを置いたコップに水を注ぐとコインが浮き上がって見える現象は、コインで反射した光が水面で屈折して目に届くためだ。

ちなみに、インターネット回線や電子内視鏡などに利用されている光ファイバーも、光の全反射を利用したものだ。光ファイバーは非常に透明度の高いガラスやプラスチックの繊維でできている。そのコアと呼ばれる芯の部分に光を通すと、繊維が曲がっていても全反射を繰り返しながら光が進んでいく。そのため、曲がった線でも長い距離にわたって光を通すことができるのだ。

DAY
186
July 4th

# 波には横波と縦波の2種類がある

## 波長と振動数

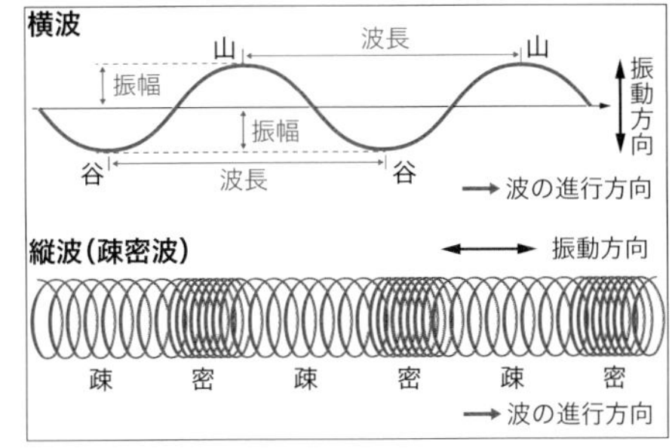

横波と縦波の違い。

光は「波」と「粒子」の2つの性質をもつ。まずここでは、波の性質を見ていこう。

光は、音や水面に起こる波と同じように、振動を次から次へと伝える性質をもつ。その波を伝える物質を「媒質」という。音の場合、空気などの気体はもちろん、水などの液体、金属などの固体のいずれが媒質であっても伝わっていくが、真空中では伝わらない。しかし光の場合、太陽からの光が地球に届いているように、真空中でも伝わる。

波には、**横波と縦波の2種類**がある。ひもの端をしっかりともって規則正しく振動させると、山と谷が並んだ波ができる。このように、**振動方向の面と、波が伝わる方向の面が垂直に交わる波を「横波」**という。

一方、つるまきばねを同じように振動させると、ばねの間隔が密になる部分とまばらになる部分ができ、それが伝わっていく。このような、**各部分の振動方向と波の伝わる方向が同じものを「縦波」、あるいは「疎密波」**という。

**光は横波、音は縦波**だ。横波の隣り合っている山と山、または谷と谷の間の長さを「波長」といい、山の高さや谷の深さを「振幅」という。また、波がやってきてから次の波がやってくるまでの時間を「周期」という。1周期の間に媒質は1回振動する。そして、1秒間あたりの媒質の振動する回数を「振動数」という。波の速さを$v$、波の振動数を$f$、波の波長を$\lambda$(ラムダ)、波の周期を$T$とした場合、次の数式が成り立つ。

$$v=f\lambda、f=\frac{1}{T}$$

周期の単位に秒(s)を使うと、振動数は1/sとなり、「Hz(ヘルツ)」という単位で示されることもある。1Hzは、「1秒間に1回振動する」ということだ。ちなみに「kHz(キロヘルツ)」は1Hzの1000倍、「MHz(メガヘルツ)」は1Hzの100万倍の振動数を表す。

# 光の波長が異なると さまざまな色に見える

## 光の分散と散乱

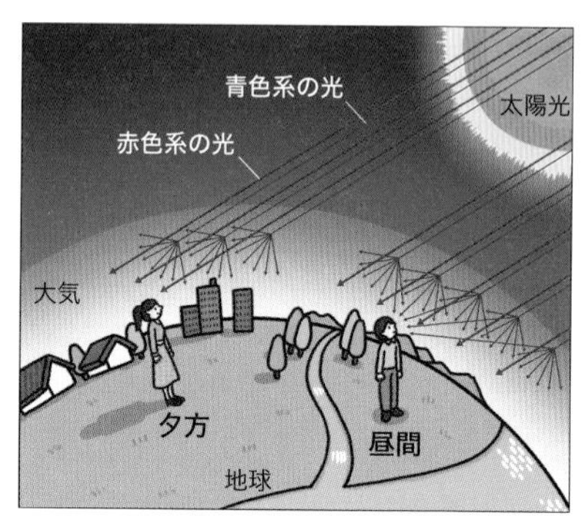


私たちヒトの見ている世界には、赤、青、黄など、さまざまな色が存在している。多様な色があるというのは、光が波の性質をもっていることと関係がある。波は山と谷をもち、ある山から隣の山までの（または谷から谷までの）長さを波長という。**ヒトの目で見ることのできる光を「可視光線（可視光）」**というが、可視光線の波長の範囲は非常に狭く、約380～770nmでしかない。nmは「ナノメートル」と読み、1nmは10億分の1mだ。この範囲内にある光は、**波長の違いによってヒトの目には異なる「色」**に見える。最も波長の小さい光は紫に見え、波長が大きくなるにつれ、藍、青、緑、黄、橙、赤と変化していく。

狭い隙間から出てきた白色光を三角プリズム（透明な多面体）に当て、プリズムを通して出てきた光を白いスクリーンに当てると、この紫、藍、青、緑、黄、橙、赤の順に並んだ光の帯を見ることができる。これを、「スペクトル」という。同じ物質を通した場合でも、**光の屈折率は波長（見える色）によってわずかに異なる**。そのためプリズムを通った際に分離するのだ。このように、**波長の違いによって、光が分離する現象を「光の分散」**という。

ところで、昼間の空が青く見えるのは、地上に届くのがおもに青い光だからだ。空気の分子や大気中の微粒子などに当たると、その粒子を中心として、白色光に近い**太陽光は全方向に散らばる**。この現象を**「散乱」**という。

**波長が小さいほど、散乱の度合いは大きくなる**。太陽が真上近くにある日中は、波長の小さい光である青が、赤のような波長の大きい光よりも多く散乱されるため、空は青く見える。一方、明け方や夕方では、地上から見て太陽は低い位置にある。このとき太陽光は真昼よりも長い距離の大気の中を通過してくるため、青い光は過度に散乱されてしまい、散乱されにくい赤い光が目に入ってくる。朝焼けや夕焼けが赤く見えるのは、この仕組みのためだ。

DAY
188
July 6th

# 光は障害物の背後にまで回り込もうとする

## 光の回折と干渉

水面に起きた波が**隙間を通るとき、通り抜けた波は障害物の背後に回り込もうとする**性質がある。このような現象を**「回折」**といい、波に特有の性質だ。隙間が十分に大きい場合は、ほとんどの波が直進するため回折は目立たない。だが、隙間を狭くすればするほど、大きく回折するようになる。また、隙間の幅が同じ場合、波長が大きいほど回折は起きやすい。

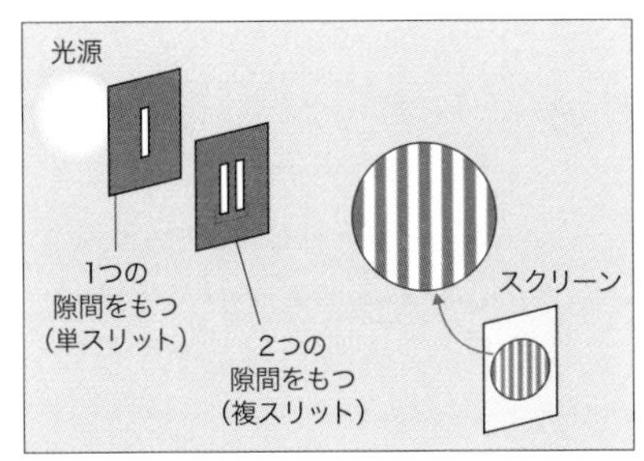

光の干渉の実験。

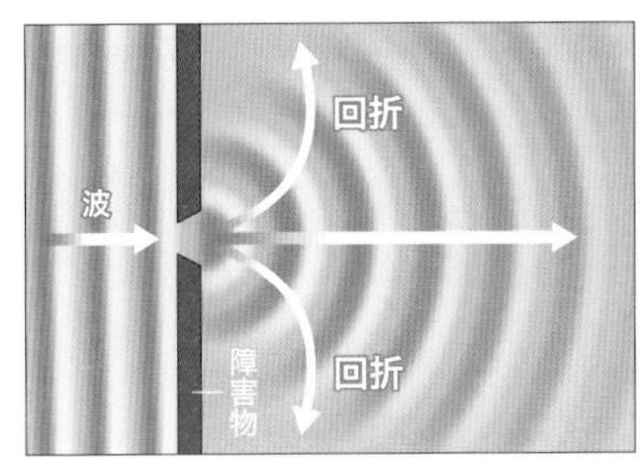

波の回折。

この回折は、波の性質をもっている光でも同じように起きる。**光が細い隙間を通ると、光の幅が広がる**現象が起こる。これは光が回折を起こし、隙間の陰になる部分にも回り込んで進むためだ。日常生活の中で光の回折を実感することが少ないのは、光の波長が1万分の数mmほどと、水の波長に比べて極端に小さく、回折を目視することが難しいためだ。

波のもう1つの特徴的な現象として、**「干渉」**がある。これは、**波と波が出合ってお互いに重なったとき、強め合ったり、弱め合ったりする**現象のことだ。この現象は物体同士の衝突では起きることはなく、波だけに見られる現象だ。波の山同士が出合う場所では、2つの山が重なって強め合うことで、山の高さが高くなる。一方、波の山と谷が出合う場所では、お互いに打ち消し合って波は弱め合い、高さがならされる。

この干渉は、光でも起きる。1つの隙間から出た光を、別の2つの隙間に通すと、スクリーン上に**明暗の干渉縞（かんしょうじま）**ができる。隙間を通した光は回折して広がって進み、次にある2つの隙間を通過するときにも回折して広がるためだ。こうして2つの光の波の山が出合ったところが明るくなり、山と谷が出合ったところが暗くなる。このことからも、光が波の性質をもっていることが理解できる。

# スペクトルの分析で温度がわかる

## 連続スペクトルと線スペクトル

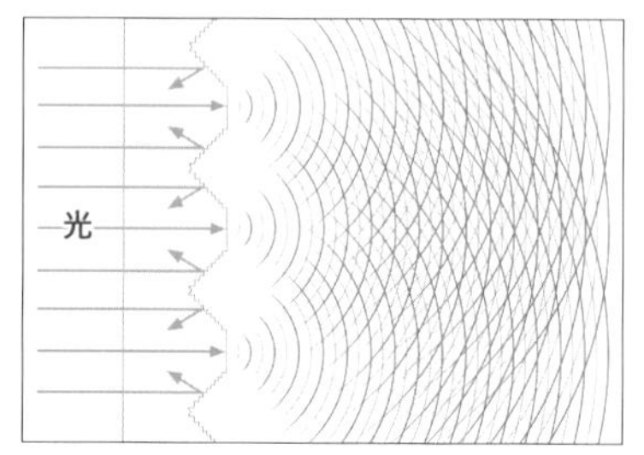

回折格子による干渉縞。

数百本の極めて細い平行な溝を、等間隔に板ガラスの片面に付けたものを「回折格子」という。この回折格子に光を当てると、溝になっている部分は光を通さないが、溝と溝の間の透明な部分は光を通し、隙間（スリット）の役割をする。

前ページでふれたとおり、回折格子を通過した光は、回折することで広がって進むとともに、それぞれのスリットから出た光同士が重なり合って干渉を起こす。その結果、通過した光をスクリーンに当てると一定間隔で明るい線（明線）ができる。この明線ができる位置は、光の波長によって異なり、白色光を通過させた際は、きれいにスペクトルに（つまりシマシマに）分かれて映し出される。また、このときできるスペクトルの色は、内側から外側に向かって、波長が大きくなる順（紫→赤）となる。

ところで、**白色光のスペクトルは、紫から赤までの光が連続**しているため、**「連続スペクトル」**という。一般的に、連続スペクトルは**高温の物体から出る光**に見られる。物体の温度が低いときは波長の大きい光が比較的強くなり、**温度が高く**なると波長の小さい光が比較的強くなる。この性質を利用すると、スペクトルを分析することで**物体の温度を知る**ことができる。一方、ナトリウムランプや水銀灯、発光ダイオード（LED）、レーザーなどから出る**単色光のスペクトルは、特定の波長（色）の光が細い線状**に現れる。このようなスペクトルを**「線スペクトル」**という。線スペクトルの波長は、**光を出す原子の種類に特有**のものだ。

ちなみに、CDやDVDなどの光学ディスクに白色光を当てると、虹のような色が見える。これは、光学ディスクの記録面に光を強く反射する部分が渦巻状に規則正しく並んでおり、それが回折格子と同じような役割を果たして、光の干渉が起きるためだ。自然界にも、同じように微細な溝や膜によって光の干渉が起きることで、鮮やかな色合いになっているものがある。モルフォチョウの翅の色や、アワビの貝殻の内側の色などが、その代表的なものだ。

# 目に見えない「光」が暮らしを便利にする

## 赤外線と紫外線の性質

太陽が発する光には、可視光線よりも波長の大きい光（赤外線）や、波長の小さい光（紫外線）も含まれている。それらの光は可視光線の範囲外にあるため、ヒトが**肉眼で見ることはできない**（特別な装置を使えば可視化できる）。

**赤外線**は、波長が約770nm～約1mmの光だ。「熱線」とも呼ばれており、**多くの物質を加熱する作用**がある。この性質は暖房や加熱乾燥などに利用されている。また、物体から出ている赤外線を測定して、その表面温度を測定するものがサーモグラフィー（熱映像）だ。手をかざすと自動的に水が出る蛇口や、照明のオンオフなどに使われている赤外線センサーも、人体の発している赤外線を探知して、スイッチ操作をしている。

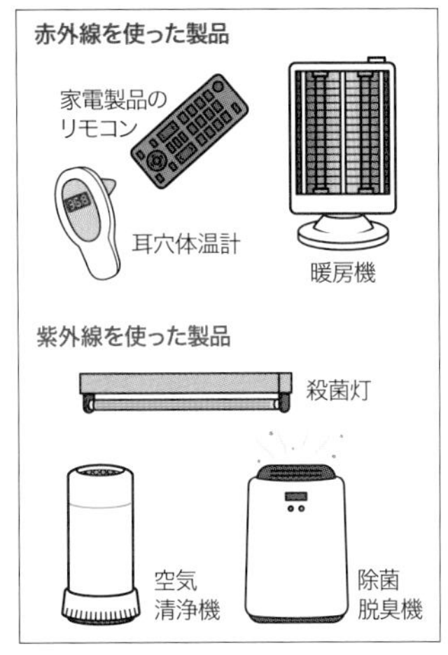


暮らしに欠かせない赤外線と紫外線。

さらに、赤外線は**可視光線よりも波長が大きい**ため、空気中のチリや霧などの微粒子に当たって四方八方に拡散（散乱）することが比較的少ない。この原理を利用したものが、赤外線写真や暗い部屋での撮影だ。そのほか、テレビなどのリモコンにも赤外線が使われている。このように目に見えない赤外線は、私たちの生活の中で、さまざまに利用されている。

一方、**紫外線**は波長が約1nm～約380nmの光だ。紫外線は**エネルギー値が大きく殺菌作用もある**ため、食品などの殺菌灯に用いられている。また、**蛍光物質を光らせる**働きがあることから、鉱物の同定や、紙幣の偽造発見にも利用されている。これ以外にも、紫外線は皮膚を日焼けさせる効果や色素を漂白する効果などさまざまな性質をもっているが、しみやしわ、皮膚がんの原因になるなど、**ヒトにとってマイナス**の要素も少なくない。

DAY 191

July 9th

# ヒトの目が受け取る光は赤、青、緑の3色だけ

## 可視光線と光の三原色

私たちがさまざまな色を知覚することができるのは、可視光線の波長の違いを色の違いとして認識しているためだ。ただ、波長の違いをそのまますべての色に対応させて見ているわけではない。

じつは、**ヒトは赤、青、緑の３つの色の波長しか認識していない**。ヒトの眼には、この３色それぞれに強い感度をもつ３種の視細胞（赤錐体細胞(あかすいたい)、青(あお)錐体細胞、緑(みどり)錐体細胞）がある。そこで受け取った情報に対し、脳でその３色の強弱を判断し、その割合によってさまざまな色として感じているだけなのだ。この、**赤、青、緑の３色を「光の三原色」**という。

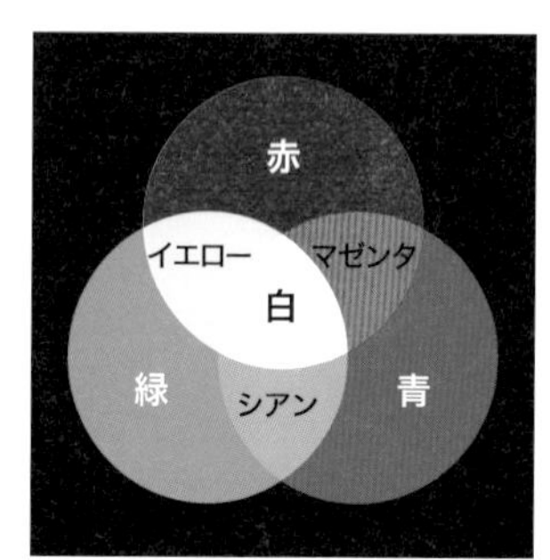

光の三原色（加法混色）。

赤、青、緑の光をスクリーンに映すと、重なった部分がそれぞれ異なる色になる。たとえば赤と緑の光が重なったところは、ヒトの眼には黄色に見える。その光が眼に入ってくると、赤と緑に反応するそれぞれの視細胞が刺激を受けて、黄色として認識するのだ。この仕組みによって、私たちはさまざまな色を識別している。このような**赤、青、緑の組み合わせで多様な色を表現する方法を「加法混色」**という。

別の言い方をすれば、私たちは「純粋な黄色」というものを認識することができない。ナトリウムランプからはもともと黄色の波長の光が出ているが、その黄色の光が目に入っても、赤と緑に反応する視細胞が刺激を受けてしまう。つまり、ヒトは赤と緑が混じった光と、黄色の光を区別することができないのだ。

この光の三原色の原理を利用したのが、テレビやコンピュータのモニターだ。それらの画面を拡大して見てみると、赤、青、緑の３色の小さな点しか見えず、画面が変わっても３色それぞれの明るさが変わるだけだ。しかし、離れて画面を見ると、さまざまな色に見える。ヒトの眼には、非常に近い位置で隣り合っている色を遠くから捉えると、それらが混じり合った１つの色に見えるという特徴がある。テレビやモニターは、この特徴を利用しているのだ。また、印象派などで好まれた点描画も、同じ原理に基づいている。

DAY
192
July 10th

# 偏光の性質を知れば水中の魚がよく見える

## 偏光の性質

光の波は、振動方向の面と、波が伝わる方向の面が垂直に交わる横波（195ページ参照）だ。ただし、いろいろな光源から出る光や太陽光などの自然の光（自然光）は、光の波が混ざり合って、さまざまな方向に振動している。

一方、**一定方向にだけ振動する波をもつ光**もある。そのような光を**「偏光」**という。一定方向に振動している光だけを通過させる偏光板（偏光フィルター）というものがある。光源の前に２枚の偏光板ＡとＢを置いて、Ａを固定し、Ｂを回転させながら光源を見ると、光の明るさはＢを90°回転するごとに、最も明るくなったり、最も暗くなったりする。

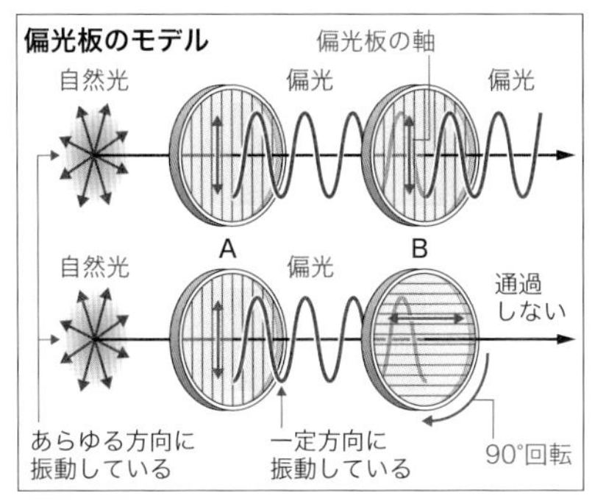

偏光板は一定方向に振動する光だけを通過させる。

これは、偏光板Ａを通過した偏光の振動方向に対して、偏光板Ｂの通過させる振動方向が一致するときだけ光を通すからだ。偏光板Ａと偏光板Ｂの方向が異なるときは、光が透過しないために暗くなる。

ところで、水面やガラスなどで**反射した光は、自然光よりも偏光に近い**。それには、反射した面に平行な振動方向をもつ光が多く含まれている。水中にいる魚が水面で反射する光のために地上から見えづらかったり、ガラス越しに写真を撮ると反射光で撮影対象がきれいに写らなかったりすることが多いのはこのためだ。

そこで、魚釣りをするときには偏光板を使ったサングラスを用いたり、ガラス越しにカメラで撮影するときには偏光板を付けるといった工夫をする。すると、水面やガラスで反射した偏光に近い光を遮ることができて、水面下の魚が見えやすくなり、ガラス越しでも撮影対象をはっきりと写せるようになる。

液晶ディスプレイも偏光板を利用している。偏光はディスプレイに利用されている液晶の中を通ると、振動方向が回転する。しかし液晶に電圧をかけると回転しなくなる。この性質を利用し、偏光板で挟んだ液晶にかける電圧を変えて明暗などを調節している。

DAY 193 July 11th

# 透明なはずのガラスが目に見える理由

## 2物質間を通る光の進み方

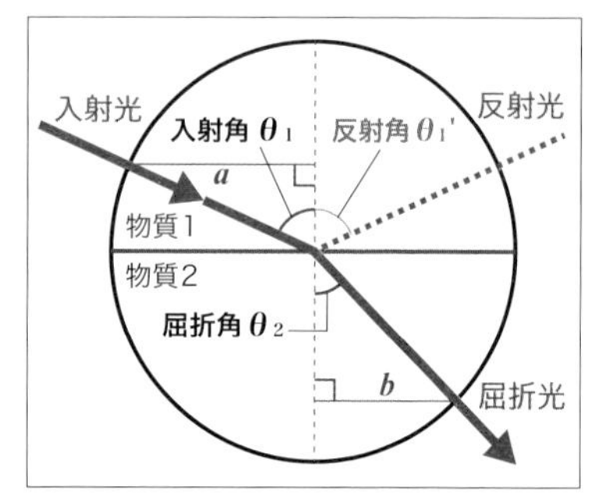


光は、**真空中や同じ物質の中を進むときは基本的に直進**する。だが、空気中から水中へ、あるいはその反対に水中から空気中へと進むようなとき、**入射光の一部は境界面で反射して反射光**となり、**残りは境界面で屈折して屈折光**となる。入射光、反射光、屈折光が境界面に対して垂直な面とつくる角を、それぞれ「入射角」「反射角」「屈折角」という。

入射角と反射角を見てみると、**入射角 $\theta_1$ と反射角 $\theta_1'$ はつねに同じ**という法則性がある。また、入射角と屈折角の関係を見てみると、入射角 $\theta_1$ と屈折角 $\theta_2$ との間には一定の関係が成り立っている。物質1から物質2へと光が進むとき、入射角 $\theta_1$ に対応する長さ $a$ と屈折角 $\theta_2$ に対応する長さ $b$ の関係は次のような数式となる。

$$\frac{a}{b} = n_{12}$$

この $n_{12}$ を、物質1に対する物質2の「相対屈折率」という。さらに、真空に対する物質の相対屈折率は、単に「屈折率（または絶対屈折率）」とも呼ばれている。たとえば水の屈折率は1.33だが、入射角が45°だったとき、屈折角は約33.8°で、屈折角のほうが小さい。つまり、**屈折率が1より大きいほど、光はより大きく方向を変える**ということだ。ほかの物質ごとの屈折率は、たとえば空気が1.0、ガラスが約1.4～2.0、ダイヤモンドが2.4となっている。

ところで、透明なはずのガラスが私たちの目に見えるのは、ガラスと空気の屈折率が異なるためだ。空気中を進んできた光の一部がガラスの表面で反射したり、ガラスを透過した光が屈折するため、周囲と比べたとき、背景がゆがんで見えることでガラスがあることに気づく。もし周囲をガラスと同じ屈折率の物質で満たした場合、ガラスに達した光は反射や屈折をしないで、そのまままっすぐ進んでしまう。こうなると、私たちはガラスの存在を認識できなくなってしまう。

# 虹のアーチを下から見ることはできない

## 虹の色ができる仕組み

ガラスなどでできた三角プリズムに太陽光（白色光）を通すと、光が分散されて、赤色から紫色に分かれた虹のような光のスペクトルを観察することができる（DAY187参照）。これは、空気中を進んでいた光がガラスの中を進む際、空気とガラスの境界で、**波長の小さい光のほうが大きく屈折**するからだ。

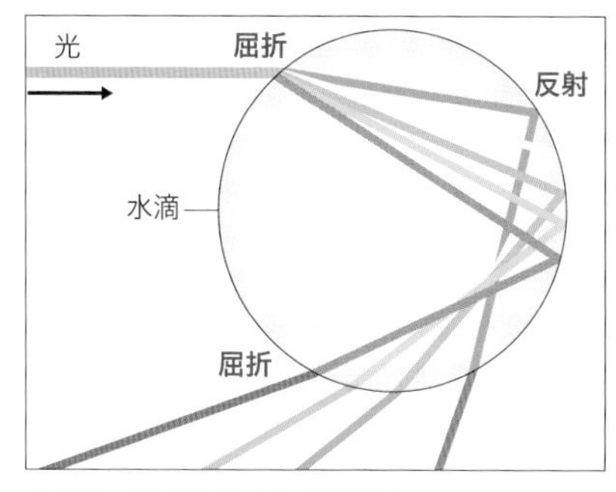

水滴内で光が分散される仕組み。

**虹はこの光の分散によって生じる**自然現象だ。雨が降っているときの空気中には、大量の水滴（雨粒）が落下している。この落下する**水滴に太陽光が当たると、屈折と反射**を繰り返す。太陽光の一部は、まず水滴に入る際に屈折する。その後、水滴の内側の壁で反射する。そして反射した光は水滴から出るときにも屈折する。この過程において、水滴に入る角度と出ていく角度の差が、波長が小さくてより屈折する紫色の光は、波長の大きい赤色の光よりも小さくなる。その結果、**波長の小さい紫色から波長の大きい赤**へと連続的に、紫、藍、青、緑、黄、橙、赤の順に光が分散されるのだ。

この屈折→反射→屈折以外の経路を通る太陽光もある。その1つは、水滴に入った光が、そのまま水滴の壁を突き進み（つまり反射しないで）出ていく光だ。ただ、雨が降ったときの空には無数の水滴が存在する。そのため先に述べた屈折→反射→屈折の経路を経た（いわば大量の水滴が鏡のように反射した）光が大量に集まり、ヒトの目には7色の帯が見えることになるのだ。

ところで、虹のアーチをくぐり抜けてみたり、下から見てみたいと思ったことのある人もいるかもしれない。だが、空に架かる虹は観測者が**太陽を背にして、特定の角度から空を眺めたときだけ**に見える。そのため、観測者が場所を移動してしまうと、虹も移動してしまう。残念ながら、虹のアーチをくぐり抜けたり、真下から見上げるのは不可能なのだ。

DAY 195

July 13th

# スポットライトの光がまっすぐ遠くに届くからくり

## 凸レンズの焦点と光の進み方

虫メガネのように、ふちよりも中央部が厚くなっているレンズを「凸(とつ)レンズ」という。虫メガネを使うと、太陽の光のようなほぼ平行に進む光を１点に集めることができる。それは次のような凸レンズの仕組みに基づいている。

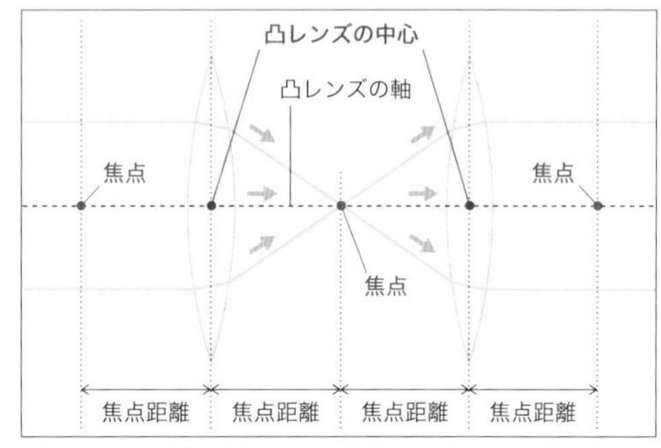


２つの凸レンズに入射した光の進み方。

凸レンズの表面は外側になるほど光の進行方向に対して斜めになっている。そのため**レンズの中心と外側では光の屈折する角度が変わる**。その凸レンズの真正面から平行な光を当てると、**レンズから出た光は１点に集まる**。この点を「凸レンズの焦点」という。また、凸レンズの中心から焦点までの距離を「焦点距離」という。

**焦点は凸レンズの両側**にあり、どちらの側でも**焦点距離は同じ**だ。凸レンズの膨らみが大きいほど屈折も大きくなるため、焦点距離は短くなる。反対に、膨らみが小さい凸レンズほど、焦点距離は長くなる。

凸レンズの中心を通り、レンズの表面に垂直な直線を「凸レンズの軸」という。凸レンズの**軸に対し平行に入ってきた光はすべて焦点を通る**ように屈折する。

ここで試しにもう１枚別の凸レンズを、並行に置く。１枚目の凸レンズを通った光は焦点を通って別の凸レンズに斜めに入る。そしてそれらの光は２つ目の凸レンズを通る際の屈折により、改めて軸に平行に進むようになる。ちなみに、凸レンズの中心を通る光は、そのまま直進する。

凸レンズで太陽の光を集めることができるのは、太陽が地球から遠く離れていて、その光が凸レンズにほぼ平行に入ってくるからだ。

反対に光源がちょうど焦点の位置にあれば、凸レンズを通った光は平行に近くなる。一部の懐中電灯やスポットライトの光が、ほとんど広がらずに遠くまで届くのは、この性質を利用しているためだ。

DAY 196
July 14th

# ヒトの目の奥に映るのは逆向きの像

## レンズの焦点と実像・虚像

凸レンズには不思議な性質がある。凸レンズを通して物体を見ると、**近くにある物体は大きく**見え、**遠くにある物体は小さく逆さまに**見える。また、凸レンズでスクリーンや紙などに物体の姿を映すこともできる。

このように、凸レンズなどを通して見えるものや、スクリーンなどに映って見えるものを「像」という。

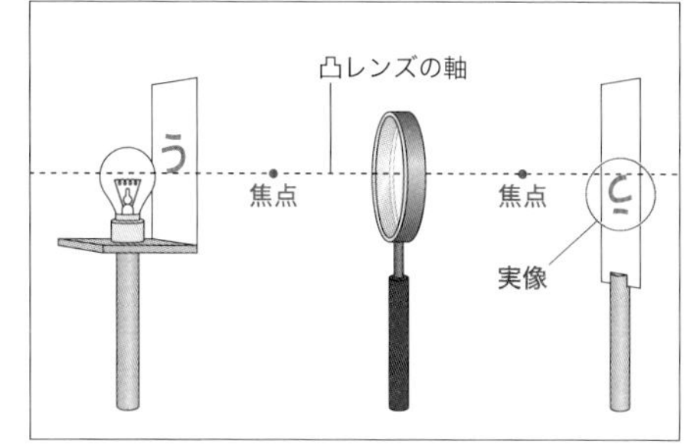

物体が焦点より遠くにあれば実像ができる。

スクリーンが凸レンズの焦点よりも遠方にあるとき、凸レンズによる像のでき方には、次のような法則性がある。

まず、**物体が焦点よりも外側**にあるとき、凸レンズを通った光は1点に集まって交差し、**スクリーン上には上下左右が逆向きの像**ができる。これを、**「実像」**という。このとき、物体を凸レンズから遠ざけていくほど、スクリーンに映る像は小さくなる。

一方、**物体が焦点と凸レンズの間**にある場合は、スクリーン上に像はできない。だが、**凸レンズをのぞくと、物体よりも大きな像が上下左右同じ向き**に見える。これを**「虚像」**という。虚像は物体が焦点に近づくほど大きく見える。**虫メガネはこの原理**で、ものを拡大する。

ヒトの眼には凸レンズの役割をする水晶体と、スクリーンの役割をする網膜が備わっている。たとえば、白い猫を見たとき、猫からの光が水晶体を通り、網膜上に像を結ぶ。そして、網膜に集まった光は視神経を刺激し、それが脳に伝わることで、私たちはそれが白い猫だと認識する。

ただし、網膜に映っているのは実像だ。つまり、上下左右が逆向きの白い猫が映っている。それを脳の働きによって補正することで、正しい向きの像として私たちは認識している。

# 水晶体の厚みで焦点距離を調整

## レンズとヒトの目の比較

写真を撮るためのカメラとヒトの眼の構造はよく似ている。**カメラは、凸レンズを利用して、フィルムやイメージセンサーの位置に像を結ぶ**仕組みをもつ。レンズを前後に動かすことで、物体の像がフィルムやイメージセンサーにきちんと映るように調整する。レンズに内蔵されている絞りは、レンズを通過する光の量を調節する。シャッターは、フィルムやイメージセンサーに光が当たる時間を調節している。

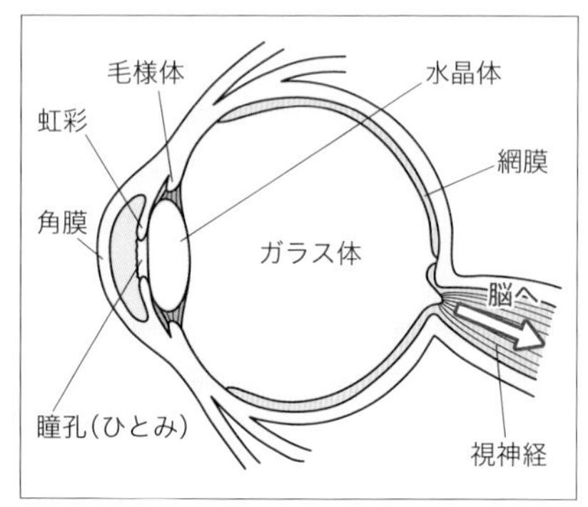


ヒトの目の構造。

一方、**ヒトの眼でカメラの凸レンズに対応するものが水晶体**だ。そして、**フィルムやイメージセンサーに対応するのが「網膜」**で、そこには光に反応する感覚細胞が並んでいる。

しかし水晶体はカメラのレンズのように前後に動かすことができない。そこで、レンズ、すなわち**水晶体の厚さを変化させることで焦点距離を調節**し、網膜上に像を結んでいる。ヒトの眼においてカメラの絞りと同じ機能をもっているのが虹彩（こうさい）で、明るさに応じて瞳孔（どうこう）（ひとみ）の大きさを変えることで調節している。

ちなみに、ヒトは水晶体の厚さを変えることで焦点距離を調節しているが、それがうまく働かなくなると、はっきりと物体を見ることができなくなってしまう。これがいわゆる「目が悪くなる」状態で、遠くの物体が見えづらくなった状態を近視、近くの物体が見えづらくなった状態を遠視という。

近視の場合は、凹レンズのメガネを利用して光を広げることで、網膜上にはっきりと像を結ぶように矯正する。遠視の場合は反対に、凸レンズのメガネを利用して光を集め、網膜上に像を結ぶように矯正する。

DAY
198
July 16th

# すべての音は振動が引き起こしている

## 音が発生する仕組み

人との会話や音楽、機械の音、風や雨の音など、私たちの暮らしには音があふれている。完全な無音状態ということはほぼありえない。では、音はどんな仕組みで私たちに聞こえるのだろうか？

自分が声を発しているときの喉や、大きな音を出しているスピーカーに手をふれてみると、喉やスピーカーがふるえているのを感じるはずだ。あるいは、太鼓の表面に紙片を置いてたたいたり、水を入れたグラスのふちをぬれた手でこすったりしても、音が発生するとともに紙片や水がふるえるのがわかる。ストローの先を切って、よくしごいて笛をつくり、吸ってみると音が出るが、このときもストローの先端がふるえているのがわかる。

声を出しているとき、喉はふるえている。

このように、音を出しているものを手で軽く触ったり、目で観察したりしてみると、物体がふるえている（振動している）ことが確認できる。つまり、音が発生するときには、何かがふるえている。逆にいえば、**何かがふるえているときに音は発生**することが多い。このような**ふるえながら音を発生させているものを「音源」、または「発音体」**という。

また、たとえばトライアングルを強くたたいて大きな音を出すと、トライアングルの振動は大きい。弱くたたいて小さな音を出すと、振動は小さい。そして、トライアングルを強く握って振動を止めると、その途端に音も止まる。

このことから、**音の大小と振動の大きさは比例**しており、振動を止めれば、音も発生しなくなることがわかる。要するに、**音の本質は振動**なのだ。耳に心地よい美しいメロディー（旋律）や鳥のさえずりも、不快な雑音や騒音も、何かの物体（音源）がふるえて発生しているという点では同じということになる。

DAY
199
July 17th

# 話しているとき糸電話の糸はふるえている

## 音の伝わり方

音は音源となる物体が振動することで発生する。だが、音が発生することと、それが聞こえることはまた別の仕組みだ。音源（発音体）から発生した音が離れた場所に伝わる仕組みは、次のような実験をしてみるとよくわかる。

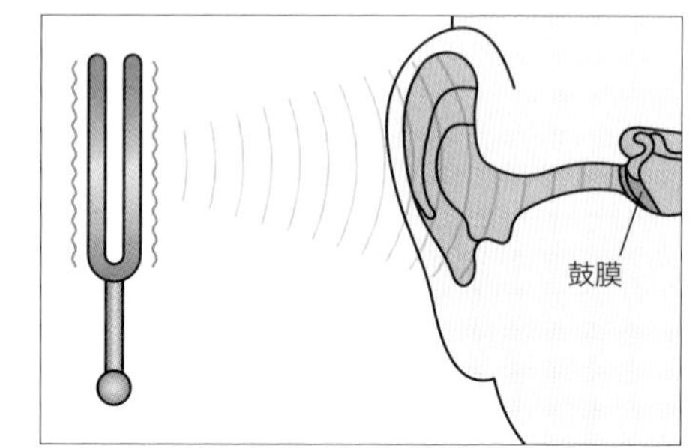

振動が鼓膜に伝わることで音が聞こえる。

同じ高さの音が出る2つの音叉（おんさ）A、Bを少し離して並べ、音叉Aを鳴らすと、音叉Bも鳴り出す。だが、音叉AとBの間に木の板を置くと、音叉Bは鳴りにくくなる。

あるいは、鳴っているブザーを入れた容器の中の空気を抜いていくと、だんだんと音は小さくなり、やがてほとんど聞こえなくなる。そして、再び空気を入れていくと音が聞こえるようになる。

このことから、**音を発生させる振動を空気が伝えている**ことがわかるだろう。2つの音叉の間に木の板を置くと鳴りにくくなるのは、板によって空気の振動が伝わりにくくなるためだ。

振動する物体（音源）は、まわりのものも振動させる。空気中では音源が空気を振動させ、その振動が空気中を連続して伝わっていく。このように**振動が連続して伝わる現象を波**という。そして、音の聞こえる範囲は周囲に広がっていく。その音を私たちが聞くことができるのは、空気の振動が耳の中にある**鼓膜を振動させ、その振動を脳が音として処理**するからだ。

ただ、音を発生させる振動は空気のような**気体だけではなく、液体や固体にも伝わる**。水中でも音が聞こえるのはそのためだ。また、糸電話で遊ぶ際、相手と話しているときに糸にそっとふれてみると、糸がふるえていることがわかる。これは、糸という固体が振動を伝えているのだ。

DAY 200

July 18th

# 雷鳴を聞くまでの秒数で雲までの距離がわかる

## 音の伝わる速さ

雷が発生しているとき、稲妻が見えてから、数秒後に雷鳴が聞こえることがある。これは、**音の伝わる速さが光よりも遅い**ためだ。

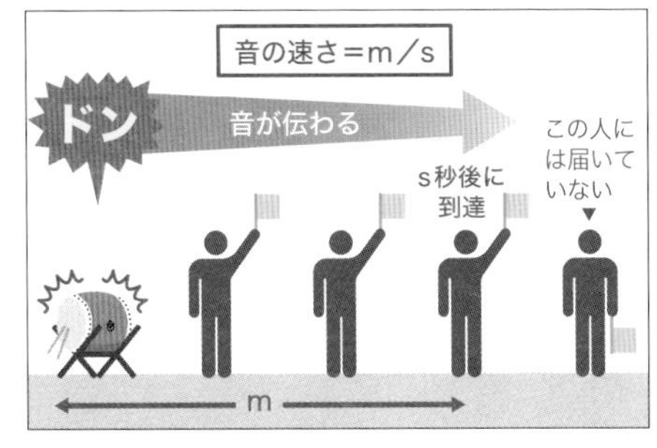

音が伝わる速さを測る実験。

音の速さは次のような実験で確かめることができる。まず、打ち上げ花火の様子をビデオで撮影してみる。それを再生して、花火が見えてから音が聞こえるまでの時間（s）を測る。次に撮影場所から花火の打ち上げ場所までの距離（m）を地図で調べる。それから、音が伝わる距離（m）を音が伝わる時間（s）で割れば、音のおよその速さ（m/s）を計算できる。

あるいは、次のような実験でも音の速さはわかる。一直線上に一定距離間隔で多くの人に並んでもらう。それぞれの人に旗をもたせる。端の人から一定距離離れた場所で大きな音を鳴らし、その音が聞こえた人には旗を揚げてもらう。すると音源に近い人から遠い人に向かって順番に旗を揚げていくことになる。そして、音を出してから一番遠くで音を聞いた人が旗を揚げるまでの時間を測る。この音源から一番遠くの人までの距離を時間で割れば、音の速さがわかる。

**空気中を伝わる音の速さを正確に測ると、約340m/s**であることがわかっている。ただ、空気中を音が伝わる速さは、空気の温度によって変わる。約340m/sとなるのは、気温が約15℃のときだ。

ちなみに、光の速さは約30万km/sなので、音と比べて圧倒的に速い（というよりは、光が進む速さはこの世の中で最も速い）。だから、稲妻が見えてから、雷鳴が聞こえるまでにタイムラグがあるのだ。

ところで、音の速さが340m/sであることを知っており、さらに上記の計算式を知っていれば、稲妻が見えてから雷鳴が聞こえるまでの時間を測ることで、自分のいる位置と雷雲までのおよその距離を知ることができる。雷雨の多い時期に野山に出かけるときは、安全のために知っておきたい知識だ。

DAY 201 July 19th

# 音の大小や高低は振動の違いによって生じる

## 音の振幅と振動数

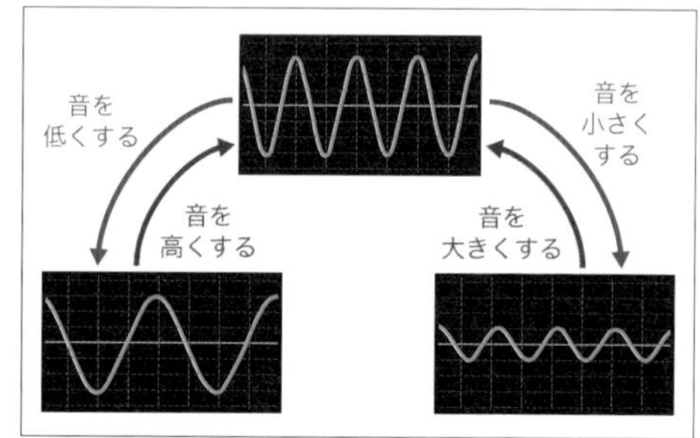

音の大小、高低の違いは波形に表れる。

同じ種類の音でも大きい音と小さい音、高い音と低い音がある。楽器を演奏するということは、それら音の大小、高低を自在に操るということだ。それによってメロディーが生まれる。

具体的には、管楽器を吹く息を強くしたり、打楽器をたたく力を強くしたりすると、大きな音が出る。また、弦楽器の弦を短くしたり、張りを強くしたりすると高い音が出る。このように多くの楽器は音の大小や高低を調節できるようになっている。

音の大小・高低を変えるとき、音の振動にはどのような変化が起きているのだろうか？　それは、たとえばギターなどの弦楽器の弦をはじき、その音をオシロスコープという、振動の様子を波形で表示する機械で調べてみるとよくわかる。

ギターの弦の長さを一定にしてはじいたとき、大きい音を出したときほど、波型の振れ幅も大きくなる。振動の中心からの幅を振幅というが、これは**音が大きいほど音源の振幅が大きく、空気の振動の振幅も大きくなる**ことを表している。

また、弦を押さえる位置を変えて弦の振動する部分を短くしたり、弦の張りを強くしたりすると高い音が出る。弦が１秒間に振動する回数を振動数といい、単位にはHz（ヘルツ）が使われている。そして、弦の振動数と音の高さの関係を見てみると、**振動数が多くなるほど高い音**が出ていることがわかる。

つまり、音源の振幅が大きいほど音は大きくなり、音源の振動数が多いほど音は高くなるということだ。これは、すべての楽器の音に共通している。さらに、楽器だけではなく、あらゆる音に共通している。たとえば、小声で低音で歌っている人の声は、振幅が小さく、振動数も少ない。反対に大声で高音で歌っている人の声は、振幅が大きく、振動数も多くなっているのだ。

DAY 202

July 20th

# 波形が異なると異なる音色が生まれる

## 楽器の音が出る仕組み

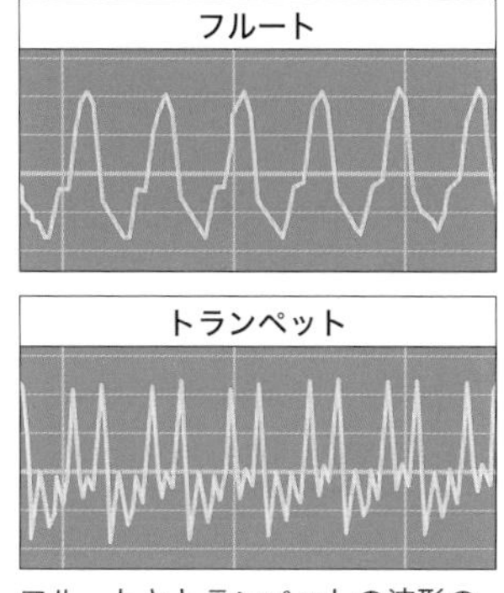

フルートとトランペットの波形の違い。

どんな楽器にも、**音を出すために振動をつくり出す音源**がある。たとえば弦楽器なら弦が音源であり、その弦が振動することで音が発生する。あるいは、打楽器ならばたたかれた部分が振動することで音が発生する。そんな中、息を吹き込むことで音を出すクラリネットやフルート、トランペットなどの管楽器は、どこが音源となっているのかわかりづらいかもしれない。管楽器の音源は、大きく分けると３種類ある。

**クラリネット**の場合は、マウスピースと呼ばれる口を付ける部分に、薄い板状のリードがある。息を吹き込むと、その**リードが振動し、音が発生**する。

**フルート**には、リードは存在しない。唇を当てる唄口（うたぐち）と呼ばれる部分に、適当な角度を付けて息を吹き込むと、空気がエッジと呼ばれる部分に当たって規則的な渦（カルマン渦）ができ、空気の振動が生じる。これによって、音が出ているのだ。リコーダーも同じ仕組みで、固体を振動させるのではなく、**空気そのものを振動させて音をつくり出している**。

**トランペット**にはマウスピースはあるが、リードはない。ではどうやって音を発生させているのかといえば、金管楽器の多くはマウスピースの中で唇を軽く閉じて息を吹き込み、その勢いで演奏者の唇が振動し、音を発生させている。つまり、**唇がリード代わり**となる音源なのだ。

これら管楽器では、音源の振動に合わせて、**管内の空気が振動して大きな音になる**。この現象を**「共鳴」**という。また、管内の空気の振動数は、管の長さが長いほど小さくなり、低い音となる。そのため、同じ構造の楽器でも、管の短いピッコロからは高い音が出て、管の長いフルートからは低い音が出るのだ。

ちなみに、同じ高さの音であっても、フルートとトランペットでは聞こえ方の異なる音が出る。そのような音の違いを「音色（ねいろ）」というが、同じ高さでも**波形が異なることで音色にも違い**が生まれている。

# 海や空が青く見えるのは、光が散乱するから

ヒトがものを見るという行為は、ものに関わる光を見るということだ。太陽や電球のようにみずから光を発するものや、ものが反射した光を、ヒトは識別する。物体そのものを見るわけではない。

そんな光は波の性質をもっている。光はさまざまな大きさの波長をもつが、その中でヒトが識別できるのは、約380～770nmの可視光線（可視光）だけだ。この範囲内にある異なる波長の光を、ヒトの目は違う色として認識する。最も波長の小さい光は紫に見え、波長が大きくなるにつれ、藍、青、緑、黄、橙、赤となる。

音も波の性質をもつ点で、光と似ている。光が波長の大きさの違いで異なる色に見えるように、音も波長の違いで音色が変わる。

晴れた空が青く見える理由は、青に見える波長の光がよりたくさんヒトの目に届いているためだ。太陽光は空気の分子や大気中の微粒子などに当たると、四方八方に散乱する。そして、太陽が真上にある日中は、波長の小さい光である青が、赤のような波長の大きい光よりも多く散乱されるため、空は青く見えるのだ。

海水そのものもほとんど色はついておらず、おおむね無色透明だ。しかし、水の分子には赤い波長の光を吸収しやすい性質があるため、太陽光に含まれる赤の波長の光は吸収されてしまう。反対に水の分子は青や緑の波長の光を散乱しやすいので、海の中で吸収されず表面で反射する。そのために、私たちヒトの目に海は青く見えるのだ。



*Key points*

- ヒトの目で見ることができるのは、狭い範囲の波長の光だけ。
- 空が青く見えるのは、青の光が多く散乱するため。
- 海が青く見えるのは、赤の光が水の分子に吸収されるため。

命題 Theme

# サッカーボールが弾むのはどうして？

地上で手にもっていたボールを放すと、ただちに地面に落ちる。そしてボールが地面に当たると、弾む。一方、手にもっていた粘土の球を落としても、地面で弾まない。ボールも粘土も、落ちるのは重力が地面に引き寄せるからだが、物体に同じ力が加わったのに、なぜボールは弾んで、粘土は弾まないのだろうか？

## ▶力にはどんな種類があるのだろうか？

「物体の運動の状態を変える作用」を「力」という。止まっている物体を動かしたり、動く物体の速さや向きを変えるのは、すべて力の働きだ。ただサッカーボールが下に落ちるのと、地面に落ちたあとに弾むのでは、違う力が働いている。力にはどんな種類があるのだろうか？

## ▶変形しても元に戻ろうとするものがあるのはなぜか？

プラスチックの定規を曲げたり、輪ゴムを引っ張ったりねじったりすると、元の形に戻ろうとする。サッカーボールも蹴った直後は変形するが、しばらくすると元の形に戻る。このように、ある種のものには、変形したものが元に戻ろうとする性質がある。だが、針金をねじっても、自然に元の形に戻ることはない。これらの違いは何だろうか？

## ▶サッカーボールを地面に落とす力は何か？

サッカーボールも鉄の玉も、手を放せば地面に落ちる。もっと軽いしゃぼん玉でも、風がなければ、ゆっくりと地面に落ちる。サッカーボールを地面に引き寄せる力は、ボールが地面に落ちたときにボールを変形させてもいる。この力の正体は何だろうか？

DAY
205
July 23rd

# 物体の状態を変える原因は力

## 力の働きと重力

**力には、ものの運動の状態を変える働きがある**。つまり、止まっているものを動かしたり、動く速さや向きを変えたりする働きをもつということだ。

力には、さまざまな種類がある。

そんな力の中でも、大昔から人間によって利用されてきたものの１つが**風**だ。風車や帆船など、風の力によって動くものは今でも使われている。風の力の特徴は、**強ければ強いほど、より重いものを、より遠くまで、より速く動かす**ことだ。水の上に模型の帆船を浮かべ、帆に向かって、送風機で風を送る場合を考えてみよう。送風機の風を強くすれば、弱い風では動かない船も動く。また、同じ重さなら、風が強いほうが長い距離を速く移動するし、弱いとゆっくりと短い距離しか移動しない。

ちなみに、風はヒトを動かす力にもなる。陸上競技の短距離走では、「追い風参考記録」というものがある。これは、背中に追い風を受けて走るとよい記録が出るため、一定以上の強さの追い風が吹いているときは、公式記録としては認められないということだ。つまり、風の力で、ヒトが走る速さも上がるのだ。

また、**磁石**のもつ力もある。磁石には、鉄製のクリップや空き缶など、**ある種の金属を引き寄せる力**がある。ただ、磁石が引き寄せることができるのは、金属でも鉄、ニッケル、コバルトだけだ。銅やアルミニウムなどの金属は引き寄せないし、紙や木、ゴム、ガラス、プラスチックなどにも磁石の力はほとんど働かない。

磁石と鉄製のクリップの間にプラスチックの薄い板があっても、クリップと磁石は引き寄せ合う。**磁石で引き寄せられないものが間にあっても、その力は働く**のだ。磁石とものの間に空間があっても、引き寄せ合う力は働く。そのとき、磁石とものの距離が近ければ近いほど、引き寄せ合う力は強くなる。さらに磁石にはＳ極とＮ極があるが、ＳとＳ、ＮとＮのように、同じ極同士を近づけると「反発する力」が働き、ＳとＮのように違う極を近づけると、「引き寄せ合う力」が働く。

最も身近な力が重力だ。もっていたリンゴを手から放すと、地面に落ちる。リンゴに限らず、地球上のものはすべて、**支えをなくすと下に落ちる**。これは、地球とリンゴが引き寄せ合う**重力**が働いているからだ。重力は、地球上にある固体、液体、気体のすべてに働いており、磁力同様、もの同士が離れていても働く。

DAY
206
July 24th

# 押し戻したり逆らったりする力もある

## 垂直抗力、摩擦力、弾性力

重力は地球上にあるすべてのものを、地球の中心に向かって引き寄せている。

しかし、テーブルの上に置かれたものは、重力が働いているのに動かない。これはテーブルからものに対して、ものを支える力が働いていて、重力の働きを打ち消しているからだ。別の言い方をすれば、**ものを垂直に押し戻すような力**が働いている。このような力を、**「垂直抗力」**という。

重力はものを地球の中心に向かって引きつける。

また、テーブルの上に置かれたものを横向きに押しても、小さな力では動かないことがある。これは、テーブルとものの間に、**動かそうとしている向きの力に対して逆らう力**が働くためだ。この逆らう力を**「摩擦力」**という。摩擦力は、ものを左向きに押すときは右向きに働き、右向きに押すときは左向きに働く。

身近な力としては、**ゴム**の力もある。ゴムは引っ張ったり、ねじったりすると**元の大きさや形に戻ろうとする力**が働く。この性質を「弾性」といい、そのときに生じる力を**「弾性力」**という。ゴムを動力とするおもちゃのプロペラ飛行機などは、この原理によって空を飛ぶ。ゴムも、強く引っ張ったり、多くねじったりすることで、力はより大きくなる。

**サッカーボールが弾むのも、弾性による現象だ**。弾性力は、ものの変形が大きければ大きいほど大きくなる。

# 力を測る単位はかの有名科学者の名前

## 力の測り方

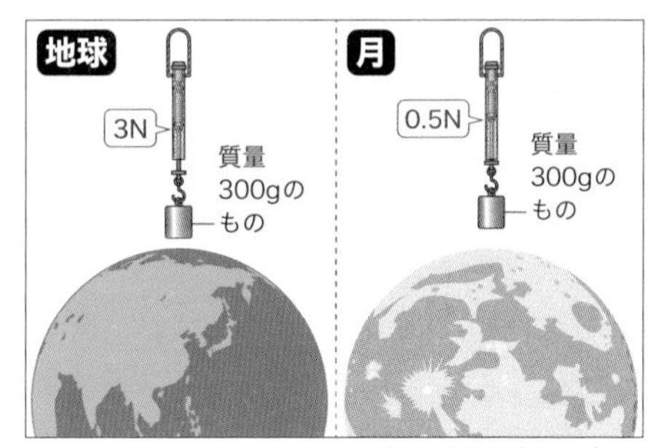

月と地球上での重さの違い。

固定されたものにばねを付けて、そこにおもりをつり下げると、ばねは伸びる。これは、おもりに重力が働くためだ。

**ものに働く重力の大きさを「重さ」**という。「重さ」という用語には、2つの意味がある。1つは「質量」で、ものがある場所が変わっても値は変化しない。もう1つは「重力の大きさ」を意味する。これは重力の大きさを表す値をいい、同じものでも場所（たとえば地球上と月面）によって変化する。生活の中で「重さ」といえば「重力の大きさ」を意味することが多い。

**力の大きさを表す単位の1つに、「N（ニュートン）」**がある。1Nは約100gのものに働く重力の大きさ（重さ）にほぼ等しい（より正確には約0.98N）。厳密には、地球上でも場所によって重力の大きさはわずかに異なってくるため、100gのものに働く重力の大きさも変わってくる。しかし、その違いはごくわずかなので、地球上ではこれを約1Nとみなしておいても問題はない。

ちなみに、月面でものに働く重力の大きさは、地球上の約6分の1。地球上では100gのものでも、月面では約17g（約0.17N）になる。つまり、**Nは地球上を基準とした、ものに働く重力の大きさ（重さ）の単位**なのだ。

ところで、ニュートンという単位の名前はもちろん、17～18世紀のイングランドの科学者アイザック・ニュートンにちなんでいる。ニュートンは、重力・力・運動の関係を研究し、現代の物理学のみならず、現代の科学全般の基礎をつくった人物の1人だ。のちの世代の科学者がこのニュートンの業績に敬意を表して、その名前を力を測る単位にすることを提唱し、それが国際的な単位として認められたものだ。

DAY
208
July 26th

# 引く力を大きくするとばねはより伸びる

## フックの法則

当然の話だが、ばねを引く力が大きいほど、ばねの伸びは大きくなる。ばねを引く力の大きさと、ばねの伸びの大きさの関係は次のような実験で確かめることができる。

ばねＡにおもりを１個付け、伸びた大きさ（元の長さとの差）を測定する。それから、最初に付けたおもりと同じ質量のおもりを2個、3個と増やしていき、伸びた大きさを測定する。次に、ばねＡよりやわらかいばねＢを使って、ばねＡのときと同じように、ばねが伸びた大きさを測定する。

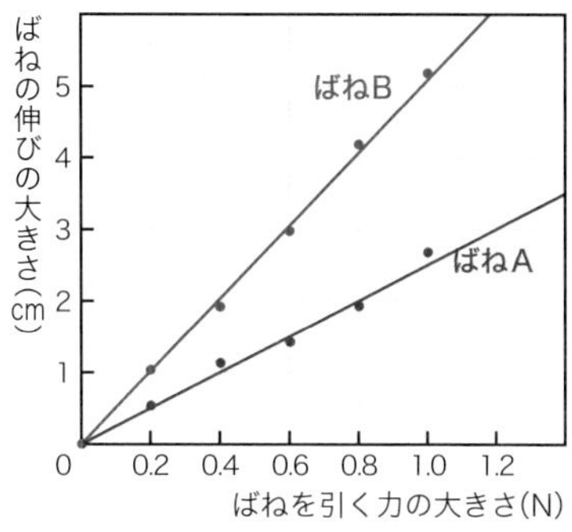

ばねの伸びの大きさは、ばねを引く力の大きさに比例する。

その結果を見ると、ばねＡもばねＢもおもりを増やしていくごとに、伸びた大きさが増えていき、ばねＢはばねＡよりも伸びは大きくなる。これをグラフにしてみると、ばねＡ、Ｂともにおもりが0個のときを原点とする直線になる。

このことから、**ばねの伸びの大きさは、ばねを引く力の大きさに比例**することがわかる。また、ばねＢは、ばねＡよりも大きく伸びていることから、ばねＢのほうが変形しやすい。つまり、ばねを引く力の大きさに対して、ばねが伸びる割合は、ばねによって異なるのだ。

ここで大切なことは、ばねの伸びの大きさは、ばねを引く力の大きさに比例するということだ。この法則は、17世紀イギリスの科学者であるロバート・フックによって発見されたことから、**「フックの法則（弾性の法則）」**と呼ばれている。このフックの法則を利用すると、**ばねの伸びから、力の大きさを測定**することができるのだ。

ちなみに、フックは多くの生命体を構成する最小単位を「細胞」と名付けたことでも知られている。細胞を意味する英語の「cell」は、「小さな部屋」を意味するギリシア語が語源だ。

DAY 209 July 27th

# 目には見えない力を矢印で表現

## 力の三要素とその表し方

ものに加える力の大きさが同じでも、その**力が働いている場所（点）や力を加える向きによって、力の働き方は異なる**。その結果、ものの動きも変わる。そこで、力の働きを考える際には、その力が働いている点や向きをはっきりさせる必要がある。

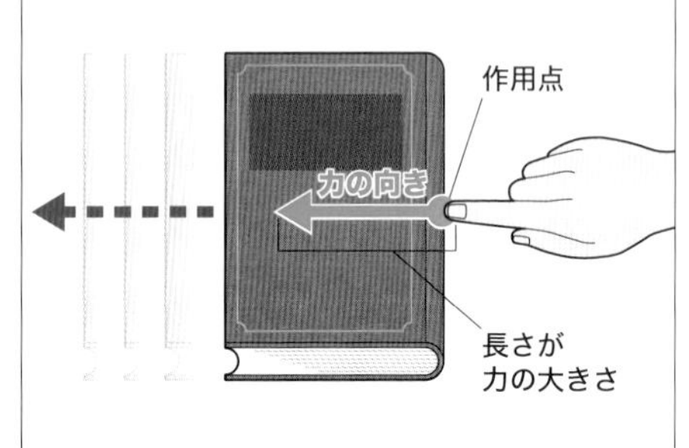


力の三要素がわかれば、力を図示できる。

力そのものを目で見ることは難しい。そこで、**矢印によって、ものにどのように力が働いているかを表す**ルールがある。「力が働く点（作用点）」「力の大きさ」「力の向き」を「力の三要素」という。この「力の三要素」を矢印で示すことによって、どのように力が働いているかを表すことができる。

「力が働いている」ときには、力を加えているものと、その力を受けているものがある。つまり、1つの力は、2つのものの間で働いているということだ。その際、作用点は、2つのものの接するところにある。たとえば、手で本を動かすとき、本に力を加えているものが手であり、力を受けているものが本だ。作用点は、手が本にふれている接点となる。

ただ、接点を見つけるのは意外と難しいこともある。たとえば、天井から糸でおもりをつり下げたとき、天井に働いている力は、おもりそのものではなく、糸が加えている。この場合、接点は、糸とおもりが接しているところではなく、天井と糸が接しているところにある。

**接点から力が働いている方向に矢印**を書き、**力が大きいほど長い矢印**とするのが、目に見えない力の働きを図に表す方法だ。ちなみに、手でものを押したり引いたりする力や、ものに働く重力は、もの全体に均等に働いているが、図にする場合は物体の中心に働いているとし、1本の矢印で表すことになっている。

DAY
210
July 28th

# 広い面と狭い１点では力の加わり方が違う

## 面に加わる力の働き

１つの紙コップの上に人が立ったら、その紙コップは簡単に潰れてしまう。しかし、たくさんの紙コップを並べた上に板を敷き、その上に人が立つと、紙コップは潰れにくい。また、大きなスポンジの上に直接人が立つと、スポンジは深くへこむ。しかし、スポンジの上に板を敷き、その上に立つと、へこみ方は小さくなる。

この実験からわかるのは、同じ大きさの力（重さ）を加えた場合でも、**力が働く面積が小さいほど、単位面積あたりにかかる力は大きくなる**ということだ。逆の言い方をすれば、力が働く面積が大きくなれば、その中の一部分にかかる力は小さくなる。たくさんの紙コップの上に板を敷いて、その上に立ったときに紙コップが潰れないのは、板の面に広く力が分散し、その力がそれぞれの紙コップに伝わっているからだ。紙コップ１つだけのときとは、それぞれの紙コップにかかる力がまったく異なってくる。スポンジの上に板を敷いて立ったときにも、同じような力の働き方が見られる。

たとえば、$1m^2$、$1cm^2$ といった**一定の広さの面に対して垂直に押す力を「圧力」**という。圧力を表す単位としては、「$N/m^2$（ニュートン毎平方メートル）」や「Pa（パスカル）」が使われる。パスカルは17世紀フランスの科学者で、圧力に関する重要な法則の１つである、「パスカルの原理」を提唱したことで知られている。その業績から、圧力の単位に名前が使われるようになったのだ。

ある面に働く圧力値は、次の計算式で知ることができる。

$$\textbf{圧力}\ (N/m^2) = \frac{\textbf{力の大きさ}\ (N)}{\textbf{力の働く面積}\ (m^2)}$$

**$1N/m^2 = 1Pa$** と定義されている。

具体的な例で計算してみよう。たとえば $100cm^2$（10cm × 10cm）の板を、並べたスポンジの上に置き、その上に水を入れたペットボトル（重さ1000g）を置いたときの圧力値は、次のように計算できる。1000gの物体に働く重力の大きさは10N、$100cm^2$ は $0.01m^2$ なので、圧力値は、10Nを $0.01m^2$ で割れば求められる。つまり、10（N）÷ 0.01（$m^2$）＝ 1000（Pa）と求めることができる。

DAY
211
July 29th

# 水中のものには全方向から水の圧力がかかる

## 水中のものに働く力①水圧

水には重さがある。では、水の中にあるものに、水の重さはどのようにかかっているのだろうか？それは、次の実験で確かめられる。

まず、ゴム膜を張り、中に空気の入った筒を水中に置く。置く深さを変えてみると、深い場所に置くほどゴム膜がへこんでいく。また、同じ深さでゴム膜の向きを変えてみると、どの向きでも同じようにへこむ。

この実験から、水中に置いたものは、**深い場所ほど、強い力がかかっている**ことがわかる。また、水中では**すべての方向から同じ力がかかっている**こともわかる。

底に近いほうが強い水圧がかかっている。

この実験でゴム膜を押しているのは、まわりにある水の重さだ。別の言い方をすれば、水に働いている重力だ。ものを深い場所に置くほど、そのものより上にある水の量が多くなり、水の重さ（重力）が増すため、ものを押す力が強くなる。このような水の重さ（重力）によって生じる圧力を「水圧」という。

水圧は、次の実験でも確かめることができる。ペットボトルの飲み口に近い上のほうと、中ほど、底に近い下のほうの3カ所に穴を空ける。そのペットボトルに水を入れると、下の穴から飛び出てくる水の勢いのほうが強く、上の穴からのほうが弱い。これは、ペットボトルの底に近いほど、上にある水の量が多く、水圧値が高くなっているからだ。

プールや海などで泳いでいるときに水圧を実感することはあまりない。水深10cmでかかる水圧は、1cm$^2$あたりわずか約10gだ。しかし、深海でかかる水圧はすさまじいものとなる。なんと**水深1万mでは1cm$^2$あたり約1tもの水圧**がかかるのだ。もちろんヒトの体は深海の水圧には耐えられない。深海探査艇は、水圧に耐えられる特別な設計がなされている。

DAY 212

July 30th

# ものが水に浮くのは水に押し上げられるから

## 水中のものに働く力②浮力

発泡スチロールや木の板など、水の中で浮くものは多い。これは、水に入れたものに対して、「浮力」という重力とは反対方向の力が働くためだ。浮力の性質については、次のような実験で確かめることができる。

おもりＡをばねばかりにつるし、まず、空気中でおもりＡにかかる重力の大きさを測る。次に十分な水を入れたビーカーにおもりＡを半分まで沈め、そのときのばねばかりの値を記録する。さらに、おもりＡを全部水中に沈めたときの値と、もっと深く水中に沈めたときの値を記録する。次に、おもりＡよりも重さのあるおもりＢを用意し、上と同じ実験をする。結果は、おもりを水に沈めるにつれて、ばねばかりの値は小さくなり、おもり全体が水面より下に入ったあとは、深さに関係なく値は変化しない。

おもりが空気中にあるときのばねばかりの値に対して、半分水中に沈んでいるときの値との差、あるいは全部水中に沈んでいるときの値との差が、おもりがそれぞれ水中で受ける上向きの力、つまり浮力の数値となる。そして、この浮力の数値は、重さが異なるおもりＡとＢで同じになる。

このことからわかるのは、**沈むものの重さは浮力の大小に関係がない**ということと、**沈むものの水中にある部分の体積が増すほど、浮力も大きくなる**ということだ。おもりの半分を水面よりも下に沈ませたときより、すべて水面の下に沈ませたときのほうが、水面下にあるおもりの体積は大きい。水面下では深さに関係なく、その体積は同じなので、浮力の値も同じとなる。

これをいい換えると、**水に入れたものの浮力の大きさは、「水面下にあるものの体積分の水」に働く重力の大きさに等しい**ということになる。この法則は、紀元前３世紀、古代ギリシアの科学者アルキメデスが発見したことから、「アルキメデスの原理」と呼ばれている。

結論としては、ものに働く重力よりも浮力のほうが大きければ、そのものは水に浮く。反対に、ものに働く重力のほうが浮力よりも大きければ、そのものは水に沈むということだ。

DAY 213
July 31st

# 重い空気の底で私たちは暮らしている

## 気圧の働き

普段、実感することはないが、空気にも重さがある。空気の重さとは、空気を構成するさまざまな気体分子の重さだ。空気に重さがあることは、パンパンに空気を入れてよく弾むボールと、空気が少し抜けて、よく弾まないボールの重さを量ったとき、空気が抜けているほうが軽くなっていることからもわかる。

大気圧の値は上空に行くほど低い。

私たちが暮らしている地球は、厚さ数十 km の空気の層（大気）に包まれている。そして、私たちは大気の底にあたる地表に住んでいる。上空には、かなりの重さの空気が、つねに存在している。

水面下のものは、水の重さ（水に働く重力）によって、水圧を受け続ける。それと同じように、**地表にある物体は、空気の重さ（空気に働く重力）によって、圧力を受け続けている**。この地球の空気によって生じる圧力を大気圧という。

大気圧の値の単位には、「Pa（パスカル）」や「気圧」が使われている。1 気圧は約 10 万 Pa（厳密には 101325Pa）だ。100Pa を「1hPa（ヘクトパスカル）」といい、気象情報などでは、大気圧の値を表す際にはこの単位を使っている。**海抜 0m（海面と同じ高さ）の場所での大気圧の値は、通常は 1 気圧（約1013hPa）前後**となる。

ところで、富士山や北アルプスなどの高い山に登り、山頂で空のペットボトルに蓋をして、麓までもって下りると、自然にペットボトルが潰れる。これは、山頂の薄い空気を中に閉じ込めたため、麓の空気よりも同じ体積あたりの気体分子の数が少ないので、地表での大気圧で外側から潰されたのだ。反対に、麓の店で買ったお菓子の袋を、そのまま開けずに山頂までもっていくと、袋がパンパンに膨らむ。これは、袋の中の気体分子の数は地表と山頂で変わらないが、山頂のほうが大気圧が低いので、袋の内側から押されて膨らむからだ。

まとめ Summary

# サッカーボールは弾性力によって弾む

このChapterではさまざまな種類の力を見てきた。その1つに、変形したものが元の形に戻ろうとする「弾性力」があった。ものによって弾性力の強さは異なり、ゴムやばねは弾性力が大きいが、鉄やガラスなどは小さい。地面に落ちたゴム製のサッカーボールは、その衝撃で変形し、それが元に戻ろうとする弾性力が働くことで弾む。一方、鉄の玉は弾性力が小さいので、地面に落としても、ほとんど弾まない。

ちなみに、空気にも弾性力がある。サッカーボールの中の空気も、蹴られたときに押し縮められ、元に戻ろうとする。つまり、蹴られたサッカーボールは、素材のゴムと中の空気の両方の弾性力が働くことで弾むのだ。そのため、空気がパンパンに詰まったサッカーボールと、空気が抜けかけたサッカーボールでは、空気が詰まっているほうがよく弾む。

ただし、空気の弾性力がまったくなくても、素材の弾性力が十分に大きければ、よく弾むようになる。中心までゴムが詰まっているスーパーボールがよく弾むのは、そのためだ。

もっていたサッカーボールから手を放すと地面に落ちるのは、重力が働いているからだ。地球上にあるすべてのものには、地球の中心に向かって引き寄せる重力が働いている。この重力は、物体同士が離れていても働く力だ。

Key points

- 変形したものが元に戻ろうとする力を、弾性力という。
- 素材によって、弾性力の大きさは異なる。
- ボールが地面に落ちるのは、重力が働いているから。

命題 Theme

# 電力と電圧と電流は何が違うの？

乾電池と豆電球を導線でつなげた回路を見て、電気は乾電池の＋極から−極へ流れていると考える人は多いだろう。その考えは正解でも間違いでもないといえる。その「流れ」を目で見た人はいないので、じつはよくわからないのだ。そもそも「電流とは何か」と聞かれて、正しく答えられる人はあまりいないかもしれない。

## ▶回路には何が流れているのか？

豆電球と乾電池を導線でつなぐとき、豆電球から延びる２本の導線を、１本ずつ乾電池の＋極と−極に付けると明かりはつく。２本とも＋極や−極に付けてしまうと、明かりはつかなくなる。これはどういう仕組みなのだろうか？

## ▶「直列」と「並列」では何が違うのか？

１個の乾電池で２個の豆電球の明かりをつけるとき、乾電池と豆電球が「１本の環」で結ばれている「直列回路」と、導線が途中で分岐して、それぞれの豆電球につながっている「並列回路」では、並列回路のほうが豆電球の明るさは強い。この違いはどうして生じるのだろうか？

## ▶電子は電気の流れにどのように関わっているのか？

物質を構成する基本単位は原子だ。その原子は、中心となる原子核と、周囲を回転する電子で構成されている。この電子が電気の働きに関係していることは推測できるが、実際にはどう動いているのだろうか？　また、どんな物質も原子の構造は同じだが、電気が流れない物質と流れる物質は何が違うのだろうか？

DAY
216
August 3rd

# 回路図を読み解ければどんな電化製品かわかる

## 電気が流れる道筋の示し方

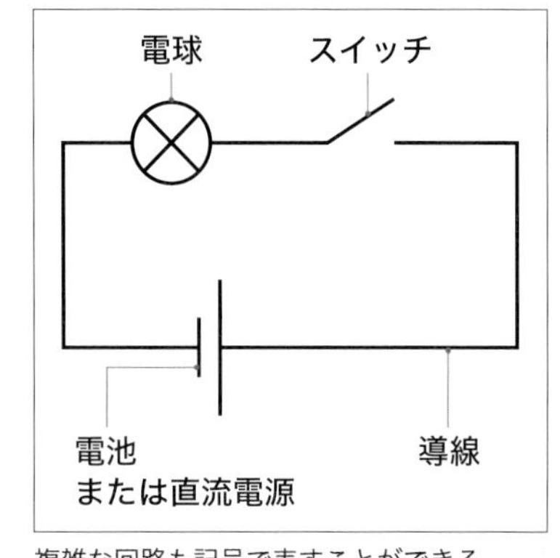

複雑な回路も記号で表すことができる。

エアコンやテレビ、電子レンジなど、私たちの生活の中には電気を利用した製品が数多くある。それらは、非常に複雑な仕組みのように感じられるが、じつは電気を使った基本的な働きをする部品を複数組み合わせてできあがっている。

電気を使った最も単純な仕組みは、乾電池に豆電球を導線でつないで、豆電球を光らせるというものだ。このように**「電気が流れる道筋」のことを「回路」**という。回路は、①電気を流そうとするところ（電源）、②電気が流れるところ（導線）、③電気を利用するところという、3つの部分から成り立っている。

この3つのうち、どれか1つが欠けても回路は成立せず、電気を利用することはできない。複雑に見える電化製品であっても、たくさんの回路の組み合わせで構成され、それぞれの製品が正しく機能するようにつくられている。

ちなみに、回路は英語で「circuit（サーキット）」という。自動車レース場のこともサーキットというが、レースで車がサーキットを何周もするように、電気も回路を回り続けていることから、同じ名称で呼ばれている。

回路は文字で表現するのが難しいため、図で表されることが多い。電源、導線の交わり方、電気抵抗、電球、スイッチ、電流計、電圧計など、回路で使われる器具や部品を表す「電気用図記号」を使う。この電気用図記号を使って表した図を、「回路図」という。あるいは、実物の形に近いイラストのような「実体配線図」で表すこともある。

複雑な家電製品でも、「電気を使う部分」は、**単純な記号の組み合わせである回路図で構造を示すことができる**。また、電気用図記号の読み方を知っていれば、回路図を見ただけで、その電化製品の働きや仕組みまでわかることがある。

# 道筋が１本の回路と枝分かれした回路がある

## 直列回路と並列回路

豆電球と乾電池を導線でつないで豆電球に明かりをつけるには、**乾電池の＋極、豆電球、乾電池の－極を、１つの環のように導線でつなぐ**必要がある。そうすることで、電気が乾電池の＋極から豆電球を通って－極に流れ、明かりがつく。

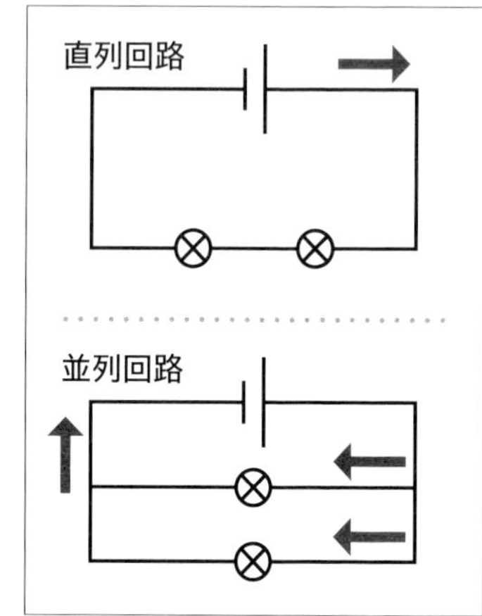

直列回路と並列回路。

乾電池１個で２個の豆電球の明かりをつけるには、２種類の回路が考えられる。１つは、**導線上で２つの豆電球が１本の道筋に並んでいるもの**で、これを**「直列回路（豆電球の直列つなぎ）」**という。もう１つは、**２つの豆電球が枝分かれした導線上にあるもの**で、これを**「並列回路（豆電球の並列つなぎ）」**という。

豆電球２個の直列回路では、１つの豆電球を外すと、もう１つの豆電球の明かりも消えてしまう。これは、外した豆電球のところで「電気の道筋」が途切れてしまうからだ。一方、豆電球２個の並列回路では、１つの豆電球を外しても、もう１つの豆電球の明かりは消えない。これは、回路が途中で枝分かれし、２個の豆電球それぞれに、別の電気の道筋ができているからだ。

これらのことから、**電気の流れが「環」としてつながっているものが「回路」**といえる。並列回路では、１つの道筋が切れても、もう１つのほうの道筋が「環」を維持しているのだ。

そのため、家庭で使う電気製品のほとんどは、電源に対して並列回路でつなげられている。もし、家電同士を直列回路でつないでしまうと、テレビのスイッチを切ると、冷蔵庫もエアコンも止まってしまうことになる。コンセントの数が足りないときに使う「電源タップ」や「延長コード」なども、すべて並列回路で設計されている。

DAY

218

August 5th

# 直列回路と並列回路では電圧の加わり方が違う

## 電圧の規則性

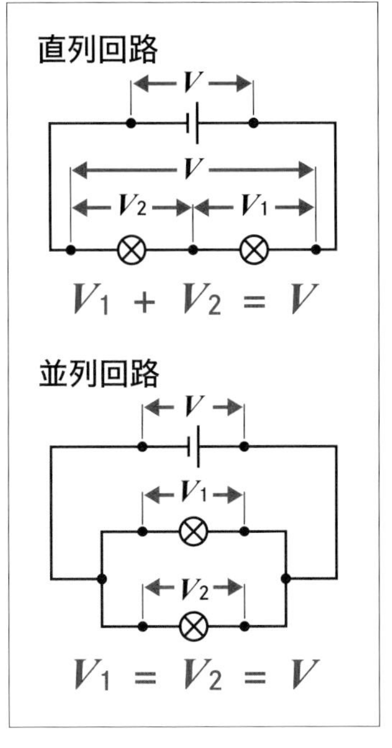


乾電池1個で2個の豆電球の明かりをつけるとき、直列回路よりも並列回路のほうが豆電球は明るく光る。これは、1つひとつの豆電球に流れる電流の大きさが、並列回路のほうが大きいからだ。

**電流を流そうとする働きを「電圧」という**。電圧の大きさである「電圧値」は電圧計で測ることができ、その単位には「V（ボルト）」が使われる。乾電池には、1.5Vや9Vなど、その電池がどれくらいの電圧なのか必ず記されている。ちなみに、ボルトという単位の名称は、18～19世紀のイタリアの物理学者で、電池を発明したことで知られているアレッサンドロ・ボルタの名にちなんでいる。

乾電池1個と豆電球2個の直列回路をつくったとき、**それぞれの豆電球に加わる電圧の和は、乾電池の電圧と等しく**なる。乾電池の電圧が1Vだとして、たとえば1つ目の豆電球に0.5Vの電圧が加わるとすると、2つ目の豆電球には0.5Vの電圧が加わるということだ。一方、乾電池1個と豆電球2個の並列回路では、それぞれの**豆電球に加わる電圧は同じで、それらは乾電池の電圧と等しい**。

このことは、電圧を川の流れの落差に置き換えて考えるとわかりやすい。水量ではなく、あくまでも落差に注目してほしい。上流と下流の落差が5mあったとして、直列回路は2段階に分けて川の水が落ちていくようなものだ。1つひとつの落差は5mより小さいが、1番目と2番目の段差を合計すれば5mとなる。並列回路のほうは、水の流れは途中で2本に分かれるものの水は1回で落ちるため、その落差は上流と下流の落差と同じ5mとなるのだ。

# 電圧を上げていくと電流の大きさも大きくなる

## 電流と電圧と抵抗の関係

前ページで紹介したが、乾電池１個に２個の豆電球をつなげるとき、直列回路よりも並列回路のほうが豆電球は明るく光る。豆電球の明るさは、電流の大きさに比例するので、この場合、1つひとつの豆電球に流れる電流の大きさが、並列回路のほうが大きいことを表している。

$$抵抗〔\Omega〕= \frac{電圧〔V〕}{電流〔A〕}$$

$$電圧〔V〕= 抵抗〔\Omega〕\times 電流〔A〕 \quad (V = R \times I)$$

$$電流〔A〕= \frac{電圧〔V〕}{抵抗〔\Omega〕} \quad \left(I = \frac{V}{R}\right)$$

オームの法則。

回路上の電流の大きさは、電流計という機器で測ることができる。電流の大きさ（電流値）の単位は「A（アンペア）」だ。そして1Aの1000分の１を1mA（ミリアンペア）という。

**電流の大きさには電圧が関わっている**。この関係は、次のような実験によって確かめることができる。この実験では、乾電池の代わりに、電圧を自由に変えることができる電源装置と、ある程度の大きさの電圧を加えても壊れない抵抗器(電気の流れを妨げる装置）や電熱線を使用する。そして、電源装置の電圧を1Vずつ上げていき、回路の電流の大きさを測定する。

その結果、電圧の大きさが２倍、３倍になると、電流の大きさも約２倍、３倍となることがわかる。これをグラフにしてみると、原点を通る直線となり、**抵抗器に加えた電圧と抵抗器を流れた電流とは比例の関係**になることがわかる。

このような電流の流れにくさを「電気抵抗」、または「抵抗」という。抵抗の大きさの単位には、「Ω（オーム）」が使われる。抵抗の大きさは、加わる電圧の大きさを、流れる電流の大きさで割った値で表される。抵抗の値と電流の値をかければ電圧の値がわかり、電圧の値を抵抗の値で割れば電流の値となる。

この電圧と電流と抵抗の関係は、19世紀ドイツの物理学者であるゲオルク・オームが発見したことから、「オームの法則」と呼ばれている。また、抵抗の大きさの単位Ωも、この物理学者の名にちなんだものだ。

DAY
220
August 7th

# 直列回路と並列回路では電気の流れ方が違う

## 電流の規則性

乾電池1個に2個の豆電球をつなげる直列回路と並列回路では、後者の豆電球のほうが明るく光る。これは、並列回路のほうが1つひとつの豆電球に流れる電流の大きさが、大きいからだった。

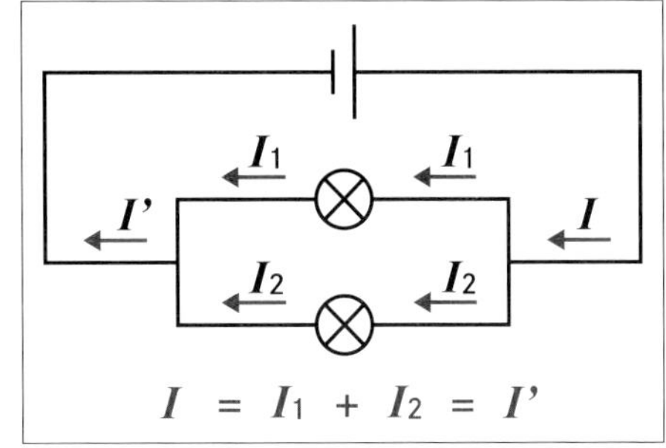

並列回路の電流の流れ方。

1Vの乾電池1個、豆電球1個の回路の豆電球に来る電流が1mAだったとする（説明のために切りのいい数値で仮定）。同じ電池で乾電池1個、豆電球2個の直列回路をつくったとすると、回路全体の抵抗が2倍になるため、オームの法則により、回路全体を流れる電流は0.5mAになる。**直列回路では回路のどの部分の電流値を測っても同じ0.5mA**で、1つひとつの豆電球に来る電流値は「乾電池1個、豆電球1個の場合」の2分の1になる。したがって豆電球は暗く（通常の4分の1程度）点灯する。このとき1つ目の豆電球には0.5Vの電圧が、2つ目の豆電球にも0.5Vの電圧が加わっている。

同じ乾電池と豆電球2個を使って並列回路をつくる。並列回路の場合、回路全体の抵抗の大きさは、1つひとつの抵抗を合わせた大きさよりも小さくなる。そのため乾電池から出る電流値が直列回路の場合よりも大きくなる。

この並列回路で分岐するところまでの電流の大きさが4mAだったとする。枝分かれしたところでは、たとえば1本は2mA、もう1本は2mAなど、電流の量も分散する。そして、再び合流したところで4mAに戻る。このように並列回路でも回路全体を流れている電流の大きさは変わらないが、**枝分かれすると、1本1本の線に流れる電流の大きさは小さくなる**のだ。

これは、川の流れにたとえるとわかりやすい。1本の川の流れの水量はどこでも同じだが、もし途中に中州などがあって川の流れが分かれると、分かれた1つひとつの流れの水の量は減ってしまう。しかし、その分岐した流れが合流すれば、元の1本だったときと同じ水の量に戻る。

DAY 221 August 8th

# 電流を通しやすい物質と通しにくい物質がある

## 導体と不導体

電気の流れにくさ（電気抵抗）は、物質の種類によって違ってくる。一般的に**金属は電気抵抗が小さく、電流を通しやすい**。このような物質を**「導体」**という。金属の中では、「銀」がとくに電気抵抗が小さいが、高価であるため、実験などで使う導線には銀とほぼ変わらない電気抵抗の「銅」が使われることが多い。逆に電気抵抗が大きいほうが目的にかなっている抵抗器や電熱線の素材には、銅よりも電気抵抗がずっと大きい「ニクロム（ニッケルやクロムの合金）」などが使われる。

| | 物質名 | 電気抵抗（Ω） |
|---|---|---|
| 導体 | 銀 | 0.015 |
| | 銅 | 0.016 |
| | 金 | 0.021 |
| | 鉄 | 0.089 |
| | ニクロム | 1.1 |
| 不導体 | ガラス | $10^{18}$ |
| | ゴム | $10^{18}$～$10^{19}$ |
| | ポリエチレン | $10^{20}$以上 |

物質の電気抵抗（断面積 1㎟、長さ 1m、温度 20℃）。

一方、**ガラスやゴム、ビニールなどは電気抵抗が非常に大きく、電流をほとんど通さない**。このような物質を**「不導体」、または「絶縁体」**という。電気器具のプラグやコンセントは、プラスチックやゴムなどの不導体で覆われている。これは、電気の流れている導体を直接触るのが危険なためだ。

ところで、シリコン（ケイ素）やゲルマニウムは、**導体と不導体の中間の性質**をもっている不思議な物質で、**「半導体」**と呼ばれている。純粋な半導体にごく少量の不純物を混ぜて部品として加工すると、温度や光、磁気などによって電圧や電流を自由に制御することができる。これを、「半導体素子」という。

この半導体素子を使えば、1cm$^2$という狭い平面に何百万もの部品を用いた回路（集積回路）をつくることができる。私たちが普段使っているコンピュータや携帯電話は、集積回路がなければつくることはできない。また、それらの機器が高性能で小型なのも集積回路のおかげだ。そのほか、半導体素子は発光ダイオードや光電池、レーザーなどにも用いられている。今や、私たちの生活に欠かせないものなのだ。

DAY
222
August 9th

# 電気が流れると光や熱や音が発生する

## 電気エネルギーと消費電力

電流には、光や熱、音を発生させたり、ものを動かしたりする力がある。電流がもっているこのような力のことを「電気エネルギー」という。自分の部屋を見渡してみれば、電気エネルギーを使う機器であふれていることにたいていの人は気づくだろう。

| 電気器具 | 消費電力(W) |
|---|---|
| LEDライト | 0.5 ～ 6 |
| 蛍光灯スタンド | 10 ～ 30 |
| ノートパソコン | 30 ～ 80 |
| ヘアドライヤー | 600 ～ 1200 |

LED は消費電力が少ない省エネ機器。

**一定時間あたりに使われる電気エネルギーの大きさを表す値を「電力」**という。電力の単位には**「W(ワット)」**が使われている。これは、18 ～ 19 世紀イギリスの発明家で、蒸気機関の改良を行なったことで知られているジェームズ・ワットの名にちなんだものだ。

たとえば電気器具に 1V の電圧を 1 秒間加えて 1A の電流が流れたときの電力が 1W だ。また、1000W は「1kW (キロワット)」とも表記される。**電力は、電圧と電流の積**で表される。式にすれば、次のようになる。

**電力 (W) =電圧 (V) ×電流 (A)**

電力が大きいほど、発生する光や熱、力などが増加する。つまり、使用する電力の値が大きい電気器具ほど、その働きが大きいということだ。電気器具には必ず、「60W」のように、電力の値が表示されていて、その電気器具が消費する電力を意味している。あるいは、「100V 1200W」と表示されている場合は、100V の電圧で使用したとき、その電気器具が消費する電力の値が 1200W であることを示している。このような電力の表し方を「消費電力」という。

**消費電力が大きいほど電気器具の働きは大きくなり、消費される電気エネルギーも大きくなる**。500W の電子レンジよりも、1000W の電子レンジのほうが食品を温める時間が短いのは、そのためだ。ただ、消費電力が大きいからといって高性能な電気器具というわけではない。さまざまな工夫によって、低い消費電力でも、高い性能を発揮する電気器具も多い。

DAY
223
August 10th

# 電熱線もモーターも働きを示す単位は同じ

## 発熱量と電力量

電熱線を水の中に入れて電気を流すと、水の温度は上がっていく。このように、電熱線で水の温度が上がるのは、電熱線に流れる電気によって熱が発生して、その熱が水に伝わるためだ。

このとき、電流による発熱量は、電気を流した時間に比例する。また、電力にも比例する。このように**発生した熱量や消費した電気エネルギーの量は、「J（ジュール）」**という単位で表される。この単位の名称は、19 世紀イギリスの物理学者で、熱がエネルギーの一種であることを明らかにしたジェームズ・プレスコット・ジュールの名にちなんでいる。

電力量計は消費される電力量を計測している。

1W の電力で 1 秒間電気を流したときに発生する発熱量は 1J だ。つまり、電流による発熱量を求める場合は、次の式を使う。

**電流による発熱量（J）＝電力（W）×時間（s）**

たとえば、1000W の電熱器を 1 分（60 秒）間使用したときに発生する熱量は、1000（W）× 60（s）で、60000（J）となる。ちなみに、1g の水の温度を 1℃上げるのに必要な熱量は、約 4.2J だ。

電気器具の中には電流による発熱を利用していないものもある。たとえば、モーターなどがその代表だ。だが、モーターも動くときには電気エネルギーを消費している。モーターが電流によって消費したエネルギーの量も、電力と時間の積で表せるため、発熱量と同じ単位（J）が使われ、「電力量」と呼ばれる。式は、発熱量を求めるときとまったく同じだ。

**電力量（J）＝電力（W）×時間（s）**

**1W の電力を 1 時間使い続けたときの電力量を「1Wh（ワット時）」**、その 1000 倍を「1kWh（キロワット時）」という。電力会社は、キロワット時の単位で電力量を計測しており、それに基づいて毎月の電気料金の請求が行なわれている。

DAY
224
August 11th

# 静電気が発生したとき－の電気が移動している

## 静電気の性質

冬の乾燥した日に洋服を脱いだとき、パチパチと音がする体験をした人は多いだろう。あるいは、子どもの頃、プラスチックの下敷きと髪の毛をこすり合わせて、髪の毛を逆立てて遊んだことのある人も少なくないはずだ。これらは、静電気による現象だ。

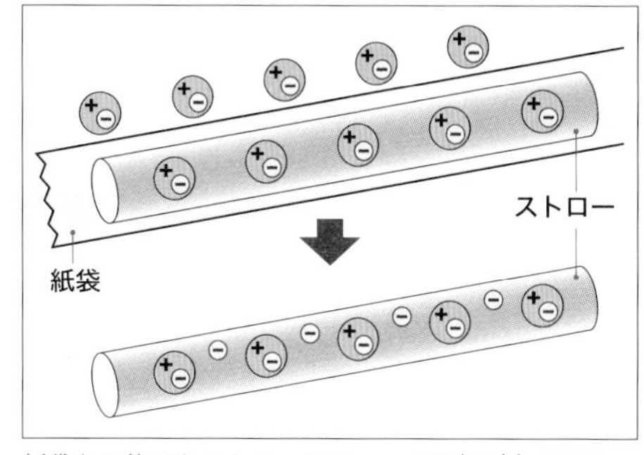

紙袋から抜いたストローには、－の電気が多くなる。

ものをこすると、静電気が発生することがある。衣服を脱いだときにパチパチと音がするのは、生地と生地がこすれ合ったからだ。また、静電気にはものを引きつける力もある。下敷きで髪の毛を逆立てることができるのは、そのためだ。

ただ、静電気による現象は、ものが引き合うだけではない。2本のストローを、それぞれ紙袋とこすれ合うように勢いよく取り出し、ストロー同士を近づけると、互いに反発するような動きを見せる。つまり、**静電気は反発し合ったり、引き合ったりする**性質をもっているのだ。これは、電気に＋と－の2種類があるために起きる。

同じ種類の電気同士は反発し合い、異なる種類の電気同士は引き合う。もともと物体は＋と－の電気を同じ量だけもっており、普段はそれらが打ち消し合っている。だが、異なる物体同士をこすり合わせると、一方の物体の－の電気が、他方の物体に移動することがある。その結果、－の電気が多くなった物体を「－に帯電した」、－の電気が少なくなった物体を「＋に帯電した」という。

このような**「－の電気の移動」が静電気の正体**だ。そして、同じ種類の電気を帯びた物体同士は反発し合い、異なる種類の電気を帯びた物体同士は引き合う。こうした、帯電した物体の間に働く力を「電気力（電気の力）」という。

DAY 225 August 12th

# 雷の原因は雲の中にたまった静電気

## 放電現象とその利用

**雷は静電気によって発生する自然現象**だ。雷雲の中には大きさの異なる氷や水の粒がたくさんあり、それらがこすれ合うことで静電気が発生し、雲の中にとどまる。やがて、＋に帯電した小さな氷や水の粒は、上昇気流によって雲の上部に運ばれ、－に帯電した大きな粒は雲の下部に集まる。その－の電気が限界量を超えると、下部にとどまった静電気が空気中を地表に向かって一気に流れる。これが、落雷（地上放電）の正体だ。

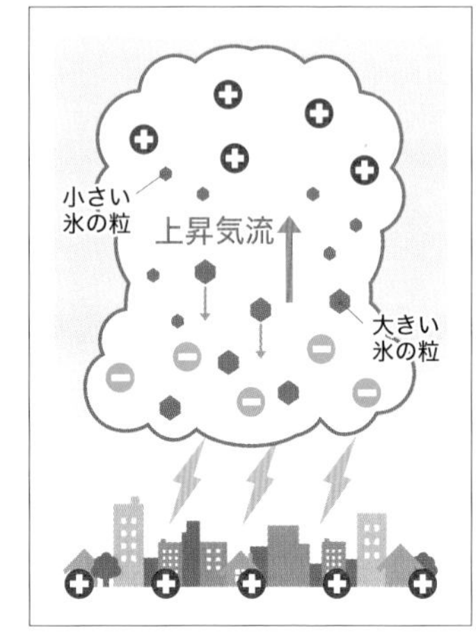

落雷の仕組み。

このように、とどまっていた**静電気が空間を一気に流れる現象を「放電」**という。乾電池と豆電球を導線でつないだ回路をつくったとき、途中で回路が切れていると豆電球はつかない。これは、電気はふつう、空気中を流れないためだ。しかし、空間を電気が流れる現象が放電だ。この原理を利用したのが、蛍光灯だ。

蛍光灯には、両端の電極の間をつなぐ動線はない。蛍光灯に似た「放電管」に「誘導コイル」をつなぎ、管内の空気を真空ポンプで抜いていくと、放電が起こり始める。この放電は、雷のように一瞬で終わらず、継続する。さらに空気を抜いていくと、いっそう放電が起こりやすくなり、管内に電気が流れ続ける。

このように、**気圧を低くした空間に電気が流れる現象を「真空放電」**という。真空放電は、管内の気圧によって色を変化させる。気圧が高いうちは紫色をしているが、管内の気圧が非常に低くなると、＋極側のガラス壁が黄緑色に光るようになる。そして、真空放電をしているガラス管内に蛍光塗料などを塗ると、塗料は明るく発光する。蛍光灯は、その発光を利用しているのだ。

ちなみに、プラスチックの下敷きを化学繊維のセーターなどで強く摩擦し、その下敷きにネオン管や蛍光灯を接触させると、一瞬、点灯することがある。これは、下敷きにとどまっていた電気がネオン管や蛍光灯に移動するためだ。

DAY
226
August 13th

# －極から＋極へ流れる電子が電流の正体

## 電流と電子の関係

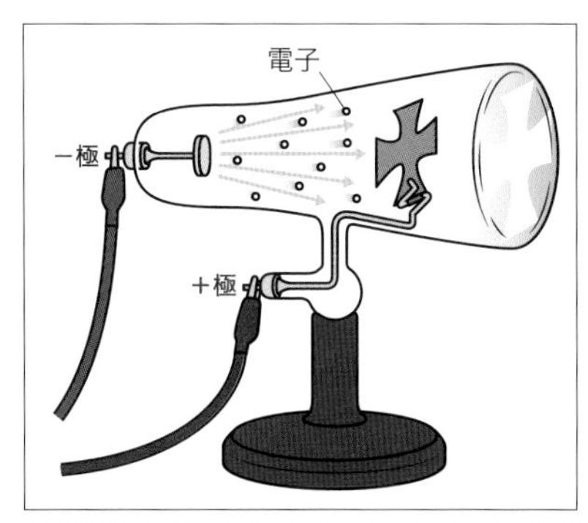

十字形の金属板入りの真空放電管と電子のモデル。

「クルックス管」とも呼ばれる真空放電管の内部に、十字形の金属板を設置して真空放電を起こすと、金属板の影はつねに＋極（陽極）側にできる。このことから、**真空放電では－極（陰極）から＋極（陽極）に向かって、目には見えない何かが移動**していることがわかる。その何かを、－極（陰極）から出ていることから**「陰極線」**という。

真空放電管に蛍光板を入れると、陰極線の道筋に沿って蛍光板が光るため、陰極線は直進する性質をもっていることがわかる。また、上下の電極板を電源につなぐと、陰極線は電極板の＋極のほうに曲がる。この実験により、**陰極線は、－の電気を帯びたものの流れ**であることが確かめられている。

この陰極線について研究したのが、19～20世紀のイギリスの物理学者であるジョゼフ・ジョン・トムソンだった。その結果、「陰極線とは－の電気を帯びた小さな粒子の流れである」ことを発見した。この小さな粒子を「電子」という。つまり、**電流とは、－極から飛び出してくる電子の流れ**だということだ。さらに、放電管内の－極側の電極に使われている金属の種類や、放電管内の気体の種類を変えても、その性質はいつも同じであることが、しだいに明らかになっていった。

しかし、**電流は＋極から－極の向きに流れる**と認識している人もいるかもしれない。その認識自体は間違ってはいない。

これは、電流の研究が進められるようになった19世紀初頭に、当時の科学者たちが、「電流は、電池の＋極から－極へ流れる」とルールを決めてしまったためだ。その後、電子が発見されて研究が進むと、電流の正体が電子の移動であり、電子は－極から＋極に向かって移動するということがわかった。だが、今さら電流の向きを逆に定義し直すという機運は盛り上がらず、その結果、電流の向きと実際の電子の流れの向きが逆になるという、奇妙な状態が生まれたのだ。

# 金属の中で電子はふだん自由に動き回っている

## 電子の性質

電子は原子よりも大きさも質量もはるかに小さいもので、原子の中に含まれている。具体的な電子1個の質量は、水素原子の約1800分の1だ。

そんな電子の性質をまとめると、①質量をもつ非常に小さな粒子、②－の電気をもっている、の2点となる。そして、前ページで説明したとおり、電気が流れているということは、－極側から＋極側に向かって、電子が移動しているということだ。

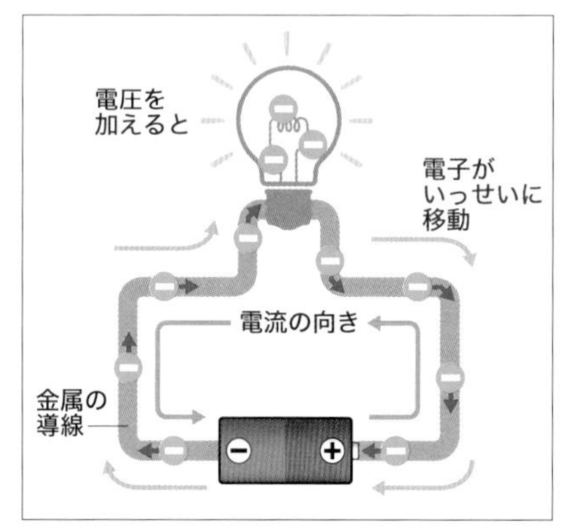

電圧を加えると、自由に動いていた電子がいっせいに同じ向きに移動する。

金属中には自由に動き回れる莫大な数の電子が存在している。たとえば、1cm$^3$の銅の中には、約$10^{23}$個もの自由に動き回れる電子がある。そして、電子1個1個は－の電気をもっているが、金属中にはそれを打ち消す＋の電気も存在しているため、**金属全体は＋、－、どちらの電気も帯びていない**。このような状態を**「電気的に中性」**という。

豆電球1個と乾電池1個をつなぐ回路をつくり、スイッチを入れて導線の金属に電圧を加えると、それまで自由に動き回っていた－の電気をもつ**電子は、いっせいに＋極の向きに引かれ、全体としてこの向きに移動**する。これが、電気が流れているという状態だ。ちなみに、不導体（絶縁体）には、自由に動ける電子がほとんど存在しない。それゆえ、いくら電圧を加えても電気がほとんど流れないのだ。

DAY 228

August 15th

Column

暮らしの中の"エセ科学"

# 雷は金属に落ちやすいってほんと？

**雷鳴が聞こえたとき、金属製のものをもっていると、そこに雷が落ちるので危ないというのは、よく聞く話だ。そのため、ゴロゴロと雷鳴が聞こえた途端に、時計やベルトのバックルなど、身につけている金属製品を慌てて外す人もいるかもしれない。だが、本当に雷は金属に落ちやすいのだろうか？**

---

不幸にも落雷で亡くなった人の遺体を調べてみると、身につけていた金属や衣類の金属部品がとけていたり、金属にふれている部分の皮膚が火傷を負っていることが多いという。これは電気を通しやすい金属に多くの電流が流れていたことを示している。では、雷は金属を狙って落ちるのだろうか？

そもそも**雷は、電気を非常に通しにくい（不導体の）空気中を稲妻が走る現象**だ。雷は、不導体に稲妻を走らせるほどのエネルギーをもっている。その電圧は、「数千万～1億V」といわれている（ちなみに発電所から送られる超高圧の電圧は最高でも50万V）。また、落雷1回の電力は家庭で消費する電力の50日分に相当するともいわれている。

これだけのパワーをもった雷にとって、**落ち先が伝導体か絶縁体かはたいした問題ではない**（ちなみにヒトの身体は、感電しやすく、比較的電気を通しやすい）。実際、樹木はほとんど電気を通さないが、高い木に落雷することは少なくない。

だから、ビニール製のレインコートやゴム長靴を履いていても、落雷は防げない。通常は電気を通しにくいビニール製品やゴム製品でも、雷の強力な電気は通してしまう。これを、「絶縁破壊」という。

雷が鳴ったとき、**自動車の中や鉄筋の建物の中にいれば比較的安全**といわれる。これは真実だ。なぜならば、自動車や鉄筋の建物は、落雷しても電気が金属中を通り、すばやく地面に流れていくので、ある程度の距離を保てば感電する危険性は少ないからだ。反面、高い樹木などはスムーズに電気が流れない。そのため、木から人体に向かって雷が飛び移る「側撃雷」もあるため、近くにいると非常に危険だ。

DAY
229
August 16th

# 磁石のまわりの空間には磁界が広がっている

## 磁石の性質と働き

磁石は、おもに鉄でできたものを引き寄せる性質をもっている。また、磁石に別の磁石を近づけると、引き合ったり、反発し合ったりする。このような力のことを、「磁力」という。

**磁石のまわりの空間には、磁力が働いている。**このような空間を**「磁界（磁場）」**という。磁界の中に方位磁針を置くと、置いた場所によってＮ極の指す向きが変わる。これは、磁界に方向があるからだ。このとき、方位磁針のＮ極が指す向きを、「磁界の向き」という。方位磁針はそれ自体が小さな磁石だ。磁石の近くに方位磁針を置いたときに磁針の向きが変わるのは、磁石との間に磁力が働くためだ。

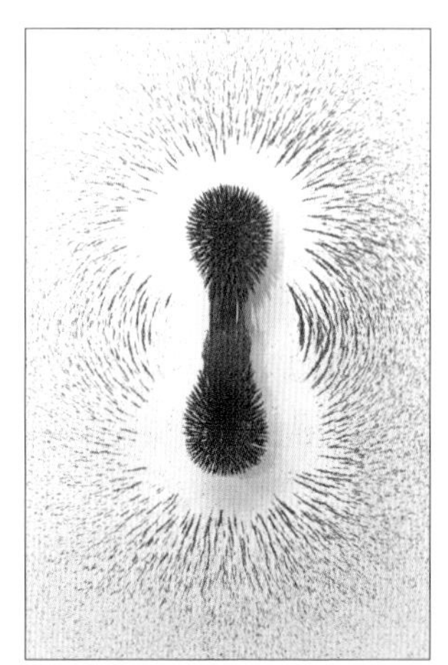

棒磁石のまわりの磁界の様子。
©ヘルメス / PIXTA

磁界を直接目で見ることはできないが、棒磁石のまわりに鉄粉を撒くと、その様子を観察することができる。あるいは、磁石の下に紙を敷き、Ｎ極からＳ極まで、磁針が指す向きに細かい間隔で線を描いていくと、磁石のＮ極とＳ極を結ぶ曲線が描ける。そして、その曲線は、鉄粉の模様と同じようなものになる。このようにして、**磁界の様子を表した曲線を「磁力線」**という。

磁力線は、**Ｎ極から出てＳ極に入り、間隔が狭いところほど磁力が強く、間隔が広いところほど磁力が弱い**という性質をもっている。また、磁力線には、通常途中で折れたり、交わったりしないという性質もある。

２つの磁石を近づけたとき、**異極同士は引き合い、同極同士は反発**し合う。その際の磁力線を調べてみると、異極同士は磁力線がつながり、同極同士は磁力線が避け合っていることがわかる。

DAY 230

August 17th

# 電気の力を利用すれば磁石をつくることができる

## 電磁石の仕組み

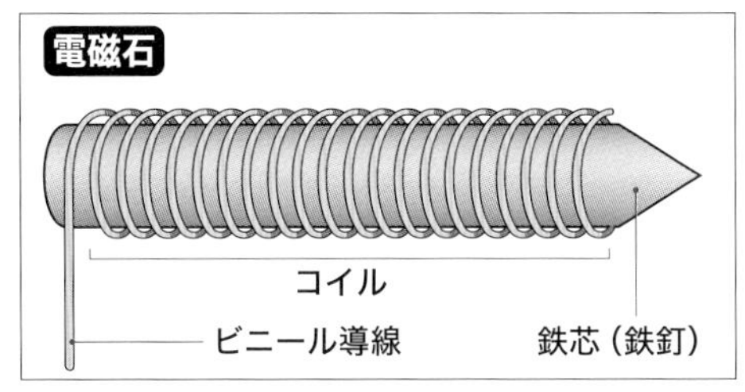

電磁石は簡単な部品でつくれる。

鉄を引きつける力をもった**磁石のような道具を、電気の力を利用してつくる**こともできる。導線を同じ向きに繰り返し巻いたものを「コイル」という。コイルの中に鉄芯（たとえば太い鉄釘）を入れて、コイルを乾電池とつなぐと、ふつうの磁石と同じように、鉄を引きつけることができる。このような仕組みの道具を**「電磁石」**という。

電磁石には、ふつうの磁石とは違う特徴がいくつかある。その1つは、電流を流したときだけ磁石として働くということだ。導線を外して電気が流れなくなった途端に、電磁石は磁石としての機能を失う。また、ふつうの磁石のN極とS極は入れ替わることはないが、電磁石では乾電池の＋極と－極を逆にすると、電磁石のN極とS極も入れ替わる。

この電磁石の鉄を引きつける力を強くするには、2つの方法がある。1つはコイルを巻く回数を増やすことだ。乾電池1個でも、100回巻いたコイルよりも、200回巻いたコイルのほうが、強い電磁石になる。また、コイルにつなぐ乾電池の数を直列つなぎの形で増やすと、増やした分だけ強い電磁石になる。

このように、電磁石は、電気をON・OFFにすることで、鉄を引きつける力もON･OFFにでき､その力の大きさも変えることができる。この特徴を生かして、電磁石はさまざまな機械や電気製品などに利用されている。

ところで、電気を利用して電磁石をつくれるように、**電磁石から電気をつくることもできる**。車輪の回転で発電する自転車用ライトや、手回し発電機能付きの防災用ラジオなどがその例だ。これらは、回転の動きを電気に変換する仕組みとなっている。このような発電機は、回転させているときだけ電気を発生させる。回転の向きを逆にすると電流の向きも逆になり、回転の速さで電流の大きさも変えられる。

DAY
231
August 18th

# 電流と磁界の向きの関係は右手だけで示せる

## 電流がつくる磁界の向き

前ページで述べたとおり、導線を何重にも巻いたコイルをつくり、そこに電流を流すと、棒磁石と同じような性質をもつ。つまり、**電流を流したコイルの周囲には磁界ができる**のだ。では、そのときの磁界の向きはどうなるのだろう？

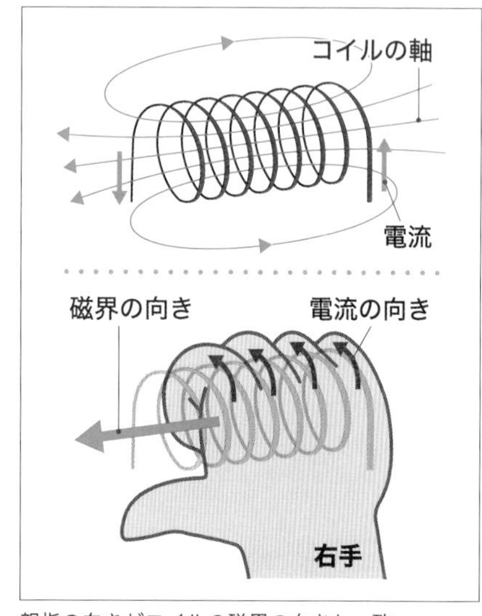

親指の向きがコイルの磁界の向きと一致。

コイルではなく、まっすぐな導線のまわりに鉄粉を撒き､電気を流しても、**導線を中心とした同心円状の磁力線で表される磁界**ができる。このときの磁力の強さは、導線に近いほど、また電流が大きいほど強くなる。

一方、コイルに電流を流したときの磁界を調べてみると、**コイルの外側には棒磁石のつくる磁界とよく似た磁界**ができるが、**内側にはコイルの軸に平行な磁界**ができていることがわかる。これは、導線を輪にして電流を流したときにできる磁界がたくさん集まることでできていると考えられる。

コイルに電気を流したときの**磁界の向きは、電流の向きによって決まる**。右手の４本の指を、コイルを流れる電流の向きとすると、このとき**親指が指す方向が磁界の向き**と考えることができる。

ところで、リニアモーターカーは、コイルを使った電磁石を利用して浮き上がり､推進する仕組みとなっている｡車体の電磁石が高速で通過する際､地上の浮上・案内コイルに電流が流れて電磁石となり､押し上げる力（反発力）が働く。また、地上の推進コイルに電流を流すことで磁界が発生する。その結果、車体の電磁石との間で、Ｎ極とＳ極が引き合う力と、Ｎ極同士、Ｓ極同士が反発する力が生まれる。これらの力が交互に働くことで加速する。

DAY
232
August 19th

# 磁界と電流の向きで力の方向が決まる

## モーターの仕組み

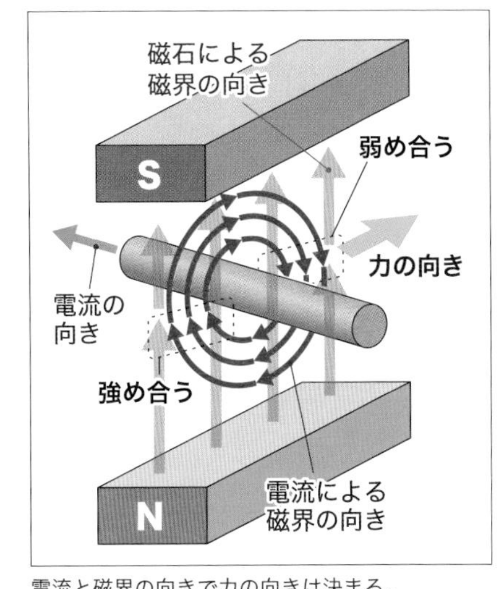

電流と磁界の向きで力の向きは決まる。

洗濯機や掃除機、ドライヤーなど、私たちの身のまわりには、モーターを使ったものが数多くある。そのモーターを分解してみると、**中に永久磁石とコイル**が使われていることがわかる。モーターにおける永久磁石とコイルの働きは、次のような原理に基づいている。

磁石のまわりには、磁界が存在する。一方、コイルに電気を流すと電磁石となり、まわりに磁界が発生するようになる。そこに磁石を近づけると、磁石同士の場合と同様、磁石とコイルの間にも、反発し合ったり、引き合ったりする力が働く。その際、コイルに電気が流れて発生する磁界の向きと、磁石による**磁界の向きが同じところは磁界が強く**なり、磁界の向きが反対のところは弱め合う。磁界が**強くなったところは、磁力線が混み合い、広がろうとする**力が働く。その結果、コイルに一定方向の力が働いて動き出すというわけだ。

このように、電流が磁界から受ける力の向きや大きさには、次のような法則性がある。①電流の向きを逆にすると、力の向きは逆になる。②磁界の向きを逆にすると、力の向きは逆になる。③電流を大きくしたり、磁界を強くしたりすると、力は大きくなる。

モーターはたいてい、回転する機能をもった製品に取り付けられている。洗濯機は目で見て回転がわかるだろう。掃除機は中でモーターが回転することでゴミを吸引し、ドライヤーもファンが回転することで風を送る。モーターは、**電流が磁界から受ける力を利用して、コイルが連続的に回転**するように工夫された装置なのだ。

DAY 233
August 20th

# 電流、磁界、力の向きの関係は左手だけで示せる

## フレミングの左手の法則

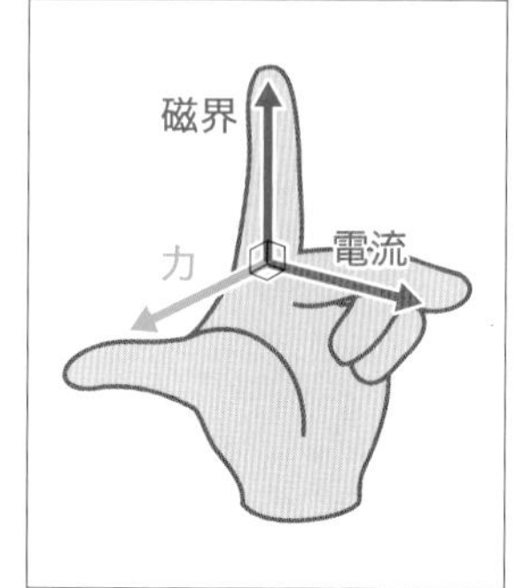

フレミングの左手の法則。

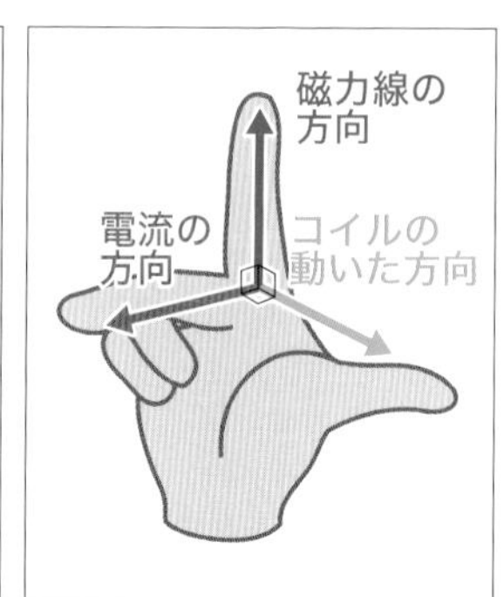

フレミングの右手の法則。

モーターの動きは、電流の向きと磁界の向き、そしてその結果生じる力の向きによって決まる。この電流、磁界、力の向きの関係は、90°ずつ開いた左手の指で示すことができる。

まず、左手の親指、人差し指、中指を、お互いが直角になるように広げる。このときの**人差し指を磁界の向き、中指を電流の向きとすると、親指の向きが力の向き**となるのだ。これを、「フレミングの左手の法則」という。この法則を、19～20世紀イギリスの物理学者であるジョン・フレミングが1885年頃に提唱したことからこう名付けられた。

ちなみに、「フレミングの右手の法則」というものもある。こちらは、右手の中指と人差し指と親指を立てて互いに直角の関係にした際、人差し指が磁場における磁力線の方向、親指がコイルの動いた方向、中指がコイルに発生する電流（誘導電流）の方向を示すというものだ。この法則は次ページで述べる発電機の仕組みに関わってくる。

ところで、電流を大きくしたり、磁界を強くしたりすると、電流が磁界から受ける力は大きくなる。そのため、**より強力な磁石を使えば、小型で軽くても大きな力を出すモーターをつくる**ことができる。私たちが現在使っている小型の家電製品には、そのような強力な磁石を使ったモーターが利用されているが、その磁石の開発の歴史には、じつは日本人が大きく貢献している。

1917年頃に、本田光太郎らが開発したKS鋼と呼ばれる磁石は、それまでの磁石の3倍もの磁力をもっていた。その後、日本で磁石の開発はさらに進み、1980年代初頭に佐川眞人が開発したネオジム磁石が、当時世界で最も強い磁石として認められた。

DAY
234
August 21st

# コイルと磁石で電流を発生させる

## 発電機の仕組み

防災グッズとして、電池がなくてもハンドルを回すと音が出るラジオや、振ることで明かりがつく懐中電灯がある。これらの内部にはコイルと永久磁石があり、ハンドルを回したり、本体を振ったりすると、磁石がコイルの中を往復運動し、それによってコイルに電流が発生する。その電流を内部のコンデンサー（電気を蓄えたり、放出したりする電子部品）に蓄えることで、電池がなくてもラジオや懐中電灯を使えるようになる。つまり、それらには発電機が内蔵されているのだ。

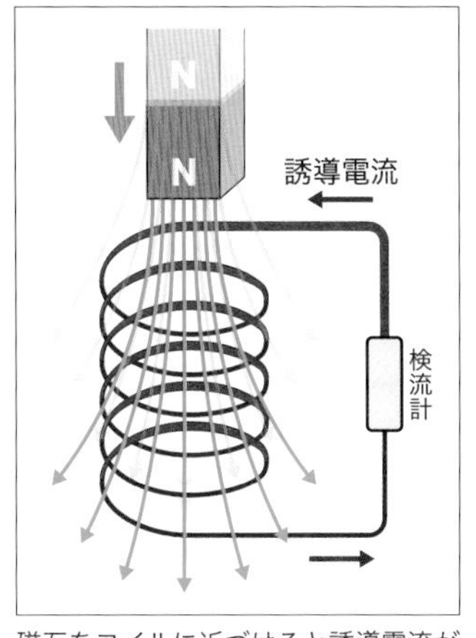

磁石をコイルに近づけると誘導電流が発生する。

コイルに磁石を出し入れするだけでなく、コイルを磁石に近づけたり、遠ざけたりしても、コイルに電気が流れる。その際、磁石やコイルを速く動かすと、流れる電流は大きくなる。さらに、コイルに磁石を入れるときと出すときでは電流の向きが逆になり、出し入れする磁石の極を変えても、電流の向きが逆になる。

このように、**磁石を動かすことでコイル内部の磁界が変化**すると、その**変化に伴って電圧が生じ、コイルに電流が流れる**。この現象を**「電磁誘導」**という。また、このとき流れる電流のことを「誘導電流」という。

誘導電流は、コイルを巻く数が多いほど大きくなり、磁界の変化が大きいほど大きくなる。基本的に発電機というものは、この電磁誘導を利用して連続的に電流を発生させる仕組みとなっている。

ちなみに、磁界を変化させると誘導電流が生じることを発見したのは、19世紀ロシアの物理学者であるハインリヒ・レンツだ。そこから、これを「レンツの法則」という。

# コンセントの電流の向きは周期的に変わっている

## 直流と交流

私たちの家庭にある電化製品の多くは、コンセントから電気を取り出して使用している。コンセントの電流は、基本的に発電所の発電機によってつくり出されたものだ。じつは**コンセントの電流は、乾電池のものとは性質が異なる**。

乾電池による電流は、＋極から回路を通って－極に流れ、電流の向きは変わらない。このように、**一定の向きに流れる電流を「直流」**という。

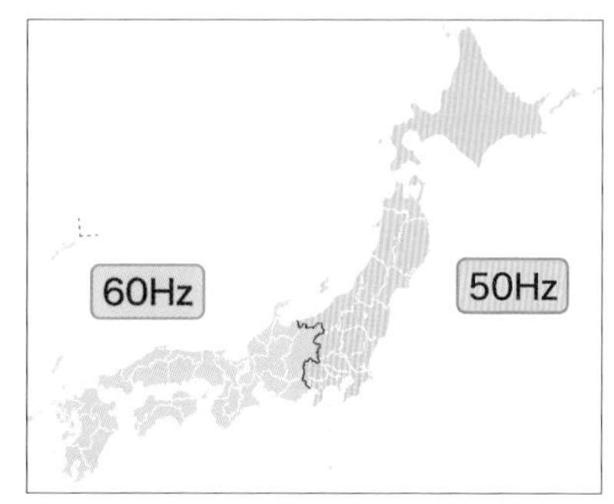

東日本と西日本では交流の周波数が違う。

だが、磁石の回転によって電流を発生させている発電所の発電機では、N極がコイルに近づくときと遠ざかるときでは、コイルに流れる電流の向きは逆になる。つまり、発電機からの電流は、磁石の回転に合わせて電流の向きが周期的に変わるのだ。このように、**向きが周期的に変わる電流のことを「交流」**という。家庭の**コンセントに供給されている電流は、すべて交流**だ。ちなみに太陽光発電は直流を交流に変換して送電線に送っている。

交流の電圧の大きさは絶えず変化しており、オシロスコープ（電圧の時間変化を示す装置）で交流電源の電圧を調べると、波のような形となって見える。1秒当たりの波の繰り返しの数を「周波数」といい、単位には音の振動数の単位と同じ「Hz（ヘルツ）」が使われている。

ところで、各家庭に供給されている交流の周波数は、東日本では50Hz、西日本では60Hzとなっている。この東西での周波数の違いの原因は、明治時代にまで遡る。当時、日本で初めて発電所をつくるにあたって、東日本は50Hzのドイツの発電機を、西日本では60Hzのアメリカの発電機を導入した。その違いが、現在にまで残っているのだ。異なる周波数の地域同士で電気を送り合う際は、交流をいったん直流に変換し、周波数を変えて送電している。ちなみに、50Hzと60Hzの境目は、静岡県の富士川と新潟県の糸魚川を結んだ線だ。

DAY
236
August 23rd

# 存在が予見されてから24年後にやっと確認

## 電磁波の発見

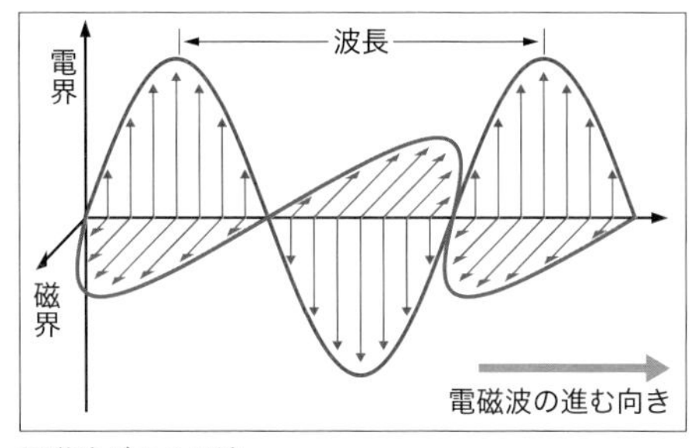

電磁波がつくる波。

電磁波は、その名のとおり、**電気的、磁気的な振動の波**のことだ。一般に電界とは、電気の力が働く空間、磁界とは磁気の力が働く空間のことをいう。磁界の振動は電界をつくり、電界の振動は磁界をつくり、波となって伝わっていく。この波が電磁波だ。

その存在の探究は、19世紀の後半から始まる。イギリスの物理学者であるジェームズ・クラーク・マクスウェルは、1864年に光の速さで空間を伝わる電気的・磁気的な振動の波、つまり電磁波という波の存在を予見した。また、**光（可視光線）も電磁波の一種**であると予見した。

そのマクスウェルの予言から24年後の1888年、ドイツの物理学者であるハインリヒ・ヘルツが、可視光よりも波長の大きい電磁波である電波の存在を実験で確かめた。

さらに、それから7年後、イタリアの発明家であるグリエルモ・マルコーニは、電波を使い、3km離れた場所との符号による通信を行なうことに成功した。

こうして、電線を使わない通信（無線電信）が誕生する。1901年にマルコーニは、大西洋を隔てた3000kmにも及ぶ通信も成功させた。

やがて、1904～1906年にかけて、イギリスの物理学者でフレミングの法則を提唱したジョン・フレミングや、アメリカの発明家であるリー・ド・フォレストらによって真空管が発明されると、符号ではなく、音声を直接送る無線通信やラジオが誕生する。以後、現代に至るまで、電波はさまざまな分野で利用されている。

ちなみに、電気的・磁気的な振動の波である電磁波は、物質的な振動の波ではない。そのため、**真空中でも伝わる**という特性をもっている。

DAY 237 August 24th

# 携帯電話が使えるのも電磁波のおかげ

## 電磁波の種類と利用法

電磁波には、**さまざまな種類があり、波長または振動数（周波数）によって分類**される。大きな分類としては6種類ある。そして、それぞれの電磁波の性質によって、情報を伝える手段やエネルギーを運ぶ手段など、いろいろな用途で利用されている。

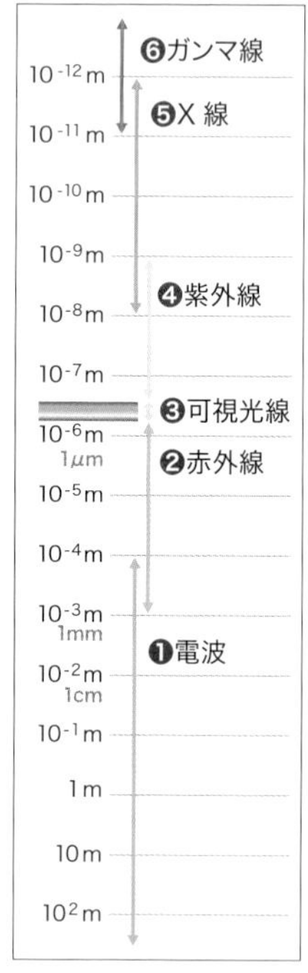

電磁波の波長と種類。

電磁波を波長の大きいものから並べると、次のようになる。一番波長が大きいのは**「電波」**だ。波長でいうとおよそ0.1mm以上、周波数でいうとおよそ3000GHz（ギガヘルツ）から3kHzまでとなっている。さらに、電波は細かく分類されており、波長の大きいものから、「超長波」「長波」「中波」「短波」「超短波」「極超短波」「センチ波」「ミリ波」「サブミリ波」となる。**テレビ放送や携帯電話**などで利用されているのは、波長が10～100cm程度の「極超短波」。**電波時計**は1～10km程度の波長の「長波」が使われている。

電波の次に波長の長い電磁波は、770nm～1mm程度の**「赤外線」**だ。赤外線は**赤外線写真や加熱乾燥、食品加工**などに利用されている。この赤外線より波長が小さいのが**「可視光線」**で、380～770nm程度となっている。私たちが目で見ることができる電磁波はこの可視光線だけだ。

可視光線より小さい波長の電磁波として、**「紫外線」**がある。こちらの波長は10～380nm程度。紫外線は**殺菌や紙幣の偽造防止技術**などに使われている。そして、紫外線より波長が小さいのが0.001～10nm程度の**「X線」**、最も波長が小さいのが0.01nm未満の**「ガンマ（γ）線」**となっている。

これら電磁波は、一般的には、屈折、反射、回折、干渉という性質を共通してもっている。また、電波も可視光線もX線も**すべて、電気的、磁気的な振動という点では同じ**だ。

DAY 238

August 25th

# 非常に危険だが医学と工学には欠かせない

## X線とガンマ線の利用法

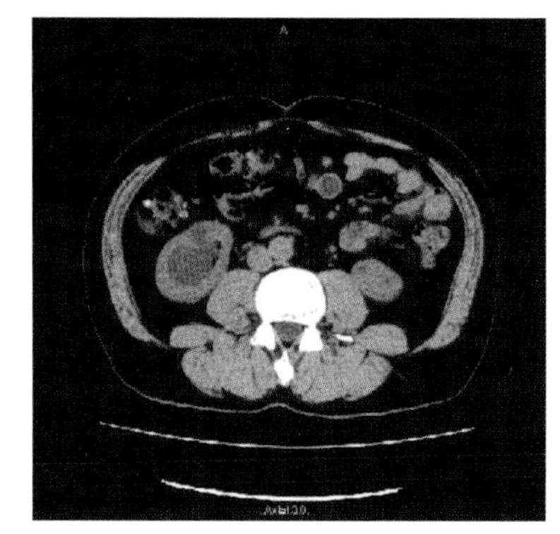
CTスキャンの画像。

可視光線より波長が小さい電磁波は、**生物にとって有害**な面がある。たとえば、紫外線は人体の皮膚深くまで透過し、さらに細胞に当たるとDNAを損傷させ、皮膚がんの原因となることもある。紫外線よりも**さらに危険なのが、X線とガンマ(γ)線**だ。この2つの電磁波は**放射線の一種**で、多くの生物にとって極めて有害だ。

しかし、**非常に高い透過性**をもっているため、検査や医療など、さまざまな分野で利用されている。

その1つが**X線撮影(いわゆるレントゲン検査)**だ。X線撮影では、体にX線を照射して、その影を写真に撮る。X線の透過しやすい肺の中の空気は黒く、透過しにくい骨などは白っぽく写る。これにより、骨折の状態やがんの有無など、人体の内部の状態がわかるのだ。

このX線撮影は、ドイツの物理学者であるヴィルヘルム・レントゲンの名にちなみ、俗にレントゲン検査と呼ばれる。レントゲンは1895年に、物質を透過させてフィルムを感光させるX線を発見したことで知られている。

現在は、写真だけではなく、X線をコンピュータと組み合わせることで、物体の断面画像や3次元画像をつくり出すCT(コンピュータ断層撮影)が医療の現場で活躍している。また、その透過性の高さを利用して、人体以外でも**空港での手荷物検査**や、エンジンなどを分解検査せずに**内部構造を調べる非破壊検査**などでも、X線は幅広く利用されている。

一方、X線より波長の小さい**ガンマ線は、X線よりもさらに透過**する性質が強い。それを利用して、**がんの治療**などが行なわれている。扱いに注意しないと非常に危険なX線とガンマ線だが、現代の医学や工学にとってはなくてはならないものだ。

DAY 239
August 26th

Column
暮らしの中の"エセ科学"

# 電磁波は体に悪いのか？

**電磁波を浴びると健康被害をもたらすという話を、ときどき耳にする。一番よく聞くのは、スマートフォンから出ている電磁波によって、脳腫瘍になるとか、白血病になるとかいう話だ。また、作動中の電子レンジの近くにいるとがんになりやすいという話もある。**

---

ひとくちに電磁波といっても、可視光線をはじめ、波長または振動数（周波数）によってさまざまな種類がある。そんな電磁波の中には、紫外線やX線、ガンマ線など、明らかに人体に悪影響を及ぼすものもある。ただ、一般的に電磁波の健康被害といったとき、問題となっているのはスマートフォンや電子レンジなどで使われている「電波」だろう。日本の電波法では、3000GHz以下の周波数の電磁波を電波と定義している。

この電波を体に浴びると、一部は反射し、残りが体に吸収される。吸収された電波は、人体に2種類の作用をもたらす。1つは、100kHz以上の高周波でかつかなり強い電波を浴びると、体温が上がる。これは熱作用と呼ばれるもので、この原理を応用したのが電子レンジだ。

もう1つの作用は刺激作用と呼ばれるものだ。100kHz以下の低周波でかつ日常ではありえないほど強烈な電波を浴びると、体内に電気が流れ、ビリビリした感じやチクチクした刺激を感じる。

しかし、そもそも**スマートフォンからは、かなり弱いパワーの電波しか出ていない**。スマートフォンを使っていても、体温が上がったり、体内に電気的刺激を感じないのがその証拠だ。また、使用中の電子レンジの前に立っていても、そのような作用を感じることはないだろう。より微弱な「電波」による遺伝子の損傷や脳や神経系への影響（非熱作用）を懸念する声もあるが、それらの再現実験や研究が世界中でなされた結果、再現に至った例はない。また、放送局の送信所の技師は、日常的に強力な電波を浴びているが、それらの環境でも健康被害が起こったという情報も知られていない。

DAY
240
August 27th

まとめ Summary

# 電流とは電子の流れであり電力は電圧×電流と等しい

金属の中には自由に動き回れる電子が多数存在していて、それらの電子1つひとつは－の電気をもっている。その金属に乾電池をつなげると、金属の両端に電圧が加わる。その結果、電子は＋極の向きに引かれて移動する。これが、電気が流れているという状態だ。

つまり、回路内の電子の流れを電流といい、電流を流そうとする働きのことを電圧という。さらに、電流は、光、熱、音を発生させたり、ものを動かしたりなど、さまざまな力に変換される。この力を電気エネルギーといい、1秒間あたりに使われる電気エネルギーの大きさを電力という。電流と電圧と電力には、次のような関係がある。

電力（W）＝電圧（V）×電流（A）

要するに、電圧か電流、あるいはその両方が大きければ大きいほど、電力は大きくなる。そして、電力が大きいほど、発生する光や熱、力などは増加する。

乾電池に2個の豆電球を「直列回路」と「並列回路」でつなぐとき、並列回路のほうが豆電球は明るく光る。これは1つひとつの豆電球に流れる電流の大きさが、並列回路のほうが大きいからだ。並列回路の場合、回路全体の抵抗の大きさが直列回路よりも小さくなり、電流値が大きくなる。そのため1つひとつの豆電球に流れる電流も大きくなり、電力も大きくなるのだ。

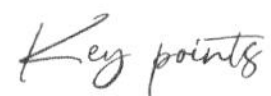


・電圧とは、回路にある電子を動かす力のこと。
・電流とは、電子の流れのこと。
・電力とは、電気エネルギーの量のこと。

# エネルギーってホントに消えないの？

自動車はガソリンが切れれば走らないし、電池の切れた時計は止まる。これはエネルギーが消費されて、なくなったからだ。もう一度動かすには、ガソリンを入れたり、電池を交換するなど、新たにエネルギー源を補充しなければならない。しかし、物理学では、けっしてエネルギーは消えないとする「エネルギー保存の法則」というものがある。どういうことだろう？

## ▶そもそもエネルギーって何？

ひとくちにエネルギーといっても、その種類はさまざまだ。「位置エネルギー」と「運動エネルギー」のほかにも、電化製品を動かす「電気エネルギー」や、蒸気機関のような「熱エネルギー」、化学変化によって仕事をする「化学エネルギー」など、エネルギーの種類は多い。これらのエネルギーに共通する性質は何なのだろう？

## ▶エネルギーの形が変わるとき、何が起こる？

手回し発電機は、手でモーターのコイルを回転させることで電気エネルギーを発生させる。これは、力学的エネルギーを電気エネルギーに変換させたということになる。このようにエネルギーの形を変えて利用するとき、その量や性質に変化が起こるのだろうか？

## ▶永久機関ができないのはなぜ？

エネルギー保存の法則は、エネルギーの形が変わっても、その総量は変化しないという事実をいう。しかしそれならば、新しいエネルギーを投入しないでも永遠に動き続ける永久機関ができるのではないのか？でも現実にそれができていないのはなぜか？

DAY 242

August 29th

# おもりの重さが違っても ふりこの往復時間は同じ

## ふりこの等時性

**力の働き方には、一定の法則**がある。どんな単純な力の働きを観察してもその法則を見つけることができる。

たとえば、ふりこの動きを考えてみよう。ふりこの動きには、おもりの重さと振れ幅とふりこの長さの3つの条件が関わることが考えられる。これらの条件を変えると、ふりこの動きはどのように変化するだろうか。

おもりをつるしたふりこを振り、1往復する時間を計ってみる。これが1秒だったとする。次にふりこにつるしたおもりの重量を変えて計ってみる。おもりが重くなるほど、1往復する時間が短くなりそうに思える。しかし実験してみると、先に計った1往復する時間と変わらない。

次に、振れ幅を変えてみる。初めの振れ幅が30°だったとして、2倍の60°にしてみよう。これも先の往復時間の2倍の2秒になるかと思いきや、先に計った1往復する時間と変わらない。

では3つ目の条件、ふりこの長さを変えてみる。すると1往復する時間は変わる。長ければ長いほど1往復に時間がかかるようになる。

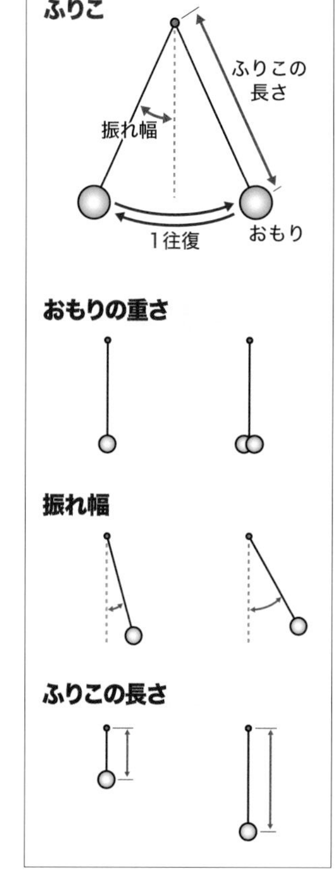


この法則を発見したのは、16～17世紀イタリアの科学者であるガリレオ・ガリレイだ。ガリレオは、ピサの大聖堂の天井からつり下げられているランプが、大きく揺れたり、小さく揺れたりするのを見て、そこに法則性があることに気づいた。この法則のことを、**「ふりこの等時性」**という。直感的な予測を裏切る法則だが、ここにはエネルギーに関するさまざまな法則がかかわっている。それらをこれから学んでいこう。

DAY
243
August 30th

# 長い棒と支点があれば地球だって動かせる

## てこの原理

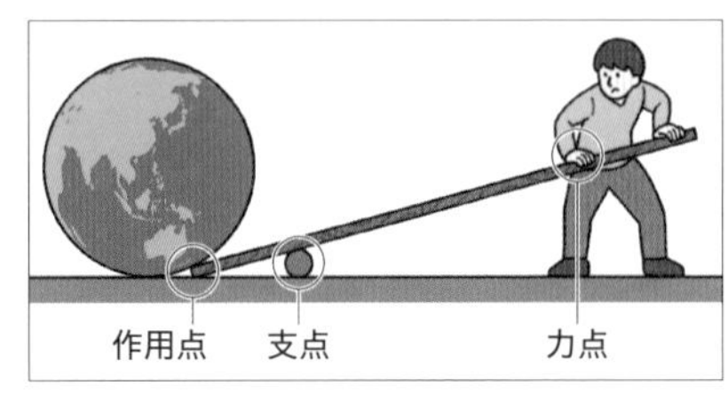

支点、力点、作用点によっててこは働く。

てこは棒の1点を支えにして、棒の一部に力を加えることで、ものをもち上げたり、動かしたりする仕組みの道具だ。棒を支えるところを「支点」、棒に力を加えるところを「力点」、棒からものに力が働くところを「作用点」という。このてこを使えば、小さな力で重いものを動かすことができるが、ここにも法則がある。てこでは、**支点から力点までの距離が長いほど、また支点から作用点までの距離が短いほど、重いものを小さな力で動かすことができる**。これを、「てこの原理」という。

シーソーあそびをすると、支点と作用点、力点の関係がよくわかる。同じくらいの体重のＡとＢの２人にシーソーをしてもらう。Ａにはシーソーの一定の場所に座っていてもらい、中央を挟んで逆側に座るもう１人のＢには、中央に近いところから遠いところまで場所を変えて座ってもらう。この場合、Ａの座るところが作用点、シーソーの中央が支点、Ｂの座る場所が力点となる。すると、Ｂが中央に近いところで座ると、シーソーがＢ側に上がるのに対し、Ｂが中央から離れた場所に座ると、シーソーはＢ側に下がっていくだろう。

この原理を研究したのが、紀元前３世紀、古代ギリシアの科学者アルキメデスだ。彼は「私に長い棒と支点を与えよ。そうすれば地球も動かしてみせよう」と言ったと伝えられている。これは、理論的には正しい。実際には、それほど長い棒を用意することと、支点を固定することができないため実現できないだけだ。

この**支点、力点、作用点は道具によって場所が変わる**。たとえば空き缶潰しは、上下の板をつないでいるところが支点、上の板の支点から離れたところで力を加えるところが力点、缶を潰すところが作用点になる。ほかにも焼肉などで使うトングやピンセットでは、ものをつまむ2つの箇所が作用点、それらをつないでいるところが支点、手でもつところが力点だ。このように、てこを利用した道具は、支点、力点、作用点の並び方や位置を変えることで、働く力を大きくしたり小さくしたりと調整している。

DAY
244
August 31st

Column
暮らしの中の“エセ科学”

# スプーンを曲げるのは超能力か？

**1970年代前半、自称“超能力者”のユリ・ゲラーが、世界的に話題になった。金属製のスプーンに息を吹きかけたり、なでたり、空中に投げ上げただけで、スプーンの首の部分をぐにゃぐにゃに曲げてしまうというパフォーマンスを見せた。スプーン曲げのような超能力は、本当に存在するのだろうか？**

---

ユリ・ゲラーは1974年に来日して、テレビで「スプーン曲げ」を披露。日本中に、スプーン曲げブーム、超能力ブームを巻き起こした。確かに、硬い金属製のスプーンがいとも簡単に、ぐにゃぐにゃと曲がってしまうパフォーマンスは衝撃的だった。

だが、ユリ・ゲラーが見せたスプーン曲げは、じつは手品のトリックで簡単にできるものだという。一番シンプルなトリックとしては、支点と力点を定めて、**てこの原理を使って曲げる方法**がある。

具体的には、まず、スプーンを左手でもち、すくう部分の根元に親指を添えるように握る。このとき、小指は柄の一番下辺りに添え、右手で先端をもつ。こうすると、スプーンの先端が力点、首の部分が作用点、親指の位置が支点となる。あとは先端を手前に引っ張れば、少しの力で金属のスプーンも簡単に曲がる。

あるいは、**ガリウム製のスプーンを使う**というトリックもある。ガリウムは銀色の硬そうに見える金属で、テレビ画面ではステンレスと見分けがつかない。しかし、融点が低く、約30℃で液体になるため、ガリウム製のスプーンを指でこすっていれば、すぐに温度が上がり、融点に達する前にぐにゃりと曲がるだろう。ほかにも、隙を見て床に押しつけて曲げる、こっそり器具を使って曲げるなど、スプーンを曲げるトリックはいくらでもある。

もちろん、ユリ・ゲラーのやってみせたスプーン曲げが、すべて手品のトリックで実現可能だということと、超能力が実在するかしないかということは、完全にはイコールではない。だが、誰かがスプーンを曲げて見せたからといって、それが超能力の証明にはならないことは確かだ。

DAY
245
September 1st

# 静止している物体に働く2つの力

## 物体が動かないための条件

ものを引っ張ったり押したりすると動くのは、物体に力が働くと運動の状態が変わるからだ。しかし、綱引きやラグビーのスクラムのように、強い力が加わっているにもかかわらず、全体としては静止していることがある。静止しているものに2つの力が働いていることは、次のような実験をすると確かめることができる。

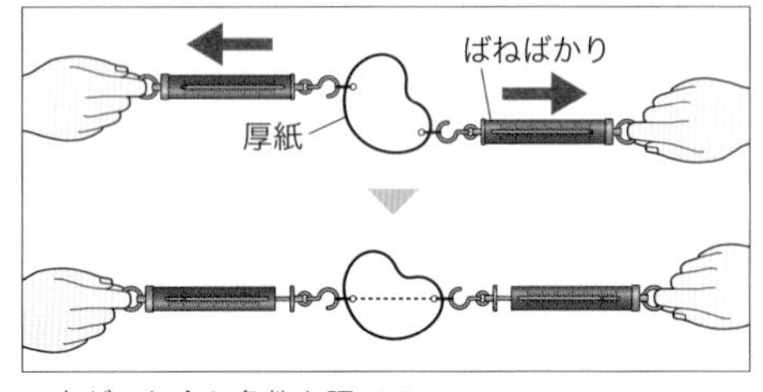

二力がつり合う条件を調べる。

図のような形に切った厚紙の縁に2カ所穴を開け、そこに糸を付けて、その糸をばねばかりで引いてみる。そして、厚紙が動かなくなったときのばねばかりの値、糸の向き、穴の位置を調べてみる。続けて、糸の向きや穴の位置を変えて同じことを調べてみる。

すると、糸の向きと穴の位置、2本のばねばかりが一直線になっていて、ばねばかりが同じ値になっているときに、厚紙が動かなくなっていることがわかる。つまり、**「①二力が一直線上にある」「②二力の大きさが等しい」「③二力の向きが逆向きになっている」という3つの条件**がそろったときだけ、厚紙は動かなくなる。

このような状態を、「2つの力がつり合っている」という。ちなみに、①の二力が一直線上にある状態を「作用線が一致する」ともいう。作用線とは、作用点を通り、力の方向に引いた直線のことだ。

「二力がつり合っている」状態は、2つの方向から力を加えて引いたときだけ成立するわけではない。たとえば、台ばかりの上にリンゴを置くと、リンゴをのせたところは沈むが、やがて静止する。これは、**リンゴに働いている下向きの重力と、台ばかりからリンゴに上向きに働いている垂直抗力がつり合う**からだ。

ところで、このとき台ばかりの目盛りが250gを指しているとする。するとリンゴには下向きに2.5Nの重力が働いていることになる。物体が静止しているとき、物体に働く力は必ずつり合っているので、そこから垂直抗力の大きさを求めることもできるのだ。

DAY
246
September 2nd

# 3方向から力を加えても物体は静止することがある

## 力の平行四辺形

反対向きの力が等しく、一直線上にあるとき物体は静止するが、それ以外の条件でも静止することがある。たとえば、明石海峡大橋のようなつり橋では、橋を支えるワイヤーの角度が場所によって異なり、ワイヤーが一直線にはなっていないが、橋は静止している。

明石海峡大橋。©カワグチツトム / PIXTA

このように、3つ以上の力がそれぞれ異なる方向から加えられても、物体は静止することがある。それは、次のような実験で確かめることができる。

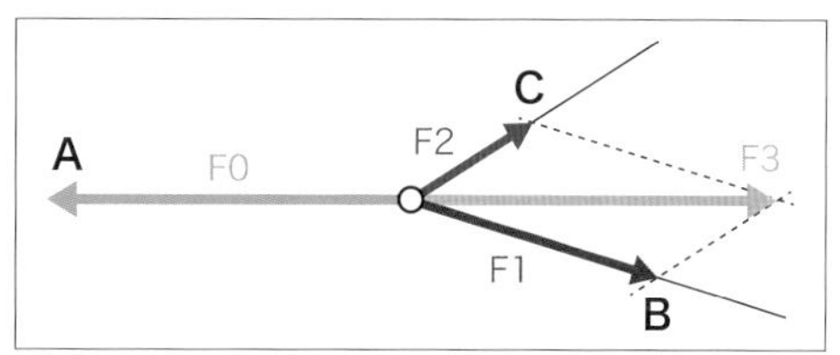


力の平行四辺形の法則。

まず、リングに付けたばねばかりAで左方向に引っ張り、同じくリングに付けた2つのばねばかりBとCで右方向の異なる角度に引っ張ってみる。リングが静止したとき、**ばねばかりAの値と、B、Cを2辺とする平行四辺形の対角線の値は同じ数値**となる。つまり、力がつり合っているということがわかる。

これを図式化して考えてみる。左方向に引っ張るばねばかりAに働く力を「力F0」、ばねばかりBに働く力を「力F1」、ばねばかりCに働く力を「力F2」とする。

このとき、F1とF2を2辺とする平行四辺形の対角線が、F0と向きは反対で長さは等しくなる。このF0と反対向きに働く力を「力F3」としよう。この**F3を、力F1と力F2の合力**という。

このように複数の力を合わせて合力とすることを「力の合成」という。そして、二力を表す矢印を2辺とする平行四辺形の対角線が二力の合力となることを、「力の平行四辺形の法則」という。

ちなみに、F1とF2の力の大きさが同じとき、二力の間の角度が小さいほど、合力F3の値は大きくなる。

DAY 247
September 3rd

# 荷物は垂直に上げるより斜面で動かすほうが楽

## 力の分解

重い荷物を1人でもつより、2人でもつほうが楽になる。当然のことだが、これは荷物を2人でもつと、荷物を引く力を2人で分け、1人あたりに必要な力が小さくて済むからだ。このように、**力をいくつかの力に分けることを、「力の分解」**という。また、**分解された力を、元の力の「分力」**という。

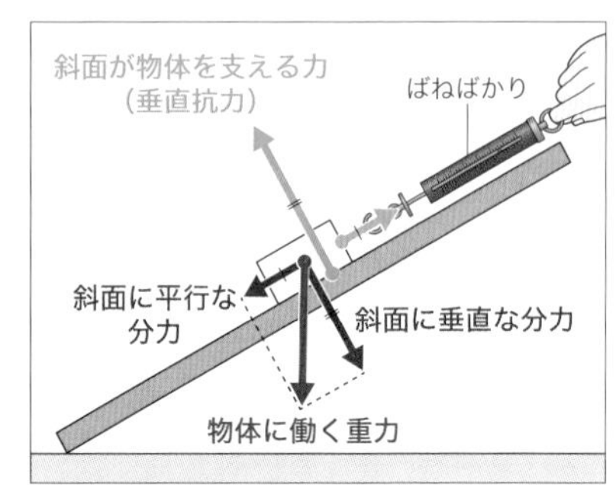

斜面上の物体に働く力。

前ページで紹介したように、二力の合成は、平行四辺形の対角線を作図することで求められる。逆に力を分解するときには、分けようとする元の力を対角線とする平行四辺形の隣り合う2辺によって分力を表すことができる。そして、力の分解は、分解する方向によって無限にできる。つまり力を分解する方向が決まれば、分力も決まるということだ。また、1つの分力の向きと大きさがわかれば、残りの分力も決まる。

この力の分解は、斜面上の物体に働く力を考えるとわかりやすい。その際、斜面は滑らかで、摩擦は無視できるものとする。

物体に働く**重力は、斜面に対して垂直な方向と、同じく斜面に対して平行な方向に分解**される。このとき斜面に垂直な分力は、斜面が物体に及ぼす垂直抗力とつり合うため、物体の**運動に関係するのは、斜面に平行な分力だけ**だ。

斜面に平行な分力の大きさは、斜面上の物体にばねばかりを付け、物体が静止するときの値でわかる。**静止するとき、斜面に平行な分力は、物体に働く重力よりも小さくなる**。要するに、その物体をばねばかりで垂直にもち上げたときより、斜面上の物体を引いたときの値のほうが小さくなるのだ。このことから、重い荷物を高いところに移動させる際は、そのままもち上げるよりも、斜面を利用して上に上げていったほうが、力が少なくて済み、楽になることがわかる。代わりに、同じ高さまで移動させる距離は長くなるのだが。

DAY
248
September 4th

# 物体の運動とは一定時間に位置が変化すること

## 運動の速さの表し方

物体が運動するということは、時間によって物体の位置が変化するということでもある。そこで、物体の運動を表す際には、その**物体がどのくらいの速さで動いているかということが重要**になってくる。

スピードメーターは、ある瞬間の速さを示す。

物体が動いた速さを調べるには、**時間と移動距離を正確に測定することが必要**だ。運動している物体の速さは、1秒間、1時間など一定時間に移動する距離で表される。速さの単位には、「$\frac{m}{s}$（メートル毎秒）」や「$\frac{km}{h}$（キロメートル毎時）」などが使われる。「s」は英語で秒を意味するsecondの頭文字、「h」は時間を意味するhourの頭文字だ。

時間と移動距離がわかれば、速さは次の式で割り出すことができる。

**移動距離（m）÷移動にかかった時間（s）＝速さ（$\frac{m}{s}$）**

たとえば、物体が5時間かけて10km移動するときの速さは、10km ÷ 5h=2km/h（キロメートル毎時）だ。ちなみに、日常会話では「時速100km」などというが、科学的に正しくいうなら「100km/h」となる。

ところで、こうして求めた速さは、物体がある時間の間に、同じ速さで動き続けたと考えたときの速さであり、**平均の速さを表している**ことになる。

もし、平均をとる時間間隔を0に近づけると、ふつう、速さは時々刻々と変化している。そのような速さのことを、「瞬間の速さ」という。**自動車のスピードメーターなどに表示されるのが、瞬間の速さ**だ。

瞬間の速さは、非常に短い時間内に移動した距離を求め、それをその短い時間で割ったものだ。その際、距離を割るときの時間が0に近いほど、正確な値になる。

DAY 249 September 5th

# 斜面に置いた台車がひとりでに動く理由

## 力の向きや大きさと運動の速さの関係

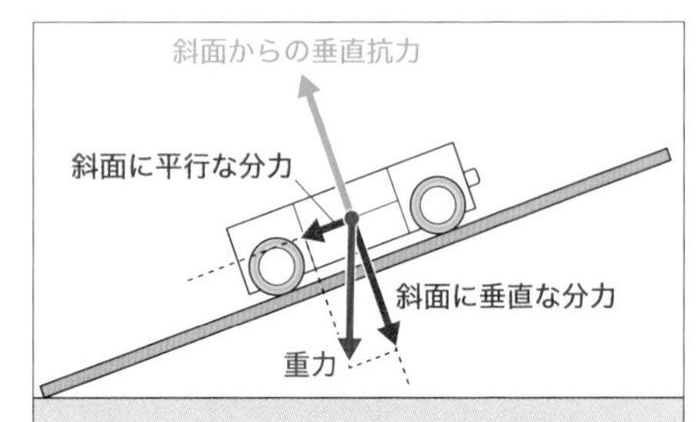

斜面を動く台車には２方向に分解された力が働く。

水平な面の上にそっと置いた台車は静止する。しかし、斜面上に台車を置くと、台車は斜面を下っていく。このとき、台車を動かしているのは、台車に働く重力だ。

DAY247でも説明したとおり、摩擦のない斜面上の台車に働く重力は、斜面に垂直な分力と斜面に平行な分力に分解して考えることができる。このうち、斜面に垂直な分力は、斜面からの垂直抗力とつり合う。そのため、台車の運動に関係する力は、斜面に平行な分力だ。このとき、**斜面の傾きが大きいほど、斜面に平行な分力は大きく**なる。最大限に斜面の傾きが大きくなって、物体が真下に落下するときの運動は、「自由落下」と呼ばれる。

台車が斜面を**下りていくとき、台車の速さはしだいに大きく**なっていく。これは、斜面に平行で下向きの力が働き続けるためだ。また、**斜面の傾きが大きくなるほど、速さの増え方も大きく**なる。これは、斜面が急になるほど、斜面に平行で下向きの力が大きくなるためだ。

一方、台車を一瞬押して斜面を**上に向かって走らせたとき、その速さはしだいに小さく**なっていく。これは、台車に働いている斜面に平行な下向きの力が、運動の向きと反対方向だからだ。

力と物体の運動の関係をまとめると、①運動の向きに力が働き続けると、物体の速さは大きくなっていく。②運動の向きと反対方向に力が働き続けると、物体の速さは小さくなっていく。③同じ物体では、働く力の大きさが大きいほど、速さが変化する割合は大きくなる、の３点となる。

ところが、摩擦のある水平面上で台車を一瞬押して動かすと、台車の速さはしだいに小さくなり、最後には停止する。これは、**物体同士が触れ合う面で、物体の運動とは反対向きの力が働く**からだ。その力を、**「摩擦力」**という。摩擦力の大きさは、物体の重さや、触れ合っている面の状態によって変わる。

DAY
250
September 6th

# 物体は現状の運動状態を保とうとする

## 等速直線運動

バスが加速・減速するとき、慣性の法則が働く。

物体を平面に置き、物体と平面の摩擦が0とする。そのとき物体に一度力を加えて動かすと、物体は一定の速さで動き続ける。初めに加える力の大きさを変えると、速さ自体は変わるが、一定の速さで運動を続けるのは同じだ。このように、**一定の速さで直線上を動く運動を、「等速直線運動」**という。等速直線運動で動く物体の移動距離は、速さと経過した時間の積で表される。式にすると、次のようなものだ。

**移動距離（m）＝速さ（$\frac{m}{s}$）×時間（s）**

等速直線運動では速さが一定なので、移動距離は経過した時間に比例する。

物体に力が働いていないときや、力が働いていてもそれらがつり合っているとき、**静止している物体は静止し続けるし、動いている物体は等速直線運動を続ける**。これを、**「慣性の法則」**という。また、物体がもつこのような性質を「慣性」という。別の力が加えられない限り、止まっているものは止まり続けようとし、動いているものは動き続けようとするということだ。

この慣性の法則は、バスの加速・減速のときのことを考えるとわかりやすい。止まっていたバスが発進するとき、乗客は静止の状態を保とうとして後ろに傾く。一方、走っていたバスが停止するとき、乗客は運動の状態を保とうとして、前に傾く。どちらのケースでも、乗客には慣性が働いている。

おもちゃのダルマ落としも慣性の法則に基づいている。ダルマ落としでは、横からたたいて力を加えた1段は横に飛ぶが、力を加えていないそれ以外の段は、横には動かず、重力の働きによって下に落下する。これは横に働く（一瞬の）摩擦よりも、重力が大きいからだ。この現象も、慣性の法則に基づいているのだ。

DAY 251
September 7th

# 押すと同じ力で押し返される

## 作用と反作用

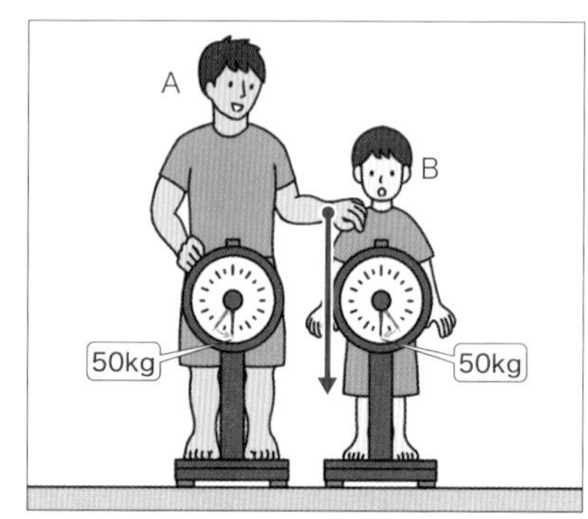

Bが増えた分、Aの目盛りは減る。

AとBの2人の人間がそれぞれ体重計に乗り、体重を量っているとする。そこで、AがBの体を下向きに押すと、Bの乗っている体重計の目盛りは増え、反対にAの体重計の目盛りは減る。本来のA、Bの体重が60kgと40kgだったとして、AがBを下向きに押すと、押し加減によっては2人とも50kgと表示される。

これは、AがBを下向きに押したとき、Bから同じ大きさで上向きに押し返されるためだ。AがBを10kgの力で下に押したことでBの体重計の目盛りは10kg増えるが、同時にBはAを10kgの力で上に押し返したことで、Aの体重計の目盛りは10kg減る。

このように、力はある物体からほかの物体に一方的に働くのではなく、2つの物体間で相互に働く。**この二力のうちの一方を「作用」、もう一方を「反作用」**という。

作用と反作用は**2つの物体間で同時**に働き、**大きさは等しく**、**力の向きは直線上で反対**になっている。これを、**「作用・反作用の法則」**という。

この法則は、物体が運動しているときにも成り立つ。たとえば、水上でボートに乗った人が、同じような重さの別の1台のボートを押すと、自分も押したボートに押し返され、両方のボートは互いに離れていく。これも、作用・反作用の法則が働くためだ。

ところで、つり合っている二力と、作用・反作用の二力は、どちらも大きさが等しく、向きが反対の二力という意味では同じだ。だが、つり合っている二力の場合、2つの力が1つの物体に働くのに対し、作用・反作用の場合の二力は**2つの物体に別々に働いている**という点が異なる。

DAY
252
September 8th

# 小さな力で動かすには その分時間がかかる

## 仕事の原理

私たちは日々、荷物を高い位置にもち上げたり、別の場所に運んだりしている。このとき、荷物が重いほど大きな力が必要であり、動かす距離が長いほど力を出し続けなければならない。このように物体に力を加えて、その力の向きに物体を動かすことを、力は物体に対して「仕事をする」という。

**仕事は、物体に加えた力の大きさと、その力の向きに物体が動いた距離との積**で表し、単位にはJ（ジュール）が使われる。この名称は、19世紀イギリスの物理学者であるジェームズ・プレスコット・ジュールにちなんだものだ。

DAY207で紹介したように、N（ニュートン）は力の大きさの単位だが、力とは物体に加速度を生じさせるものだといえる。1Nの大きさの力で、その力の向きに1mだけ移動させる仕事が1Jだ。式としては、次のようなものになる。

**仕事（J）＝力の大きさ（N）×力の向きに動いた距離（m）**

ちなみに、この仕事の定義でいえば、物体に力を加えても動かない場合や、物体を手でもっているだけの場合には、力は加えているが移動距離が0mであるため、仕事をしていることにはならない。

物体をある高さまで最小限の力でもち上げるには、物体に働く重力と同じ大きさで、重力の向きと反対向きの力を加え続ければいい。また、床の上で物体を水平に移動させる場合には、物体が動くのを妨げようとする摩擦力の向きと反対向きの力を加え続ける必要がある。

このとき、斜面や滑車、てこなどの道具を使えば、必要な力は少なくて済む。たとえば、滑車を使って物体をある高さまで引き上げるとき、力は直接引き上げるときの半分しかかからない。だが、糸を引く距離は2倍になり、力の大きさと力の向きに物体を動かす距離の積で表される仕事の量は変わらない。このように、**異なる方法を使っても同じ状態になるまでの仕事の大きさは結局は変わらないこと**を、**「仕事の原理」**という。いわば、直接もち上げるのが困難な重い物体が、斜面や滑車、てこなどの道具を使ってラクラク動かせたとしても、その分同じ高さまで動かす時間が長くなるので、しんどさは同じというわけだ。

DAY 253
September 9th

# 同じ仕事の量を短時間でできれば能率がいい

## 仕事の能率

**仕事率の単位**

$$1〔W〕= 1〔J/s〕$$

**仕事率を求める式**

$$仕事率〔W〕= \frac{仕事〔J〕}{仕事にかかった時間〔s〕}$$

同じ物体を同じ高さまでもち上げるとき、直接もち上げても、斜面や滑車、てこなどの道具を使ってもち上げても、仕事の量自体は変わらない。だが、距離が違うため、もち上げるのにかかる時間は異なってくるケースがある。

仕事の量や所要時間が違うと、仕事の能率がわかりにくい。どのやり方を選べば一番効率がいいのか比べづらいのだ。そこで、**一定時間にする仕事を「仕事率」**と定めることで、**仕事の能率の大小を表す**ことができる。

1秒間に1Jの仕事をするときの仕事率が、$1\frac{J}{s}$（ジュール毎秒）。これを「1W（ワット）」といい、仕事率の単位となっている。

$$1\ (W)\ =1\ (\frac{J}{s})$$

ちなみに、このWという仕事率の単位は、電力の単位と同じだ。じつは、**電力とは電気による仕事率**のことなのだ。たとえば、消費電力が100Wのモーターというのは、1秒間に最大で100Jの仕事をすることを意味している。

ある仕事をしたときの仕事率を求めるには、その仕事を、仕事にかかった時間で割ればよい。つまり、**1秒あたりに行なった仕事**を求めるわけだ。

たとえば、高さ30mのビルの屋上に10kgの物体をもち上げる仕事（100N）を、人が直接運んだときは5分（300秒）かかり、クレーンを使ったときは30秒で終わったとする。この仕事は100N × 30m = 3000Jなので、人が直接運んだときの仕事率は3000J ÷ 300s = 10Wとなる。一方、クレーンでもち上げたときの仕事率は3000J ÷ 30s = 100Wとなる。つまり、この仕事においては、人が直接運ぶよりも、クレーンを使ったほうが仕事の能率は10倍よいということだ。

DAY
254
September 10th

# エネルギーとは仕事をする能力のこと

## 仕事をする能力の測り方

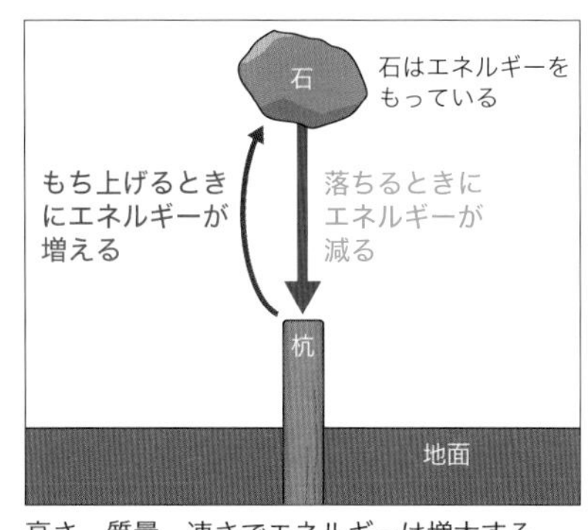

高さ、質量、速さでエネルギーは増大する。

エネルギーという言葉は、日常生活の中でもよく使う。物理学では、**仕事をする能力のことを「エネルギー」**といい、ある物体がほかの物体に対して仕事ができる状態のことを、その物体は「エネルギーをもっている」という。

ある物体がもつエネルギーの大きさとは「仕事をする能力の大きさ」のことであり、その量は、その**物体が仕事をした量で測る**ことができる。たとえば、石を落として杭を打ち込んだとする。その場合、その杭がどのくらい深く地面に食い込んだかで、石が落ちる前にもっていたエネルギーの大きさを測ることができる。エネルギーの単位には、仕事の単位と同じJ（ジュール）が使われる。

エネルギーにはさまざまな種類があるが、その中の2つに「位置エネルギー」と「運動エネルギー」がある。

**位置エネルギーとは、高いところにある物体がもっているエネルギー**のことだ。石を落として杭を地面に打つとき、高い位置から石を落としたほうが杭は深く地面に食い込む。また、石の質量が大きいほど、杭は深く食い込む。このことから、位置エネルギーは、**より高いほど大きく、物体の質量が大きいほど大きい**という性質があることがわかる。

一方、**運動エネルギーとは、運動している物体がもっているエネルギー**のことだ。自動車が壁にゆっくりぶつかったときと、高速でぶつかったときでは、後者のほうが壁は大きくえぐれる。また、重い自動車ほど、壁は大きくえぐれる。つまり、運動エネルギーの大きさは、**物体の速さが大きいほど大きく**なり、かつ、運動エネルギーも位置エネルギー同様、**物体の質量が大きいほど大きくなる**ことがわかる。

DAY 255
September 11th

# 高く、重く、速いほどエネルギーは増す

## 位置エネルギーと運動エネルギー

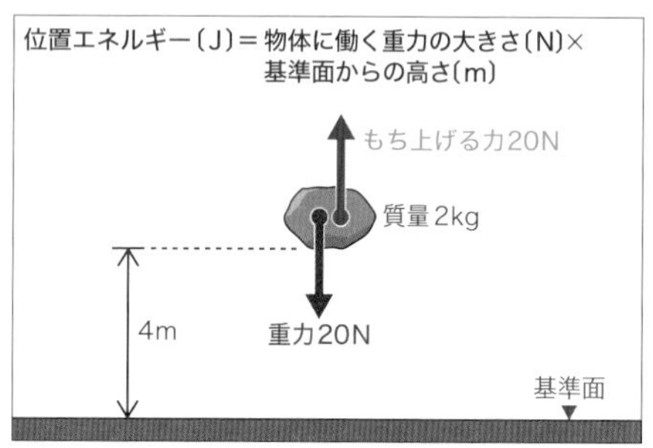

位置エネルギーは「重力」×「高さ」で決まる。

高いビルの上からものを落としたとき、そのものがどんなにやわらかくても下を歩いている人に大怪我をさせることがある。これをエネルギーで考えると、ビルの上にあった物体のもつ位置エネルギーがとても大きく、かつ、ぶつかったときに物体のもつ運動エネルギーがとても大きかったということになる。

たとえば、地面に置いてある質量2kgの物体を、その地面を基準面と考えて4mの高さまでゆっくりもち上げ、落とした場合で考えよう。

ある物体がもつエネルギーの大きさとは、「仕事をする能力の大きさ」のことだ（前ページ）。仕事（J）の量は、力の大きさ（N）×力の向きに動いた距離（m）で表す。質量2kgの物体の場合の「力の大きさ」とは「物体をもち上げる力」＝「物体に働く重力」で、「力の向きに動いた距離」とは「もち上げた距離」となる。これを式で表すと、20（N）×4（m）＝80（J）となる。

この仕事の量と等しいエネルギーを、この物体は位置エネルギーとして得る。つまり、物体にした仕事＝位置エネルギーの増加分となり、これはすなわち、物体に働く重力（N）×基準面からの高さ（m）が位置エネルギーになるということだ。重力は物体の質量に比例するため、**位置エネルギーの大きさは物体の質量と基準面からの高さに、それぞれ比例**する。これを平たくいえば、物体がより高く、より重いほど、より大きな位置エネルギーをもつということだ。

一方、物体がもつ運動エネルギーは、物体の質量に応じて大きくなると同時に、速さが大きくなればなるほど急速に増大することがわかっている。これを式で表すと、運動エネルギーの量（J）＝$\frac{1}{2}$×質量（kg）×速さ（$\frac{m}{s}$）×速さ（$\frac{m}{s}$）となる。この式は、**運動エネルギーの大きさは質量に比例し、速さの２乗に比例**するということを表している。

DAY
256
September 12th

# 位置エネルギーを使った分運動エネルギーが増える

## 力学的エネルギー

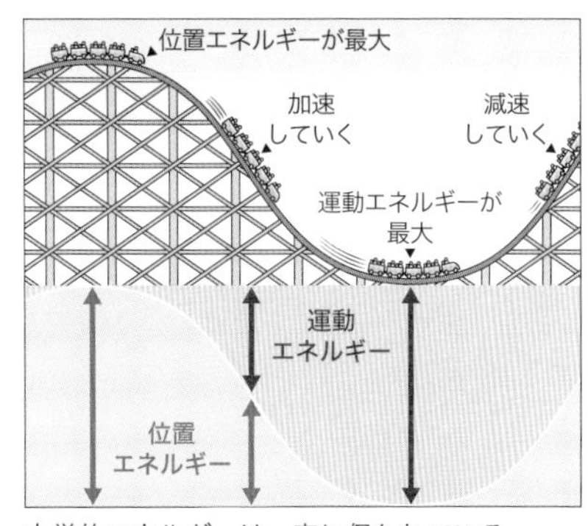

力学的エネルギーは一定に保たれている。

斜面の高いところからボールを転がしたとき、ボールの高さが低くなるにつれて、速さは大きくなっていく。これは、別の言い方をすれば、**位置エネルギーが小さくなるにつれ、運動エネルギーが大きくなっている**ということだ。

大型のブランコやふりこの運動でも、物体が低い位置になるほど速さは増し、高い位置になるほど速さは減る。もし摩擦や空気の抵抗がなければ、位置エネルギーが減った分だけ運動エネルギーが増え、運動エネルギーが減った分だけ位置エネルギーが増えるので、もともと物体がもっていたエネルギーの総量は変わっていないことになる。

**位置エネルギーと運動エネルギーの和のことを、「力学的エネルギー」**という。そして、**力学的エネルギーがいつも一定に保たれていることを「力学的エネルギー保存の法則」**という。

力学的エネルギー保存の法則は、遊園地にあるジェットコースターの運動で考えるとわかりやすい。ジェットコースターはふつう、スタート地点からゆっくり動き、高い位置まで上がっていく。そして最も高い位置まできたときに、位置エネルギーが最も大きくなる。その後、急降下して位置エネルギーが減少していくとともに、速さが増え、運動エネルギーが増加していく。一番低い地点では、位置エネルギーはすべて運動エネルギーに変わっている。この間で、ジェットコースターの力学的エネルギーの大きさ自体に変化はない。

もっとも、ジェットコースターのように運動する現実の物体には、摩擦や空気の抵抗が働くことで、力学的エネルギーの一部は熱や音など、別のエネルギーに変わってしまう。そのため、力学的エネルギーがいつも一定に保たれるという力学的エネルギー保存の法則が、完全に当てはまることは現実的にはあまりない。

DAY
257
September 13th

# 世界にはさまざまなエネルギーが存在している

## エネルギーの種類

エネルギーとは、物体に対して仕事をする能力のことだ。位置エネルギーと運動エネルギーの力学的エネルギーも、その１つだが、エネルギーの種類は力学的エネルギーのほかにも数多くある。

たとえば､電子レンジは力学的エネルギーで働いているのではなく､電気によって働く。つまり、電気も仕事をする能力をもっているということであり、エネルギーの一種なのだ。これを、**「電気エネルギー」**という。

また、蒸気機関車は、石炭や石油などを燃やして発生する熱で水を沸騰させ、水蒸気の圧力でピストンを動かすことで走る。このように熱も仕事をする能力をもっており、これを**「熱エネルギー」**という。

一方、ガソリン自動車は、ガソリンと空気を混ぜた気体を燃焼させ、ピストンを上下運動させてクランクシャフトを回すことで走る。これは、ガソリンに含まれた物質が仕事をする能力をもっており、化学変化によってそのエネルギーを取り出しているということだ。このようなエネルギーを**「化学エネルギー」**という。

ソーラーカーの光電池（太陽電池）に光を当てると、モーターが回って動き出す。光も仕事をする能力をもつエネルギーであり、**「光エネルギー」**という。

音には、あまりエネルギーという印象がないかもしれない。だが、音もエネルギーであり、**「音エネルギー」**という。大きな音が出ているスピーカーの前に紙片を近づけると、紙片は振動することから、理解できるだろう。

ゴムの力で動く模型は、伸びたり、ねじったりしたゴムが元に戻る力を利用して動く。あるいは、ぜんまいを使ったおもちゃは、金属の板を巻いたぜんまいが押し縮められた際、元に戻ろうとする力を利用して動く。このように、変形した物体はほかの物体に仕事をする能力をもっており、そのような変形した物体がもつエネルギーを**「弾性エネルギー」**という。

原子核の核分裂反応で取り出すことができるエネルギーは**「核エネルギー」と**いう。この核エネルギーを熱エネルギーに変換し、タービンを回すのが原子力発電だ。

DAY 258 September 14th

# 世界にあるエネルギーの総量は原則変わらない

## エネルギーの変換

風力発電は力学的エネルギーを電気エネルギーに変換する。

手回し発電機は、内部にあるモーターのコイルを回転させることで、電気エネルギーを発生させる装置だ。これは、力学的エネルギーを使って仕事をすることで電気エネルギーを発生させており、別の言い方をすれば力学的エネルギーを電気エネルギーに変換したといえる。

そのようにして発生した電気エネルギーは、モーターを動かすことで運動エネルギーに変換されたり、ステレオから音を出すことで音エネルギーに変換されたりする。そのほか、電気エネルギーは、さまざまな装置によって熱エネルギー、光エネルギーなどにも変換される。さまざまな装置を使うことで、**エネルギーは互いに変換できる**のだ。ちなみに、植物が光によって無機物から有機物を合成しているのも、エネルギーの変換だ。

ところで、位置エネルギーと運動エネルギーは互いに移り変わり、その和はつねに一定だ（力学的エネルギー保存の法則）。しかし、実際には摩擦や空気抵抗の影響により、力学的エネルギーは完全には保存されるわけではない。

ジェットコースターを例に考えてみよう。位置エネルギーが運動エネルギーに変換される過程で、車体とレールの接触面が摩擦で熱くなったり、速度が上がることで音が発生する。これは、ジェットコースターの力学的エネルギーの一部が熱エネルギーや音エネルギーに変換されたということだ。つまり、**エネルギーの総量を見れば変化はなく、つねに一定**に保たれている。

これを、**「エネルギー保存の法則」**という。これは、自然界における基本的な法則の１つだ。

DAY
259
September 15th

# 熱いお湯と冷たい水を混ぜると同じ温度になる

## 熱平衡とブラウン運動

熱い風呂に冷たい水を混ぜると、温度を下げることができる。また、熱いミルクの入った哺乳瓶を低温の水につけると、ミルクの温度は下がり、水の温度は上がる。この現象を別の言葉でいえば、低温の水は高温のミルクによって加熱され、高温のミルクは低温の水に冷却されたということだ。

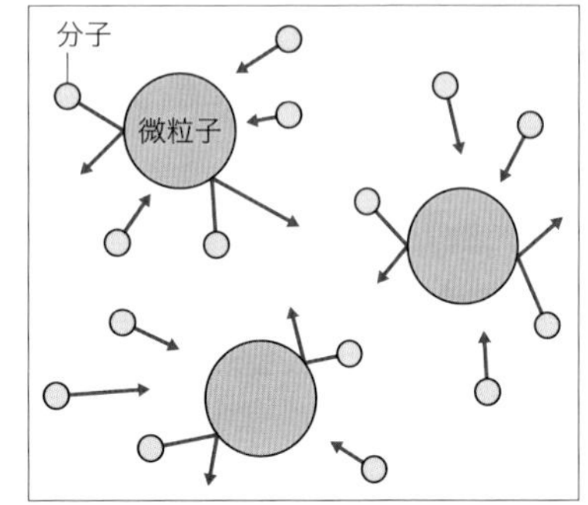

ブラウン運動のイメージ。線香の煙の微粒子は、空気を構成する多数の分子が衝突することで動きがランダムになる。

熱いミルクの入った哺乳瓶を低温の水につけたとき、ミルクと水は**時間がたつと、やがて同じ温度となる**。この状態を、**「熱平衡」**という。また、その温度を**「熱平衡温度」**という。

熱平衡温度は、両者の元の温度と、両者の質量の比、および両者の温まりやすさや冷めやすさによって決まる。両者の元の温度によって両者の熱平衡温度が決まるというのは、90℃のミルクと10℃の水の場合と、50℃のミルクと2℃の水の場合では、熱平衡温度が変わるということだ。10Lのミルクと1Lの水、1Lのミルクと10Lの水でも熱平衡温度は変わる。また、物質によっても温まりやすさや冷めやすさは異なる。

ところで、**何かが熱くなっているという現象は、物質をつくっている原子や分子の動きで説明**できる。線香の煙を顕微鏡で観察すると、煙の**粒子が不規則な運動**をしていることがわかる。このような微粒子の運動を、**「ブラウン運動」**という。この名称は、19世紀イギリスの植物学者で、水面上に浮かべた花粉の微粒子が不規則に動くことを発見したロバート・ブラウンの名にちなんだものだ。

線香の煙のブラウン運動は、空気を構成する多数の酸素や窒素の分子が激しく乱雑に運動し、次々と煙の微粒子に衝突するために起こる。このような原子・分子の運動を、**「熱運動」**という。そして、温度が高くなるほど、熱運動は活発になる。つまり、物質が熱くなっているとき、その原子・分子の運動は活発化し、熱運動のエネルギーが大きくなっているのだ。

DAY
260
September 16th

# −273℃ですべての分子の動きは止まる

## 絶対零度と絶対温度

私たちはかぜを引いたとき、体温計で熱を測って「38℃ある」などと言う。この「℃」というのは、**「セルシウス温度（セ氏温度）」**と呼ばれる温度の単位だ。

温度計は16世紀末に、まずイタリアの科学者であるガリレオらによって気体の膨張を利用したものがつくられた。やがて、1742年にスウェーデンの天文学者であるアンデルス・セルシウスによって、水の凝固点（凍り始める温度）から沸点（沸騰する温度）までを100等分した温度計がつくられる。その後、**1気圧のもとで水の凝固点を0℃、沸点を100℃**とし、より厳密に定義された温度が、現在のセルシウス温度だ。

ところで、温度が低くなるにつれて熱運動は弱くなり、−273℃（厳密には−273.15℃）に近づくと原子・分子は、ほとんど熱運動をしなくなってしまう。そこから、**−273℃を「絶対零度」**といい、これより低い温度の状態はない。

**−273℃を基点として、温度目盛りの間隔をセ氏温度と等しくした温度は、「絶対温度（熱力学温度）」**と呼ばれている。単位はK（ケルビン）だ。

| 絶対温度〔K〕 | セ氏温度〔℃〕 | 水 |
|---|---|---|
| 鉄の融点 1808K | 1535℃ | 気体 |
| 鉛の融点 601K | 328℃ | |
| 水の沸点 373K | 100℃ | 液体 |
| 氷の融点 273K | 0℃ | |
| 二酸化炭素の沸点 194K | −79℃ | 固体 |
| 酸素の沸点 90K | −183℃ | |
| 窒素の沸点 77K | −196℃ | |
| ヘリウムの沸点 4K | −269℃ | |
| 絶対零度 0K | −273℃ | |

セ氏温度と絶対温度の対比。

−273℃＝0K、0℃＝273K、100℃＝373Kとなる。つまり、セ氏温度$t$（℃）と絶対温度$T$（K）の間には、$T = t + 273$という関係が成り立つ。もし体温が37℃だったら、絶対温度でいえば310Kということだ。

ちなみに、アメリカでは日常生活で「カ氏温度（ファーレンハイト温度）」という、別の温度単位も使われている。これは、1724年にドイツの物理学者であるガブリエル・ファーレンハイトが提唱したもので、水の凝固点を32カ氏温度、沸点を212カ氏温度とし、その間を180等分して1カ氏度としたものだ。単位記号は°F。体温がセ氏温度で37.2℃のとき、カ氏温度では100°Fとなる。

DAY 261
September 17th

# 物質の量や種類によって温まりやすさは異なる

## 熱運動のエネルギー

温度の高いものと低いものを接触させる場面を考えよう。温度が高い物質では、物質を構成する原子・分子が激しく熱運動をしている。その物質を冷たい物質に接触させると、物質の熱運動のエネルギーが温度の低い物質に伝わり、原子・分子の熱運動を盛んにする。このとき、低温の物質は高温の物質に加熱されて温度が上昇し、高温の物質は低温の物質に冷却されて温度が下降する。

このように、熱とは、高温の物質と低温の物質との間を出入りして**温度変化の原因となる熱運動のエネルギー**のことで、その量を**「熱量」**という。熱量の単位には、仕事や運動エネルギーと同じ、「J（ジュール）」が用いられる。

| | 物質 | 比熱 (J/(g・℃)) |
|---|---|---|
| 固体 | 氷(－23℃) | 1.9 |
| | アルミニウム | 0.9 |
| | 鉄 | 0.45 |
| | 銅 | 0.38 |
| 液体 | 水 | 4.2 |
| | 海水 | 3.9 |
| | メタノール | 2.6 |
| 気体 | 酸素（1気圧） | 0.92 |
| | 水蒸気(1気圧) | 2.1 |
| | 空気（1気圧） | 1.01 |

物質の比熱の一覧。

ところで、物質に同じ熱量を加えても、材質や質量によってその温度変化の大きさは変わってくる。この温度変化の違いを表すために、**物質の温度を1℃上昇させるのに必要な熱量を「物質の熱容量（$\frac{J}{℃}$）」**と表す。熱容量$C$（$\frac{J}{℃}$）の物質の温度を$t_d$〔℃〕だけ上昇させるための熱量$Q$（J）は、$Q = C \times t_d$という式で表される。熱容量の小さい物質ほど、温まりやすく冷めやすい。

質量は同じでも物質が異なると、同じ温度変化を起こさせるのに必要な熱量は異なる。単位質量（たとえば1g）の**物質の温度を1℃上昇させるのに必要な熱量を「物質の比熱」ないしは「比熱容量（$\frac{J}{(g・℃)}$）」**という。比熱$c$（$\frac{J}{(g・℃)}$）の物質でできた質量$m$（g）の物質の温度を$t_d$〔℃〕だけ上昇させるために必要な熱量$Q$（J）は、次の式で表される。

$$Q = m \times c \times t_d$$

この式から、比熱の小さい物質ほど、温まりやすく冷めやすいとわかる。

DAY
262
September 18th

# コーヒーが冷めても全体の熱量は失われない

## 熱量の保存

30℃の水100gと70℃の水100gを混ぜたとき、温度は50℃となる。ここからわかるのは、70℃の水が失った熱量と30℃の水が得た熱量は等しいということだ。このように、高温の物質と低温の物質を接触させたり、混ぜたりした場合、**高温の物質から出た熱量は低温の物質に入った熱量に等しい**という関係が成り立つ。これを、**「熱量の保存」**という。

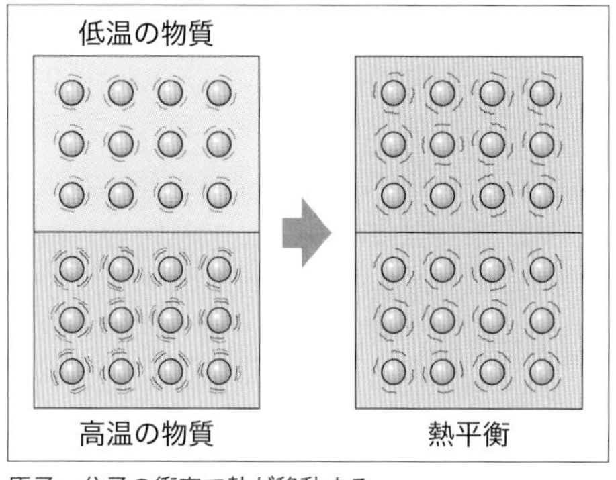

原子・分子の衝突で熱が移動する。

これをいい換えれば、外部とのエネルギーのやりとりがないときには、物質Aが失った熱運動のエネルギーが、そっくりそのまま物質Bに受け渡されるということだ。つまり、**熱量はどこかに消えたりすることなく、全体としての熱量の増減はない**。もちろん、状況によっては熱が大気中に逃げることなどはある。だが、そのときは大気の熱量がその分上がっているので、熱量の保存は守られているのだ。

たとえば、カップに入った熱いコーヒーを飲まずにそのまま置いておけば、やがてコーヒーは冷めてしまう。一見、コーヒーの熱はどこかに失われてしまったように感じるが、実際はカップの周囲の空気の温度が上がるなどしているため、熱量の総量は変わっていない。

熱の移動を原子・分子レベルで見てみると、次のようなことが起きている。高温の物質と低温の物質を接触させておくと、2つの物質の原子・分子同士が接触面で衝突する。その結果、高温の物質から低温の物質へと熱運動のエネルギーが移動する。これにより、最終的に2つの物質の温度は等しくなる。この状態がDAY259でも説明した「熱平衡」だ。

DAY
263
September 19th

# 送電線の電圧が高いのはエネルギー損失を抑えるため

## 電流による発熱

電気ストーブやヘアドライヤーなど熱を利用する電化製品は、電気から熱をつくり出している。このとき、多くの製品では電気抵抗の大きい電熱線に電流を流すことで熱を発生させている。このように、**電気抵抗の大きい導体に電流を流したときに発生する熱を「ジュール熱」**という。

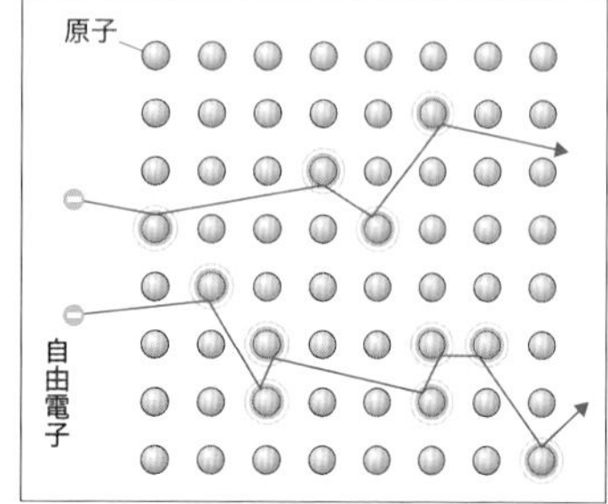

自由電子が原子に衝突して熱が発生する。

ジュール熱は、自由電子が導体中を移動するときに導体中の原子に衝突し、原子の熱運動が激しくなることで発生する。自由電子とは、金属の中を自由に動き回っている電子のことで、金属原子同士を結び付ける接着剤のような働きをしているものだ。

ジュール熱として発生する熱量 $Q$（J）は、電流 $I$（A）と抵抗 $R$（Ω）、および電流が流れた時間 $t$（s）によって、次のように決まる。

$$Q = R \times I^2 \times t$$

また、1秒ごとに発生するジュール熱は、**電流が1秒間に抵抗に与えたエネルギー**ということであり、**1秒あたりの消費電力（W）とも等しい**。

ところで、山間部などに行くと、大きな塔に張られた送電線を見ることがある。家庭用の電圧は100Vか200Vだが、送電線の電圧は2万～50万Vもの高圧となっている。送電線の電圧が高いのは、電気を送る際に、電圧が高いほどエネルギーの損失が少ないからだ。

電線の抵抗自体はけっして大きくはないが、送電線はとても長いため、全体としての抵抗は大きくなってしまう。そのことによって消費される電力は、ジュール熱として大気に放出され、エネルギーの損失となる。

だが、同じ抵抗の電線に一定の電力を送るとき、ジュール熱として**失われるエネルギーは電圧の2乗に反比例して小さくなる**。つまり、10倍の電圧にして送れば、電線でジュール熱として失われるエネルギーは1000分の1で済む。そのため、送電線の電圧は、極めて高くしているのだ。

DAY
264
September 20th

# 熱の移動の仕方には伝導・対流・放射がある

## 熱の伝わり方

ガスコンロでフライパンを温めるのも、ストーブの前に立つことで体が温まるのも、一方から一方へと熱が移動していること自体に変わりはない。だが、実際の熱の移動の仕方は一様ではなく、「伝導」「対流」「放射」の３種類がある。

ガスコンロでフライパンを温めるとき、コンロの火とフライパンの間で物質が混じり合うわけではない。つまり、物質の移動は伴わずに、**物質の中を熱だけが伝わっていく**。このような熱の伝わり方を、**「伝導」**という。

カップめんのめんはカップの中で起こる対流によってほぐされている。

物質によって熱の伝わりやすさの度合い（熱伝導率）は異なる。たとえば、鉄の棒を炎にかざすと、すぐに手元が温かくなる。これは鉄の熱伝導率が大きいためだ。一方、ガラス棒で同様のことをしても、手元はなかなか温かくならない。これは、ガラスが鉄に比べて熱伝導率が小さいためだ。

一般的に、金属の熱伝導率は大きい。そして、熱伝導率が小さいものの代表が空気だ。そのため、断熱材には、小さな空気層や気泡で満たされている発泡ポリスチレンやコルク、フェルトなどが使われることが多い。

やかんで水を加熱するとき、下部の水は温められて膨張することで密度が小さくなり、上昇する。そこへ上部の低温度の水が流入するという現象が繰り返し起こる。このように、**液体や気体の移動を伴って熱が伝わることを、「対流」**という。対流が起こることで、やかんの中の水全体が熱くなっていくのだ。水や空気の熱伝導率は非常に小さいが、対流による物質の移動があると、熱は効率よく伝わっていく。

たき火やストーブの前にいるとき体が温められるのは、熱伝導でも対流でもなく、たき火やストーブが出している赤外線や遠赤外線などの**電磁波によって熱が伝わる**ためだ。これを、**「放射」**という。ちなみに、真空中であっても放射によって熱は伝わる。太陽からの熱が地球に届くのは、そのためだ。

# 熱エネルギーを運動エネルギーに変える装置

## 熱機関の仕組み

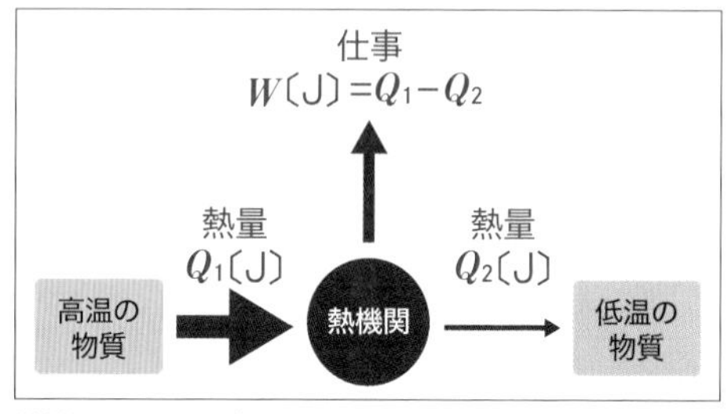

熱機関のエネルギーの流れ。

蒸気機関やエンジンは、燃料の燃焼で生まれる熱エネルギーによってものを動かす。あるいは、原子力発電所では核分裂で発生した熱を利用して発電機を回す。このように、**熱エネルギーを運動エネルギーに変える装置を「熱機関」**という。

蒸気機関は、加熱により発生させた水蒸気をシリンダー（筒）に送り、気体分子のバラバラの動きを一方向のピストンの動きに変える。

自動車などのエンジンは、シリンダーに燃料と空気の混合気体を入れて圧縮し、爆発させて、そのときに発生する高温高熱の燃料ガス（二酸化炭素や水蒸気など）がピストンを押すことで、熱エネルギーを運動エネルギーに変換している。

これ以外のエンジンとしては、シリンダー内のガスなどを外部から加熱・冷却し、その体積の変化によって仕事をさせる「スターリングエンジン」というものもある。1816年にスコットランドの牧師であるロバート・スターリングが発明したことから、この名称が付いた。

発電所などでは、火力などで発生させた水蒸気をタービン（羽根車）に当てて回転させ、発電機を回している。タービンに当たったあとの水蒸気は、運動エネルギーが減るため、飛び回る速さが遅くなる。だが、その水蒸気を冷却して水に戻すと、気体（水蒸気）が液体（水）になるため、体積が著しく減り、タービン前後の圧力差が大きくなる。このことでタービンはより速く回転するようになり、熱エネルギーを効率よく運動エネルギーに変えている。

一般的に熱機関は、**高温の物質から熱をもらい、その一部を仕事に変え、残りの熱を低温の物質に放出**する。熱機関が高温の物質からもらった熱を $Q_1$〔J〕、低温の物質に放出した熱を $Q_2$〔J〕とすると、熱機関がした仕事 $W$〔J〕は、$Q_1 - Q_2$ となり、熱と仕事を含めたエネルギー保存の法則に則っている。

DAY
266
September 22nd

# 運動はエネルギーが補給されなければ止まる

## 可逆変化と不可逆変化

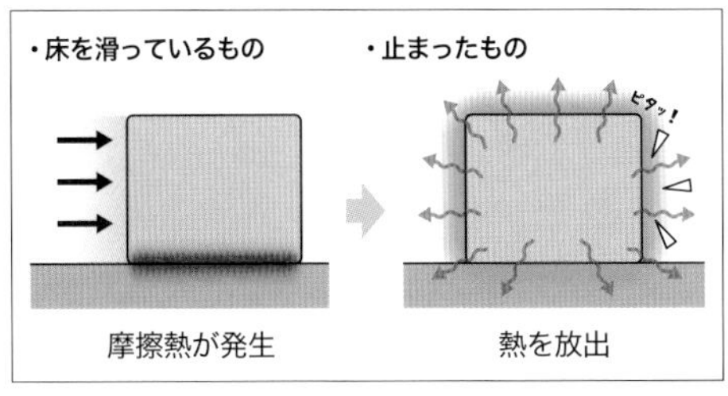

摩擦熱が発生してものは止まる。

ふりこのエネルギーを考えてみよう。ふりこが振れて、低いところに向かって振れているときは位置エネルギーが運動エネルギーに変化している。一番低いところから高いところに向かって振れているときは運動エネルギーが位置エネルギーに変化している。もし、摩擦や空気抵抗がいっさい存在しなければ、ふりこは1往復すると完全に元の状態に戻る。このように、**外部からのエネルギーの供給がなくても、元の状態に戻ることができる変化**のことを**「可逆変化」**という。

だが、空気抵抗はともかく、摩擦がいっさいない状態というのは現実的にありえない。つまり、**可逆変化は理論上の概念**にすぎない。

たとえば、ものが斜面を滑り降りる場合、ものの位置エネルギーは、運動エネルギーのほかに、摩擦によって熱エネルギーに変換される。そのため、一番下まで降りたときの運動エネルギーをすべて位置エネルギーに変えたとしても、元の高さまで上がることはできない。このように、**外部からの新しいエネルギーが補給されなければ、元の状態に戻ることができない変化**を**「不可逆変化」**という。

不可逆変化の例としては、次のようなものもある。高温の物質と低温の物質を接触させたとき、両方の物質の温度は等しくなり、熱平衡に達する。その後、どれだけ時間がたっても再び高温の部分と低温の部分に自然に分かれることはない。

ちなみに、自動車のブレーキでは、運動エネルギーは摩擦によって熱エネルギーに変えられ、エネルギーの一部は空気中に放出されている。つまり、ブレーキをかけるたびに、運動エネルギーの一部を空気中に捨てていることになる。そこで、ハイブリッド自動車や電気自動車、最新型の鉄道車両では、減速する際にモーターを発電機として働かせ、運動エネルギーを電気エネルギーに変換して、改めてバッテリーに蓄えている。そうやって蓄えた電気エネルギーは、モーターで加速する際に再利用される。このようなブレーキを「回生ブレーキ」という。

DAY
267
September 23rd

Column
暮らしの中の"エセ科学"

# 永久機関は実現可能なのか？

**永久機関とは、外部からエネルギーを供給しなくても、仕事を続ける装置のことをいう。たとえば、一度ガソリンを入れただけで永遠に走り続ける自動車が実現すれば、それは永久機関ということになる。もし、そんな夢のような装置があれば、エネルギー問題は解決するだろう。**

---

紀元前の古代ギリシア時代から、永久機関の発想はあったとされる。だが、とくに熱心に研究されるようになったのは、蒸気機関が発明された18世紀以降のことだ。さまざまな科学者や技術者が一生を賭けて永久機関をつくろうと努力したが、結局、誰も実現することはできなかった。そして、気の遠くなるような試行錯誤の末、19世紀には「永久機関は実現不可能」ということが科学的に明らかになった。不可能な理由は、**熱力学の法則によって説明**することができる。

高いところにある物体は、落下によって位置エネルギーを減少させるが、代わりに運動エネルギーを得て、その和はつねに一定になる。このように、一連の流れ（系）ではエネルギーの総量は変化しないというエネルギー保存の法則（熱力学第一法則）がある。エネルギーが仕事に使われるということは、元のエネルギーが別の形に変わったということなので、次の仕事をするためには新しいエネルギーの補給をしなければならないのだ。

たとえば、ある温度の水が何もしないで氷と沸騰している水に分かれることはない。このように**熱は高温の物体から低温の物体へ移動し、自然に低温の物体から高温の物体へ移動することはない**というのが「熱力学第二法則」だ。また、この法則では、熱を100％仕事に変える熱機関は存在しないということもいっている。

これらの熱力学の法則から、「永久機関は実現不可能」ということが証明される。ただ、多くの先人が永久機関の研究を進めたことで、熱力学や物理学が発展し、熱力学の法則などが発見されたという側面がある。そういう意味では、永久機関を求める人々の熱意は無駄ではなかったのかもしれない。

DAY
268
September 24th

# エネルギーの相互変換で社会は動いている

## エネルギーの変換と社会

光電池（太陽光電池）に光を当てると電気エネルギーが発生する。つまり、光電池は光エネルギーを電気エネルギーに変換する装置なのだ。また、電気エネルギーは照明器具や発光ダイオードなどの装置で光エネルギーに変換される。

化学反応によって発熱する使い捨てカイロ。

このように、エネルギーはいろいろとその姿を変えながら、私たちの生活を彩っている。別の言い方をすれば、私たちは**目的に合わせてエネルギーを相互変換させながら使っている**のだ。

現代社会で欠かせない石油や天然ガスの利用も、エネルギーの相互変換の１つだ。石油や天然ガスは、燃焼すると熱を出す。これは、石油などを構成している炭素や水素が酸素と反応することで二酸化炭素や水が発生し、その際に熱を出すためだ。このように熱を出す化学反応を、「発熱反応」という。

燃焼とは別に、化学反応には発熱するものがある。使い捨てカイロが温まるのも、化学反応の結果だ。この発熱反応は、**化合物がもつエネルギーが、化学反応によって熱として放出**されたものだ。そのような物質がもつエネルギーを**「化学エネルギー」という**。発熱反応が起きると化学エネルギーが減少して、その分、熱として放出される。

ガソリンを燃焼させて自動車が走るのは、この化学エネルギーを運動エネルギーに変換しているということだ。また、発電所で石油や天然ガスを燃焼させることで発電機を動かし、電気をつくっているのは、化学エネルギーを電気エネルギーに変換させているということになる。そして、電気エネルギーは各家庭に送られたあと、運動エネルギーや光エネルギーや熱エネルギーに変換される。このように、私たちの社会はエネルギーの相互変換によって成り立っている。

DAY 269 September 25th

# 少ない消費電力でもLED電球は明るく光る

## エネルギー変換の効率

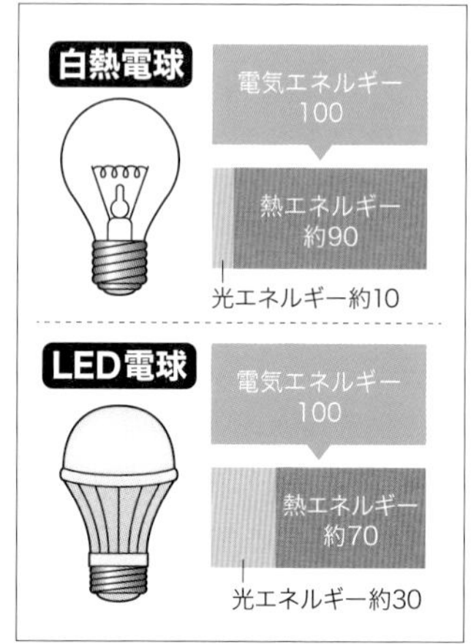


LED 電球は変換効率が高い。

白熱電球やLED（発光ダイオード）電球は、電気の力でものを照らす装置だ。いい換えれば、電気エネルギーを光エネルギーに変換する装置だといえる。白熱電球とLED電球が発光する仕組みは異なる。前者ではフィラメントが発熱することで発光しているのに対し、後者では半導体を使ったLEDチップが発光している。

ところで、同じ明るさの白熱電球とLED電球では、白熱電球のほうが消費電力は大きい。一般的に電力が大きいほど電気器具の働きも大きくなるはずだが、白熱電球とLED電球では明るさに大きな違いはない。

これは、白熱電球では、電気エネルギーの約90％が熱エネルギーとして失われてしまい、光エネルギーに変換されるのは残りの約10％にすぎないためだ。つまり、**ほとんどの電気エネルギーが、ものを照らすことに使われていない**。これに対してLED電球では、電気エネルギーの約30％が光エネルギーに変換されている。

この比較からもわかるように、エネルギーを変換するとき、ほとんどの場合では、目的とするエネルギー以外に、熱エネルギーにも変換されてしまう。**元のエネルギーから目的のエネルギーに変換できる割合を「変換効率」**という。照明器具では、変換効率が高いほど、同じ電力でより多くの光を発生させることができる。だからエネルギーを有効に使うためには、変換効率の高い器具を選ぶ必要がある。近年、社会でLED電球が急速に普及しているのは、そのためだ。

照明器具に限らず、目的とするエネルギーへの変換効率を可能な限り上げることに、さまざまな製品開発者は日々努力している。

DAY

270

September 26th

# エネルギー資源を電気に変換して利用

## 生活を支える電気エネルギー

現代の私たちの生活は、エネルギーをさまざまな形に変換して利用することで成り立っている。そんな私たちのエネルギー使用量は、18世紀から始まった産業革命の頃から急速に増大し始めた。

日本の1世帯が1年間に消費した電力量は、全国平均で4322kWh（2017年環境省調べ）。これを1日に換算すると約11.8kWhになる。これは、60Wの電球8個を24時間つけたままにしているのにほぼ等しい。つまり、それだけのエネルギーを毎日消費していることになる。

そのエネルギーのほとんどは、**石油や石炭、天然ガスなど、化石燃料を大量に使う**ことで得ている。化石燃料以外では、ウランなどの放射性物質もエネルギー資源として利用されている。また近年は、太陽光や風力、地熱などの再生可能エネルギーの利用も広まっている。

そういったエネルギー資源は、基本的には**発電所で電気エネルギーに変換して使われる**。電気エネルギーに変換するのは、電気が電線路を通して簡単に送ることができ、送った先で、再び熱エネルギーや光エネルギーなど、いろいろなエネルギーに変換しやすいためだ。さらに、使用した際、廃棄物がほとんど出ないことも電気エネルギーが利用しやすい理由の1つだ。

さまざまなエネルギーは、基本的には何らかの仕組みによって発電機を回転させることで電気エネルギーに変換される。火力発電なら、化石燃料やバイオマス、廃棄物などを燃焼させ、水を高温・高圧の水蒸気に変えて、発電機を回転させている。原子力発電ではウランなどが核分裂をするときに放出されるエネルギーで、水を水蒸気に変えて発電機を回転させる。地熱発電なら地下深くの熱で水を水蒸気に変えることで、同様に発電機を回転させる。

水力発電はダムにためた水を落下させて、発電機を回転させている。これは位置エネルギーを最終的に電気エネルギーに変換しているのだ。風力発電は、自然の風によって発電機に付けたブレードを回している。

ただ、太陽光発電は発電機を回転させる仕組みではない。太陽光発電は、光電池（太陽光電池）で太陽光を受け、その光エネルギーを直接、電気エネルギーに変換しているのだ。

DAY 271
September 27th

# 地球上のエネルギー資源には限界がある

## エネルギー利用上の課題

現代の人間が大量に消費している**エネルギー資源には限りがある**。このことは、現代社会における喫緊の課題となっている。

また、現在のおもなエネルギー資源となっているのは化石燃料だ。この化石燃料を燃やすと、汚染物質が大気中に放出され**大気汚染**が起こる。それがひどくなると、人間をはじめとする多くの生物に**健康被害**をもたらすことになる。

2021年11月、イギリスのグラスゴーで開かれた国連気候変動枠組条約第26回締約国会議（COP26）では、世界目標として2050年までに世界の二酸化炭素排出量を実質ゼロにすることが決まった。大気中の二酸化炭素の増加が地球温暖化の真の原因かどうかはともかく、気温が異常に上昇すると、海水面の上昇によって低い土地が水没したり、集中豪雨や干ばつなどの異常気象も発生しやすくなる。

化石燃料に代わる発電手段として**原子力発電に期待**が寄せられてきた。しかし、ウランなどの放射性物質が出す放射線は、**生物や環境に影響を及ぼす恐れ**がある。生物が強い放射線を浴びると、細胞やDNAが傷付いてしまうことがあるのだ。浴びた放射線の総量が少なければ、ほとんどの場合、細胞は回復する。しかし、一度に強い放射線を浴びてしまうと回復できなくなり、さまざまな病気を誘発したり、最悪の場合、死に至ってしまう。

2011年3月に発生した東日本大震災（東北地方太平洋沖地震）では、福島第一原子力発電所で水素爆発が起こり、原子炉内に閉じ込められていた放射性物質が外部に放出された。その結果、土壌や水、空気、農作物、建物などが広範囲に汚染され、長期間、人が生活することができなくなった。

これ以外にも、原子力発電には**廃棄物の問題**もある。発電後の核燃料の廃棄物は長期間放射線を出し続けるため、その保管や処理も大きな問題となっている。

風力発電や水力発電、太陽光発電などの**再生可能エネルギーにも問題**がないわけではない。風力発電や太陽光発電は天候などに左右されるため、**安定した電力供給が難しい**という側面がある。また、それらの再生可能エネルギーの発電施設をつくることで、逆に**環境を破壊**することもある。とくに太陽光パネル（光電池）は、つくる段階で大量の二酸化炭素を排出する。

DAY
272
September 28th

# ハイブリッドカーは利用効率のイイとこどり

## コージェネレーションとハイブリッドカー

石油や石炭、ウランなどのエネルギー資源は有限であり、いつまでも使い続けられるわけではない。また、エネルギー資源の浪費は、地球温暖化や環境破壊などの問題を引き起こす可能性もある。そのため、エネルギーの有効利用は現代の重要課題となっており、そのためのさまざまな技術も開発されている。

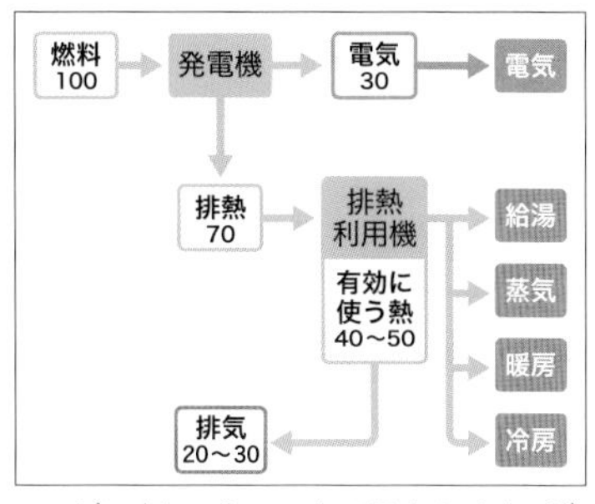

コージェネレーションシステムのイメージ。

その1つが、**コージェネレーション**だ。石油を燃やして水蒸気を発生させ、蒸気タービンで発電したとき、発電の効率は40%程度しかない。だが、ディーゼルエンジンで自家発電を行なうと同時に、そのときに**排出される熱を給湯や冷暖房に利用**することで、全体で70〜80%の総合効率が得られる。このように、**中小容量の分散型エネルギーシステム**が、コージェネレーションだ。近年、ビルや工場では、このコージェネレーションの普及率が高まっている。

**ハイブリッドカー**も、環境に優しいエネルギーの有効利用の1つの形だ。自動車の排出ガスを少なくする対策としては、電池で動くモーターを動力装置とする電気自動車がある。しかし、現実的には、電池の性能や充電など、まだまだ解決しなければならない問題も多い。

そこで、**ガソリンで動くエンジンと電池で動くモーターの2つの動力装置**をもつハイブリッドカーが開発された。ガソリンエンジンは、発進のときのような大きなパワーを出すのが苦手であり、効率が悪く、排出ガスに有害物質が多く混ざってしまう。一方、モーターは発進の加速時に最大のパワーを発揮する。

このエンジンとモーターの特徴を組み合わせたハイブリッドカーでは、発進時や急加速時など、ガソリンエンジンでは**熱効率が悪く、有害排出物が出やすい仕事はモーター**に受けもたせる。そして、ある程度の速さで動き、エネルギーの**利用効率がよく、有害排出物が出にくい仕事はエンジン**が担う仕組みとなっている。これにより、総合的にエネルギーの利用効率を上げているのだ。

DAY
273
September 29th

# 1時間の太陽エネルギーは人類が使う1年分に匹敵

## ヒートポンプと太陽電池

エネルギーの有効利用の技術としては、コージェネレーションとハイブリッドカー以外にもさまざまなものがある。ヒートポンプや太陽電池なども、エネルギーを有効利用しようとするためのものだ。

熱は自然と高温のところから低温のところへと移動するが、その逆は絶対に起こらない。つまり、不可逆変化だ。だが、エアコンで室内を冷やしたり、冷蔵庫の中を冷やしたりする際には、**低温のところから高温のところに熱を移動**させなければならない。このときに使われる装置が**ヒートポンプ**だ。この装置によって室内や冷蔵庫内の空気がもつ熱運動のエネルギーの一部を外に移すのだ。エアコンで室内を暖めるときには、同じ原理で、低温になっている室外の空気がもつ熱運動のエネルギーの一部を、室外よりは高温になっている室内に移し、室内の温度を高める。

もちろん、このようなヒートポンプを動かすには、電気などのエネルギーを使わなければならない。しかし、物質の温度などの条件によっては、投入したエネルギーの6倍もの熱を移動させることができる。エアコンの暖房で、ある熱量を得ようとした場合、電熱器での暖房に比べて、**4分の1から7分の1の電気エネルギーで済む**。

太陽から地球に届いているエネルギーは膨大だ。大気による吸収や反射がないとすると、太陽光に垂直に向けられた1m$^2$の面が1秒間に受けるエネルギーの量は約1.4kJ（1400J）になる。現実にはこれの約50％が地表に届いている。そして、1時間に地球全体にやってくる太陽のエネルギーは、世界全体で人類が使う1年間のエネルギーに匹敵する。それほど莫大なエネルギーが、太陽から地球には降りそそぎ続けているのだ。

この**太陽からくる光エネルギーを電気エネルギーに変換**するのが、**太陽電池**だ。現在、家庭などで使われている太陽電池が光エネルギーを電気エネルギーに変換する割合は、15％程度しかない。だが、最新の研究では40％を超えるものも開発されている。太陽からの光エネルギーの活用には、エネルギーの有効利用の観点から大きな期待が寄せられている。

DAY 274
September 30th

Column
暮らしの中の“エセ科学”

# 車の燃費向上グッズに効果はあるのか？

**カー用品店に行くと、「燃費向上グッズ」なるものが多数売られている。あるいは、ネットショッピングサイトで「燃費向上グッズ」と検索すれば、数千点もの商品がヒットする。このように、自動車の燃費を向上させることをうたっている商品の人気は高いが、実際に効果はあるのだろうか？**

---

昔から「燃費を向上させるグッズ」の人気は高く、次から次へと新製品が出ては消えていった。たとえば、「『波動』を調整することによって燃費が向上する」や「空気や燃料をイオン化して、燃費が向上する」、「磁力でガソリンや酸素の分子を整えて完全燃焼に近づける」、「燃料が流れるパイプに巻き付けてガソリンの質を上げる」といったグッズが、手を替え品を替え売られ続けている。

ところが、これらのグッズには科学的根拠もなければ、実際の効果もない。もし本当に燃費を向上させる効果があるのなら、間違いなく自動車メーカーは正式採用して、自社の車に取り付けるだろう。だが、そんなことはない。また、次から次へと新製品が出ては消えていくこと自体、効果がないことを証明している。

それでも、こういったグッズが市場からなくならないのは、一部のユーザーが「効果を実感」してしまうためだ。それにはからくりがある。燃費向上グッズを車に取り付けたユーザーの一定数は、普段より燃費を意識した運転をするようになる。その結果、実際に燃費が向上するのだ。だが、それはグッズがうたっているような**科学的な効果ではなく、運転スタイルの変化によるもの**なのだ。

もっとも、本当に燃費を向上させるグッズが、まったく存在しないというわけではない。たとえば、**低燃費タイヤは、数少ないながら効果のあるグッズ**だ。これは、従来のタイヤよりも転がり抵抗を抑えることで、実際に燃費を向上させてくれる。そのため、多くの自動車メーカーでも、エコモデルの新車などには採用されていることが多い。

まとめ Summary

# 消えて見える分は別の形に変わっただけ

エネルギーとは、仕事をする能力、つまり、ものを動かす能力のことをいう。エネルギーには位置エネルギーや運動エネルギー、電気エネルギーなど多くの種類があるが、共通するのは、ものを動かすことができるということだ。

ふりこの運動では、おもりの高さが低くなるほど速さが大きくなり、逆に高くなるほど速さは小さくなる。これは、位置エネルギーが減った分だけ運動エネルギーが増え、運動エネルギーが減った分だけ位置エネルギーが増えているということだ。位置エネルギーと運動エネルギーの総量はつねに一定であり、減ることはない。しかし、実際には力学的エネルギーは完全には保存されないことのほうが多い。いつかは、ふりこは止まってしまう。では、エネルギーはどこかに消えてしまうのだろうか？

高いところから急降下するジェットコースターで考えると、位置エネルギーが運動エネルギーに変換される過程で、車体とレールの接触面が摩擦で熱くなったり、速度が上がるときに音が発生したりする。これは、力学的エネルギーの一部が熱エネルギーや音エネルギーに変換されたということであり、それも含めれば、エネルギーの総量は変わっていない。つまり、エネルギーはさまざまな形に変化しながらも、その総量はつねに一定ということになる。この法則より永久機関の実現は不可能だとされている。



*Key points*

- 理論的には力学的エネルギーの総量は一定。
- 実際には、摩擦などで力学的エネルギーは減る。
- 減った分は熱などに変換されているので、エネルギーの総量は一定。

# Part4

## 地学
（地球・宇宙）

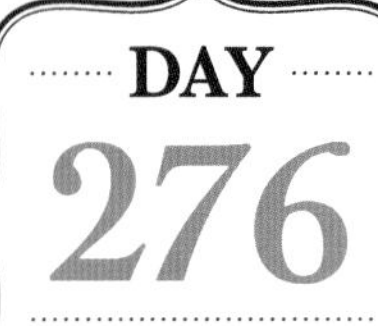

# 毎日の天気や季節が移り変わるのはなぜ？

日本列島は気象の変化が激しい。1日中晴れていた翌日、1日中雨が降るということも珍しくない。梅雨の季節などは朝から晩まで雨模様のこともある。しかし、天気は気まぐれで変わるのではない。なぜ天気は変化し、季節が移りゆくのだろうか？　それには、地球を取り巻く大気が大きく関係している。

## ▶雨が降るのはどんなとき？

「雨雲」「雷雲」と呼ばれる雲があるが、天気が悪い日に空を見ると、そこには必ず雲がある。雲は、さまざまな形、色、量が増えたり減ったりと、日々変化している。このような雲の変化は、毎日の天気と関係があるのだろうか。

## ▶どうして気圧の差はできるの？

目には見えない大気には、じつは重さがあり、大気の重さによって地上や海上のものにかかる圧力のことを「気圧」という。天気予報でよく耳にする高気圧、低気圧は、周囲に対する相対的な気圧の高低で決められるが、なぜ気圧の差が生まれるのだろうか。また、気圧の差はどのように天気に関わっているのだろうか。

## ▶なぜ春や冬に台風は来ないの？

日本で台風といえば、梅雨や秋のイメージが強いが、じつは春や冬にも台風は発生している。つまり、台風自体は年間を通じて発生しているが、日本列島に接近する台風は少ないということだ。これは偶然ではない。いったいどんな理由があるのだろうか。

DAY
277
October 3rd

# 雲が太陽を遮ると気温が上がりにくい

## 天気と太陽エネルギー

日々移り変わる天気。その日の天気によって、気温の変化の仕方には違いがある。晴れの日は気温の変化が大きく、曇りや雨の日は気温の変化が小さい。これには太陽光線が大きく影響している。

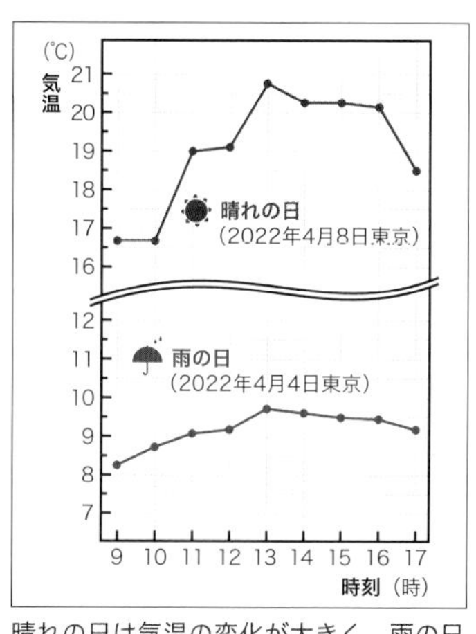

晴れの日は気温の変化が大きく、雨の日は小さい。

太陽は太陽系を構成する天体の中心で、太陽系全体の質量の約99.8%を占めている。太陽の元素組成は水素が約92%、ヘリウムが約8%。それ以外の元素はすべて合わせても0.1%以下ほどの量しかない。太陽は自身の有する強力な重力でガスを中心部に引きつけているため、中心部は極端に高温な状態となっている。このような状態では、水素の原子核がヘリウムの原子核に変化する核融合反応が発生し、膨大な熱を発する。これが光り輝く太陽のエネルギー源となる。

**太陽からはさまざまなエネルギーが放出**され、地球に届いている。地球に届く太陽エネルギーを100%とした場合、地表面に届くのは約50%だ。残りは大気に吸収されるか、雲などに反射して大気圏外へと飛び出している。太陽が放出しているエネルギーの中で、**地球上の環境に大きく作用しているのが熱と光のエネルギー**だ。このエネルギーの多寡が天気と1日の気温に大きく影響している。

晴れの日は朝肌寒くとも、日中は温かくなる。このように気温の差が激しいのは、太陽光線を遮る雲が少ないためだ。太陽光線が広範囲に降り注ぎ地表を温めることで気温が上昇する。反対に曇りの日や雨の日のような雲の多い日は気温の変化が小さい。朝肌寒かったとしたら、日中も肌寒いままになる。これは雲で太陽光線が遮られた結果、十分な太陽光線が地表に届かないため、地表の温度が上がらないことによる。1日の**気温の変化を左右しているのは、太陽光線の量**なのだ。

# 黒い雲が現れると雨になるわけ

## 天気を変える要因となる雲

雲は天気の変化の主役だ。雲の有無によって天気が決まるといっても過言ではない。

雲にはさまざまな色や形があり、まったく同じ雲は二度と現れない。雲は**高度や特徴によって10種に大別**される。そのなかでさらに、形や特徴で分けられている。

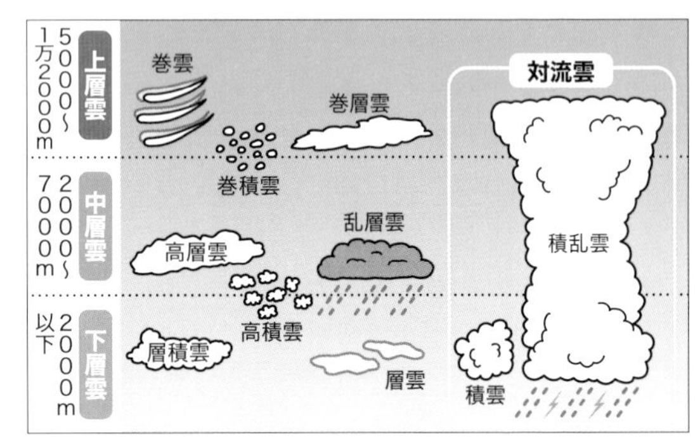

雲の種類。

まず大きな区分として、雲の広がり方により縦の雲と横の雲に分けられる。縦に伸びる雲は「対流雲」と呼ばれ、積雲と積乱雲の2つがこれに当たる。残りの8つは横に伸びた「層状雲」と呼ばれ、雲ができる高さで上層雲、中層雲、下層雲と分類される。その中でさらに、形や特徴で分けられる。上層雲には巻雲、巻積雲、巻層雲、中層雲には高層雲、高積雲、乱層雲、下層雲には層雲、層積雲がある。これらの雲の中で、**雨を降らせるのは、おもに積乱雲と乱層雲**だ。

雲は量が増減したり、色や形状を変えたりすることもある。雲の状態を知っておけば、降雨を予測できることもある。たとえば、雲には白く見えるものと黒く見えるものがある。白く見える雲は、水分量が少なくて雲自体が薄く、太陽光線を通しやすい。逆に黒く見える雲は、水分量が多くて雲自体が厚く、太陽光線を通しにくい。**黒く見える雲の下では降雨が起こりやすい**。

近年では、同じ場所に短時間で大量の雨を降らせる**「局地的大雨（ゲリラ豪雨）」**が増えている。また、次々と発生する発達した雷雲（積乱雲）が列になった列積乱雲が、数時間にわたってほぼ同じ場所を通過または停滞することで、大量の雨が長時間にわたって降るという現象も増えてきた。

大雨や大雪などにより甚大な被害をもたらす一方で、恵みの水をもたらすのも雲だ。雲と天気の変化は、人間の生活とは切っても切れない関係にあるのだ。

DAY
279
October 5th

# 霧をつくっているのは水蒸気

## 霧ができる仕組み

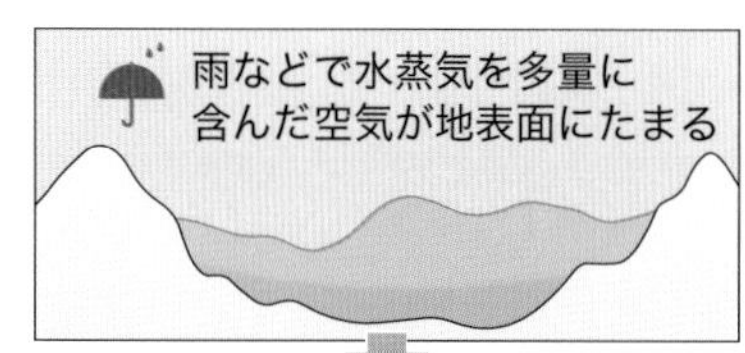

水蒸気が霧をつくる。

早朝は濃い霧に包まれていたのに、日中になると霧が晴れて快晴になるということがある。「霧が出た日は晴れる」という言い伝えが残る場所もあるくらいだ。

霧をつくっているのは水蒸気だ。水蒸気は、水が蒸発し気体になったもので、冷やされると小さな水滴となる。小さな水滴が空気中にたくさん含まれるようになると、その**水滴によって光が乱反射**するため**水蒸気は白色を帯びる**ようになる。水蒸気は無色透明のため視認できないが、このように**目に見えるようになったものが霧**だ。

日中、太陽光線によって地表面が温まって温度が上がる。これにより、**日中には地面に浸み込んでいた水が蒸発して水蒸気となる**。その後、太陽が沈んで夜になると、温まっていた地面から熱が逃げて気温が下がることにより、空気中の水蒸気が冷やされ、霧粒と呼ばれる小さな水滴となる。つまり、空気中に含まれている**水蒸気が夜間に冷やされた結果、霧が発生**するのだ。こうしてできる霧は、内陸の盆地などで深夜から早朝にかけて発生することが多い。

早朝は濃かった霧も、日中になるとたいていは消えてしまう。これは太陽光線によって地表面が温まり、気温が上昇するためだ。**日中の気温の上昇によって霧粒も蒸発**して水蒸気に戻ってしまう。内陸部の盆地では消えてしまう霧も、山間部や山頂では濃いまま消えないことが多いが、これは場所自体の気温が低いことによる。気温が上がらないため、霧粒が蒸発せず消えないのだ。

ちなみに、水蒸気が凝結し、細かい水滴や氷の粒が浮遊している状態でいえば、雲は霧と同じだといえる。気象庁によれば、これが**空中に浮遊している場合を雲、地表面に接する場合を霧**と呼ぶのだという。

DAY
280
October 6th

# 気圧の差で生まれた上昇気流が雲を育てる

## 雲ができる仕組み

気温が上がった日中、雲が上空に向かって大きく広がって見えることがある。この雲の正体は、**上昇する空気中にできた小さな水滴や氷の粒の集まり**だ。

空気が上昇するのは、太陽光線によって地表面が温まり気温が高くなるためだ。**空気は「温められると上昇する」「冷やされると下降する」**という性質をもつ。このため、気温の上昇とともに上に向かうのだ。

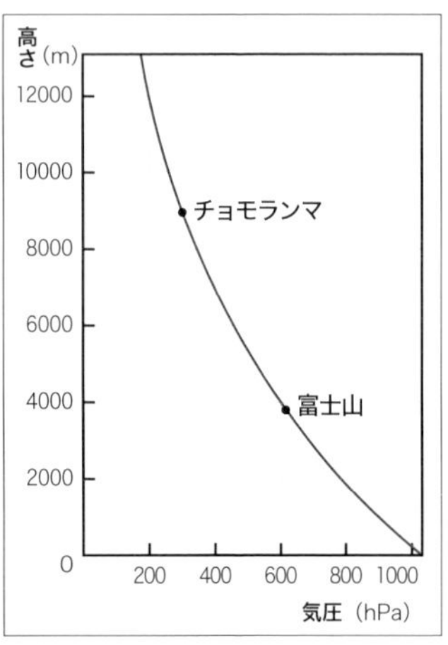

高度と気圧変化の関係。

地上から温められて昇った空気は、地表面よりも気温の低い上空の空気の層と出合う。ここで起こるのが「暖気」という温かい空気と「寒気」という冷たい空気のぶつかり合いだ。ぶつかり合っても暖気と寒気はすぐには混じり合わず、**暖気は寒気より密度が小さく軽いために、寒気の上をさらに上昇**する。このような上昇する空気の動きを「上昇気流」といい、反対に下降する空気の動きを「下降気流」という。

DAY213で説明したように、地球は大気に包まれており、空気には重さがある。そのため地上にある物体は、空気の重さによる圧力をあらゆる面に対して垂直に受けていて、この圧力を「大気圧」と呼んでいる。気圧の大きさは「hPa（ヘクトパスカル）」という単位で表す。海面と同じ高さの地点の気圧は、平均すると約1013hPa（1気圧）になる。

**気圧は、地表面や海面から上空にいくほど低くなる**。高所登山をしたことがある人なら、菓子袋が山頂で膨らんでいたという経験をしたことがあると思う。あれは気圧が低くなったことにより、内部の気体が膨張したために起こったことだ。この気圧の差が、雲をつくる要因の1つとなっている。上昇するにつれて、海面や地表面よりも**気圧が低くなり、膨張して冷えるため、雲は大きくなる**のだ。

DAY
281
October 7th

# 気温が同じでも雲ができるとは限らない

## 飽和水蒸気量と温度・湿度

雲（霧と同じもの）は大気中に含まれる水蒸気が冷却されることで発生する。しかし、同じ気温でも霧が発生しないことがある。

これは、**空気中に含まれている水蒸気の量の問題**だ。決まった量の水に溶かせる物質の量には限度があり、それは水温によって変わる。それと同じように、**一定の体積の空気中に含むことができる水蒸気の量にも限度**がある。空気1m³に含むことができる水蒸気の量を**「飽和水蒸気量」**（単位はg/m³）と呼び、右の表にあるように温度によってその量が決まっている。

| 温度（℃） | 飽和水蒸気量（g/m³） |
|---|---|
| 0 | 4.8 |
| 2 | 5.6 |
| 4 | 6.4 |
| 6 | 7.3 |
| 8 | 8.3 |
| 10 | 9.4 |
| 12 | 10.7 |
| 14 | 12.1 |
| 16 | 13.6 |
| 18 | 15.4 |
| 20 | 17.3 |
| 22 | 19.4 |
| 24 | 21.8 |
| 26 | 24.4 |
| 28 | 27.2 |
| 30 | 30.4 |

温度と飽和水蒸気量の関係。

表を見てわかるように、**飽和水蒸気量は空気の温度が低くなるに従って小さくなる**。このため、水蒸気を含む空気を**冷やしていくとやがて限界に達し、水蒸気の一部が雲粒に変化**して現れる。これは、空気の温度が下がり「露点（ろてん）」に達したためだ。

**露点とは、空気中の水蒸気が冷やされて水蒸気が凝結を始める温度**をいう。これは、日常でもしばしば目にする。冷えたコップの周囲に水滴が付着しているのを見たことはないだろうか。あれはコップの周囲にある水蒸気を含んだ空気が露点に達したため起こった現象だ。反対にコップが冷えていなかった場合、水蒸気を含んだ空気は露点に達しないため、コップに水滴が生じることはない。これと同じ現象が自然界の中でなされた結果、霧や雲ができるのだ。

私たちが日常口にする**「湿度」**という言葉も、飽和水蒸気量と関係がある。これは空気の湿り具合を表現した言葉で、**空気中に含まれる水蒸気の度合い**を示している。

DAY
282
October 8th

Column
暮らしの中の"エセ科学"

# ウロコ雲は地震の前兆って本当？

ウロコ雲など変わった形状の雲と、地震の発生を結びつける俗説が昔からある。「大地内で異変が起こる際、特殊な電磁波が地面から発せられて雲になる」との理論まである。地震の前に、変わった形状の雲が空に浮かんでいたことがあったのが原因のようだが、雲と地震は関係があるのだろうか。

空気は「温められると上昇する」「冷やされると下降する」という性質をもっている。このため、温度が上がると空気は上昇を始める。これを上昇気流と呼ぶ。この上昇気流に乗って水蒸気を含んだ空気も上昇する。上空の「寒気」にさらされたことで、空気中の水蒸気が冷やされ、小さな水滴や氷粒になり、白色味を帯びて雲になる。つまり、雲はあくまで大気の現象だ。

これに対し、地震は地中の広い範囲で、固い岩盤同士がぶつかり合いずれることで発生する。つまり、**雲は大気の現象であり、地震は大地内での現象なので、両者はまったく別の現象**だということになる。

地中の岩に圧力がかかり割れる際に電磁波が発生することもあるが、雲を発生させるほどの電磁波が発生するのか、深い地中から上空まで電磁波が届くのか、といった疑問に対する科学的な説明は、少なくとも現時点ではない。もし電磁波で簡単に雲ができるのであれば、**電波塔の上にはつねに雲が発生していなければならないが、そのような事実もない**。

日本列島で観測される震度1以上の地震は、年間2000回程度あり、平均すれば日本列島で1日あたり約5回地震が発生していることになる。震度4以上の地震も、最近10年間の平均では年間50回程度発生しているため、「数日中にどこかで地震がある」といえば外れることはほとんどないのだ。

このように、地震はいつもどこかで発生している現象だ。雲も上空の気流や太陽光などにより珍しい形や色に見える場合がしばしばある。「地震の発生」「特殊な形状の雲の出現」という関連性のない2つの現象が、たまたま近いタイミングで出現したため、結びついて見えるにすぎないのではないか。現時点では「ウロコ雲と地震に関係がある」とは考えにくい。

DAY
283
October 9th

# 雲は雨や雪の製造工場

## 雨や雪が降る仕組み

太陽光線のもつ熱･光エネルギーによって地表面･海面が温められると水蒸気が発生し、上昇を始める。上空では周囲の気圧が低くなるため、水蒸気は膨張を始める。

**上空は気圧だけでなく、気温も低い**。空気が上昇すると起こるのが、それに伴う「空気の冷却」という現象だ。水蒸気は冷やされると小さな水滴となるが、上空でも同じことが起こる。空気の上昇によって**上空に上がった水蒸気が冷やされ、小さな水滴や小さな氷の粒（雲粒）**となる。

この小さな水滴や氷の粒は互いにぶつかり合体して、しだいに大きくなっていく。これが雨粒や大きな結晶までに**成長すると、重力に負けて雨や雪として地上へと落ちてくる**。こうして**降雨や降雪をもたらすのは、おもに積乱雲や乱層雲**だ。

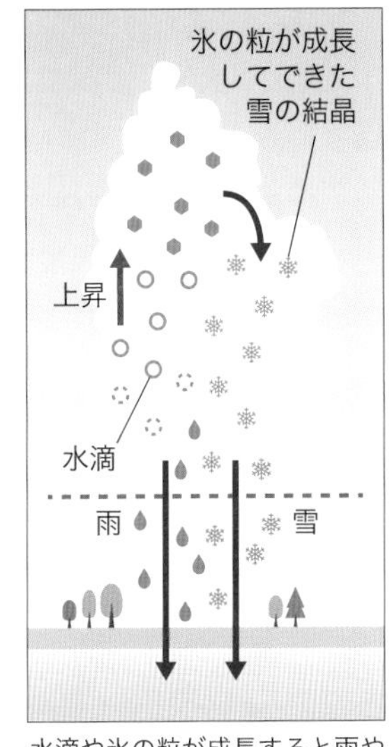

水滴や氷の粒が成長すると雨や雪になる。

雨は水滴のため、とくに定まった形状はないが、雪はさまざまな形状の結晶となっている。この雪の結晶を詳細に研究し、人工雪を使って結晶の生成に水蒸気の量や上空の気温が関係していることを解明したのが、中谷宇吉郎（なかやうきちろう）（1900 ～ 1962 年）だ。この「中谷ダイヤグラム」という研究により、雪の結晶を観察すれば上層での大気の状態がわかるようになった。彼は「雪は天から送られた手紙である」という言葉も残している。

なお、気流には上昇気流以外に、下降気流がある。上昇気流に乗った水蒸気は上空に行くことで冷却されるので雲になるが、下降気流中では水蒸気の冷却という現象は発生しない。そして、雲がつくられることはないので、通常は降水はない。

DAY 284
October 10th

# 地球を巡る水の循環量はほとんど変わらない

## 地球を循環する水

海水、湖沼の水、河川の水、地下水などの**水はすべて地球を循環**している。例外を除いて、水の割合は基本的に増減しない。

これまでに出てきた雲や霧の発生も、地球上の水が状態変化しながら循環している過程の一部だ。**循環の最初の過程は、太陽光エネルギーによる水の蒸発**だ。これにより液体の**水は気体へと変化する**。

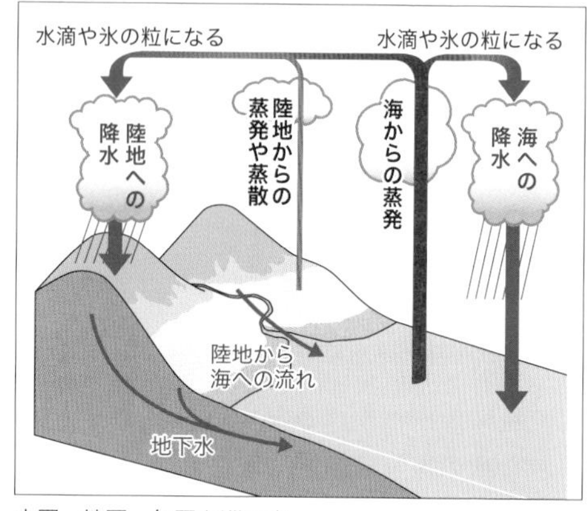

水圏・地圏・気圏を巡る水。

その水蒸気の一部は雲となり、その雲が雨粒や氷の粒をつくる。この粒が、風で浮く力よりも重力が勝る大きさにまで成長すると、降雨・降雪という形で地上に戻ってくる。地表面の雨水や雪は再び蒸発という形で上昇し、海に流れ出た水も再び蒸発して雲を形成する。また、地下水もやがては浸み出して蒸発し、再び雲を形成する。このように、**水は形を変えながら循環**し、その**循環を支えているのは太陽光エネルギー**なのだ。

地球全体の水分量や、地球の質量に対する割合はほとんど変化することなく循環しているが、その過程の一部では水の量が大きく変化している事例もある。最も顕著な事例は、中央アジアのアラル海だ。「海」という名称がついていることからもわかるように、ここはかつて日本の琵琶湖の約100倍の面積をもつ、世界では4番目、アジアではカスピ海に次いで2番目の大きさを有する湖だった。しかし近年、湖部分の大きさは大幅に縮小している。これはアラル海に流れ込む水と出ていく水の量のバランスが変化したことで起こったと推定されている。これが、先に述べた例外だ。

DAY
285
October 11th

# 気圧の差による空気の移動が「風」

## 気圧配置と風の動き

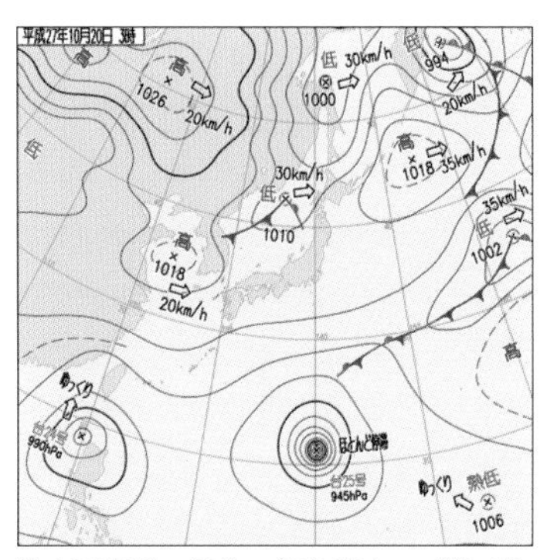

地上天気図。出典：気象庁ウェブサイト（https://www.jma.go.jp/jma/kishou/know/kurashi/sokuhou_kaisetu.html）

気圧は観測地点の海面からの高さによって異なる。そのため測定した気圧を比較する際には、高さによって生じる気圧の差をなくすために海面と同じ高さの気圧に補正する。

右の図は、海面の高さに直した同時刻の気圧を地図上に記入し、気圧が等しいところを滑らかに曲線（等圧線）で結んで気圧配置を表したものだ。気圧配置とは、観測時の気圧分布のことをいう。等圧線が閉じて丸いところが周囲より気圧が高い場合が高気圧（図中の「高」）、気圧が周囲より低い場合が低気圧（図中の「低」）だ。地図上に、等圧線、高気圧や低気圧の中心位置、前線、各観測地点の天気・風向風力・気温・補正気圧などの記号を記入したものを「地上天気図」という。

この天気図を地形図に置き換え、高気圧は山、低気圧はくぼんだ土地と考えると、大気が気圧の高い地域から低い地域に向かって移動するという特徴を理解しやすい。等圧線は等高線と同じ意味になる。等圧線の間隔が狭いところは、等高線で表すところの傾斜が急な部分にあたる。

**高気圧の地表や海面付近では、周囲の低気圧部分に向かって空気が動く**。このような気圧の差による空気の水平方向の動きを、私たちが**地表面で感じることができるのが風**なのだ。

日本列島の位置する北半球の場合、高気圧の周囲では**高気圧の中心から時計回りに吹き出すような風**が吹き、低気圧周囲では**低気圧の中心に向かって、反時計回りで風が吹き込んでいく**。気圧は刻々と変化するため、風向きも刻々と変化することになる。また、低気圧の中心付近では、まわりから吹き込んだ風が上昇気流になるため、雲が発生しやすく天気は曇天や雨になりやすい。逆に、高気圧の中心付近では、地表付近で吹き出した空気を補うように下降気流が生じるため、雲ができにくく晴れることが多い。

DAY 286
October 12th

# 夜は上昇気流が生じにくく湿度が高くなりがち

## 気圧・気温・湿度の1日の変化

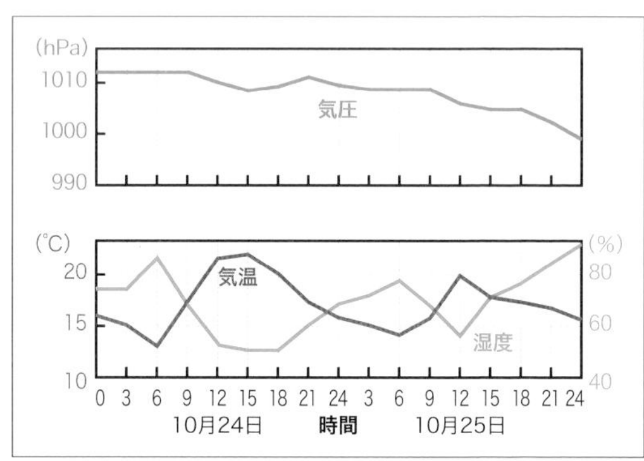

気圧、気温、湿度の変化には関係性がある。

これまでに、気圧は天気や気温とともに変化し、その気圧の変動で風が生じると学んできた。気象を長時間観察していると、天気の変化に伴い、気圧だけでなく、気温・湿度などとも関係性をもって変化していることがわかる。ここでは、気象要素の時間的な変化について考えてみたい。

たとえば、晴れた日の気温は、日中高く、夜間は低いという規則性がある。ただ、日中の気温もいきなり高くなるわけではなく、朝は涼しく、昼になるにつれてじょじょに気温が上昇していく。これは、**太陽が昇り、太陽光が地面と空気を温める**ことによる。また、夜になると気温が下がるのは、**日が沈み太陽光の照射がなくなったため、地面と空気が冷え込む**ことによる。

湿度の変化は気温の変化とは反対だ。晴れた日の**湿度は、日中低いのに対して夜はしだいに高くなる**。そして、早朝6時頃にはピークに達し、日中に近づくにつれ下降線をたどっている。このような現象が生じるのも、日射と関係がある。

**湿度が上下する要因は、地表付近の空気に含まれる水蒸気の量**だ。日射によって地面が温められる**晴れた日の日中は、水蒸気を含んだ上昇気流（熱気泡）が発生**する。水蒸気の多くは上空に移動して雲を形成するので、地表付近の湿度は下がることが多い。一方、日射のない**夜間は、上昇気流も起きにくい**。水蒸気の上空への移動も止まり、地表付近の湿度は高くなることが多い。

大気の状態は天気だけでなく場所によっても変わるため、広範囲の観測データを集めて比較することも大切だ。現在、日本では地上や海上、上空などで観測された気象データを気象庁などに集め、過去のデータとともに、天気予報に利用している。

DAY
287
October 13th

# 寒気と暖気がせめぎ合い前線をつくる

## 気団と前線

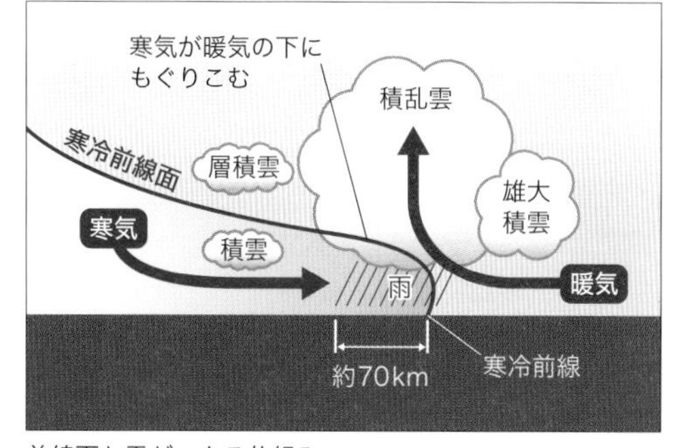

前線面と雲ができる仕組み。

地球上の空気の状態は、場所や太陽光線の当たり具合、地表面の様子によって異なっている。このような性質の異なる空気がぶつかり合う際、大規模な気象変化が起こることがある。

広大な大陸上や海洋上に優勢な高気圧ができると、その中の大気はあまり動かなくなる。このため大陸や海洋などの影響を受け、気温や湿度がほぼ一様になるという現象が発生する。このようにして形成された、**性質が一様で大きな大気の塊を「気団」**と呼んでいる。たとえば、**夏には日本列島の南の海上に暖気（温かく湿った気団）**が、**冬場になるとユーラシア大陸北方に寒気（冷たく乾燥した気団）**が形成される。

空気は温められると上昇し、冷やされると下降するという性質がある。これは、箱に間仕切りをした実験でもわかる。間仕切りで分けた片方の空間に保冷剤を入れて空気を十分に冷やし、線香の煙を充満させる。そのうえで仕切り板を外すと、保冷剤で**冷えた空気は反対側の空気の下にもぐりこむように移動**していく。じつは、これと同じことが、寒冷な気団と温暖な気団の間で発生する。これが気象変化を生む要因となるのだ。

乾いた寒気と、湿った暖気は、ただちに混じり合うことはなく、**寒気と暖気の境界面（前線面）を形成**する。**前線面が地上と交わる線は「前線」**と呼ばれ、顕著なものだけが天気図に示される。前線付近では上昇気流が起きやすく、水蒸気を多く含んだ空気が上空で雲を発達させ、雨や雪を降らせることもある。このような仕組みで、寒気と暖気がぶつかり合う前線付近では、天気が変化しやすい。

DAY
288
October 14th

# 寒気がもぐる寒冷前線と暖気がかぶさる温暖前線

## 前線の種類による気象変化

寒気と暖気の勢力がほぼ同じで拮抗している場合、前線の南北への動きは少なくなり、ほとんど同じ場所に停滞する。これを「停滞前線」と呼んでいる。暖気が寒気との境目に沿って上昇すると雲ができ、前線周辺はぐずついた天気が続く。

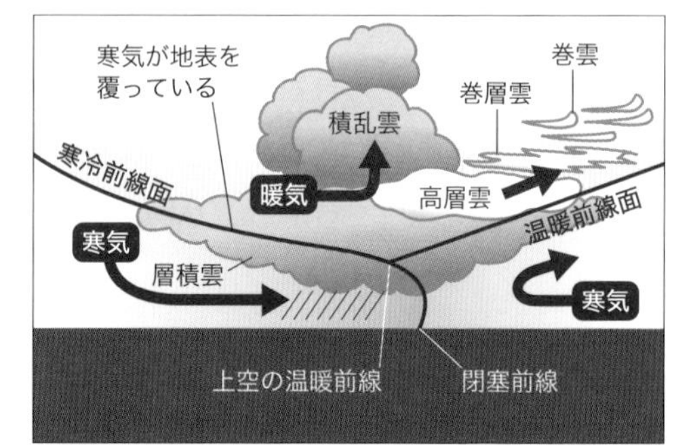


閉塞前線の断面図。

前線上で低気圧が発生すると、**寒気が暖気を押しながら進む「寒冷前線」**や、**暖気が寒気の上に乗って進む「温暖前線」**が形成される。

寒気が暖気の下にもぐりこみ、暖気を押し上げるようにして進む**寒冷前線付近では、暖気が勢いよく上昇するため、積乱雲が発達**し続ける。この積乱雲は、大量の水の粒や氷晶によってできているため、太陽光をほとんど通さず、下から見ると**黒っぽく見える**のが特徴だ。天気が短時間で変わり、**雷雨や突風**を伴うこともある。**局地的大雨（ゲリラ豪雨）**は、この積乱雲がおもな要因だ。寒冷前線の通過後は、北よりの風に変わり、気温が急激に下がる。

一方、暖気が寒気の上をゆるやかにはい上がるようにして進む**温暖前線付近では、上昇気流もゆるやかで、黒っぽく見える雲が広範囲に発生**する。**雨は比較的弱いが、長い時間降る**のが特徴だ。温暖前線の通過後は、南寄りの風に変わり、通過した地域では気温も上昇する。

寒冷前線は温暖前線より進行速度が速いことが多いので、地上の暖気の範囲はしだいに狭くなる。そして、寒冷前線が温暖前線に追いつき、「閉塞前線」が形成される。寒気が地表を覆い、低気圧は消滅してしまうことが多い。

なお、日本列島付近の**低気圧は、西から東へ移動**するものが多い。また、**高気圧にも同じように移動するものがあり、「移動性高気圧」**と呼ばれる。このように低気圧や移動性高気圧が西から東へ移動することによって、日本列島付近では**天気も西から東へ移り変わる**ことが多い。

DAY
289
October 15th

# 日本の天気が西から東へ変化する理由

## 地球規模での空気の移動

日本列島付近の上空には年間を通じて、西から風が吹いている。この風を「偏西風」と呼ぶ。日本付近の**低気圧や移動性高気圧が西から東に移動するのは、偏西風に流されているため**だ。

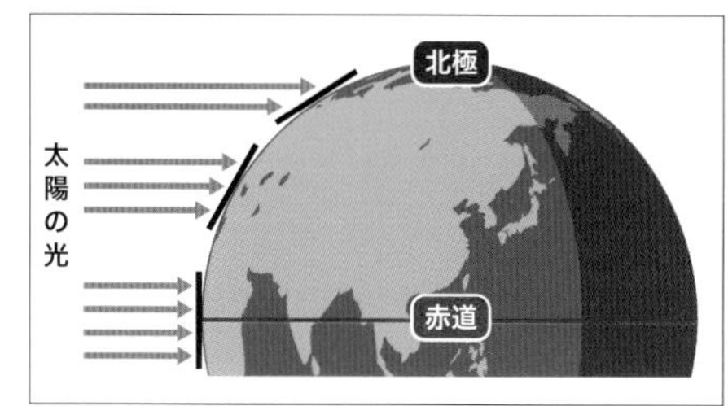

低緯度のほうが日射を多く受ける。

この偏西風は南北に蛇行しつつ地球を西から東へと移動するため、地球規模で空気を動かしている。地球の**各緯度帯では偏西風以外にも、年間を通じて同じ向きの風**が吹いており、これらも地球規模での空気の動きとなっている。

現代の航空機の運航では、パイロットは巡航高度（約1万 m）の風向きを考慮して飛行計画を立てる。たとえば、西行きでは偏西風を避け、東行きでは偏西風に乗るという具合だ。だから、日本～ヨーロッパ間の航空機では、東行きのほうが1時間前後早く到着することが多い。

地球規模で空気が動くのは、空気の性質による影響が大きい。DAY280でも説明したとおり、空気は「温められると膨張して密度が小さくなり、上昇しやすくなる」「冷やされると収縮して密度が大きくなり、下降しやすくなる」という特徴をもつ。つまり、周囲に比べて気温が高いところでは上昇気流が発生しやすくなり、地表付近の気圧は低くなることが多い。また、周囲に比べて気温が低いところでは下降気流が発生しやすくなり、地表付近の気圧は高くなることが多い。このような気圧の差が生まれると、風が発生することはすでに述べたとおりだが、地球規模で空気を動かすのもその風なのだ。

地球規模で見ると、地表の同じ面積あたりに受ける**日射量は、低緯度の地域のほうが小さい**。このため**緯度によって地温、海水温、気温に加え、気圧にも差**が生じ、**地球規模での空気の動きを生む**。なお、偏西風を含む地球規模での空気の動きは、地球を取り巻く大気の底にあたる、「対流圏」（厚さ 10 ～ 12km）で起きている。半径が約 6400km の地球の大きさと比べると、対流圏は非常に薄い層だ。

DAY 290
October 16th

# 夏と冬の気候を生じさせる2種類の季節風

## 陸と海の空気の移動

前ページで述べたように地球の低緯度と高緯度の間では、気温や気圧の差によって地球規模での大気の動きが発生している。このような大気の移動は、陸上と海の間でも発生している。

陸と海の空気の流れの違いに着目してみよう。重要なことは、**地面と海水の温度変化の違い**だ。日射によって**地面は海水よりも温度が上がりやすい**が、日射がなくなると海水よりも温度が下がりやすい。

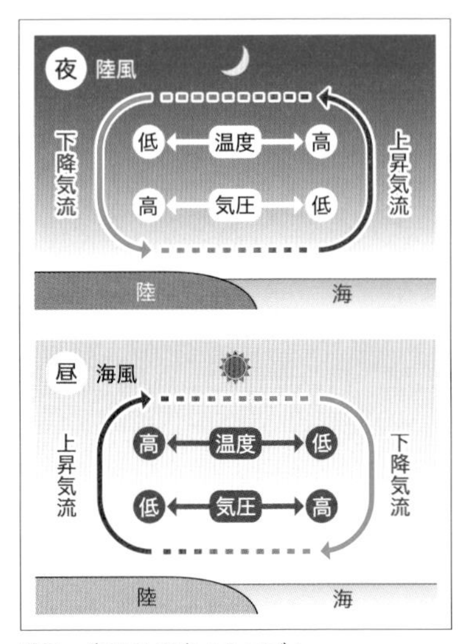

陸風・海風の発生メカニズム。

反対に、海面付近の**海水は日射による温度上昇はゆるやか**だが、日射がなくなっても、すぐには温度が下がらない。よく晴れた日、**昼は陸側で、夜は海側で上昇気流**が発生しやすいことになる。このことが、昼は海側から陸側に吹く「海風」、夜は陸側から海側に吹く「陸風」という、向きの違う空気の流れを生み出す。

地面や海面が受ける日射量は、夏は多く、冬は少ない。地面は海水よりも温まりやすく冷めやすいため、年間を通じての**気温変化は、海（海面付近）よりも陸（地面付近）のほうが大きい**。これによって生じる風が**「季節風」**だ。

日本列島付近の季節風は、おもに2つある。寒冷なユーラシア大陸内部（シベリア）から、比較的温暖な太平洋側へ大気が流れる「冬の季節風」と、比較的冷涼な太平洋側から、高温の中国大陸側へ大気が流れる「夏の季節風」だ。冬の季節風は寒冷で乾燥しているが、日本海上空で湿潤となって雲を発達させ、日本海側に雪を降らせる。一方、夏の季節風は温暖湿潤で、蒸し暑い夏の気候をもたらす。

DAY
291
October 17th

# 日本の四季を演出する4つの気団

## 気団による季節の変化

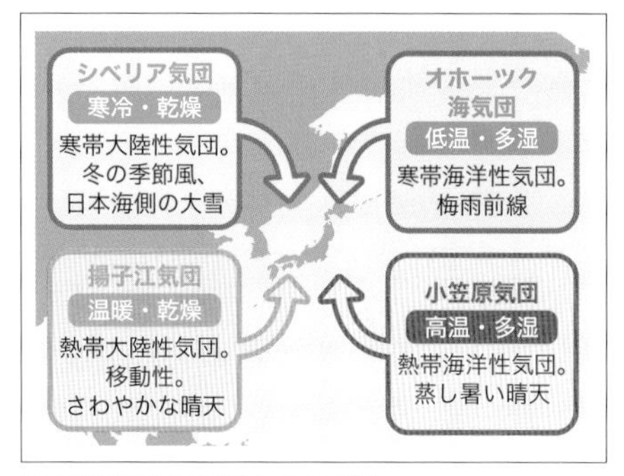

日本列島周囲の気団とその特徴。

日本列島には四季がある。この四季に深く関係しているのが気団だ。四季を大きく左右する日本の周囲の気団は、おもに4つある。太平洋沖合で形成される**高温多湿の「小笠原気団」**、ロシアのオホーツク海周辺で形成される**低温多湿の「オホーツク海気団」**、ロシアのシベリア地方で形成される**寒冷乾燥の「シベリア気団」**、中国の揚子江（ようすこう）（長江）流域で形成される**温暖乾燥の「揚子江気団」**だ。

小笠原気団は、日本の夏をもたらす。夏は日本列島やユーラシア大陸東方での日射量が多くなり、陸地が温まって上昇気流が発生して気圧が低くなる。空気は気圧の高い場所から気圧の低い場所へ移動する特徴をもつため、温かくて湿った小笠原気団が日本列島方向に流れ込む。日本の夏がジメッとした湿気をはらんで暑苦しいのは、この小笠原気団の影響だ。

この小笠原気団が日本列島に張り出してくるのは、陸地の気温が上がり始める6月頃だ。しかし、この時期にはオホーツク海気団が日本列島を覆っている。**日本列島の南岸付近でオホーツク海気団と小笠原気団がぶつかり合う**が、最初は2つの気団の勢力はほぼ同じなので、**「停滞前線」が発生**しやすい。加えて両気団とも湿潤なため、2つの気団がぶつかり合うこの時期は**「梅雨」**と呼ばれ、北海道以外の地域は長雨になることが多い。

照射量が少なくなると、極寒のシベリア地方では寒冷な気団が形成され、温暖な太平洋に向けて大気が流れ始める。**シベリア気団は元来、乾燥しているが、日本海上空で雲を形成**し日本列島に到達する。この雲が日本海側の山脈にぶつかって上昇すると、さらに発達して**日本海側に雪**を降らせる。

**揚子江気団は、春や秋に移動性高気圧**となって日本に到達し、**好天**をもたらす。

このように日本の四季の変化に気団が大きく関係しているのだ。

DAY
292
October 18th

# 南の海の水蒸気により熱帯低気圧が猛烈に発達

## 台風のメカニズム

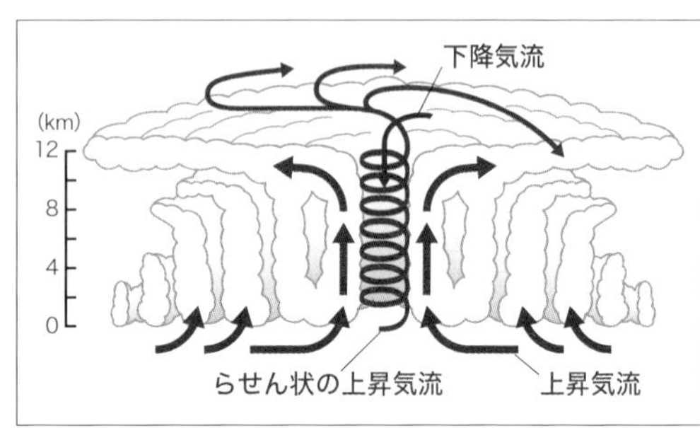

台風の中心は下降気流が発生し、雲がない部分がある。

熱帯の海上で発生する低気圧（熱帯低気圧）のうち、赤道よりも北の北太平洋や南シナ海に中心があり、低気圧域内の最大風速（10分間平均）が17.2m/s（34ノット、風力8）以上の熱帯低気圧を「台風」と呼んでいる。これは、**海水温の高い海面から供給される大量の水蒸気によって、熱帯低気圧が発達**したものだ。

台風は**中心に向かって強い風**が渦を巻いて吹き込んでいる。この風は中心付近でぶつかり、らせん状に上昇する。この空気の流れにより、**巨大ならせん状の積乱雲**を形成するため、台風の中心付近では雨風が最も激しくなる。

台風は反時計回りの渦を巻いているが、それ自体に移動する力はない。**貿易風、高気圧の気流、偏西風などの影響で移動**する。台風の発生が多い赤道の北側では、「貿易風」という東風の影響で、台風は西に進む。その後、時計回りの気流である太平洋高気圧の、西側の縁に沿って北上し、最後に偏西風の影響で東寄りに進路を変えることが多い。また、台風の渦の向きや進路は、地球の自転の影響も受けている。

台風に大量の熱エネルギーを供給しているのは、海水温の高い海面から蒸発する水蒸気だ。しかし、移動の際の海面や地表面との摩擦などで、大量のエネルギーを失ってもいる。**海水からの熱エネルギーの供給が途絶えれば、台風の勢力は衰え、やがて消失**する。つまり、台風は「陸」に弱いのだ。台風による被害が、海に囲まれた「島」や「岬」に多いのは、このことが原因だ。しかし、近年は強い勢力を維持したまま上陸する台風も増えている。

台風は北上するに従って勢力が衰え、やがて前線を伴った「温帯低気圧」に変わることが多い。これは北の海水は温度が低く、海水の蒸発によって発生する水蒸気が少ないことによる。

DAY
# 293
October19th

# 山で雨を降らせたあとに熱風となって吹きおりる

## フェーン現象

日本列島は山脈や山地が多く、起伏に富んでいる。この地形によって発生するのが「フェーン現象」だ。これは湿った空気が山をのぼるときに雨を降らせ、その後、乾燥した高温の風が山を吹きおりる現象のことだ。

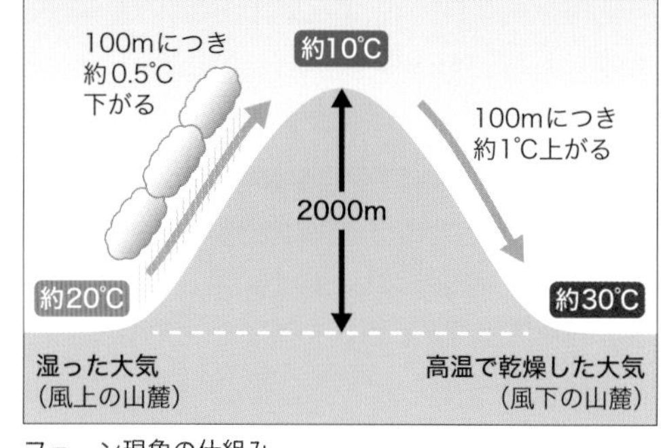

フェーン現象の仕組み。

水蒸気を含んだ空気が、山麓から山頂に向かって上昇すると、気温が下がる。空気は露点に達し、含まれていた**水蒸気が雲を形成**する。露点に達したあとも、高度100mにつき**約0.5℃ずつ気温は低下**し続ける。図のように、山麓で20℃だった気温は、2000mの山頂では10℃となる。雲粒は互いに結合して雨粒となり、浮揚力よりも重力が勝る大きさになると、雨となって山地に落ちる。**山頂を越える頃には、空気は水蒸気の多くを失い、乾燥**した状態になる。

湿った空気と乾燥した空気では、高度による気温変化に違いがある。露点に達した空気が上昇するときには、高度100mにつき約0.5℃ずつ気温が低下したが、**乾燥した空気が山を下ると、約1℃ずつ上昇**する。山で水蒸気を失った空気は、風下側の山麓に到達する頃には、図の例の場合、約30℃まで気温が上昇する。このように、**風下側の山麓や平野に高温乾燥の風が吹き込み、気温を急上昇させる**のがフェーン現象だ。風上側山麓での気温・湿度が高ければ高いほど、風下側山麓に達した際の大気の気温は高く乾燥の度合いも著しい。

また、冬季は日本海側で雪を降らせた大気が、山脈地帯を越えるため、太平洋側で気温が高くなり、乾燥することがある。これもフェーン現象の一種だ。ただし、冬場はもともと風が低温なので、山を越えて多少気温が上がったとしても、夏場のフェーン現象のように高温になることはない。

DAY 294

October 20st

# 貿易風の変化が引き起こす異常気象

## エルニーニョ＆ラニーニャ

太平洋熱帯域では、**基本的に赤道の北側を「貿易風」と呼ばれる東風**が吹いている。このため、海面付近の温かい海水が太平洋の西側に吹き寄せられている。太平洋西部のインドネシア近海では海面下数百ｍまでの表層に温かい海水が蓄積し、太平洋東部の南米沖では、この東風と地球の自転の影響によって深いところから冷たい海水が湧き上がってくる。このため、**海面の水温は太平洋赤道域の西部では高く、東部では低く**なっている。海面水温の高い太平洋西部では、海面からの蒸発量が多く、大気中に大量の水蒸気が供給され、上空で積乱雲が盛んに発生する。

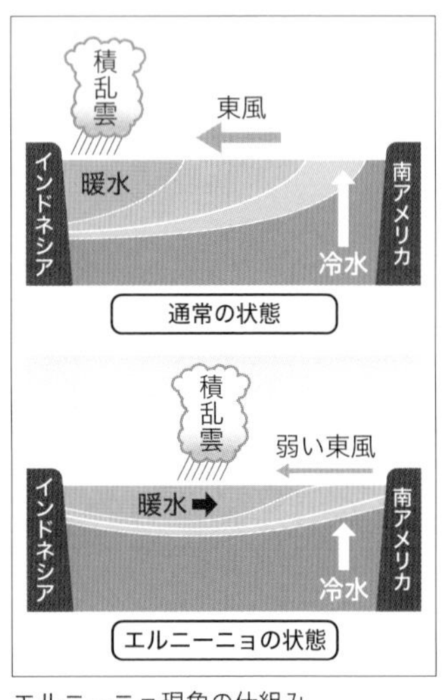

エルニーニョ現象の仕組み。

ところが、**赤道付近を流れる貿易風の流れが弱まってしまう**ことがある。これによって生じるのが**「エルニーニョ現象」**だ。エルニーニョ現象が発生した際には、東風が平常時よりも弱いため、西部にたまっていた温かい海水が東方へ広がるとともに、東部では冷たい水の湧き上がりが弱まってくる。このため太平洋赤道域の**中部から東部では、海面水温が平常時よりも高く**なる。これにより、エルニーニョ現象発生時は、積乱雲が盛んに発生する海域が平常時より東へ移るのだ。

エルニーニョ現象が起こると、南米で気温が上がるだけではない。**台風の発生海域に変化**が起きたり、**太平洋高気圧の勢力が弱まって日本では冷夏**になったりするなど、世界的に気象変動が発生することがある。

このエルニーニョ現象に対し、**貿易風が通常よりも強くなった**場合に発生するのが**「ラニーニャ現象」**だ。ラニーニャ現象が発生した際には、太平洋西部に暖かい海水がより厚く蓄積し、東部では冷たい水の湧き上がりが平常時より強くなる。つまり、**エルニーニョ現象と反対のことが起こる**ため、インドネシア近海の海上で積乱雲が盛んに発生することになる。

DAY
295
October 21th

# 台風・大雨・大雪など気象災害の多い日本列島

## 気象情報の重要性

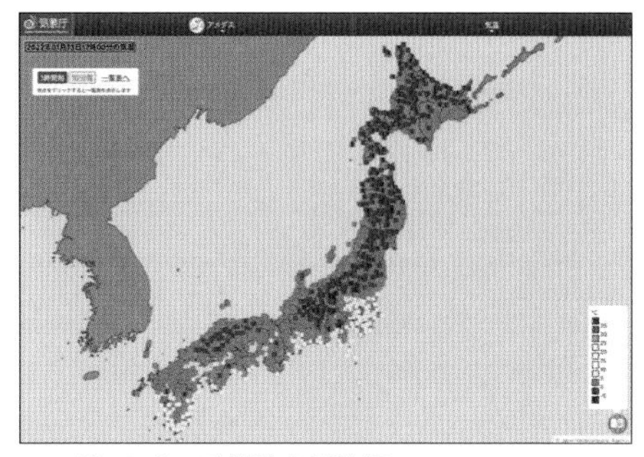
アメダスによる時間降水量情報。

日本列島の**年間平均降水量は世界平均の２倍**近くある。そのため、大雨や大雪によって甚大な被害が出ることが多い。とくに夏から秋に赤道付近からやってくる台風は、毎年の心配の種だ。台風は日本のはるか南の海上で発生し、日本列島や中国大陸へ向かって進むことがほとんどだ。暴風雨を伴うことが多いため、短時間に降る**大雨や強風によって台風は大きな災害を起こす**こともある。

日本列島は昔から台風の通り道になることが多かったこともあり、各地で台風への備えがなされてきた。たとえば、台風の上陸や接近が多い沖縄県では、家を台風の強風から守るため家の周囲に樹木を植える、石垣を設けるなどの対処をしてきた。

気象情報の収集が未発達の時代には、家屋を強化するなどの対処法しか取れなかったが、現在では**気象情報収集による対処が可能**になった。気象情報は気象庁が発表する**天気予報**のほかに、**インターネット**などでも収集が可能だ。気象衛星の画像からも台風の動きがリアルタイムで確認できる。

気象情報の収集・発信手段として、大きな存在感を示しているのがアメダスだ。**アメダスとは、降水量、気温、風速などを自動観測する「地域気象観測システム」**のことだ。**日本国内に約 1300カ所**設けられている。ここでは設置地点の気象情報を観測して送信し、**リアルタイムで気象情報が確認**できるようになっている。

気象災害が多い日本では、その地域の土地の成り立ち、災害の原因となる地形の特徴などに基づき**「ハザードマップ」**という地図が作成されている。災害が予想される区域や避難場所、避難経路などの情報が示されており、自主的な避難やふだんの備えの強化などの防災対策に活用することができる。

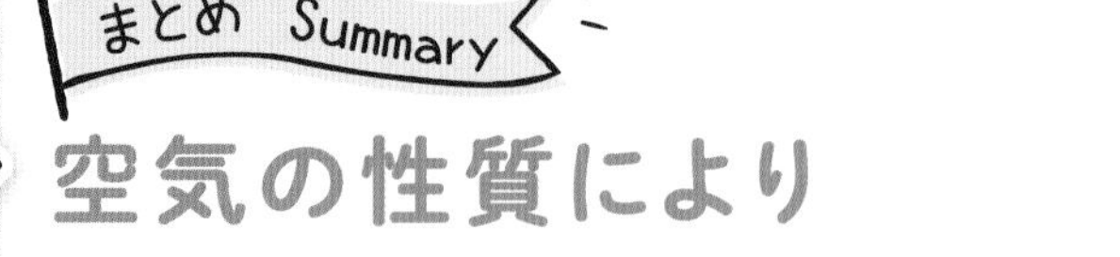


# 空気の性質により天気や季節が移り変わる

雲は水蒸気が凝結し、細かい水滴や氷の粒が集まってできたものだ。この雲粒が雲の中でぶつかり合い、くっついて大きな粒に成長したものが地上に落下すると雨になる。つまり、雲が天気を左右する。

空気には「温められると膨張して密度が小さくなり、上昇しやすくなる」という性質がある。まわりに比べて温度が高い空気は膨張して密度が小さくなる。すると、空気の重さがまわりより軽くなるため、地上の気圧が低くなり、低気圧が発生する。そして、その中心へ向けて風が吹き込むと上昇気流が生まれ、雲ができやすくなるため天気は崩れやすくなる。一方、高気圧が発生すると、中心付近では下降気流が発生し、雲はできにくく、晴れやすくなる。

地表の同じ面積あたりに受ける日射量は、低緯度の地域のほうが小さい。また、陸と海では温まりやすさに差がある。それらによって、気圧にも差が生まれる。気圧の高いところから低いところに空気が流れることで生まれる風が、地球規模で空気を動かし、天気や季節の移り変わりに影響を与えている。

日本では、偏西風が西から東へ吹いていて、これにより高気圧や低気圧も移動することが多いため天気が移り変わる。また、春や冬の台風は低緯度で発生するため、その周辺で吹く風に乗って西へ進み、日本列島付近まで北上することはまれだ。冬から春に台風の接近が少ないのはそのためだ。



Key points

- 空気が膨らむと低気圧が発生し、天気が悪くなることが多い。
- 空気が縮むと高気圧が発生し、晴れることが多くなる。
- 日本列島の天気は、偏西風の影響で西から東に変化することが多い。

# さまざまな地形があるのはどうして？

地球上に生きている私たちは、山や谷、平原など、さまざまな地形を目にしている。「地形はできたときから変化していない」と思いがちだが、そうとは限らない。私たちが目にしている地形には、気の遠くなるほどの年月をかけて、地球が創り出したものもある。そして、現在も新しい地形がつくられており、変化し続ける地形もある。

## ▶地形はどうやってできるの？

私たちの身のまわりにある山や川、平地、海岸、島などの地形は、元からそこにあったわけではない。すべての地形には、でき方とできる原因となった作用がある。とくに日本では、急峻な山岳地や島嶼（とうしょ）など変化に富んだ地形が多い。それは、どんな作用でできたものだろうか。

## ▶火山と地形は関係があるの？

日本列島の大部分は火山帯の上にあり、いつどこで火山の噴火が起きてもおかしくない。火山が噴火すると、マグマや火山砕屑物などが噴出する。マグマは流れ出たあとじょじょに冷えて固まり、火山灰などが風に乗って飛散し、広範囲に降り積もることもある。火山噴火が繰り返されると、その周辺の地形はどのように変わっていくのだろうか。

## ▶地震と地形は関係があるの？

日本列島は地震多発地帯でもある。地球を覆う「プレート」という分厚い岩盤が動き、衝突やもぐりこみなどで地震は発生する。その際、地殻のずれ（断層）が地表にまで達し、段差や横ずれが発生することがある。そのような大地の変化は、現在ある地形と関係があるのだろうか。

DAY 298
October 24th

# 「侵食」「運搬」「堆積」で地層はつくられた

## 大地のつくり

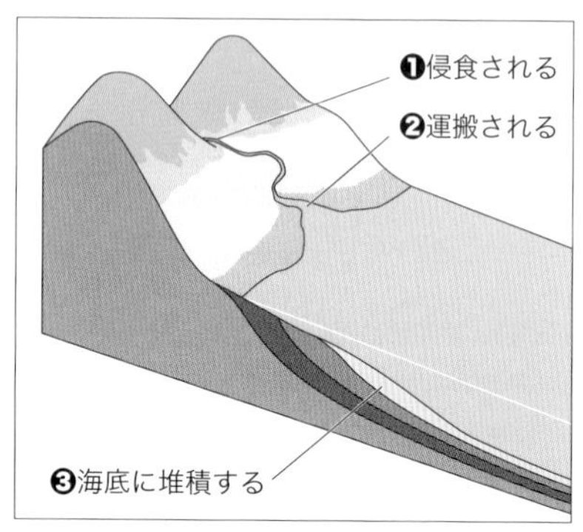

地層ができる仕組み。

大地はいくつもの層から成り立っていて、このような重なりを「地層」と呼んでいる。**地層ができるのは、侵食、運搬、堆積という自然の働きによる**。

岩石などは長い時間によって劣化（風化）し、強度が弱くなってボロボロになってくる。このように**脆弱になった岩石が降雨や水流によって削られたり、**地表を流れる雨水が**軟弱な表層に溝状の地形を形成（雨裂）したり**することを、**「侵食」**という。とくに山岳部は水流の侵食の力によって急峻な地形となってさらに水流は強まり、岩石は容易に削り取られていく。侵食された岩石は、**流水の「運搬」によって下流へ**と運ばれていく。ここから始まるのが「堆積」という作用だ。文字どおり、**堆積とは幾重にも積み重なること**だ。

比較的新しい地層が縞模様になって見えるのは、れき、砂、泥、火山灰などが層を成して重なっているためだ。このうち、れき、砂、泥などは流れる水の力によって運搬され、粒の大きさごとに海底や湖底に堆積する。この営みが延々と繰り返された結果、縞模様の地層が形成されるのだ。

一方、火山噴出物の一種である**「火山灰」は、水による運搬を必要としない**点が特徴だ。火山灰は上空まで舞い上がってから、雪のように地上に降ってくる。そのため、水の流れのない場所でも火山灰の地層を確認することができる。

このように、堆積を繰り返して地層はつくられる。

火山灰による地層で近年注目を集めているのが、千葉県市原市にある地層だ。地層からわかる情報の多さや正確さから、2020年1月、約13万～77万年前の時代を代表する地層として世界的に認められ、その時代が世界で「チバニアン（千葉時代）」と呼ばれるようになった。

DAY
299
October 25th

# 流れる水には「侵食」「運搬」「堆積」の働きがある

## 流水と地形

地表を流れる水には、侵食、運搬、堆積という3つの働き（作用）がある。

川が曲がっている地点の断面図を見ると、**カーブの外側は深く、川岸が崖**になっていることもある。これは水の流れが速い**カーブの外側のほうが周囲の土や岩石を削る働き（侵食作用）が大きい**からだ。削られた土や岩石は**流水によって、下流側に運ばれる（運搬作用）**。

水の流れが遅い**カーブの内側では、石や砂が積もる（堆積作用）**。堆積によって「川原」ができることが多い。川原に丸い石が多いのは、流水による運搬中に岩石と岩石がぶつかり合い、角が削られるためだ。堆積は、川の流れがゆるやかな平野部や河口でも起きる。

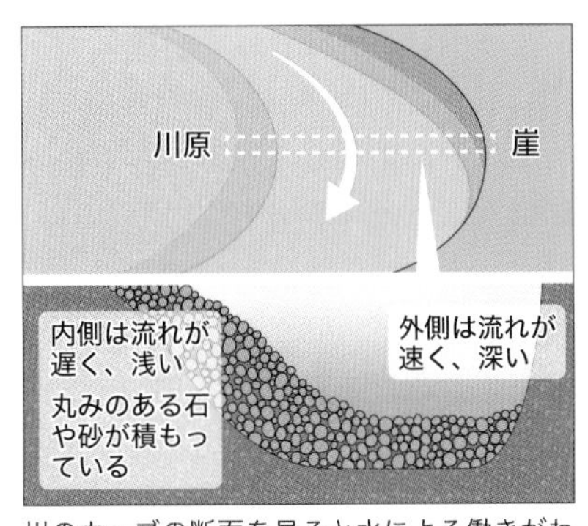

川のカーブの断面を見ると水による働きがわかる。

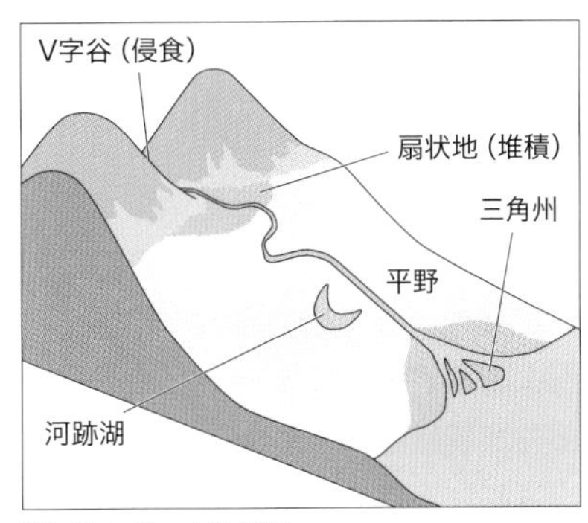

流れる水がつくる景観。

また、土地の傾斜が大きく水流が速い**山岳地域でも侵食作用が早く進む**。その結果、アルファベットの「V」のような形状をした**「V字谷」が形成**される。**平地に近づくにつれて侵食作用は弱まり、今度は堆積作用が強く働く**ようになる。これにより土砂が平野部に流れ込み、扇状に広がるような**「扇状地」がつくられる**。

傾斜のゆるやかな**中流部では堆積作用が強まり、広い川原や「中州」**も見られるようになる。さらに下流部では、土地の傾斜がいっそうゆるやかになり、蛇行を繰り返す川もある。増水時には蛇行の基部で溢水し、蛇行部が三日月型の沼（河跡湖）として残ることがある。流れがさらにゆるやかになると、運搬されてきた砂や砂利が、島のように堆積して**河口近くに「三角州」を形成**することがある。

# 川岸の竹林は水害を防ぐ先人の知恵

## 流水と日本の災害

日本列島の大部分は中緯度地域にあたる。DAY291でも述べたとおり、北からの寒冷な空気と南からの温暖な空気の間にあるため、前線ができやすい。また、海に囲まれていることで大量の水蒸気が供給されるため、低気圧が発生しやすく、発達した台風の影響も受けやすい。

令和元年東日本台風による豪雨水害（荒川河川敷）。©K@zuTa / PIXTA

このため、日本の平均年間降水量は約1700mmに達している。**世界の平均降水量（約880mm）のほぼ2倍**だ。

陸上に降り注いだ大量の雨水は河川に流れ込み、海へと流れ下っていく。この営みを延々と続けてきた日本列島には、前ページでも紹介したとおり、侵食・運搬・堆積という流れる水の働きを受けた景観が随所に見られる。

そのかたわら、降水量の多さは、**土砂崩れ、河川氾濫、「山津波」とも呼ばれる土石流など、災害発生の要因**ともなっている。

大量の雨が降って河川の水が増えた場合、水の流れは速くなる。これによって川岸や川底での侵食が盛んになるが、とくに、川岸を侵食されることは水害の要因となる。

平均年間降水量が世界平均の2倍近くもある日本では、昔から水の流れによる侵食に頭を悩ませ、さまざまな対策を講じてきた。

たとえば、**「水害防備林」**がある。これは川岸に樹木を植えて根を張らせることで、水の流れによる侵食に対して川岸を強化するものだ。

また、それと同時に、洪水の際に水の勢いを弱めることと、流れてくる石が田畑や家屋に入るのを防ぐという「減災」の目的もあったそうだ。とくに縦横に張った地下茎をもつ竹が好まれた。川岸に竹が植えられている風景は、日本各地に現在も残っている。これは、先人たちの知恵を今に伝える光景の1つだ。

DAY
301
October 27th

# 水田に向いているのは水を通しにくい土

## 水と土の恵み

**水は地面に浸み込む**という性質をもっている。ただし、浸み込み方は土の性質によって異なる。

雨のあとなどに、水たまりができている場所とできていない場所があるが、あれは土の性質によるものだ。たとえば、砂地に水はたまらない。これは砂粒が粗いため、容易に水を吸い込んでしまうせいだ。つまり、水たまりができている場所は、土の目が細かいため水が通りにくくなっているのだ。

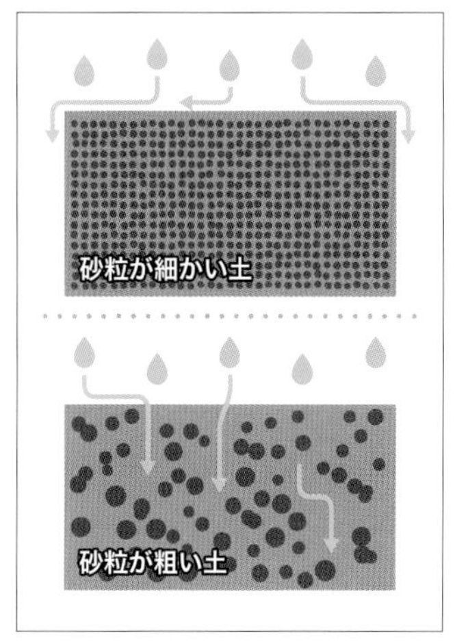

水の浸み込み方は土の性質によって異なる。

野菜や豆類などの**作物（植物）は、根から「水」と「水にとけた養分」を吸収**して育つ。そのため、いい作物を育てるには、その植物の根が**水や養分を吸収しやすい土を選ぶ**ことが必要だ。たとえば、先に述べたとおり、土には「水が浸み込みやすい性質のもの」と「水が浸み込みにくい性質のもの」がある。

私たちが主食としている米を実らせる水稲には、多くの水が必要だ。このため、つねに水を満たした水田が必要になる。水稲の田で使われるのは水を通しにくい、目の細かい土のほうだ。

反対に梨やラッキョウなどは、水を通しやすい土のほうが栽培に適している。鳥取県の鳥取砂丘周辺で梨やラッキョウの栽培が盛んなのは、水はけのよい砂を含んだ土が多いからだ。

私たちが水と土の恵みをより多く受けるためには、このように土の性質をよく知って利用することが欠かせない。やがて、土に浸み込んだ水は、日射によって蒸発し、上空で雲を形成する。上空の気象条件によっては、雲は発達して雨雲（積乱雲や乱層雲）になり、雨を降らせる。雨水の一部は、再び土に浸み込む。この繰り返しで、水は土と空を行き来している。

DAY 302
October 28th

# いつ噴火するかわからない身近で危険な存在

## さまざまな火山災害

世界中にある約1500の活火山のうち、日本列島にはその約7%にあたる、100を超える活火山がある。世界の陸地面積が約1億4000万 $km^2$ あるのに対し、日本の面積はそのわずか0.3%程度の約38万 $km^2$ であるにもかかわらず、そこにこれだけの活火山が存在しているのだ。

日本には霊峰としての富士山や御嶽山、世界最大のカルデラ（火山体の中心部にできた直径が数km～数十kmにも及ぶ大きな窪地）を有する阿蘇山、鹿児島県のシンボルともいうべき桜島のような、景観美などと密接に結びついた山も多い。しかし、火山は災害ももたらす危険な存在だ。

**火山の噴火によって噴出する「溶岩」「火山ガス」「火山砕屑物（かざんさいせつぶつ）」**などは、火山の麓で暮らす人々にとっては、ときに人命に関わるような被害を与えかねない。

粘度の低い溶岩流は麓まで下り、山林や民家を焼失させることもある。1986年に起こった伊豆大島の三原山での被害がその例だ。

火山ガスの主成分は水蒸気だが、二酸化炭素・二酸化硫黄・硫化水素など、人畜に有害な物質も含まれている。「火山岩塊（64mm以上）」「火山れき」「火山灰（2mm以下）」「火山弾」「軽石」などの火山砕屑物の中でも、とくに危険なのは、マグマそのものが火口から弾道を描いて、ほぼ初速で飛来する「火山弾」だ。

また、**火山灰や火山ガスなどが、高速で山腹を下る「火砕流（かさいりゅう）」も、**火山における危険な現象の1つだ。巨大な噴火では、噴煙柱が重力によって崩壊して、破局的な火砕流が発生することもある。古代に起こった「ポンペイの悲劇」はその例だ。

火山弾が風で飛んでくることはないが、火山灰は風で拡散して、火山のない地域にまで農作物被害や、健康被害が及ぶことがある。また、1991年に起こったフィリピンのピナツボ火山の噴火では、火山灰が日射を遮り、地球全体の平均気温を下げた。

近年ではこうした被害を最小限にとどめるための対策も進んでいる。常時観測している火山に限られるが、マグマが上昇する際に頻発する火山性微動の震源の移動から、マグマの動きを読み取ることも可能だ。

DAY 303 October 29th

Column 暮らしの中の“エセ科学”

# クジラの座礁は大地震の前触れ？

**2011年3月4日、茨城県鹿嶋市に大量のクジラが打ち上げられた。これが7日後の東日本大震災の前触れだった、という言説が流布した。クジラやイルカといった鯨類は地磁気を感じる能力をもつため、地震前に地磁気が乱れたことで方向感覚が狂ったのだという。**

---

クジラやイルカといった鯨類が海岸に打ち上げられることを「ストランディング」という。また、複数の個体が同時にストランディングした場合を「マスストランディング」と呼ぶ。珍しいことのように思うかもしれないが、じつは四方を海に囲まれた**日本では日常的に起こっている現象**だ。日本におけるストランディングの報告件数は、なんと**年間300件**前後にのぼる。

ストランディングのはっきりとした原因はわかっていないが、仮説はいくつも示されている。たとえば、寄生虫による聴覚異常という説。クジラは超音波を使ってコミュニケーションをとっている（エコーロケーション）が、聴覚に異常が生じると正常に働かなくなるという。それ以外の原因として、艦船のソナーの影響、気象現象との関係などが挙げられ、そのうちの1つとして、地磁気の乱れが原因だという説も確かにある。ただ、地震によって地磁気が乱れるのは確かだが、実際には太陽フレアなど地球外の磁気による影響のほうがはるかに大きい。1978年のマグニチュード7の地震の前には地磁気の乱れが報告されているが、地球の磁場の強さからするとごく小さな変化で、動物に異常行動を引き起こすほどのものではなかったという。2018年に開かれた日本地震学会で発表された論文でも、2011年3月4日のマスストランディングと3月11日の東日本大震災に因果関係はなかったとしている。

これらのことから、現状では地震による地磁気の変化と鯨類のストランディングに明確な関係性があるとはいえない。仮に両者に何らかの関係があったとしても、先ほど述べたとおり、ストランディングは珍しい現象ではない。ストランディングが起こった直後に高確率で大きな地震が起こるとすると、日本では**ほぼ毎日大地震が起こることになってしまう**。

DAY 304

October 30th

# 火山の形はマグマの性質で決まる

## 火山とマグマの関係

日本列島は世界的に見ても火山密度の高い地域だ。100を超える活火山があり、現在でも噴火を繰り返しているものもある。

同じ火山と呼ばれるものでも、形や噴火の様子はそれぞれ異なる。その原因の1つは、火山の地下にある「マグマ」の性質の違いだ。マグマは、地下の岩石がとけて液体状になったものだ。プレートの境界面（DAY318参照）は、巨大な圧力で高温になり、マグマができやすい。マグマは火山噴火でそのまま噴出することもあり、それが地表を流れたものを「溶岩」という。

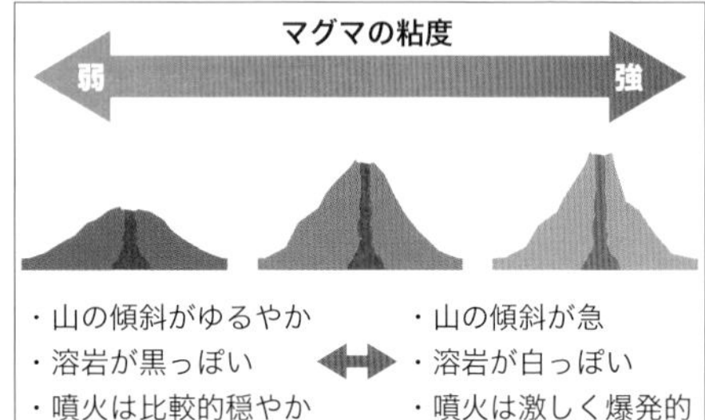

マグマの粘度が火山の特徴を左右する。

火山の形状を決めるうえで重要な役割を果たしているのが、マグマの粘度だ。流れやすい**粘度の弱いマグマは、傾斜のゆるやかな火山**になることが多い。反対に、流れにくい**粘度の強いマグマは、盛り上がった形状の山容**となる。

また、マグマの粘度は溶岩の色とも関係がある。マグマの中の有色鉱物の割合が多いと粘り気が弱くなり黒っぽく、有色鉱物の割合が少ないと粘り気が強くなり白っぽくなる。伊豆大島火山のマグマは粘度が弱いため、溶岩の色は黒っぽい。反対に、雲仙普賢岳（うんぜんふげんだけ）の平成新山のマグマは粘度が強いため、溶岩の色は白っぽくなっている。

マグマの粘度が異なると、噴火の様相も異なる。マグマの粘度が弱いケースでは、激しい噴火は少ない。反対に**マグマの粘度が強いと、激しい爆発的噴火**となることが多い。粘度の強い溶岩は流れにくいため、**火口付近に溶岩ドーム**と呼ばれる溶岩の塊をつくることがある。この溶岩ドームが崩壊すると、火山灰、火山ガスがまとまって斜面を一気に流れ下る火砕流が発生することがある。この火砕流は非常に高速なうえ、数百℃の高温になる。

DAY
305
October 31st

# 地下からマグマが噴き出す現象が「噴火」

## さまざまな火山噴出物

火山の地下深いところには、マグマがたまっていることがある。マグマが上昇すると、圧力が低下して、気化した火山ガスや水蒸気によって発泡を始める。マグマが地上に出ると一気に減圧して、**マグマ自身や火口付近の岩石が噴出**する。マグマがそのまま流れ出て溶岩流になることもある。一般的に、これらが**火口壁を越えた場合を「噴火」**という。

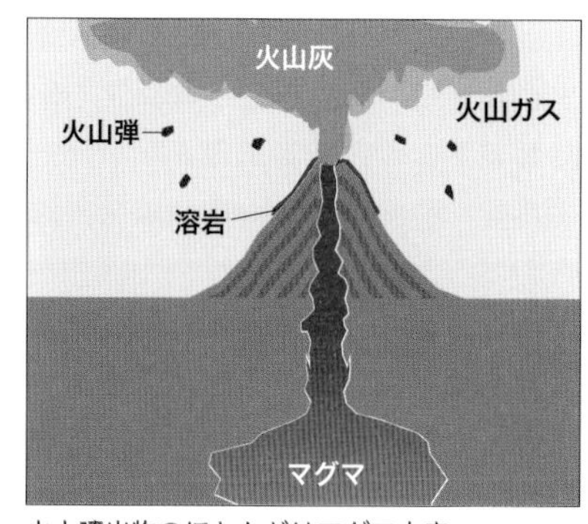

火山噴出物のほとんどはマグマ由来。

**火口から噴出したものを「火山噴出物」**という。**溶岩、火山砕屑物、火山ガス（水蒸気や二酸化硫黄など）**などが含まれる。溶岩はマグマがそのまま山腹を流れ下るものだ。火山砕屑物は、噴き出したマグマが冷やされて固まったもので、サイズによって「火山岩塊（64mm 以上）」「火山れき」「火山灰（2mm 以下）」に分けられる。その中で多孔質で淡色のものを「軽石」、暗色のものを「スコリア」と呼ぶ。また、火口から噴き出た物質が、飛散しながら冷え固まったため、特徴的な形態をもつ火山岩塊を「火山弾」と呼ぶ。

噴出したばかりの火山灰を観察すると、さまざまな色・形の粒が見られる。火山灰は、火口からの噴出でマグマが急冷されてできる。そのため、**マグマの成分由来の鉱物の小さな結晶**（カンラン石、輝石、長石など）や、**発泡した小さな岩石片**（軽石やスコリア）が含まれることもある。火山灰に含まれる鉱物結晶の種類や割合に**違いがあるのは、元になったマグマの成分が異なるため**だ。

火山灰は粒が小さく軽いため、火山の上空数千mまで上昇し、風によって広範囲に運ばれたり、気候に影響を及ぼすこともある。また、地表、湖底、海底などに積もった火山灰は、その後、新たな地層を形成することもある。

同じ火山でも、噴火ごとにマグマの性質や火山灰の組成が異なることがある。離れた場所にある地層を調べると、それが過去の同じ火山の噴火によってできた層だとわかる場合もある。つまり、地層中の火山灰層を分析することで、由来となった火山や噴火年代がわかり、それが地層の年代を知る手がかりにもなるのだ。

# 地球の内部は大きく4層に分かれている

## 地球の内部構造

私たちが生活する地表に比べると、地球の内部は高温、高圧になっている。また、内部の構造は、均一ではなく、大きく４つの層に分かれている。地球の層構造は、地震が起きたときに伝わる地震波の速度を測定することで知ることができる。

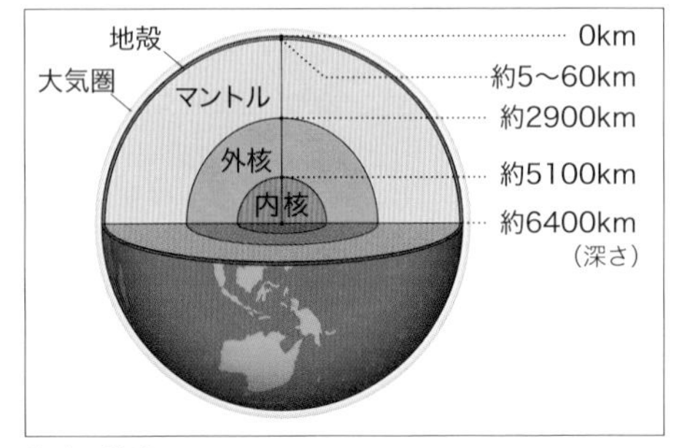


地球の構造。

**地球の最外部を構成しているのが「地殻」**だ。約５～60kmほどの層で、花崗岩や安山岩、玄武岩などの火成岩を含む比較的軽い岩石でできている。

**地殻の下から約2900km辺りまでを構成するのが「マントル」**だ。地球の全体積の約80％を占め、ケイ素、マグネシウム、鉄を主成分とするカンラン岩で構成されている。マントルは地震波の伝わり方から、上部マントル（地殻の下から深さ約400km）、遷移層（深さ約400～670km）、下部マントル（深さ約670～2900km）に分けられる。

上部マントル内の深さ約70～250km付近に地震波速度が上部よりも減少する**「アセノスフェア」**と呼ばれる低速度層がある。地震波速度が遅いのは、この層の温度が高く、物質の一部がとけてやわらかくなっているからだと考えられている。この境界より上にある**「リソスフェア（岩石圏）」**と呼ばれる地震波速度の速い層は、**地殻と上部マントルの一部**を合わさったものだ。リソスフェアはやわらかい層の上にある硬い層で、これが**「プレート」に相当**する。のちのDAY317でふれるが、このプレート同士の衝突やもぐりこみによって、地震が発生する。

マントルより下にあるのが**地球の中心に当たる「核」**で、その内部は**「外核」と「内核」の２層**に分けられる。主成分は鉄やニッケルなどの金属で、外核は液体、内核は固体でできていると考えられている。

現在、地球の表面では各地でさまざまな地層や岩石を見ることができる。しかし、そのでき方や分布は地球内部の状態に強く依存しているので、地球の表面について理解するためには、地球内部の様子を知っておくことも必要になるのだ。

DAY 307
November 2nd

# 日本列島の下はマグマだまりだらけ

## マグマとプレートの関係

右の図のようにプレートが沈み込むところでは、プレートの動きによる摩擦熱や地熱で、岩石の一部がとけることがある。そのとけた岩石が「マグマ」になる。マグマが上昇して地上や海底に噴出したものが「火山」だ。**日本列島の地下では、海洋プレートが大陸プレートの下に沈み込んでいて、マグマがつくられる**ところが多い。日本列島（北方領土や伊豆諸島も含む）に火山が多いのは、プレートとマグマが関係しているのだ。

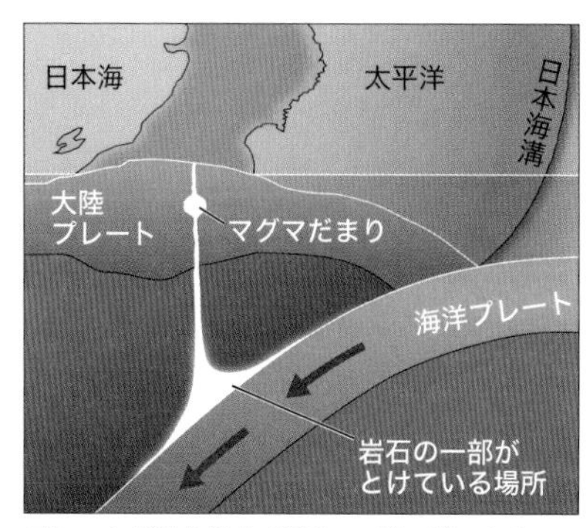

プレートが沈み込む場所にマグマができる。

**火山の地下には、マグマだまりが存在**することが多い。つまり、火山はいつ噴火してもおかしくないのだ。現在は活動を休止している富士山も、江戸時代（1707年）に大噴火を起こしている。南東側の山腹に大きな穴のようなものがあるが、それが噴火口で「宝永火口」と呼ばれている。1707年の噴火では大量の火山灰を噴出し、江戸では昼間でもロウソクの灯が必要なほど暗くなったという記録が残っている。富士山はけっして死んだ火山ではなく、今後も噴火する可能性が高い火山の1つだ。

近年では2014年に御嶽山（おんたけさん）が噴火し、多くの犠牲者を出して世間を震撼（しんかん）させた。この山は長野県と岐阜県の県境に位置し、長野県木曽郡木曽町、王滝村、岐阜県下呂市、高山市にまたがる乗鞍火山帯の南端に位置する複数の火山が組み合わさった複合成層火山だ。標高は3067mと国内では14番目に高く、威容を誇る山容のため、昔から御嶽信仰の霊山として崇拝されてきた。

日本列島には火山が多く、温泉や地熱など、多くの恩恵をもたらす。また、日本の自然景観の多くは、火山が関係しているといっていい。一方で、われわれ日本人は、「いつ噴火してもおかしくない」という別の一面も理解しておかなければいけない。

DAY 308
November 3rd

# 冷え固まったマグマが「火成岩」になる

## 火成岩の生成

これまでに述べてきたように、マグマの正体はドロドロにとけた岩石だ。このため、地表面に出るなどして冷やされると岩石に戻る。**マグマが冷え固まってできた岩石を「火成岩」** と呼ぶ。

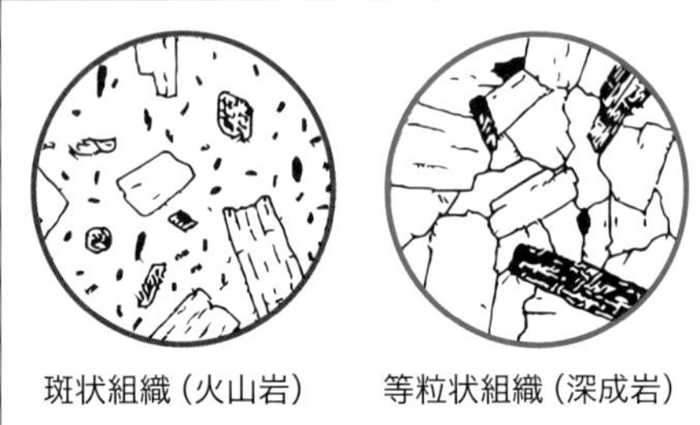


偏光顕微鏡で観察した火山岩と深成岩の違い。

火成岩はマグマの冷え方の違いにより、見た目や性質が大きく異なる。マグマが地表付近まで運ばれ、**地表や地表付近で短い時間で冷えて固まったものを「火山岩」** と呼ぶ。火山灰などの火山噴出物も、高温のマグマが短時間で冷えて固まってできたものであるため、火山岩の仲間となっている。反対に、地上に噴き出ることなく、**長い時間をかけて地下の深いところで冷えて固まったものを「深成岩」** と呼ぶ。

火山岩の中でも、海底火山が噴火した場合は、爆発的な噴火で噴出したマグマが急冷されて固まり、「軽石」になる。地下のマグマには大量のガスが溶け込んでいて、噴火に伴いマグマからほとんどのガスが放出される。一方、溶岩噴出のようにゆっくりとした噴火をすると、ガスが抜けて緻密な岩石になる。

火山岩の代表格である安山岩などは、石基（せっき）と呼ばれるガラス質の部分の間に、斑晶（はんしょう）と呼ばれる比較的大きな黒色や白色の鉱物が散見される。このようなつくりを「斑状組織」と呼ぶ。海底など水中でマグマが噴出した場合には、中に熱せられた水が入り込み、それから白っぽい沸石（ふっせき）類や、めのう（石英）などができることがある。これを「杏仁（きょうにん）状組織」と呼ぶことがある。

深成岩の代表格である花崗岩（かこうがん）は、黒色、白色（長石）と透明（石英）などの同じくらいの大きさの鉱物が集まってできている。このようなつくりを「等粒状組織」という。深成岩はマグマが地下深くにあって長い時間をかけて冷えてできるため、火山岩と比べると、1つひとつの鉱物結晶が大きくなるのだ。

DAY 309 November 4th

# 宝石になる鉱物を含む火成岩もある

## さまざまな種類の火成岩

火成岩の分類の基準となっているのが、火成岩に含まれる鉱物の数々だ。じつは、火成岩には多くの鉱物が含まれており、有色のカンラン石、輝石、角閃石、黒雲母、白色・無色の長石と石英の6種類が代表的だ。火成岩の種類は、おもにこの**6種類の鉱物の種類や組み合わせに基づいて分類**されている。

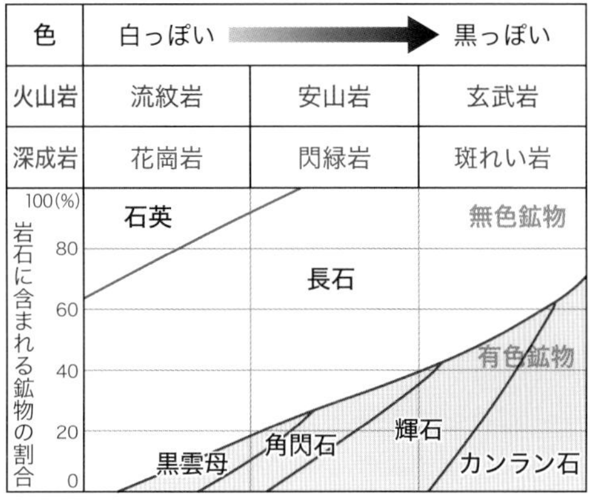

火成岩の種類と含まれるおもな鉱物の割合。

たとえば、カンラン石や輝石などの**有色の鉱物を多く含む火成岩に「玄武岩」や「斑れい岩」**がある。一方、長石や石英などの**白色・無色の鉱物を多く含む火成岩に「流紋岩」や「花崗岩」**がある。

これら火成岩に含まれる鉱物には、光を当てる角度を変えながらじっくり観察するとキラキラと輝いて見えるものがある。これは鉱物に当てた光が、鉱物の表面で反射したり、内部で複雑に屈折したりして見えることによる。

それらの鉱物の中には宝石と呼べるものもある。たとえば、火成岩を構成する鉱物中のカンラン石は、大きくて色もきれいであれば、ペリドットという宝石として珍重される。

鉱物とは、自然界に産出し、一定の化学的・物理的性質をもち、多くは結晶状態にある無機質な固体のことを指す。鉱物のほとんどは、地下の深い場所で鉱脈中に含まれる元素が、地球内部の熱と圧力によって結晶となり、その後、冷えて固まったものだ。その中でも、美しさ、耐久性、希少性の3つの条件を満たすものを宝石と呼ぶ。そのため宝石は、火山活動が盛んな土地の周辺などといった特別な条件がそろった場所で産出されることが多い。

# 堆積物が押し固められて「堆積岩」になる

## 堆積岩の生成

山岳地帯で風化した岩石が、降雨や流水の侵食によって砕かれ、下流へと運ばれて堆積することはDAY298で述べたとおりだ。この際、細かい粒のものほど岸から遠く離れた場所まで運ばれるので、河口や岸に近い場所にはれきや砂が、岸から離れた深い場所には泥が堆積しやすい。

また、細かい粒は沈みにくく、大きな粒は速く沈む。そのため、基本的には1つの地層の中では、下の層ほど粒が大きくなる。

このような営みが相当長い年月のうちに繰り返されると、下層の堆積物は**上層の堆積物の重みによって押し固められ、岩石へと変化**する。これを**「堆積岩」**と呼んでいる。れきが押し固められてできた岩石はれき岩、砂が押し固められてできた岩石は「砂岩（さがん）」、泥が押し固められてできた岩石は「泥岩（でいがん）」と呼ぶ。

陸上で堆積するのは、風化して水流に削られた岩石ばかりではない。火山灰もまた堆積物だ。火山の多い日本列島では、火山の噴火で火口から噴き出した火山灰が陸上に降り注ぐことが相次いだ。これにより下層の火山灰は**上層の火山灰の重みによって押し固められ、岩石となった**。火山灰によって構成された岩石を**「凝灰岩（ぎょうかいがん）」**と呼ぶ。火山由来の岩石だが、凝灰岩は火成岩ではなく堆積岩だ。

堆積は陸上世界ばかりではない。陸地から遠く離れた**海底でも、プランクトンやサンゴの死骸、水に溶けた成分などが長い時間をかけて堆積**している。これが繰り返された結果、下層の堆積物は上層の堆積物の重みによって押し固められ、**石灰岩やチャート**といった岩石へと変貌する。このうち石灰岩は、おもに炭酸カルシウムからできている。この物質は貝殻やサンゴの骨格の主成分だ。海底由来の岩石であるため、れき・砂・泥など陸上由来の物質はほとんど含まない。石灰岩は化石を含むことが多く、主成分が炭酸カルシウムなので、薄い塩酸をかけると二酸化炭素（と水）を発する。対してチャートは鉄製品で削っても、傷つくことがないほど硬いことが特徴だ。

要するに地層は、陸上世界では風化した岩石が水流の侵食・運搬・堆積作用によって形成され、海底ではプランクトンの死骸などの堆積によって形成されるのだ。

DAY
311
November 6th

# 化石が教えてくれる環境と時代

## 示相化石と示準化石

化石とは、古代生物や植物の死骸、または生活痕跡（足跡）などが石化したもののことをいう。たとえば、古代生物が海底付近で死ぬと、ほかの捕食者に食べられない限り、海底に死骸を横たえることになる。ここにプランクトンの死骸や水に溶けた成分などが堆積する。海底部では特別なケース以外は、れき・岩石・砂が運ばれることはないため、それを繰り返すことで地層が形成されていく。この地層形成において、前ページで解説したように、下層の堆積物は**上層の堆積物の重量によって岩石化し、それに伴って化石もできる**のだ。

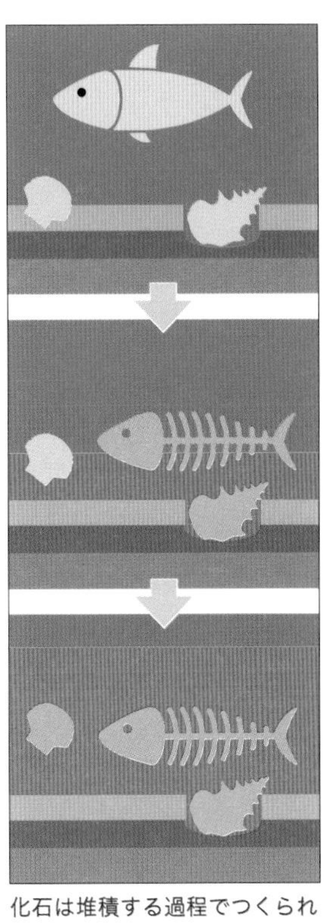

化石は堆積する過程でつくられる。

化石には**「示相化石（しそうかせき）」**と**「示準化石（しじゅんかせき）」**がある。**示相化石とは、地層が形成された当時の環境を推定できる化石**をいう。たとえば、陸地でサンゴの化石が発掘されたとしよう。サンゴは温かい海にしか住めないため、サンゴの化石の発掘地が元は温かく浅い海であったということがわかる。シジミの化石が検出されたら、検出場所が地層形成当時、河口か湖であったことを教えてくれる。植物の花粉の化石も当時の環境を知る手がかりとなる。それが示相化石だ。

示相化石が生物が生息していた時代の環境を知る化石ならば、**示準化石は生物が生息していた時代を知る手がかりとなる化石**だ。地質学では地質年代というものがある。古いものから順に、古生代・中生代・新生代の古第三紀・新第三紀・第四紀となる。古代生物にはある特定の時代だけ栄えて、広い範囲に生息したものがいる。その生物の化石が見つかれば、その生物の生息期間によって地層が形成された時代を特定することができるのだ。先に挙げた地質年代は、これを元に定められている。

DAY 312
November 7th

# 地層を見れば大地の歴史がわかる

## 地形変動の痕跡

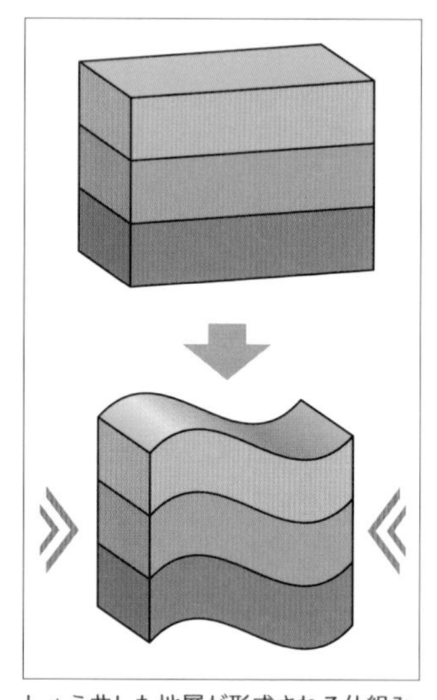
しゅう曲した地層が形成される仕組み。

工事現場で、斜面の断面が削られて、縞模様の層が露出している場面に出くわしたことはないだろうか。**地層が現れている部分を「露頭」**と呼んでいる。この露頭として出現した地層を詳細に調査すると、過去の大地の変化を推測するための大きな手がかりとなる。

たとえば、土砂。DAY298で解説したように、水の流れには侵食・運搬・堆積という働きがあるので、土砂の堆積に注目すれば、当時の水の流れが推測できるということだ。

前ページで説明した、示相化石や示準化石も重要な情報源だ。また、もし示準化石の出た地層から火山灰など火山噴出物や、火山灰が岩石化した凝灰岩が見つかれば、その生物が生息していた時代に火山活動があったこともわかる。

地層はれき、砂、粘土、生物の死骸などが、水平に重なって形成される。しかし、実際の露頭で見られる地層には、**水平なものばかりでなく、曲がったもの**もある。この現象を**「しゅう曲」**という。地層を形成する岩石は硬いが、左右や上下からかかる圧力によって、非常に長い年月をかけて曲げられることがある。とくに、プレートの境界線上に位置する日本列島の場合、地層に「押される力」が働くところが多く、しゅう曲が起きやすい。

また、水平に堆積していた地層が**上下や水平にずれる**ことがある。これを**「断層」**と呼ぶ。この断層も大地を動かす力によって形成されたものだ。このずれは断層が**海面に対して高くなっていれば「隆起（りゅうき）」、低くなっていれば「沈降（ちんこう）」**と呼ばれている。このように地層は過去の大地の動きや、時代・環境という情報を私たちに提示してくれるのだ。

DAY
313
November 8th

# 地震波にはＰ波とＳ波の２つのタイプがある

## 地震の揺れの特徴

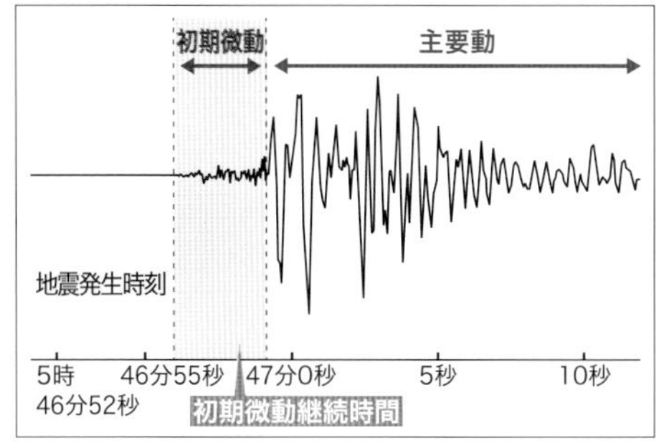

兵庫県南部地震の際の地震波の記録。

日本は世界でも有数の地震多発国として知られている。ここでは地震はどのような仕組みで発生し、どのような影響を与えるのかを見てみたい。

地震が発生すると、その揺れは周囲の岩石の中を波として伝わる。**地震波が発生した地下の一点を「震源」**と呼び、**震源の真上の位置を「震央」**と呼ぶ。地震の揺れの特徴として、最初はカタカタと小さく揺れて、続いてユサユサと大きな揺れを感じることが多い。揺れが時間とともに変化する様は、各地に備えられた地震計に地震動として記録される。

右上に示しているのは、1995年に起きた阪神淡路大震災（兵庫県南部地震）の際の地震波の記録だ。この地震は、淡路島北部の地下約16kmを震源とした地震で、多くの家やビルが崩れるとともに、高速道路なども倒壊し、死者約6400人という甚大な被害を出した。地震波の記録を見てもわかるように、最初に小さな揺れがあり、続いて大きな揺れが発生している。**最初の小さな揺れを「初期微動」、次いで来る大きな揺れを「主要動」**と呼んでいる。

タイプの異なる揺れがあるのには理由がある。地震が発生すると、震源では**伝わる速度が異なる２種類の波が同時に発生**するためだ。通常、**初期微動の波を「Ｐ波」**、これより遅い**主要動の波を「Ｓ波」**と呼んでいる。また、初期微動の波と主要動の波が到達する時間差は、「初期微動継続時間」と呼んでいる。

一部例外もあるが、地震が発生すると、揺れの波は一定時間をかけつつ水面の波紋のように周辺地域に広がっていく。つまり、震央から遠ければ遠いほど、主要動を感じるまでの時間差は大きくなるのだ。地震の規模によっては大地が大きく揺れるため、倒壊する家屋が続出することがある。こうした災害を防ぐために近年、地震の揺れに備えた建物の耐震診断と耐震補強が全国的に進められている。

# 震度は揺れの大きさを マグニチュードは規模を示す

## 地震の大きさを示す指標

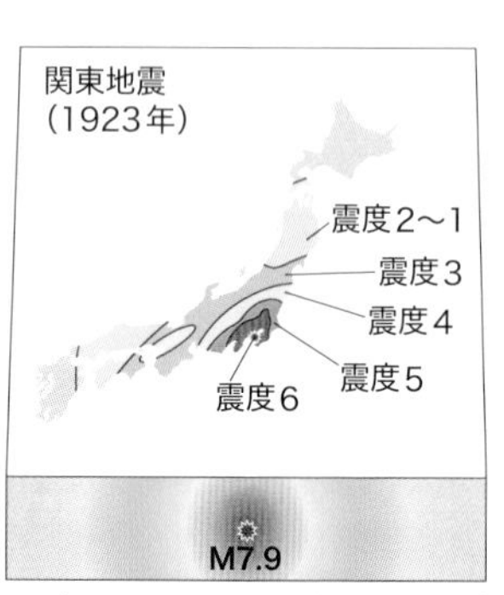

マグニチュードと震度分布。マグニチュードが大きくても震源から遠いと震度は小さくなる。

地震が発生すると、震源からの地震波が波紋状に伝わり、各地で揺れが生じる。揺れの大きさは地点によって異なり、地震そのものの規模によっても異なっている。

**ある地点での揺れの大きさは「震度」**という尺度で示される。日本では気象庁が定めた0～7の10段階で示される。**震度は震央から遠ざかるほど小さくなる**のが通常のケースだ。以下、気象庁が示しているデータを元に、震度と揺れの状況を記す。

・震度0　人は揺れを感じない。
・震度1　屋内で静かにしている人の中には、揺れをわずかに感じる人がいる。
・震度2　屋内で静かにしている人の大半が揺れを感じる。
・震度3　屋内にいる人のほとんどが揺れを感じる。
・震度4　屋内にいる人のほとんどが驚く。つり下げている電灯も揺れる。
・震度5弱　大半の人が恐怖を覚え、「ものにつかまりたい」と考える。
・震度5強　ものにつかまらないと歩くことが難しくなる。
・震度6弱　立っていることが困難になる。固定していない家具の大半が移動する。
・震度6強　はわないと動くことが不可能になる。耐震性の低い建造物は倒壊するか傾くことがある。
・震度7　耐震性に関係なく多くの家屋に、倒壊・損傷・傾きなどの影響が出る。

「震度」が、ある地点の揺れの大きさを表す尺度なのに対し、その**地震全体のエネルギーの大きさ（地震の規模）を示すのが「マグニチュード」**だ。地震速報では「M（マグニチュード）5.2です」という伝え方をする。マグニチュードの値が大きいほど、それぞれの地点の震度も大きく、揺れや被害が大きくなることが多い。ただし、M値が大きくても極めて深い震源の場合、被害がほとんど出ないこともある。

DAY 315

November 10th

# 地震は直接的災害ばかりか二次災害も大きい

## 地震災害のタイプ

地震はさまざまな災害を引き起こす。地震による災害は2つのタイプに分けられる。

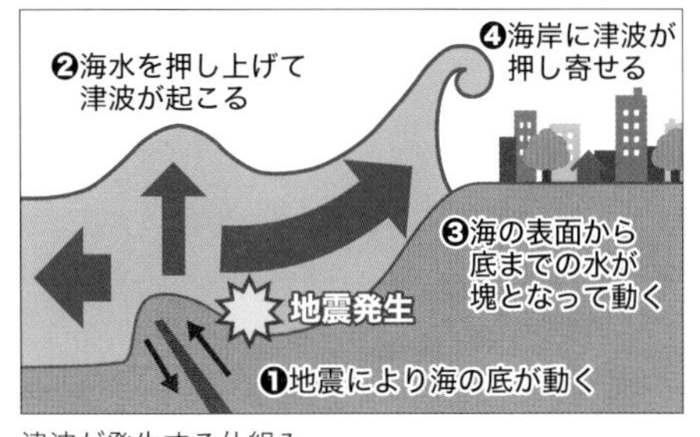

津波が発生する仕組み。

1つは**揺れそのものによる直接的な災害**だ。揺れによる災害で最も多いのは、**家屋の倒壊や損傷**だ。倒壊は耐震補強をしていない木造の民家などに多い。コンクリートの建物であっても、耐震性が低いものは倒壊する。また、耐震性の高い木造建物であっても、震度7クラスになると、傾く危険性があることを気象庁は指摘している。

家屋自体は大丈夫でも、倒れてきた家具などで負傷をするケースも想定できる。倒壊・損傷した家屋から出火し、大火事に発展する危険性や、家屋周囲の損傷・倒壊の懸念は免れない。2018年6月18日に起こった大阪北部を震源とする大阪北部地震では、高槻市の寿栄小学校のブロック塀が倒れ、当時小学校4年生だった女児が亡くなっている。

また、強い揺れは**高速道路や一般道路、鉄道を破壊**する。道路や線路が寸断されると人・物資の移動が不可能になり、集落の孤立という災害が発生する。

都市部では、地震による**ライフラインの破壊**も深刻な影響をもたらす。建物自体は倒壊を免れても、都市ガス、上下水道、電気などが寸断されると、すぐに生活に支障が出る。通信設備が被害に遭えば、スマートフォンもインターネットも使えなくなり、情報入手すら困難になる。

そのほか、山間部では**地すべりの発生**が怖い。地震の前に大雨が降っていると、山の斜面などの土砂が水と混じり合って一気に下流へ押し流される「土石流」が発生する可能性もある。

もう1つは、地震によって**海底地形に変動（陥没や隆起）が起き、それが海面に伝わって発生する災害「津波」**だ。これもまた甚大な被害を及ぼす。2011年に発生した東日本大震災における巨大津波による災害は記憶に新しい。

DAY 316
November 11th

# 「緊急地震速報」が来るのは大きな揺れの数秒前

## 緊急地震速報の仕組み

「緊急地震速報」は、大きな地震の揺れの前に自動的に警報を発する、気象庁のシステムだ。これは、およそ以下のような手順でなされる。①地震発生、②震源近くの地震計が地震波をキャッチ、③気象庁において震源、規模、予想される震度を自動計算、④放送機関やインターネットを通じて主要動が来る前に自動的に警報を発信する。つまり、緊急地震速報とは強い揺れが来ることを事前に知らせる予報・警報になる。

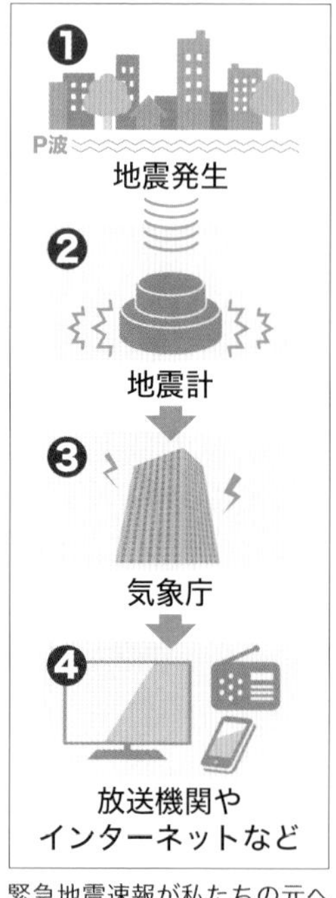

緊急地震速報が私たちの元へ届くまでの仕組み。

この緊急地震速報は、**２種類の地震波の性質の違いを利用**して、瞬時に警報を出している。地震が発生すると、震源からは揺れが波となって地面や地下を伝わる。これを地震波という。すでに見たように地震波にはＰ波とＳ波があり、Ｐ波のほうがS波より速く伝わる性質がある。強い揺れによる被害をもたらすのは、おもにあとから伝わってくるS波だ。先に伝わるP波を検知した段階で、強い揺れをもたらす可能性の高いS波が迫っていることを知らせてくれる。地震波の伝わる速度の差を利用して、これを可能にしているのだ。

緊急地震速報を出すには、少ない観測点のデータから震源やマグニチュードを迅速かつ精度よく計算しなければならない。コンピュータの性能アップがこのことを可能にしており、1観測点のＰ波の観測データから震源やマグニチュードを推定することができるようになった。

緊急地震速報は、全国約690カ所の気象庁の地震計・震度計に加え、国立研究開発法人防災科学技術研究所の地震観測網（全国約1000カ所）を利用している。多くの観測点のデータを活用することで、地震波の詳細をすばやく捉えることが可能になった。

緊急地震速報が出たときには、慌てず騒がず、的確に行動することが自分の命を守ることにつながる。

DAY
317
November 12th

# 海洋と大陸のプレートがせめぎ合って地震が起こる

## 地震が発生する仕組み

日本列島やその周辺で起きる地震には2つの特徴がある。1つは、震央が「帯状」になって地域ごとに分布している点。もう1つは、震源の分布を断面で見たときに、太平洋側から大陸側に向かって震源がしだいに深くなっていく地震と、比較的地下の浅いところが震源の地震があるという点だ。

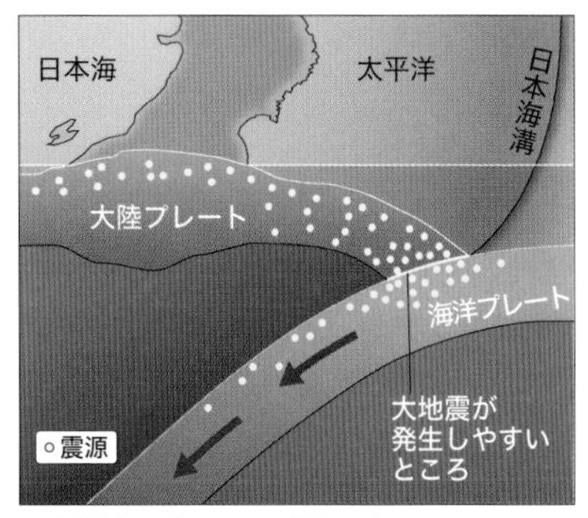

巨大地震はプレートの境界で起こる。

地下の岩石に、異なった方向から「押す力」や「引く力」が加わり続けているところで、**岩石が耐えきれずにずれ動いたときに地震が発生**する。その岩石のずれを**「断層」**という。断層は1回の地震で形成されることもあるが、**繰り返し地震を発生**させているものもある。そのような断層は**「活断層」**と呼ばれ、日本列島各地に存在する。とくに活発な活断層は、気象庁や研究者によって監視されている。

地殻とマントルの間には、厚さが数十 km の「プレート」と呼ばれる岩盤が多数存在し、地球のほぼすべてを覆っている。プレートは1年に数cmという、ほとんど固定しているかのようなゆっくりとした速度で移動している。プレート同士は、地球規模の巨大な力で押し合っているので、**プレートの境界面で「ずれ」が生じると、強い地震波が発生**する。この地震波は東日本大震災のような、**巨大地震につながる**こともある。また震源が海底下の場合、**津波の発生**も誘発する。図でもわかるように、日本列島付近では、太平洋側のプレートが、大陸側のプレートの下にもぐりこむところに震源が多い。

大陸プレートと太平洋プレートの境界で起こる地震の震源が深いのに対し、比較的浅い場所を震源とする地震があることも、上の図からわかる。浅い場所を震源とする地震は、たとえば巨大地震のあとにプレート同士の激しい拮抗の影響で、活断層に動きが生じた際に発生すると考えられている。

DAY 318 November 13th

# 海岸にある日突然土地が出現

## プレートの動きと日本の地形

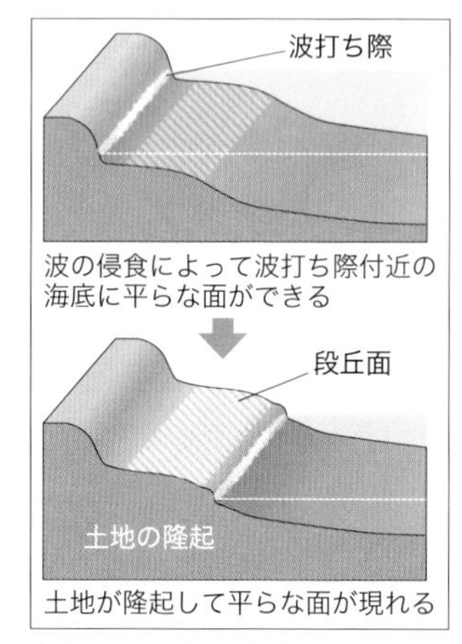


海岸段丘のできる仕組み。

**地球を覆う厚さ 100km ほどの岩盤をプレート**と呼ぶ。このプレートが日本列島付近には4枚も集まっている。これらは、現在でも互いに少しずつ動いているため、プレートの境界部周辺には常時、さまざまな力が加えられ、この拮抗により、岩盤に力が加わり、ひずみが発生する。そして、その力は絶えず加わり続けているので、岩盤のひずみはさらに大きくなるのだ。

**岩盤のひずみが限界点に達すると、プレート先端部に復元力が生じ、急激に隆起**する。このときに海底下を震源とする大地震が発生する。このタイプの地震は「海溝型地震」と呼ばれており、大きな津波を引き起こす場合が多い。前ページでもふれたとおり、日本列島は大陸プレートの上に位置し、この大陸プレートの下に太平洋プレートがもぐりこもうとしているため、このせめぎ合いで大きな地震が発生することが多いのだ。

日本各地にある海岸段丘は、このプレートの隆起を現在に伝える地形だ。**海岸段丘とは海岸線に沿って分布する階段状の地形**のことをいう。海岸付近の地面が**隆起すると、これまで海底だった部分が地上に現れる**。そのような平らな土地が複数段重なって海岸段丘ができる。高知県室戸市では、典型的な海岸段丘を見ることができる。この海岸段丘は、海洋プレートに引きずり込まれて少しずつ沈降していた土地が、1946年に発生した南海地震の際、土地が1mも隆起したことによって形成されたと推定されている。

このような大地の急激な変動は、活断層のずれによって発生した地震の際にも見られる。たとえば、1891年に東海・中部地方で発生した濃尾地震では、地表のずれが上下方向・水平方向とも数mにも及ぶ「根尾谷断層」が生じた。地震発生時に撮影された岐阜県根尾村（現在の本巣市）の写真では、上下方向に約6m、水平方向に約2mずれているのが見て取れる。

大地の隆起や活断層は、地球が現在も活動中であることを伝えている。

DAY
319
November 14th

# プレートの動きが地球の大地形を決める

## プレートの動きと世界の地形

地球にはさまざまな地形と景観がある。これは一朝一夕（いっちょういっせき）にして形成されたのではなく、地球が長い年月をかけてつくり上げたものだということは、これまでの項目でおわかりいただけただろう。険しい谷、峻嶮（しゅんけん）な山岳、広大な平野のような地形が、自然景観の土台を形成している。また、普段見ることはできないが、海底にも峡谷（海溝）や山脈（海嶺）が存在している。

地球の表面を覆う十数枚のプレート。

陸上は標高1000m未満の低い場所が大半を占めるが、その中で大きく突き出した山は特徴的だ。一口に山といっても、多種多様な山が地球上には存在しており、標高が低い山もあれば高い山もある。とくに標高8000m以上にもなるヒマラヤ山脈をはじめ、アルプス、ロッキー、アンデスなどの巨大山脈は、どのようにして形成されたのだろうか？

この謎を解く鍵がプレートだ。プレートとは地球を覆う岩盤のことで、厚さは約100kmある。上の図に掲げてあるように、地球の表面を覆うプレートの枚数は十数枚。日本列島は太平洋プレートおよびユーラシアプレートを含む4つのプレートの上に位置している。DAY317－318で見てきたとおり、このプレートは少しずつ動いており、こうした**プレートの運動によって大地形は形成**されている。

さらに、その大地形上の岩石を、降雨や水の流れが長い時間をかけて侵食し、下流へと運んでいく。そして、れき・砂・泥などが堆積して扇状地を形成する。さらに、侵食された岩石は川の流れによって各所で堆積しつつ運ばれていき、最終的に河口部に三角州を形成する。その侵食に耐え、残った地形が山になるのだ。

DAY 320
November 15th

# 海底が隆起してできたヒマラヤ山脈

## プレートテクトニクス

地震や、火山の噴火、山脈のような大地形の形成を、地球を覆うプレートの運動によって説明しようとする理論を、**プレートテクトニクス**という。

この理論の骨子を簡潔に表現すれば、プレートの境界ではプレート同士の押し引きによって強い力が加わり、さまざまな現象が生じるということだ。

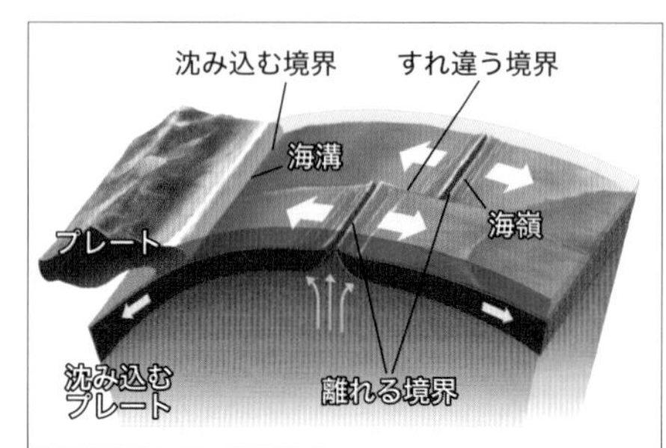

プレート運動の原理。

地球の表面付近には、十数枚のプレートが存在することが知られている。各プレートは、その下のマントルの流れに乗って、1年に数mmから数cmという、ほとんど固定していると思われるほどゆっくりとした速さで移動している。プレート同士の境界面では､「押し」「引き」「すれ違い」などの非常に強い力が発生し、その影響で地殻に変動が起きることがある。

プレートの境界の動きは、「プレート同士が**離れていく**」「プレート同士が**すれ違う**」「プレートの一方が、ほかのプレートの下に**沈み込もうとする**」「プレートが沈み込むことができず、**衝突して変形する**」という4つに分類される。こうした**プレート同士の動きが、地表においては山脈を、海底においては海溝・海嶺を形成**したと考えられているのだ。

世界最高峰のエベレストを擁するヒマラヤ山脈には、海洋で形成された地層がある。そこでは、古代の海洋生物だったアンモナイトの化石や、石灰岩でできた地層が見つかっている。これはヒマラヤ山脈の元が海底であり、隆起して現在の姿になったことの証拠だ。また、ヒマラヤ山脈やその周辺では地震が頻発している。これは、インド半島をのせたプレートがユーラシアプレートに衝突し、現在も押し上げ続けているためと推定されている。

このように地殻の変動は地球を覆うプレートの動きによって起こる。また、そのプレートの動きはマントルの運動など地球の内部の働きと強く結びついていると考えられる。

# 地形を形づくるおもな要因は地下プレートと流れる水だ

現在の地球の地形は、しゅう曲、隆起などによって地球の表面を覆う地殻が変形する地殻変動と、地表を流れる水による侵食、運搬、堆積によって形づくられたものだ。

山岳の形成には、地球の内部にあるプレートが大きく関係している。プレート同士のせめぎ合いにより、地底で岩盤の破壊やずれが生じた際に起こるのが地震だ。この地震が地形を変化させる。

また、そのせめぎ合いが起こるプレートの境界面では、地下深い場所でつくられたマグマが上昇し、マグマだまりを形成するので、地表面や海底に火山が形成されやすい。その火山が噴火すると、火口から噴出されたマグマが流れ出て冷え固まったり、火山灰が降り積もったりすることで周辺の地形を変えていく。

このように地球の膨大なエネルギーにより形成された地形もあれば、水の働きによって時間をかけ、積み重なってできた地形もある。風化した岩石を降雨や水流で侵食し、削り取った土砂を下流へ運搬、流れがゆるやかなところで堆積する。さらに、堆積した土砂は時間をかけて押し固められて、地層をつくる堆積岩となるのだ。

日本の地形が世界から見ても多様なのは、地殻が4つのプレートの境界面上にあり、火山も地震も群を抜いて多い列島であることが大きな要因だ。さらに、非常に長い年月をかけた水の働きによる影響も大きい。

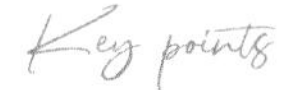

- プレートの動きが、地震と火山形成のおもな要因となる。
- プレートのぶつかり合いで土地が隆起し、山ができる。
- 水の流れが、長い年月をかけて多様な地形をつくり出す。

# 月がなかったら地球はどうなった？

惑星の周囲を公転する天体を衛星と呼ぶ。つまり、月は地球の衛星だ。しかし、月は地球の周囲を公転しているだけの天体ではない。仮に月がなかったとしたら、地球の陸上に生命が誕生しなかった可能性が高い。そうなれば、当然ながら私たち人類も、地上に出現することはなかっただろう。それほど、月が地球に及ぼしている影響は大きいのだ。

## ▶月はいつどのようにしてできたのか？

夜空だけでなく、ときには昼の空にも見える月。それは、いつ、どのような状況で誕生したのだろうか。誕生については「地球から分裂した」「地球誕生の際、同時に誕生した」「宇宙をさまよう天体が地球の引力に捕まり衛星となった」など、さまざまな説が提唱されてきた。

## ▶月は地球にどんな影響を与えている？

海に干潮や満潮があるのは、なぜだか考えたことがあるだろうか。じつは、潮の満ち引きは月が引き起こしているのだ。また、地球の自転の周期や、地軸の傾きにも関係している。地球からの平均距離が約38万kmもある月が、地球にどんな影響を与えているのだろうか。

## ▶生命体が存在する星の条件は？

地球にはヒト以外にも、数多くの生命体が生息している。地球外に生命体の存在はまだ発見されていないが、木星や土星の衛星には地球外生命体の存在が期待され、探査が進められているという。生命体が存在する星と、そうでない星の違いは何なのか。地球の生命体の誕生について調べれば、生命体が存在する星の条件が見えてくるかもしれない。

DAY
323
November 18th

# 月は毎日、形が変化し位置も変わる

## 月の満ち欠けと動き

私たちが見ている月は、毎日違う形に見える。その満ち欠けによって、新月・上弦の月・満月・下弦の月などと呼び名が変わる。

「新月」は、地球から見て、太陽の方向にある月だ。新月は太陽のすぐそばを動くので、太陽の明るさで「日食」のときしか見ることができない。

「上弦の月」は、沈むときに上半分が欠けて見える半月だ。昼に東から昇り、夕方に南中（真南で最も高く見える状態）し、真夜中に西に沈む。

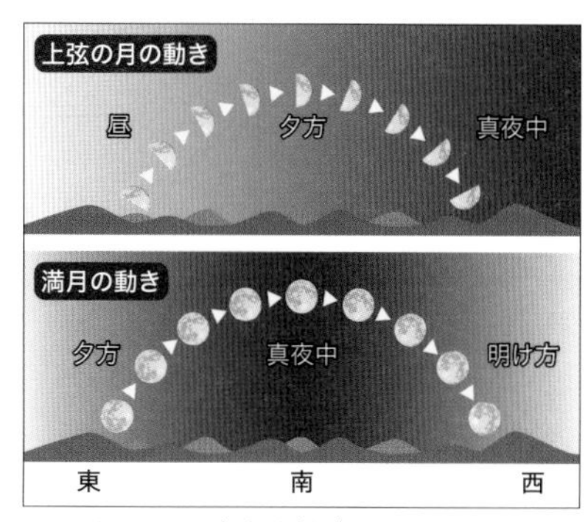

月は形によって南中時刻が異なる。

「満月」は、太陽が西に沈む頃、東から昇ってきて、1晩中見えている。真夜中に南中し、太陽が東から昇る頃、西に沈む。

「下弦の月」は、沈むときに下半分が欠けて見える半月だ。真夜中頃に東から昇り、明け方に南中、正午頃西に沈む。

月の動きは太陽の動きと似ている。北半球では、どの形の月でも、**東から昇り、南中し、西に沈む**動きをする。**天球上を動く速さ（角速度）は、太陽も月も1時間に約15°**だ。ただし、月の動きのほうがやや遅く、翌日の同じ時刻には少し東寄りに見える。

**月の満ち欠けには周期**がある。**新月から次の新月までの期間を「1朔望月（さくぼうづき）」**といい、**約29.5日**だ。**新月になった瞬間からの時間（日数）を「月齢」**といい、小数で表現される。上弦の月は月齢7.4前後、満月は月齢14.8前後、下弦の月は月齢22.1前後。月の公転速度は一定ではないので、満月の月齢は13.8〜15.8の間で変動する。「十五夜の月」が必ずしも満月にならないのも、このためだ。

DAY 324
November 19th

# 蕪村はあの名句を満月前後に詠んだはず

## 月と太陽の関係

月は光っているように見えるが、月自体が光を発しているわけではない。月面の半球だけに太陽光が当たり、光っているように見えているのだ。右の図のように、月・地球・太陽との位置関係で、見かけ上、**太陽光が当たっている割合（輝面比）が変化し、月は満ち欠けをして見える**。

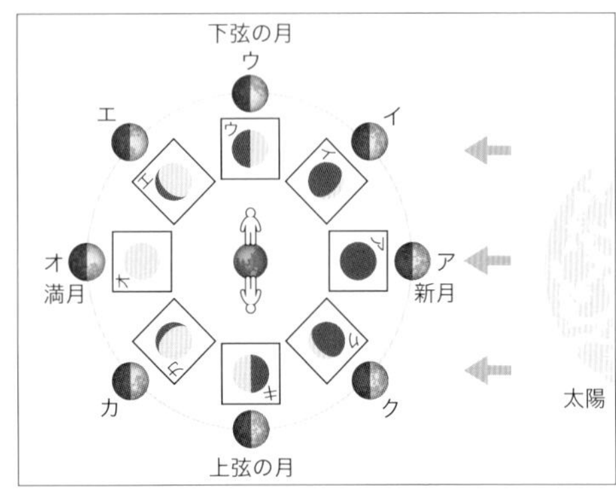

太陽の光の当たり方と月の形の見え方。

月の形状から、太陽の位置を知ることもできる。これは、「月面に太陽光が当たっている側」に太陽が位置していることによる。

満月の場合、太陽は地球を挟んで月の反対側にある。月食のとき以外は、完全な一直線にはならないので、地球が太陽光を遮ることなく月面全体が照らされ、満月として見える。上弦の月や下弦の月の場合、月・地球・太陽が90°（直角）の位置関係になるので、月面の半球側にだけ太陽光が当たり、半月として見える。三日月の場合は、月の「斜め後ろ」から太陽光が当たっている。

「菜の花や月は東に日は西に」は、江戸時代の俳人・与謝蕪村の一句だ。菜の花の中に身を置き、東に昇る月、西に沈む太陽を同時刻に見た感慨を詠んだものだろう。満月は、太陽が西に沈む頃に、東に昇ってくることが多い。満月の日は、観察者のいる地球（地表）を挟んで、月と太陽が180°正対しているからだ。蕪村は単に「月」と詠んでいるが、この句のような位置関係になるのは、満月前後の日だけだ。

月は地球のまわりを公転しているため、まれに太陽・月・地球の順で完全に一直線に並ぶことがある。このとき、**太陽の全体もしくは一部が新月に隠れて見えなくなる天文現象を「日食」と呼ぶ**。また、太陽・地球・月の順で完全に一直線で並び、**月の全体もしくは一部が地球の陰に入る天文現象を「月食」と呼ぶ**。

DAY 325
November 20th

# 自転しながら太陽の周囲を公転する惑星

## 地球とそのほかの惑星

地球は、太陽の周囲を約1年かけて1周している。これを地球の公転と呼ぶ。また、北極と南極を結んだ地軸を中心に、1日約1回転しており、これを地球の自転と呼ぶ。地球のように太陽の周囲を回る天体の公転にかかる時間を「公転周期」、自転にかかる時間を「自転周期」と呼び、これらは天体ごとに異なる。

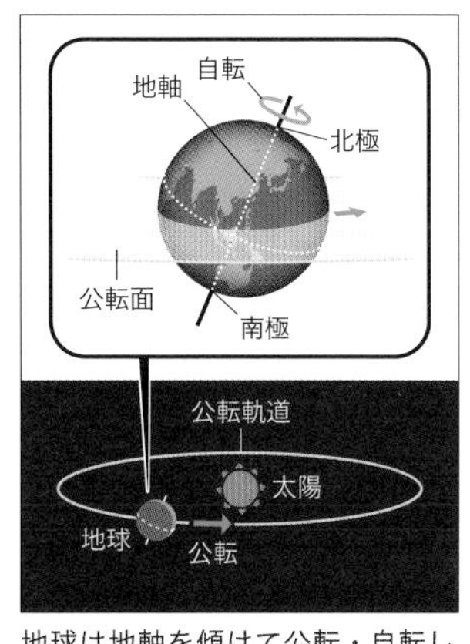

地球は地軸を傾けて公転・自転している。

**太陽と太陽を公転する天体を総称して「太陽系」**という。「彗星」や「小惑星」、小さな岩片やガスに至るまで、すべての物体が「太陽系の構成物」だ。そのうち、**とくに大きい天体が「惑星」**で、太陽に近いものから**「水星」「金星」「地球」「火星」「木星」「土星」「天王星」「海王星」**の8個がある。かつては「冥王星」も含まれていたが、月より小さいうえ、よく似た天体が多数発見されたことで、2006年に「準惑星」に変更された。また、2008年には「冥王星型天体」という、新分類もつくられた。

太陽に最も近い水星は、太陽系で一番小さい。名称とは異なり、液体の水はなく、大気もほとんど存在しない。

金星は、硫酸の粒でできた厚い雲に覆われているため、ほとんど表面を見ることはできない。また、二酸化炭素が主成分の厚い大気に覆われているため、強烈な「温室効果」で表面気温が400℃にもなる惑星だ。

地球は、太陽系で唯一、気体・液体・固体すべての相の水を有する。

火星は二酸化炭素を主成分とした希薄な大気で覆われている。表面には隕石の衝突によって形成されたクレーターのほか、火山活動や流水によって形成された複雑な地形がある。

太陽系の惑星で最も大きいのは木星で、2番目は土星だ。木星は惑星全体が厚いアンモニアの雲で覆われており、土星は顕著なリングを有するのが特徴。

土星の外側に天王星があり、その外側に海王星がある。この4惑星の大気は水素とヘリウムが主成分だ。

DAY
326
November 21st

# 新分類「冥王星型天体」を含む小天体たち

## 太陽と惑星以外の天体

DAY325でもふれたが、**準惑星**とは、太陽の周囲を公転し、球状をなすほど重力・質量がある天体で、**惑星の定義を満たさないもの**を指す。2006年に国際天文学連合が新たに設けた分類で、これにより、長らく惑星とされていた冥王星が準惑星とされた。その際に冥王星を含む新たな分類をつくることが決まり、太陽を周回する天体で、その軌道長半径が海王星の軌道長半径よりも大きく、球形となるだけの質量をもち、かつ**軌道上を代表している天体でないもの**を**「冥王星型天体」**と呼ぶこととなった。現在は、「冥王星」「エリス」「マケマケ」「ハウメア」の4天体が冥王星型天体に属しているが、今後増える可能性もある。

太陽系の天体のうち、**太陽・惑星・衛星・準惑星以外の天体を「太陽系小天体」**という。そのうち**「彗星」以外のものが「小惑星」**で、直径が1m以下のものから500kmを超えるものまである。火星と木星の間の「小惑星帯」に多く存在する。地球軌道と交差する軌道の小惑星もあり、それらが地球にぶつかると、地球に落下する。小さなものは「流星」や「火球」として大気圏で消えるが、大きなものは地上や海上に落下し、一時的にクレーターを形成することもある。

**岩片や氷が固まって核（コア）を形成し、非常に細長い軌道**で太陽を公転している太陽系小天体が**「彗星（ほうき星）」**だ。太陽から遠いときは、岩片と氷の小さな塊にすぎないが、太陽に近づくとガスやダスト（チリ）を噴出するので、「尾」を形成することがある。彗星のうち、公転周期が200年より短いものを「周期彗星」、200年以上のものを「長周期彗星」と呼ぶ。また、放物線や双曲線軌道を描く彗星は、「非周期彗星」と呼ぶ。非周期彗星には、一度太陽に接近して二度と戻らないものもある。彗星は太陽系外縁部に由来をもつ天体であり、太陽系初期の記憶をとどめている天体とされている。

**海王星軌道よりも外側に軌道をもつ太陽系の天体を「太陽系外縁天体」**という。現在約3500個が発見されており、冥王星もその1つだ。

**衛星とは、惑星の周囲を公転している天体**を指す。衛星には月のように球形をした比較的大きなものもあるが、火星の衛星フォボスやダイモスのように不規則な形状をした小さい衛星も多数ある。

DAY
327
November 22nd

# 小惑星が地球に衝突し月は誕生した

## 月の成り立ち

月は地球のまわりを公転する「衛星」だ。月の半径は約1700km。地球の半径が約6300kmなのに対し約4分の1の大きさで、地球のまわりを約29.5日かけて楕円軌道を描きながら公転している。このため、近くにいるとき（近地点）と、遠くにいるとき（遠地点）では、地球との距離が異なっている。最小距離は約35万6400km、最大距離は約40万6700km、平均距離は約38万4400kmになる。公転速度も地球との距離によって変化しており、地球に最接近時の速度は約4000km/h、最も離れた際は約3500km/hで、平均速度は約3700km/hだ。

**月が誕生したのは約45億年前**だ。誕生の要因については、従来、地球のマントルから分裂してできたとする分離説、地球と月それぞれが太陽系のどこかで誕生し、太陽系をさまよううちに地球の引力に捕まったとする捕獲説、地球の周辺で同時に生まれたとする兄弟説などが唱えられてきた。しかし、どの説も科学的根拠に乏しく、月の成り立ちを説明するモデルとしては説得力を欠いていた。

月誕生のモデルとして、近年注目されているのが**ジャイアント・インパクト説**だ。これは、誕生直後の地球に地球質量の10分の1程度の天体が衝突した際、発生した熱でとけた岩石が宇宙にまき散らされ、その後、球状に集まって現在の月になったという説だ。

月誕生時、地球の直径の2倍足らずの場所に位置していた月は、**今よりも約16倍大きく見えていた**という。現在の大きさで見えるようになったのは、地球との距離が遠くなったからだ。月は現在も、毎年約3cmずつ地球から遠ざかっている。その理由には潮汐力（ちょうせきりょく）と、地球の自転が月の公転より速いことが挙げられる。潮汐力とは、地球に月の重力が影響する際、月に近い正面方向は強く引き伸ばされ、側面方向は押しつぶされるような力のかかり方をすることをいう。この力によって、月が地球の海水を引き寄せ、海では潮の満ち引きが起こる。

この月の引き寄せる力が、自分より速く動く地球を引き止める形になり、地球の自転速度が遅くなる。そして、地球の自転速度が遅くなると、角運動量（回転の勢いを示す物理量）を一定に保とうとする「角運動量保存の法則」によって、地球の自転速度が落ちた分、角運動が月の公転運動へ移る。すると、公転速度が速まるので、月軌道が膨らんで、月はじょじょに地球から遠ざかっていく。

DAY 328
November 23rd

# 水星・金星・火星は地球の兄弟だった

## 地球型惑星の特徴

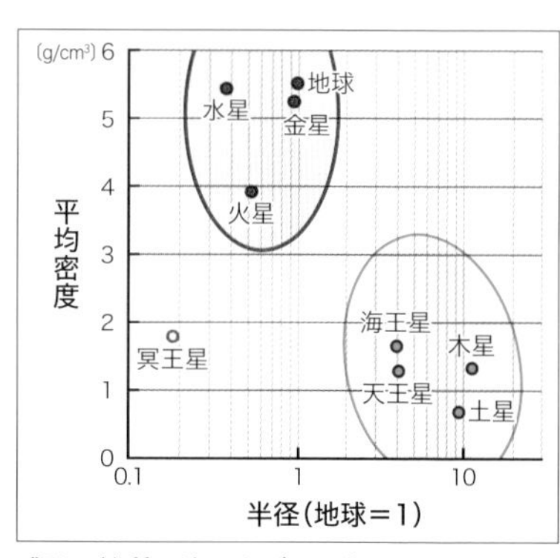

惑星の性質の違いをグラフ化したもの。

地球は平均半径が約6300kmで、球形をしている。しかし、完全な球体というわけではなく、赤道方向よりも極方向に少し潰れた形状をしている。表面は面積の約70%を海洋が占め、残りの約30%が陸地だ。地表で1気圧の大気に覆われており、大気の組成は約80%が窒素、約20%が酸素となっている。地表の大部分は岩石に覆われており、中心部にはおもに鉄とニッケルでできた核がある。地球の衛星である月も、地球同様、岩石と鉄でできた天体だ。ただし、現在の月には大気はほとんどなく、液体の水も存在しない。

右上の図は太陽系を構成する惑星の比較だ。横軸が惑星の半径、縦軸が惑星の密度になる。太陽系の惑星はこの図からもわかるように、水星、金星、地球、火星のように**半径が小さく密度が高い惑星**と、木星、土星、天王星、海王星のように**半径が大きく密度が低い惑星**とに分けられる。このような違いが生じたのは、惑星の組成が異なるためだ。前者はおもに岩石と鉄からできているのに対し、後者はおもにガスや氷でできている。ちなみに冥王星は惑星ではないが、太陽系外縁天体の代表格なので参考までに取り上げている。

水星、金星、火星のように**表面をおもに岩石で覆われた惑星**は、地球同様、中心部に**鉄とニッケルでできた核**を有している。このため水星、金星、地球、火星を**「地球型惑星」**と呼び、ほかの4惑星と区別している。

ほぼ同じ材料からできている地球型惑星だが、惑星の大きさや太陽までの距離、表面の様子はかなり異なっている。このうち火星は重力が弱く、水素やヘリウムが宇宙空間に去ったため、大気は非常に希薄だ。水蒸気はとどまっており、大量の氷として地下に存在している。流水の証拠も確認されており、過去には液体の水があったと考えられている。

DAY 329
November 24th

Column
暮らしの中の"エセ科学"

# 火星に生命体が存在したってほんと？

**生物を育むには有機物をつくり出す場としての「海」が不可欠になる。火星には、大量の水が存在した痕跡が確認されていたことや、火星が太陽系の惑星の中で「地球型惑星」のタイプに分類されることもあり「かつては生命が存在した」という主張があった。本当なのだろうか？**

1976年7月に火星探査機バイキング1号、同年9月に2号が火星表面に着陸し、火星の大地を撮影した。そこに進化した生命体の痕跡はなく、火星に生物がいたとする主張は否定された。

ただし、「原始生命体」存在の可能性は議論されている。1984年、南極でジャガイモほどの大きさの隕石が発見され、隕石中に含まれていたガス成分の分析から、約1万3000年前に火星から飛来したものだと判明した。この隕石を調査したNASA（アメリカ航空宇宙局）の研究チームは、1996年8月、「火星から飛来した隕石の中に生命体の痕跡らしいものを発見した」と発表。隕石の一部を電子顕微鏡で観察したところ、長さ0.0001mmの微生物の化石のようなものが複数確認され、**原始的な細菌の化石と推定**されたのだ。

この推定を証明するためには、その微生物の化石らしい物体の一部分を採取し、微生物の細胞膜の痕跡を発見しなければならない。また、微生物らしい化石部分から、核酸塩基やアミノ酸などの生体有機物が検出されれば、これも原始生命の証拠になるそうだ。しかし、後者の方法は隕石材料を大量に使用するため、失敗した場合に取り返しがつかなくなってしまうという。

さまざまな理由で証明が難しいため、現状は「火星からの隕石に原子生命体らしい痕跡があった」という事実にとどまっている。それを踏まえて確認すれば、「火星にかつて生物がいたのではないか」という問いに対しては、「原始生命体らしい痕跡は見つかったが、**進化した生命体はいなかった**」という回答が妥当だろう。しかし、火星にはないと思われていた水が発見されたり、「地球では生物にしかつくれない」といわれる炭素が見つかったりしており、これからさまざまなことが解明されていくだろう。

DAY 330
November 25th

# 多くの衛星をもつガスでできた惑星

## 木星型惑星と天王星型惑星の特徴

太陽系を形成する８個の惑星のうち、太陽から比較的離れている木星、土星を「木星型惑星」、天王星、海王星を「天王星型惑星」と呼んでいる。以前は後者の２つも木星型惑星に分類されていたが、主成分の違いが明らかとなり天王星型惑星とすることが一般化した。

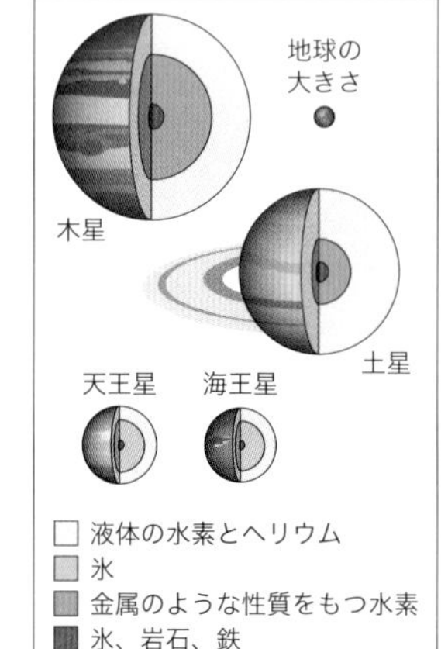

木星型惑星と天王星型惑星は、おもにガスや氷で形成される。

地球型惑星は半径が小さいが、平均的密度は大きく、岩石の表面をもつのに対し、木星型惑星は**半径が大きいが、密度は小さく、おもに気体でできている**ため、固体としての表面はもたない。

**木星は太陽系最大の惑星**で、組成や平均密度は太陽に近い。表面付近の気体はヘリウムと水素だが、中心に近づくにつれて密度が高くなるため、大気の下層部は液体水素で、さらにその下層は金属水素（液体で水素が原子核＝陽子と電子に分かれているもの）に変わっていく。中心部には、地球の質量の10倍程度の岩石や氷からなる核が存在すると考えられている。木星の大気は全体的に東西の両方向に流れており、白色や赤茶色の帯状縞（しま）模様がある。このうち白色部分は上昇気流によって形成されたアンモニアの雲で、太陽光線が強く反射するため白色に見える。赤茶色部分は下降気流のある場所と考えられている。木星の南半球に見えている**巨大な大気の渦「大赤斑（だいせきはん）」は、地球の直径の３倍程度**の大きさだ。

土星の平均密度は太陽系を形成する惑星中で最も小さく、表面には大気の動きによる縞模様や、「白斑」と呼ばれる渦がある。**土星に存在する顕著なリング**は、地球からは円盤状に見えるが、実際は**無数の小さな氷や岩石の集まり**だ。土星には強い磁場が存在し、高緯度地域にオーロラが現れることが確認されている。

氷が多い**天王星と海王星は、「巨大氷惑星」**とも呼ばれている。

木星型惑星、天王星型惑星には、**それぞれ10個以上の衛星が存在**する。このうち、木星の衛星の1つ**「エウロパ」**には、表面の厚い氷の下に液体の層が存在し、**生命体が存在する可能性**もあると考えられている。

DAY
331
November 26th

# 光り輝く巨大なガスの塊「太陽」

## 太陽系の中心

一般的に「星」と呼ばれるものは、大きく2つに分けることができる。1つは太陽や星座を形成する星のように、**みずから光を発する「恒星」**。もう1つは、恒星の放つ光を受けながら公転する「惑星」だ。

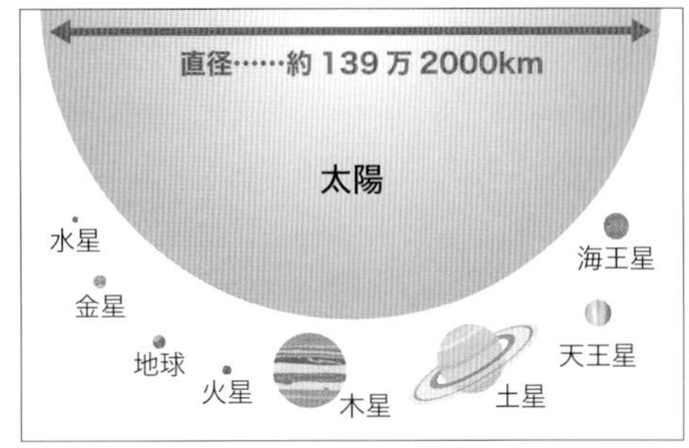

太陽と太陽系のその他の惑星の大きさ比較。

**太陽は太陽系の中心に位置する唯一の恒星**で、直径約140万km の球体だ。赤道直径は地球の約109倍、質量は約33万3000倍もあり、太陽系の総質量の99.86%を占めている。

**地球から太陽までの距離は約1億5000万 km ある。**これは時速**300kmの新幹線で片道50年以上**、時速800kmのジェット機で約20年、秒速30万 km の光でも約8分かかる計算だ。つまり、今見ている太陽は、「8分前の太陽が発した光」ということになる。

太陽の**寿命はおよそ100億年**と考えられている。誕生が約46億年前と考えられているので、**寿命の半分**を終えた計算になる。

銀河系に存在した「星間ガス」が、互いの引力で引き寄せ合い、しだいにそれ自体の重力で凝集して、やがてみずから熱や光を発する恒星へと成長したのが現在の太陽だ。

約70種類の元素からできており、このうち水素とヘリウムが全体の99.9%を占めている。その水素が核融合反応を起こし、太陽の熱や光の源となっている。

また、膨大な引力によって太陽系のすべての天体を引きとどめている。そして、その惑星たちは、さまざまな距離で太陽の周囲を公転している。

DAY 332
November 27th

# 表面は約6000℃、中心部は約1600万℃にもなる恒星

## 太陽の内部構造

太陽は多重構造からなる天体だ。外から順にコロナ（外層大気）・彩層・光球・対流層・放射層・中心核となる。

**「彩層」とは、薄いガスで形成される太陽大気層**のことだ。厚さ約2000kmで、温度は約6000〜1万℃にもなる。彩層の外側には、「コロナ」と呼ばれる希薄で高温な太陽の大気上層部がある。

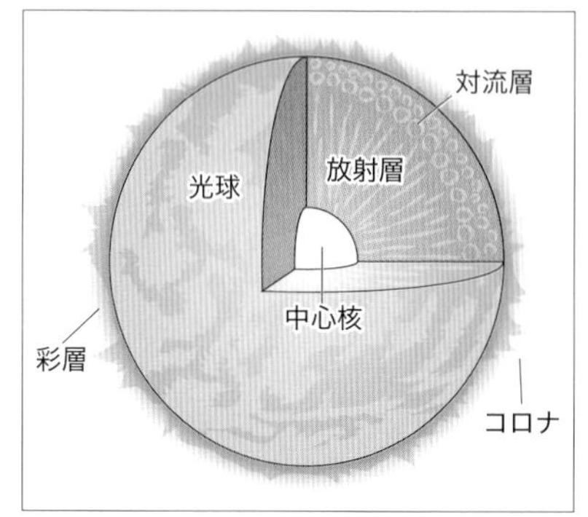

太陽の構造。

彩層の下には太陽の実体と太陽大気の境界面の**「光球」**がある。厚さ約400kmで、温度は約6000℃、**可視光線で観測**できる太陽表面だ。この光球には**黒点が見られる**ときもある。黒点は、まわりに比べて温度が低く暗いため、黒く見える。

光球の下の厚さ20万kmの層を**「対流層」**と呼ぶ。温度は約70万℃から800万℃。上層部になればなるほど温度も密度も下がっている。**エネルギーが対流により伝わる層**で、**強い磁場**が発生している。

対流層の下には厚さ40万kmの**「放射層」**がある。温度は約800万℃。中心核の生み出した**エネルギーが放射によって伝わる層**だ。放射層でのエネルギー通過（中心核から対流層まで）には、非常に長い時間（10万年以上）がかかる。

放射層の下の太陽の中心部に**「中心核」**がある。半径は約10万km。温度は約1600万℃。中心核では**水素が核融合によってヘリウムに変換**され、膨大な量のエネルギーが絶え間なく発生している。DAY334でふれるニュートリノを発生させているのも、この中心核だ。

DAY 333

November 28th

# オーロラができるのは太陽風が原因だった

## 太陽表面の観測

前ページでふれた、光球の表面に見られる黒点は、太陽観察用減光フィルターをつけた天体望遠鏡や太陽投影板などを使って観測することが可能だ。しかし、光球の外側にある彩層は光球の明るさに邪魔されて通常の方法では観測できない。ところが、**皆既日食のときだけ**は、月に隠された光球の外側にピンク色の彩層と、その外側に広がる真珠色のコロナを見ることができる。

コロナのガスは100万℃以上の高温であるため、水素やヘリウムの原子は、イオンと電子に分離したプラズマ状態になっている。コロナ内では、プラズマ状態となった水素やヘリウムの原子が高速で運動しており、太陽の重力とのせめぎ合いが行なわれている。その際に、**太陽の重力を振り切って宇宙空間へと飛び出した粒子の流れを「太陽風（たいようふう）」**という。

地球付近での太陽風の速度は、通常の状態で300～800km/s。太陽を出てすぐは非常に高温だった太陽風も、太陽から離れるにつれて温度が下がっていき、地球の軌道では約10万℃となっている。この太陽風の粒子密度は非常に低いため、地球上に直接的な影響はもたらさない。

「太陽から何かが噴き出している」という着想は、19世紀末からあった。これは、太陽に黒点群が発生して2～3日もすると、地球の極地方で明るいオーロラが見られることに着目した結果だ。**オーロラは、地球へと運ばれてきた太陽風が、地球の大気に含まれる酸素原子や窒素分子とぶつかり、それらが発光**する現象だ。

また、たまに現れる彗星の尾が、太陽を周回する際に反対側に伸びていることなどに着目したことも、この着想につながった。20世紀中頃には、これがコロナから飛び出した粒子であることが理論的に提唱されるようになり、1962年には金星探査のために打ち上げられたマリナー2号金星探査機が、その粒子の流れを偶然に発見し、その存在が科学的に証明された。

太陽風という名は、この粒子の流れを理論的に唱えたアメリカの宇宙物理学者・太陽物理学者のユージン・ニューマン・パーカーによる命名だ。現在こうした粒子の噴出は**ほとんどの恒星にある**ことがわかり、**「恒星風」**とも呼ばれる。

DAY 334
November 29th

# 地球環境を大きく左右する太陽の熱と光のエネルギー

## 太陽のエネルギー

太陽は太陽系総質量の99.8％を占めている。つまり、太陽系を形成したガスのほとんどが太陽になったということだ。太陽の元素組成は、水素が約92％、ヘリウムが約8％。それ以外の元素はすべて合わせても0.1％以下しかない。太陽は自体の有する大きな重力でガスを中心部に引きつけているため、中心部は極端な高温にして超過密の状態となっている。

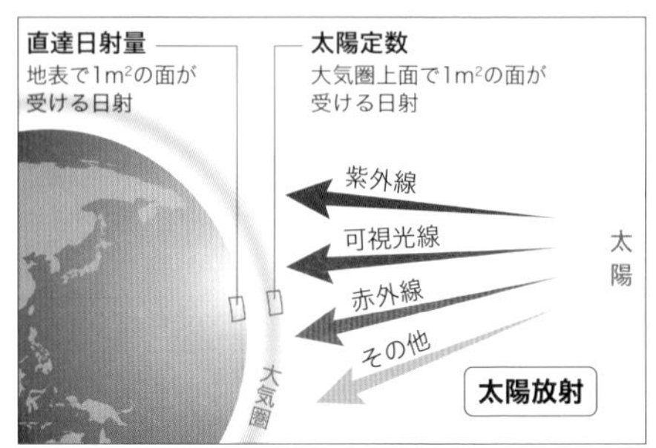

太陽定数と地球表面で受ける日射量。

太陽中心部のこのような状態では、水素の原子核がヘリウムの原子核に変化する**核融合反応が起こり、膨大な熱を発生**させる。これが光り輝く**太陽のエネルギー源**となっている。太陽の表面からは私たちが目で感じる光（可視光線）や紫外線、赤外線などが放射され、それらを「太陽放射」と呼んでいる。また、地球が受ける太陽放射のエネルギーを「日射」と呼び、地球の大気圏上面で太陽光線に垂直な1m$^2$の面が1秒間に受ける日射量を「太陽定数」と呼ぶ。太陽定数は、太陽の周期活動に伴って変動している。一方、地表で1m$^2$の面が1秒間に受ける日射量を、「直達日射量」と呼ぶ。地球の大気圏上面で太陽から届いたエネルギーを100％とした場合、**地球表面に届くのはその約50％**。残りは大気に吸収されるか、雲などに反射して大気圏外へと飛び出している。

太陽が放出しているエネルギーのうち、**地球上の環境に大きく作用しているのが熱と光**のエネルギーだ。この両エネルギーによって、ヒトを含む**生物が生きていける環境**がつくられている。たとえば雲の発生と降水、植物の光合成など、太陽からの光と熱のエネルギーは、生物が住める地球環境に大きく影響している。

熱・光エネルギーに次いで多いのが、ニュートリノだ。ニュートリノとは素粒子の一種で、太陽の中心部で発生する核融合反応の結果、ガンマ線とともに生成される。このニュートリノは、ほとんどの物質を通過してしまうため、大量に地球に到達していたとしても、地球環境に与える影響はない。

DAY
335
November 30th

# 夜空に輝く恒星はみずから燃えて光を放つ

## 恒星と銀河系

恒星とは、みずから光を放つ星のことをいう。太陽は、太陽系で唯一の恒星だ。太陽以外の恒星は、夜に確認することができる。

夜空を見上げたときに光っている星は、ほとんどが恒星だ。恒星の明るさはさまざまであるため、見え方によって等級分けされている。肉眼で見て最も暗い恒星を6等とし、**明るさによって6等→5等→4等→3等→2等→1等**と等級が上がっていく。暗い恒星は無数にあるが、肉眼で確認可能なのが6等級までなので、この分け方になっている。反対に**0等級よりも明るい場合は、「−」とマイナス記号**をつけて等級分けする。なお、**等級が1.0変わると明るさは2.5倍**増して、1等は6等の100倍になる。

恒星の見え方に違いが生じるのは、**恒星が出す光の量と地球からの距離が関係**している。**地球から恒星までの距離は「光年」**という単位で示す。1光年とは、光が1年で進む距離のことだ。たとえば、14万8000光年と表記した場合、14万8000年前に発せられた光が地球に届いていることになる。なお、1光年をkmに換算すると、約9兆5000億kmだ。ちなみに、天体間の距離は非常に大きいので、このような光年や天文単位（太陽と地球の平均距離を1天文単位とする）という特別な距離の単位を用いる。

地球から見たときの太陽の明るさは約−27等で非常に明るいが、これは太陽が地球に近いためだ。仮に太陽が地球から約30光年離れていたとしたら、5等程度の暗い星になる。一方、2等のポラリス（現時点の北極星）までの距離は約450光年だが、仮にポラリスが地球から約30光年の場所にあったら、−3等の明るい星になる。

地球から見える太陽や星座の星の大部分は、**「銀河系」という恒星や星雲の集まり**の中に分布している。銀河系には**約2000億個の恒星**があり、上から見ると渦巻き状、横から見ると凸レンズ状をしていると考えられる。また、銀河系の中心を地球から見ると、「天の川」と呼ばれる非常に淡い光の帯に見える。恒星が集まって見えるものを「星団」、星間ガスの濃い部分や、恒星の超新星爆発の残骸を「星雲」という。

DAY 336
December 1st

# 星の並び方は一定なので夜間航海の道しるべになる

## 恒星の動きと星座

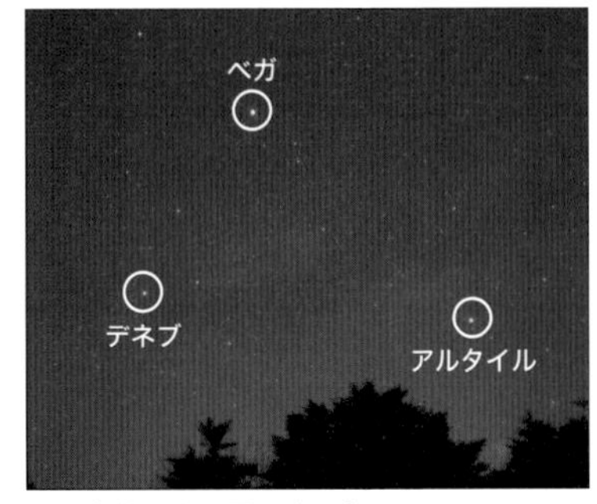

夏の夜空を彩る夏の大三角。©nekotama01 / PIXTA

月や惑星と同様に、多くの恒星も、東から昇り、南中し、西に沈む。**天球上の「星の位置」や「星座の向き」は時刻によって変化するが、「星の並び方」は変化しない。**

人類は古代から、「恒星の並び」を人物、静物、動物などの形に見立て、「星座」として名づけてきた。星座の発祥は、メソポタミア文明と考えられている。その後、複数の文明によって、独自の星座がつくられてきた。北天の星座は、北半球のギリシア・ヨーロッパ文明の影響が大きい。ヨーロッパの人々が、アフリカやオセアニアなどの南半球に進出すると、南天の星座がつくられるようになり、夜間の航行での針路を知る手がかりとされた。

地球は太陽の周囲を約365日かけて公転しているため、**見える星座は季節によって異なる**。全天の88の星座の中でも、北半球の夏から秋に見られる、こと座、わし座、はくちょう座は、小学校の教科書にも登場するので、よく知られている。

「こと座」は、古代ギリシア神話に登場する、琴の名手「オルフェウス」の「たて琴」に見立てた星座だ。亡き妻を救い出すため冥界へと下り立ったオルフェウスは、美しい琴の音色で「冥界の王ハデス」を魅了し、妻を取り戻すことに成功した。しかし、ハデスとの約束を破ったことにより、再び妻を失う。オルフェウスは失意の中命を落とし、気の毒に思った神が、彼の琴を天に上げた。こと座の1等星「ベガ」は、「七夕の伝説」で知られる「織姫星」だ。

「わし座」は、天の川（銀河）を挟んで、こと座と向き合っている。わし座の1等星「アルタイル」は、七夕の伝説で知られる「彦星」だ。

わし座とこと座の間にあり、天の川の中に見えるのが「はくちょう座」だ。十字形に並ぶ明るい5つの星を、ハクチョウが飛んでいる姿に見立てたものだ。北半球で観望しやすい星座なので「北十字」とも呼ばれている。はくちょう座の1等星「デネブ」とベガ、アルタイルの星の並びを「夏の大三角」という。

DAY 337
December 2nd

# 星は天球上を東から西へおよそ1日で1周する

## 天体の日周運動

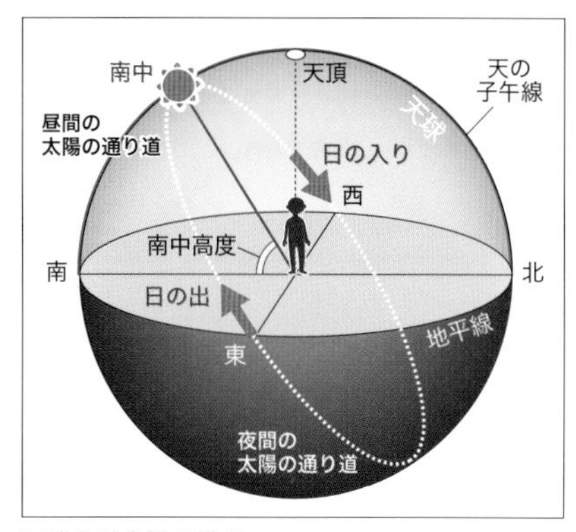

天球上の太陽の動き。

地球から恒星までの距離は、天体によって異なっているが、極めて遠距離という点では共通している。そのため、あまりに大きい夜空を見る限りでは距離を捉えにくい。まるで、自分を中心として天体が天球に貼りついているかのようだ。このように、空を球として捉えたものを「天球」と呼んでいる。天球は実在するものではないが、右にある図のように地球を取り巻く球として考えることにより、天球上に天体の位置や動きを表しやすくなる。なお、私たちが見ている空は、地平線から上の天球の半分だけになる。

天球は仮想的な球面なので、さまざまな形状で再現することが可能だ。たとえばプラネタリウムの天井は、照明が消えると星空と同じような景観を見せてくれる。また、理科の学習教材として使われる「透明半球」も、天球モデルの１つだ。

地球は北極点と南極点を貫く直線を軸として、約１日で１回西から東へと自転しているため、天球は地球の自転とは逆向き、つまり、**東から西に動いているように見える**。これを**天体の「日周運動」**と呼んでいる。

太陽を例に日周運動を詳しく見てみると、上の図からもわかるように、太陽は天球上を規則正しく動いているように見える。この太陽は、北半球では真北・天頂・真南を結ぶ半円（天の子午線（しごせん））上を通過する際に最も高度が高くなる。これを「南中」といい、このときの高度を「南中高度」と呼んでいる。

天体（太陽や恒星）の１日の動きは、それ自体の動きではない。**地球の自転による「見かけの動き」**だ。ほとんどの天体は、東から昇り、南中し、西に沈むという動きをする。ただし、北の空の天体は、違う動きをするものもある。観測地からは見えない地平線・水平線の下も考えると、太陽や恒星は、およそ１日で天球を１周していることになる。

DAY
338
December 3rd

# 天体の動きの見え方は観測場所によって異なる

## 経度・緯度と天球の見える範囲

地球上の位置は、「経線」と「緯線」の交差で正確に表現できる。**経線とは、北極点と南極点を結んだ直線**で、つねに南北の方位を結んでいる。経線の位置を表す数値が「経度」で、ロンドンのグリニッジ天文台跡を通る南北の線を0°としている。経度0°線より東を「東経」、西を「西経」とし、いずれも180°を最大値とする。**緯線は赤道と平行な直線**で、つねに東西の方位を結んでいる。緯線の位置を表す数値が「緯度」で、赤道を0°としている。北側を「北緯」、南側を「南緯」とし、北極点が北緯90°、南極点が南緯90°となる。特定の緯線と経線が交差する場所は1カ所しかないので、**経度と緯度の数値の組み合わせで、地球上の位置を正確に表現**できるのだ。

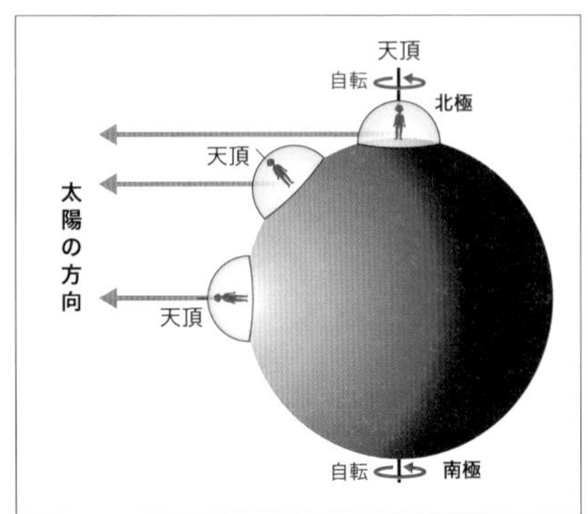

観測地によって天球の範囲も変わる。

ちなみに、日本列島は東経123°から154°、北緯20°から46°に位置している。東経135°の経線が日本の標準時子午線で、グリニッジ天文台跡を通る経線を標準としたグリニッジ標準時とは、9時間（夏は8時間）の時差がある。

**観測地の緯度・経度によって、観測可能な天球の範囲（見える天体）は異なる。**たとえば、同じように日周運動しているはずの太陽や恒星でも、**北半球と南半球では、異なった見え方になる**ということだ。北半球の日本列島では、天体は「天の北極（北極星の近く）」を中心に「反時計回り」に日周運動をするので、南の空では東から西に向かって天体が動くように見える。

逆に南半球では、天体は「天の南極」を中心に「時計回り」に日周運動をする。オーストラリアでは、日本では当たり前に見える「北斗七星」の観測は難しいが、「南十字座」はよく見える。天球のすべての範囲を観測できるのは、赤道上だけだ。一方北極点と南極点では、1年中どの時刻でも、天球の半分の範囲にある同じ星座しか観測できない。

DAY
339
December 4th

# 地球の公転によって季節で見える星座が違う

## 天体の年周運動

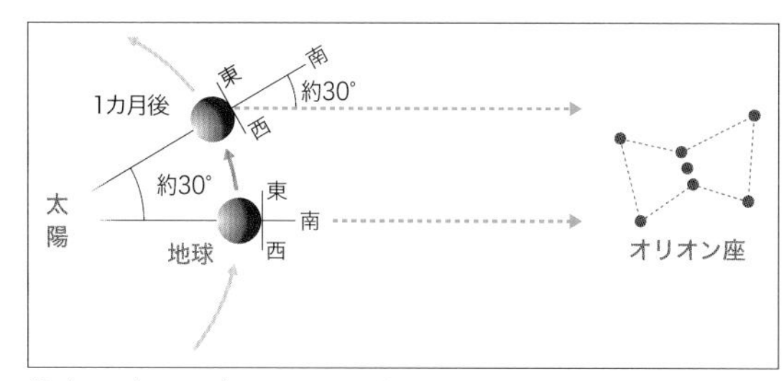

地球の公転と星座のみかけの動き。

地球はどこでも等しく約1日で自転する。太陽も自転しているが、ガスでできた巨大な恒星なので、緯度によって自転の速さが異なる。太陽の北極や南極付近では約31日、赤道付近では約25日で自転する。

地球の自転によって、太陽や恒星は天球上を約1日で1周しているように見える（日周運動）。一方、地球の公転によって、**太陽は天球上を約1年で1周**しているように見える。実際には、地球は毎日少しずつ位置を変えながら太陽の周囲を約1年で1周しているのだ。

**天球上の太陽の通り道を「黄道（こうどう）」**という。太陽が黄道を1周するのに要する時間（たとえば春分から次の春分まで）が「1年」だ。**黄道は12の星座の中を通過**していて、季節によって太陽が位置する星座は変わる。

太陽が位置している側の星座は、昼に太陽と一緒に日周運動するのでまったく観察できない。逆に、太陽の反対側にある星座は、夜に現れるので観察しやすい。昼間に星座が観測できないのは、空全体が明るくなるためだ。恒星は太陽に比べて光量が非常に少ないので、昼間は星を見ることが難しい。ただし、月は昼でもよく目にするし、金星は昼でも見えることがある。

同じ時刻に同じ場所で星座の位置を観測すると、日がたつにつれて西に動いていることがわかる。たとえば、オリオン座は冬（12月）の真夜中に南の空に見えるが、1日に約1°ずつ西に動いて、1カ月後の同時刻には西へ約30°移動している。移動はその後も続き、春（3月）には西の地平線まで移動する。そして、夏（6月）になると夜には地平線や水平線の下に隠れてしまうため、一晩中見ることができなくなる。これを地球の公転で説明したものが右上の図だ。このように**地球の公転による、恒星の1年間の見かけの動きは「年周運動」**と呼ばれている。

DAY
340
December 5th

# 金星は地球を地球は火星を追い抜く

## 惑星の見え方

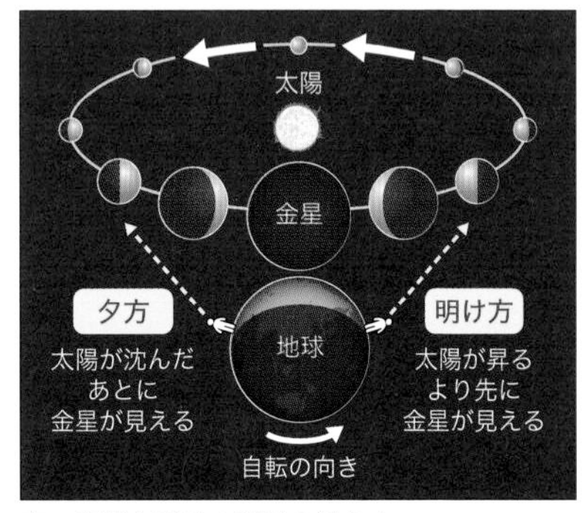


宵の明星と明けの明星の見え方。

惑星の「惑（まどう）」は、「どうしていいかわからない」「考えがまとまらない」など、迷いを意味する語だ。かような字が冠せられたのは、恒星は天球上の位置（星座の形や星座同士の位置関係）がほとんど変化しないのに対し、惑星（とくに内惑星）は、公転による固有運動で地球との位置関係が刻々と変化するので、恒星と違って、**日々天球上の異なった位置に見える**からだ。

このようなことが起こるのは、DAY 325で述べたように、**惑星ごとに公転周期が異なるため**だ。水星は約88日、金星は約225日、地球は約365日、火星は約678日、木星は約11.86年、土星は約29.5年、天王星は約84年、海王星は約164.8年だ。太陽から遠い惑星ほど、公転周期も長い。太陽系を「真上」から観察できたとしたら、ときどき金星が地球を追い抜き、地球が火星を追い抜く姿が見られるはずだ。このように、**惑星同士の位置関係は刻々と変化**するので、**地球から見た惑星の位置も、つねに同じにはならない**のだ。

望遠鏡を使って金星を継続的に観察すると、月のように満ち欠けしながら、大きさも変化することがわかる。これは太陽に照らされた側だけが反射して輝き、地球からの距離によって見かけの大きさも変化するためだ。金星は地球よりも太陽の近くを公転しているため、地球から見て太陽と反対の方向に位置することはなく、真夜中には見えない。

さらに、地球から見た金星は、太陽から大きく離れることがない。そのため、夕方の西の空に「宵（よい）の明星」として、また明け方の東の空に「明けの明星」として見ることができる。

# 季節が変わるのは地球の地軸の傾きのせい

## 南中高度と地軸の傾き

同じ場所で太陽の動きを継続的に調べると、**季節によって南中高度や日の出と日の入りの位置が変化**しているのがわかる。

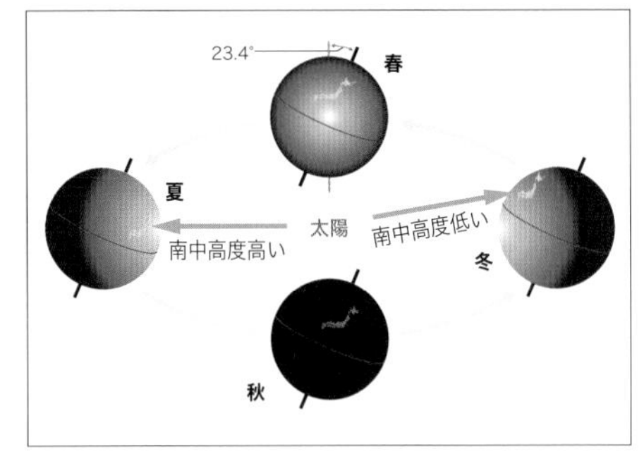

地軸の傾きと四季の変化。

日本の南中時の太陽光の入射角度は、最も大きい6月下旬の夏至で約78°。逆に、入射角度が最も小さい12月下旬の冬至で約31°だ。3月下旬の春分と9月下旬の秋分は、夏至と冬至の中間である約55°になる。入射角度が小さいほど、地表面に入射する太陽エネルギーが小さい。このため、夏至の頃には地面や海面が最も温まりやすく、冬至の頃には最も温まりにくい。

時期によって太陽の南中高度が変化し、地域によって「季節」があるのは、**地球の「地軸」が傾いていることが原因**だ。地球は地軸を中心線として、約24時間で自転している。地球の地軸は、**公転面に垂直な面に対して約23.4°**傾いていて、つねにその状態で自転・公転をしている。

6月下旬前後には、北半球が太陽側を向く。太陽の南中高度は上がり、1日の日照時間も長くなるので、気温も上がって「夏」となる。12月下旬前後には、北半球は太陽と反対側を向いて「冬」となる。南半球では北半球と正反対のことが起き、6月に冬、クリスマスに夏がやってくる。

北極圏（北緯66.5°以上）や南極圏（南緯66.5°以上）では、1日中太陽が沈まない夏の「白夜」や、1日中太陽が昇らない冬の「極夜」が、年間で1日以上ある。より高緯度の地域ほど、白夜や極夜の日数は多くなる。

DAY
342
December 7th

# 南中高度が高いほど気温も高くなる

## 太陽エネルギーと地球環境

太陽からはさまざまなエネルギーが放出され、地球へ届いている。このエネルギーの中で最も**地球環境に影響を与えているものが太陽光**だ。この光が地表を温めたり、昼間の明るさをつくり出したりしている。

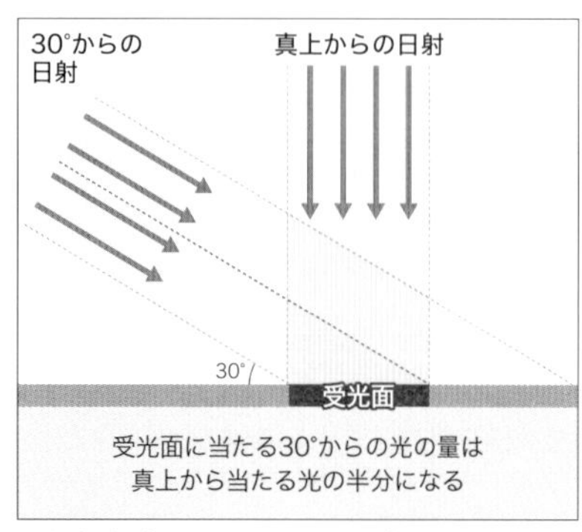

日射角度が変わることで季節が生まれる。

日本列島の多くの地域には、顕著な四季がある。四季は主として気温や湿度、生物相の変化で実感することができる。東京の陸地を例に考えてみよう。

6月下旬の**夏至の日、太陽の南中高度は約78°**で、ほぼ頭上から強い日射を受ける。午前中から地表は温められ、その後、**気温も高くなる**。また、昼の時間が長いので、日射を受ける時間も長い。

一方、12月下旬の**冬至の日、太陽の南中高度は約31°**と低く、太陽光は斜めから弱く差し込む。地表はなかなか温まらず、**気温も上がりにくい**。また、昼の時間が短いので、日射を受ける時間も短い。

**春分・秋分では、太陽の南中高度は約55°**で、地表は適度に温められ、**快適に過ごせる気温**となる。これらは、地球の地軸が傾いたまま自転・公転していることによる、時期による日射量の違いが要因だ。

ところで、大地は太陽エネルギーにより温められ、温まった大地がさらに大気を温める。そのため、太陽の日射量が最大になる時間と、1日の最高気温となる時間には2時間ほどの時間差が生じる。同様に、大地の熱が大気に伝わるのに時間がかかるため、**夏至と真夏、冬至と真冬で1カ月ほどのずれ**が生じる。

持続可能なエネルギー源として注目されている「太陽光発電」は、太陽からの光エネルギーを電気に変換する発電方式だ。太陽の南中高度は、設置場所や季節によって異なる。最も効率よく発電できるように、太陽光発電では「光電池パネル」の向き（方位）や角度（仰角）を調整して設置する。

DAY
343
December 8th

# 太陽による影の向きから原子から出る電磁波へ

## 時計の歴史

北半球では地球の自転によって、太陽は東から昇り、南中し、西に沈む。毎日必ず昼と夜が交互に訪れるのは、地球が規則正しく自転しているからだ。

**時刻を知るための人類の最初の試みは、「日時計」**と考えられている。太陽の動きによって、地上物がつくる「影」も動くことで、時刻を知る装置が日時計だ。さまざまな古代文明の遺跡に、日時計の原理を応用した構造物が見られる。その後、「機械式時計」が発明されるが、当初は誤差が大きく、その補正には依然として日時計が使われていた。

日時計で時刻を読み取る方法は2種類ある。1つは時針（時計の短針の役目）となる影で時刻を割り出す方法だ。太陽が空を横切るにつれて、地上にできる影の長さと方向は変わっていく。ここで時針となる物体を子午線（南北両極をつなぐ見えない線。一般的には経線と呼ばれる）に沿って、真北か真南を向くように設置すると、太陽の動きに従って影も回転するため時間が割り出せる。もう1つは、子午線に関係なく時針を太陽に向ける方法で、時針の影の長さによって時刻を割り出すものだ。

太陽の南中（真南に位置し最も高度がある状態）を基準とするようになったのは、ヨーロッパで機械時計が発明されて以降といわれている。これにより、都市ごとに太陽の動きを見て時刻が決められるようになった。このような時刻を**「太陽時」**という。しかし、文明が発達し国同士の交流が緊密になってくると、**時刻を世界的に統一する必要が出てきた。ここで決められたのが「世界時」**だ。時刻の起点はイギリスのグリニッジ天文台を通る子午線とした。

もともとは、1秒の長さも地球の自転に基づく平均太陽日から決められていた。しかし、地球の自転の速さは一定ではないことから、現在は**特定の原子から出る、決まった周波数の電磁波を使って時間を決めている**。これを**「原子時」**と呼び、これに平均太陽（黄道上を動く太陽の平均速度と同じ速度で赤道上を動く仮想の天体）の南中を基準にして決めた時刻「平均太陽時」を加味したものが、**日常用いている「協定世界時」**だ。日本では、**協定世界時に9時間足したものを「日本標準時」**として採用している。兵庫県明石市を通る東経135°の子午線上の時刻にあたる。

DAY
344
December 9th

# シリウスの観察から ナイル川の氾濫時期を予測

## 暦の歴史

ヒトが生活するうえで「暦」は不可欠なものだ。太陽の日周運動の周期を基本にしたのが「日」、月の満ち欠け周期が「月」、太陽・恒星の位置変化の周期が「年」にあたる。もともと暦は天体の動きを観測し、その規則性をヒトの生活リズムに当てはめることでつくられてきた（「週」だけは、天体の動きとは無関係）。暦によって、ヒトはより計画的に生活できるようになったのだ。

農耕が本格的になり、種まきや収穫などの農作業を決まった時期にするようになると、より正確な暦が必要になった。初期の天文学の発展は、より正確な暦を作成するために、緻密な天体観測が不可欠だったのが、大きな後押しとなっていた。

日周運動も年周運動も「太陽の動き」を元にしているので、これらに基づいて1日や1年の長さを決める暦を**「太陽暦」**と呼ぶ。

この暦は**エジプト文明でも利用**されていた。毎年起きるナイル川の氾濫は、エジプトの土地に肥沃な土壌をもたらしていたが、その時期の特定が難しかった。ところが、いくつかの**恒星（とくに、おおいぬ座の「シリウス」）の観測で、ナイル川の氾濫時期が正確にわかる**ようになり、**1年の長さが365.25日**であることも知られるに至った。その結果、食糧増産に成功して人口も増加した。天体観測が、古代エジプト文明の発展に寄与していたのだ。

古代ローマのユリウス・カエサルは、エジプト遠征の際に太陽暦（エジプト暦）を知り、それを参考にして、4年に1度の割合で1年が366日になる**「うるう年」を設ける「ユリウス暦」**をつくった。この暦は、ローマ帝国はもちろんヨーロッパ各地で使われた。16世紀後半、ローマ教皇グレゴリウス13世がつくったのが、**「グレゴリオ暦」**だ。これはユリウス暦を長く使っていたことで生じた、季節と**暦のずれを解消する**ためにつくられた暦で、**現在も広く使われている**。

月は地球の周囲を27.3日かけて公転しており、太陽・地球・月の位置関係によって、月は規則的に満ち欠けをする。**月の満ち欠けを元にしてつくられたのが「太陰暦」**だ。イスラム圏の国の一部では現在も太陰暦が使われる場合がある。純粋な太陰暦では季節と暦にずれが生じる。そのため、必要に応じて「うるう月」を入れ、1年を13カ月にすることで調整する暦を「太陰太陽暦」と呼ぶ。日本の江戸時代につくられた「天保暦」は最も優れた太陰太陽暦とされている。

DAY
345
December 10th

# 「太陽が動いている」という聖書の記述も後押し

## プトレマイオスの天動説

天動説を根強いものにしたプトレマイオス。

古代から、世界にはさまざまな宇宙観があった。これを**最初に自然科学的な視点で捉えようとしたのは、古代ギリシア**の知識人たちだった。自然科学は哲学の一部にとどまっていたとはいえ、「宇宙は気（蒸気）からなる（アナクシメネス、紀元前6世紀半ば）」「神は人の姿をしておらず、永遠で自己完結的な意識が宇宙をつくっている（クセノファネス、紀元前6世紀前半頃～紀元前5世紀中頃）」「宇宙は地・水・火・気の4元素からなる（エンペドクレス、紀元前5世紀前半頃～後半頃）」というさまざまな宇宙観が提示された。

さらに進むと**「太陽を含む天体が地球の周囲を回っている」**との説が唱えられるようになる。いわゆる**「天動説」**だ。こうした中、紀元前3世紀頃のアリスタルコスが**「太陽の周囲を地球が回っている」**とする太陽中心説、いわゆる**「地動説」**を唱えた。しかし当時、地動説は一般に受け入れられることはなく、主流はあくまで天動説だった。

天動説を定説化させたのは、古代ローマ時代の天文学者・地理学者のプトレマイオスだ。当時の知識を集大成した「周転円説」は、観測事実と一致する優れた学説だった。彼の著書『アルマゲスト』は、ヨーロッパがルネサンス期に入るまでの1200年にわたり、自然科学の教科書の1つとして使われていた。

**天動説の根強さにはキリスト教の影響**も大きかった。キリスト教が絶対とする『聖書』の随所に「太陽が動いている」というような記述があったことから、天動説が正しいとされていた。加えて、天体の観測機器が未発達という背景もあった。時代が進んで天体の観測機器が高精度になってくると、さまざまな天体の動きを緻密に観測できるようになり、天動説では説明がつかなくなっていった。

DAY 346
December 11th

# 教会が公式に認めたのは20世紀の終わり

## コペルニクスの地動説

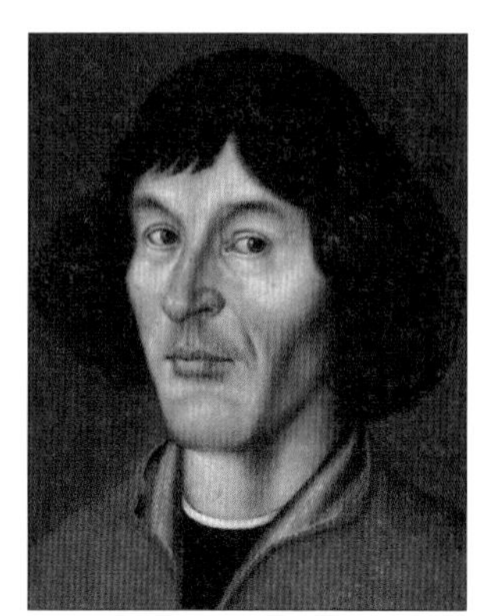
地動説を提唱したコペルニクス。

天動説で天体の動きのモデルを考えていくと、さまざまな無理が生じてきた。たとえば、天測（船舶航行中の天体観測）の結果を元に航行すると、針路（船舶が進むべき方位）を誤るという事態が続出した。そのため、さらに正確な天体の観測が求められたのだ。このような時代背景で、**科学的根拠を元に「地動説」を提唱**したのが、1473年にポーランドで生まれたニコラウス・コペルニクスだ。コペルニクスは父親の没後、教会の司祭（儀式や典礼を執り行なう聖職者）を務める伯父の養育を受けた。ポーランドの大学で学んだあとイタリアに留学し、数学、美術、医学、法律などを学んだ。この留学中にとくに関心を寄せたのが、天文学だった。

大学を卒業したコペルニクスは、教会つきの医師を務めるかたわら、天文学の研究も続けた。その中で天動説に疑念をいだくようになり、それは観測によってますます膨らんでいった。やがて**「地球は自転をしながら、太陽の周囲を公転している」**とする「地動説」というモデルに至る。地動説が正しいことを証明するために、さらに観測に基づく研究を続けた。その結果、天動説では説明できない天体の動き（たとえば金星の逆行）を、地動説では説明できることに気づき、確信を得たのだ。

しかし、16世紀初め頃は教会が主導する天動説が支配的だったため、**地動説は激しい反発を招いた**。それでもコペルニクスは弟子たちの熱心な勧めにより、自身の研究を集大成した『天体の回転について』を執筆した。書籍発行直後の1543年、コペルニクスは70歳で世を去った。その後、ケプラーによる「惑星の運動理論（ケプラーの法則）」の提示、ガリレオ・ガリレイによる「木星の衛星観測」など、地動説の具体的証拠が発表された。しかし教会は、ガリレオを裁判にかけ、20世紀の終わりまで天動説に固執し続けた。「ローマ教皇がガリレオに謝罪する」という形で決着がついたのは、ガリレオ没後350年後の1992年だった。

# 月がなかったら人類は存在していなかった

月の誕生に関しては、現在最も有力視されているのが「巨大天体の地球への衝突によって飛び散った地球の破片で月が形成された」という説だ。天体衝突から約1カ月で原型が形成されたと考えられている。

月の引力が地球の海水を引っ張ることで、地球では潮の満ち引きが起きる（潮汐力）。すると、地球の自転より遅い月が自分より速く動く地球を引き止める形になり、自転がセーブされる。そのブレーキがなくなると、地球の自転周期は現在の約3倍になり地球環境が極めて過酷になり、多くの生物は進化できなかっただろう。また、月がなかったら潮の満ち引きがなくなり、干潟もなくなるので、海洋生物の多様性が失われ、生態系にも影響を及ぼすだろう。

地球に季節があるのは、地球の地軸が傾きながら公転していることにより、太陽光が当たる角度が変わるからだ。しかし、月がなくなると、この地軸の傾きが不安定になる。そうなれば、地球の半球はつねに昼、反対側はつねに夜という状況になることも考えられる。

生命が存在する星の条件は、中心星（太陽系での太陽）からほどよい距離があり、惑星表面に液体の水が存在すること、豊富な大気に包まれていることが重要だと考えられている。現時点では、地球以外でそのような環境をもつ星は見つかっていない。しかし、最近の探査ではそれほど恵まれた環境でなくても生命存在の可能性がある環境の衛星がいくつか見つかり、地球外生命体発見に期待が膨らんでいる。

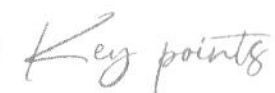

- 月は巨大天体の衝突により飛び散った地球の破片で形成された。
- 月がなければ陸上生物もヒトも進化できなかった可能性がある。
- 潮汐力が地球の自転、地軸の傾きに影響を与えている。

# 地球温暖化は人類のせいなの？

近年、「ゲリラ豪雨」や「巨大台風」など、これまでにはない気象現象をよく耳にする。これらの気候変動を語る際、よく地球温暖化が根底にあると解説される。地球温暖化は、ヒトの活動によって二酸化炭素やフロンガスなどの温室効果ガスが放出され、地球全体の平均気温が上昇する現象だとされるが、本当なのだろうか。

## ▶地球温暖化が進むとどうなる？

地球温暖化は単に気温が上昇するということだけでなく、さまざまな気候変動を引き起こす。そういった環境変化により作物の収穫が減るなど、私たちの生活に影響を与えている。それは、地球に住むほかの生命体にも影響を及ぼしているのだろうか。

## ▶なぜ近年の環境変化が著しいのか？

地球温暖化の原因として挙げられているのが、大気中の温室効果ガスの濃度が増加しているという点だ。産業革命以降、科学技術が発展する一方で、産業革命前（1750年）と2013年の二酸化炭素濃度を比べると、化石燃料の使用が増えたことで、じつに40％以上も増加している。それだけが環境変化の直接的な原因なのだろうか。

## ▶人類にできることは何か？

私たちが快適な生活を送ろうとすれば、大量のエネルギーを消費し、環境には大きな負荷がかかってしまう。そんな中、私たちにできることはあるのだろうか。地球温暖化の進行を防ぐだけでなく、改善へと導くことは、果たして可能なのだろうか。

DAY
349
December 14th

# 自然環境を守ることが将来の私たちを守る

## 自然との共生の重要性

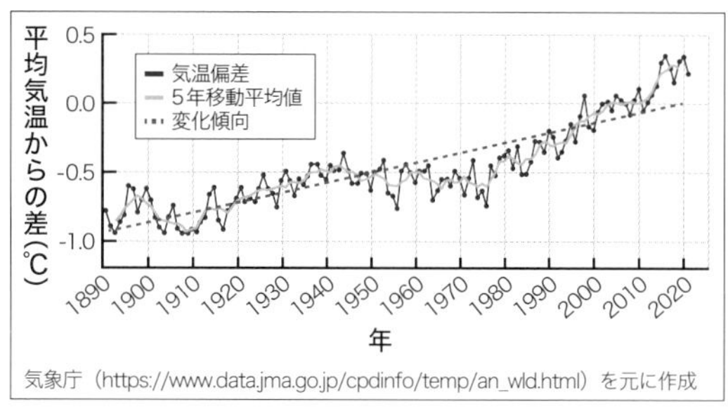

気象庁（https://www.data.jma.go.jp/cpdinfo/temp/an_wld.html）を元に作成

地球が急速に温暖化していることがわかるグラフ。

私たちヒトは生活していく中で、さまざまな環境と関わっている。たとえば、空気。ヒトは空気がないと生きていけない。食物や水は、数日取らなくてもすぐに死ぬということはないかもしれない。しかし、空気を吸えなくなったら、ヒトは短時間で生命の危機に陥る。それほど空気は、ヒトの生命維持活動に不可欠なのだ。

ヒトと空気の関わりでは**大気汚染が問題**となっている。大気は目視できないので、汚れていたとしても気づかないうちに呼吸によって体内に取り入れている。大気が汚染されているということは、健康を考えるうえでも真剣に向き合う必要がある課題だ。

ヒトと水との関わりも大切だ。水は飲料水としてばかりでなく、農業など生活のさまざまな場面で必要とされている。豊富な降水量のある日本に住んでいると意識しにくいかもしれないが、実際は**水も限りある資源**の１つだ。

水以外の資源となると、なおさら深刻だ。私たち日本人を含む人類は現在、化石燃料としての石油や天然ガスを多用している。石炭を主力にしている地域もある。ヒトが呼吸をする際と同様、これら**化石燃料を燃やすと、酸素が消費されて大量の二酸化炭素が排出**される。この**二酸化炭素の増加が、地球の急激な温暖化の要因**として考えられている。これ以上、急激な温暖化が進めば、人類の生活に悪影響が出ることは避けられないだろう。

ヒトは自然環境にさまざまな影響を与えつつ社会生活を営んできた。しかし、あまりに甚大な影響を与えてしまうと、自然環境の変化が私たちの生活に大きな変化を迫る事態になりかねない。つまり、現在の自然環境を守ることは、将来的に自分たちを守ることにつながるのだ。よりよい未来のためにも、私たち個々が自然との共生を真剣に考える必要がある。

DAY 350

December 15th

# 生物が生存できる場所は極めて限られている

## 地球表層の生物圏

地球は「地圏」「水圏」「大気圏」から成り立っている。地圏は地球の陸上部分、水圏は海など液体の部分、大気圏は地球を覆う大気の部分をいう。

生物が生息しているのは地球の表層。

生物が生存するためには、水が欠かせない。たとえばヒトは、飲料に適した真水のある場所が生活拠点となる。地球上のあらゆる生物は、**地圏、水圏、大気圏が接する地球表層の限られた場所で生活**していて、そのような場所を**「生物圏」**という。

生物圏での自然環境は、変化し続けている。たとえば、地球内部のエネルギー移動によって、地震や火山活動が起きる。太陽からの日射や熱エネルギーによる大気の動きは、天気や季節の変化にも関係している。ヒトを含む多くの生物は、こうした地球環境の影響の下で生命活動を営んでいる。

私たちヒトは、この生物圏の中で、どの生物より広範囲に生息する生物だ。

そして、私たち日本人が暮らす日本列島は、多様な環境の変化をとくに体感しやすい土地といえる。

日本列島は、ユーラシア大陸東端沖に位置し、**気候的には大陸と海洋両方の影響**を受けているからだ。亜熱帯～温帯～亜寒帯までの幅広い気候区に属し、寒気と暖気、寒流と暖流がぶつかり合うところに位置している。年間の気温差が大きい地域が多く、天気もよく変化し、顕著な四季がある。

また、日本列島は**世界屈指の火山と地震が多い列島**でもある。

DAY
351
December 16th

# 温暖な地域のチョウが東北地方にも分布を広げた

## 人類の自然環境への影響

ヒトはこの100年余りで、急速に社会を発展させてきた。同時にヒトは自然環境に大きな影響も与え続け、その結果が、目に見える形で現れてきている。

右の図はナガサキアゲハの分布図だ。アゲハチョウ科アゲハチョウ属に分類されるこのチョウは、もともと温暖な地方に生息していて、**江戸時代には九州以南**にしか見られなかった。ところが、図にあるように1940年頃から東進し始め、**2010年には北関東と東北の境目**辺りまで生息域を広げているのだ。温暖な地域でしか生息できなかったチョウが70年でここまで東進しているのは、日本列島の**気温が高まっている証拠**といえよう。この温暖化と人間社会の関係には、現在も確定した理論はない。しかし人口が増え、機械による排出ガスなどが増えていることと、けっして無縁ではないだろう。

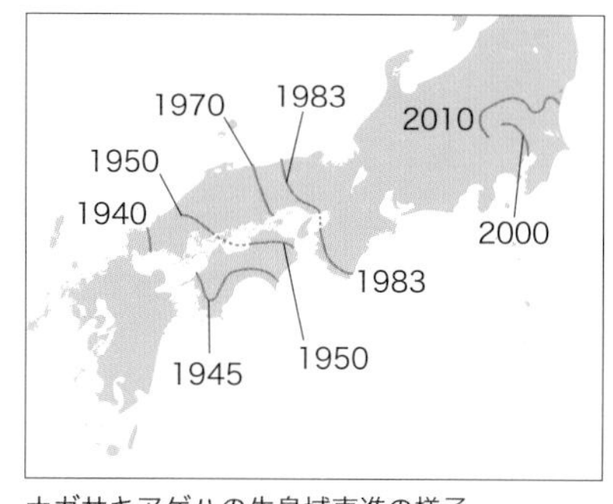

ナガサキアゲハの生息域東進の様子。

ナガサキアゲハが温暖化に伴って生息域を広げているのに対し、**サンゴは生息域を狭めている**。サンゴは海水温が上昇すると白化し、この状態が長く続くと死んでしまう。

ほかにも、コアラは生息地のオーストラリア内陸部で、10年にわたり続いた大規模な干ばつによる影響を受けている。コアラは、植物の葉から必要な水分を取っている。しかし、異常気象による干ばつで多くの植物が枯れ、**水不足で衰弱して命を落とすコアラ**が出るようになった。もともと機敏に動くことが苦手なコアラが、水分を求めて従来より多く木から下りるようになれば、ほかの肉食動物に襲われたり、交通事故にあったりする危険性も増す。さまざまな危機が複合して、**コアラの絶滅の危機**も指摘されている。

このように、温暖化は自然環境に大きく影響を与えているのだ。

DAY
352
December 17th

# 生態系での生物の役割は生産、消費、分解の3つ

## 自然界のサイクル

**ある場所に生活する生物と、それを取り巻く環境を1つのまとまりとして捉えたものを「生態系」**と呼ぶ。ある生態系（たとえば1つの森）に着目すると、生物にはさまざまな役割のあることがわかる。その役割が互いに関わり合って生態系は維持されている。

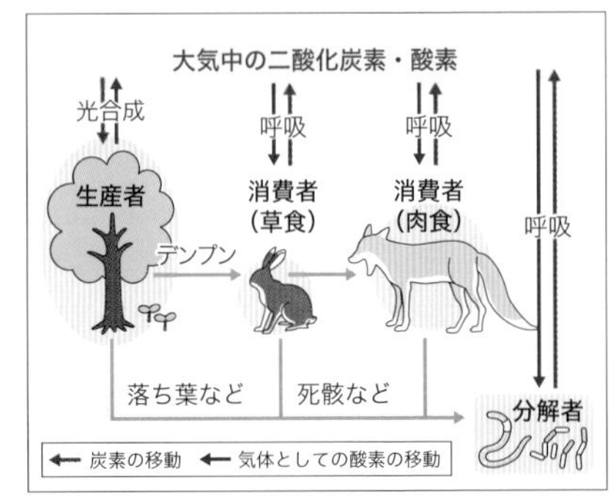

酸素と二酸化炭素は自然界を循環する。

生態系を維持する役割は「生産者」「消費者」「分解者」の３つに分けられる。**生産者とは無機物から有機物をつくり出す**生物だ。陸上植物や海藻などがそれにあたる。

無機物から有機物を生成できない生物は、**ほかの生物を体内に取り込むことで栄養を得る**。このような消費行動をする生物を**消費者**と呼ぶ。草食動物、肉食動物、魚類、昆虫類など、ほかの生物を食べて生きている生物はすべて消費者だ。ただ、ほかから栄養を得る点は同じでも、**動物の死骸や排泄物、落ち葉などを栄養源としている生物**に関しては、ほかの消費者と区別する意味で、**分解者**に分類されている。分解者に位置づけられる消費者は、小型の昆虫から菌類にまで至る。

生産者にあたる植物は、無機物である水、二酸化炭素、太陽エネルギーを利用して光合成を行なう。これによりデンプンなどの有機物が生成され、酸素が排出される。消費者は生産者がつくった有機物を、直接的または間接的に体内に摂取する。その有機物は生命を養う材料になり、最終的には水と二酸化炭素に分解される。生物の死骸や排泄物は分解者たる消費者の生命維持に使われた結果、最終的に水や二酸化炭素の無機質に分解される。この分解物を植物が取り入れて光合成の材料とする。

さまざまな生物のそれぞれの役割によって、**酸素と二酸化炭素は生物を通して循環**しているのだ。

DAY
353
December 18th

# 深刻化する地球温暖化、オゾン層破壊、大気汚染

## 化石燃料使用による環境破壊

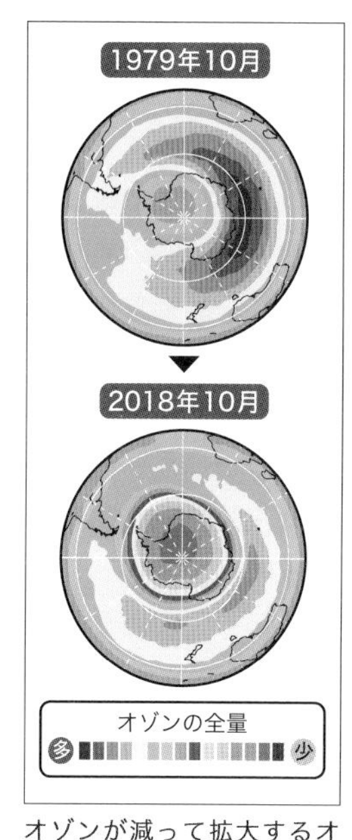

オゾンが減って拡大するオゾンホール。

産業革命以降、人類は石炭・石油などの化石燃料を大量に使用しつつ、工業化への道を驀進（ばくしん）した。これにより、二酸化炭素が爆発的な勢いで排出されるようになった。また、森林の樹木が大量に伐採されたり、燃やされたりするようになった。樹木は、光合成を行なう際に二酸化炭素を取り入れる生産者だ。二酸化炭素を人為的に増やし、植物を減らした結果、大気中の二酸化炭素の割合が高くなった。

この二酸化炭素やフロンなどの物質は**「温室効果ガス」**と呼ばれている。これらは、本来は宇宙に放出されるはずの熱エネルギーを大気内にとどまらせ、**地表や海面付近の気温を上昇**させる効果をもつ。惑星が生命を育む環境を維持するためには、大気中に一定の割合の温室効果ガスが必要だ。しかし、現在の地球ではその割合が上昇し続けている。このことが、地球の気温や海水温を押し上げているとする説もある。その結果、氷河や海氷の融解、海水そのものの膨張、海水準上昇といった影響が出ることも示唆されている。

「オゾン（$O_3$）」は酸素原子3個で形成される、無色透明の物質（気体）だ。オゾンは大気上層部に非常に薄い「オゾン層」として存在し、太陽からの有害な紫外線の一部を吸収して防いでいる。ところが、冷蔵庫やエアコンの「冷媒」として使用されていた「フロンガス」が大気上層部に達すると、**フロンガスから発生した「塩素」がオゾンを分解**することが明らかになっている。オゾン層の破壊は、地表に到達する**紫外線量を増加させ、ヒトの健康に悪影響**をもたらす。

大気汚染とは石炭・石油など化石燃料の使用などによって引き起こされる空気の汚れをいう。**化石燃料を大量に燃やすと窒素酸化物・硫黄酸化物・粉塵などが大量に空気中に拡散・飛散**し、**呼吸器系疾患や酸性雨の要因**となる。酸性雨は屋外の金属を腐食させ、湖沼の水を酸性化させる。

DAY
354
December 19th

# 水質悪化、侵略的外来種に脅かされる生態系

## 動植物への被害

自然界の水も、ヒトの活動の影響を受けやすい。もともと海水や湖水には窒素化合物やリン化合物などの物質が一定の割合で含まれ、それは植物性プランクトンに養分として利用されている。

しかし、生活排水や肥料といった**人の活動から生じたものが、海や湖に流入**した結果、これらの物質の割合が上昇した。これにより一部の海や湖は**「富栄養化」**が進み、**植物性プランクトンが水面を覆う**ほどまでに増殖した。水面が赤く見えるものを「赤潮」、緑色に見えるものを「アオコ」という。これにより、水中の酸素濃度の低下、太陽光の遮蔽などで、**水中生物（藻類や魚類）が死滅**するといった影響が出ている。

**「侵略的外来種」**の問題も深刻だ。外来種とは、人間の活動に伴って、意図的、非意図的にかかわらず、本来分布していなかった地域に**ほかの地域から移入され、定着してしまった生物**のことをいう。生態系の中に組み込まれ、大きな影響を与えず順応する生物もいるが、人間や農作物などに幅広く悪影響を及ぼすだけでなく、その地域の**生態系を壊す恐れがある生物**もいる。これを「侵略的外来種」という。

たとえば、北アメリカからの外来種オオクチバス。この食欲旺盛な外来魚は、その地域の日本固有の種を捕食して数を減少させている。オオクチバス以外では、動物ではアライグマ、ブルーギル、ミシシッピアカミミガメ、植物ではアレチウリ、ミズヒマワリといった外来種もいる。

**環境破壊や侵略的外来種によって、ある生物種がすべて死滅**したことが確認された状態を**「絶滅」**という。特定の地域（たとえば日本列島）で死滅した場合は「○○では絶滅」、飼育や栽培のみで生き延びている場合は「自然界では絶滅」と表現される。環境省では、絶滅が危惧される野生生物（絶滅危惧種）について「レッドリスト」と呼ばれる一覧を作成し、これを元にしたレッドデータブックを刊行して注意を喚起している。2020年作成のレッドリストによると、**日本で約3700種の生物が絶滅する可能性**があるとされている。

DAY
355
December 20th

# 自然もまたヒトの力を必要としている

## 環境保全活動の大切さ

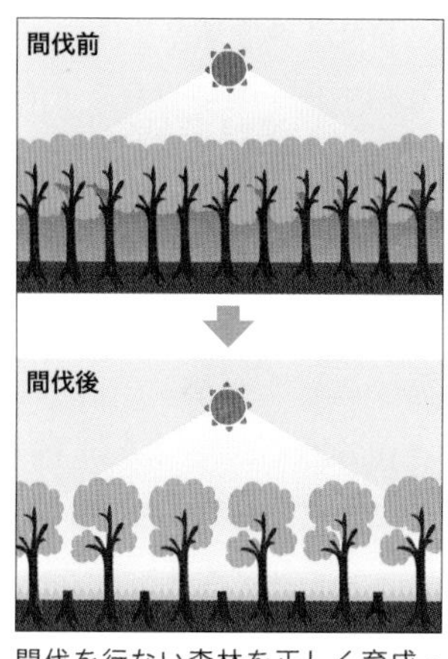

間伐を行ない森林を正しく育成・管理する。

自然環境は、さまざまな要因で変化し続けている。その変化が小さければ、自然が有する回復力だけで本来の状態に戻ることもできる。しかし、近年のヒトの活動は、**自然が有する回復力では追いつけない**ほどの変化をもたらし続けている。結果、生態系は破壊され、一部の生物は絶滅の危機にさらされている。しかし、ヒトが豊かな生活を求め続ければ、自然環境への影響は避けられない。**ヒトの活動が、自然環境に影響を及ぼす要因を「環境負荷」**という。**環境負荷をできるだけ低減させるのが「環境保全」**という考え方だ。

古来日本人は、自然と共生しつつその恵みを享受できるよう、適切な関わり方をしてきた。たとえば林業に従事する人々は、単に里や山の樹木を伐採・出荷しているだけではない。質のよい木材を生産しつつ、将来も森林の生態系が維持されるよう、樹木や土地の管理に工夫と努力を重ねてきたのだ。

林業では、植栽（樹木の苗を植えること）の前に、さまざまな作業がある。植栽時に苗木の間隔を狭めると、木が太陽光線を浴びるために競い合うので高い木に育つ。だが、そのままにしておくと土壌中の養分や日光の奪い合いになり、太い木に育たないため、上の図のような**「間伐（間引き）」**が必要となる。次に、よい材木とするためには、節目を少なくする必要がある。節目の原因は木の枝の部分なので、太陽光線を浴びる上部の枝だけ残し、根元の枝を切り落とす**「枝打ち」**が必要になってくる。

林業は長期的な計画と、重労働を必要とする産業だ。多くの努力と地道な作業が、**良質の木材を産するとともに、環境保全にも役立っていた**。

林業に限らず、ヒトは自然変化のマイナス面を極力避け、プラス面を少しでも多く享受するため、さまざまな努力を重ねてきた。そして、ヒトの活動が自然と共存し、自然のサイクルで循環していける社会の構築がこれからも求められている。

DAY 356
December 21st

# 断層によってできた直線状の谷間が交通路に

## 地震による災害と恩恵

日本は**地震が多い国**の１つだ。日本列島が複数のプレート境界付近に位置していることで、規模の大きな地震も起きやすい。防災教育の普及や地震に対する備えがどんなにあっても、規模の大きな地震では災害が発生することもある。強い揺れによる樹木や家屋の倒壊、海底変動による津波の発生、傾斜地での地すべり、埋め立て地や河川に近い土地での液状化などだ。また、道路や鉄道の被災による交通の遮断、物流やライフラインの停止など、日常生活にも被害や影響が出ることがある。

山崎断層帯に沿ってつくられた中国自動車道。

しかし歴史を見ると、地震が恩恵をもたらしている事実も知ることができる。

例としては、**地震によって変化した大地の利用**が挙げられる。日本人は昔から、地震が繰り返し起こることでつくられた地形を生活に利用してきた。地震によって**隆起してできた南房総の地震隆起段丘**や、**沈降してできた長野県の諏訪盆地**がそれにあたる。

特筆されるのは、兵庫県宍粟（しそう）市の**山崎断層帯に沿ってつくられた中国自動車道**だ。断層によって険しい山地にできた直線状の谷間を交通路として活用している。山は今でも難路でしかない。徒歩しか移動手段のなかった時代、山道や峠道をいくつも越していくことは、たいへんな難事であったに違いない。ところが、断層のずれによって生じた谷は、疲労を強いる起伏がないうえに直線コース。断層がなければ、人は今でも山の尾根をいくつも越えるはめになったはずだ。

何かと忌み嫌われる地震だが、私たちは**その恩恵に浴している部分もある**。そして、ヒトは地震を防ぐことはできない。地震国に住んでいる以上、つねに**「減災」を心がけていく**しかないのだ。

DAY
357
December 22nd

# 観光資源などになる半面 噴火の心配も

## 火山による災害と恩恵

歴史的な景観、海洋に関係する景色などを除けば、日本の自然景観は、過去の火山活動がつくり出したものが多い。日本人は古くから、火山と共存してきた。火山がつくり出した、**美しくあるいは奇異な景観、温泉などは、観光資源**としても生かされている。

つねに噴気活動が見られる雲仙(うんぜん)温泉（長崎県雲仙市）。
©Skylight / PIXTA

また、高温の蒸気や温泉水を地熱発電などに利用している。噴火によって降り積もった火山灰はガラス製品や焼き物などの工芸品に利用し、火山灰が長い時間をかけて積もってできた土地が野菜栽培に適した土壌になれば、農地として利用した。このように、火山は**日本独特の景観や生産活動をつくり出す**など、大きな役割を果たしている。

恩恵の多い火山だが、一度**噴火すれば災害**へと直結する。溶岩を含む膨大な量の火山噴出物、有毒な火山ガス、上空高く舞い上がった火山灰が広範囲に降り注ぎ、農作物の商品価値を下げることもある。珍しいケースだと、大規模な火山噴火が起き、大気に大量の火山灰や硫黄酸化物を含んだ火山ガスが放出されると、それらが大気にとどまって太陽光を遮り、**気候が寒冷化する現象「火山の冬」**が起きることもある。

もちろん、被害が大きいからといって、火山の活動を止めることはヒトの力では不可能だ。しかし、**噴火時期や規模を前もって予測できれば、減災**も可能だろう。

そこで、日本国内に100以上ある活火山のうち、とくに活動が盛んなもの、将来噴火の可能性があるものについては、**気象庁や専門機関によって常時監視**されている。火山性微動を検知する**「地震計」**、山体の膨張を検知する**「傾斜計」**などが設置され、噴火が予測される場合は、気象庁から**「臨時火山情報」**が発表されることもある。

DAY 358
December 23rd

# 気象変化の激しさは日本列島の大きな特徴

## 天気による災害と恩恵

**日本の気象は変化に富んでいる**。それは、日本列島が亜熱帯から亜寒帯にまたがる中緯度に位置し、温暖な気団と寒冷な気団がぶつかりやすい位置にあるためだ。また、海に囲まれていることで大量の水蒸気が供給されるため、低気圧が発生しやすく、加えて、赤道の北側で発生し、海上で発達しながら近づく台風の影響も受けやすい。このため、日本の平均年間降水量は世界の平均降水量の倍近くになる。

陸上での降水、そしてそれが海へと流れ込むという営みを延々と続けてきた日本列島には、Chapter2で解説したように侵食・運搬・堆積という**流れる水の働きを受けてできた景観**が随所に見られる。また、この**豊かな降水が水の供給源**となり、工業用水、農業用水、生活用水、水力発電などに活用されてきた。

一方で、**気象による災害も多い**。冬の日本列島は、寒冷なシベリア気団と、北海道沖の優勢な低気圧の影響で北西の季節風にさらされ、日本海側の地域ではしばしば豪雪に見舞われる。積雪量の急激な増加、なだれなどの災害や、家屋、交通などに被害が出ることもある。

梅雨の明けた日本列島は、太平洋高気圧の影響下に置かれ、気温・湿度とも高く、水不足や熱中症の増加などに見舞われる。この時期は、急速な積乱雲の発達によって、集中豪雨、降雹（こうひょう）、竜巻などの被害も出る。あるいは梅雨前線、秋雨前線により、ときに長雨や、降水帯による豪雨をもたらされることもある。台風は、これらの災害に加え、高波、高潮、暴風による被害も起こす。

多くの農業は、降水や日照といった、気象や太陽の恵みに支えられている。一方、春先の異常低温、遅霜、梅雨時の日照不足や、夏の少雨などは、農作物に被害を与え、収穫量にも影響を及ぼすことがある。陸上の濃霧は自動車事故の、海上の濃霧は海難事故の原因になる。

気象災害に対しては、砂防ダムやスーパー堤防、多目的遊水地などの整備に、国や自治体が取り組んでいる。同時に、私たちがその地域の地勢的・地理的な特徴をよく知り、日頃から防災や減災に心がけていくことも重要だ。

DAY
359
December 24th

# 近年では植物工場やエコタウンまで開発

## 科学技術と衣食住

**科学研究の成果から生み出された技術**のことを**「科学技術」**という。近年、植物の生殖の仕組み、遺伝子の働きなどが、科学研究によって明らかにされつつある。その成果から品種改良、収穫量増加などの科学技術が、次々と生み出されている。

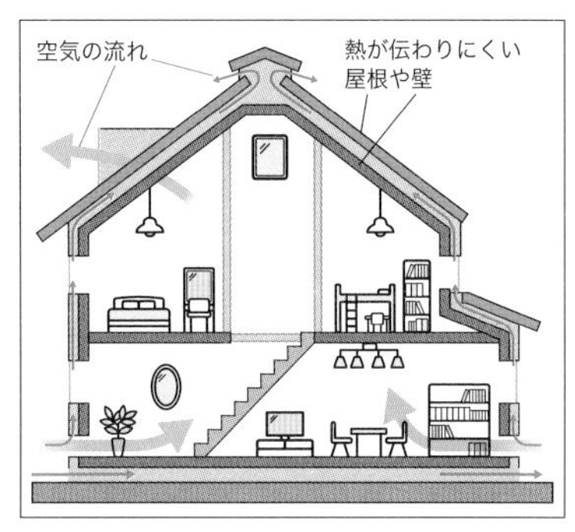

空気の流れで家全体を冷やすエコ住宅。

かつて人類は狩猟・採集や漁労で得た動植物を食し、動物の皮などから衣服をつくり、洞窟や簡単に組み立てた家などに住んできた。やがて、さまざまな分野の科学技術が発展し、農作物の栽培で安定的に食料を手に入れ、天然素材を加工して衣服や住居の材料にするようになった。では、衣食住の順で科学技術の発展を見ていこう。

まずは、「衣」。機械工業化される前は、綿花やカイコの繭などの繊維から手作業で布をつくって衣服にしてきた。機械工業化に成功して以後は、工場で**機械を使い、衣服の量産化**に成功。さらに天然繊維の分子構造が解明されると、それを元にして石油を原料にナイロンやポリエステルなど、**合成繊維の製造**が可能になったのだ。現在では保温性や吸湿性などに優れた新素材が続々と開発され、用途に応じてさまざまな衣料に使われている。

次いで、「食」。農耕を始めた人類は、その後、栽培技術の向上を重ねてきた。20世紀初頭の**人口増加に伴う食料危機を回避**できたのは、**農耕技術の向上**や、**化学肥料の使用**などによる、収穫量の増加が大きな要因だ。さらにLED（発光ダイオード）などの人工照明を用いた「植物工場」によって、南極大陸のような農耕が難しい地域でも野菜の収穫が可能になった。

最後に、「住」。人類は気候や地域に合った住まいを工夫し、暑さ、寒さ、自然災害から身を守りながら生活を営んできた。その後、**住宅の様式は多様化**し、近年は**省エネルギー住宅**も増えている。また、個々の住宅だけでなく、町全体で太陽光や風力による発電の利用や燃料電池の使用を推し進める**「エコタウン」**も開発されている。

DAY
360
December 25th

# 機械工業化が進み化石燃料の消費が急拡大

## 産業革命の影響

品川〜名古屋間に建設中の浮上式高速鉄道。
©ABC / PIXTA

人類は、知能を得て以来、人力、家畜、風や水の力などを利用して、さまざまな生産活動をし、移動手段としていた。それが、18世紀半ばから19世紀にかけて、人類の生活を変化させる出来事が、欧米を中心に起きた。**機械や、機械によって得られる動力が、生産活動や移動手段に導入**されるようになったのだ。これが「工場制機械工業」を広く展開させ、経済、社会構造、人々の生活を少しずつ変化させていった。この変革を**「産業革命」**という。

産業革命は**1705年、イギリスのニューコメン**が、蒸気によって動力を生み出す**「蒸気機関」を発明したことによって始まった**とされる。蒸気機関は、当初、炭鉱で用いられたが、その後、ワットによって改良され、1780年代には、さまざまな工業生産の動力として実用化された。1789年には、蒸気機関による紡績機（糸をつくる機械）が実用化された。

工場制機械工業の出現で、生産性が向上した結果、工場を一定の地域に集中させた「工業都市」も出現した。紡績業に始まった産業革命が多くの産業に波及し、機械工業化が促進された。その結果、各地に工業都市が出現し、都市に住んで工場で働く人が増加した。

この産業革命以降、少しずつ科学技術が発展し、現代に至っている。現在、日本国内ではリニアモーターを使った浮上式高速鉄道（リニア中央新幹線）を建設中だ。また、国際的にはジェットエンジン搭載の飛行機が輸送手段に加わり、速く輸送できる時代となった。このように科学技術の発展が輸送手段を進歩させ、生活は便利になり、産業は盛んになった。しかし、便利になった反面、化石燃料を大量に消費するなどの問題も生じている。

DAY
361
December 26th

# テレフォンの語源は「遠い声」を意味するギリシア語

通信技術の発展

私たちは日々、さまざまな情報を受け取り、みずからも発信している。科学技術の発展はこの情報伝達の分野でも、人類の生活を大きく変えてきた。

たとえば江戸時代、情報伝達の手段は人の足だった。郵便物は飛脚という輸送に従事する人が走って運んでいた。江戸から大坂まで書簡を送るのに、並飛脚というふつう郵便で1カ月ほどかかることが一般的だったそうだ。西洋世界でも古くは人づてに情報が伝えられた。この**情報通信を一変させたのは、電話**の登場だ。

電話の発明者は、ドイツの物理学者フィリップ・ライスだと考えられる。1860年にライスが電話を発明したのは、グラハム・ベル、トーマス・エジソン、イライシャ・グレイの3人のアメリカ人発明家が、特許申請をする16年前のことだった。マイク、スピーカー、電線を取りつけ、人工鼓膜を振動させてお互いの声を伝え合うというものだった。ライス自身はこの装置を「テレフォン」と名づけていた。これは、ギリシア語で「遠い声」を意味する語だ。

日本で電話が登場したのは、明治に入ってからのこと。公衆電話が開通し、離れていても音声のやりとりが可能になった。1950年代には家庭用電話機が普及し始めたが、遠距離通話は交換手と呼ばれる人が手動でつないだため、相手につながるまで、時間がかかることもあった。

エレクトロニクス（電子工学）に支えられて、**20世紀後半から通信網が一気に拡大**し、**大量の情報を迅速に処理**できるようになった。音声や映像、画像などを送る技術としてラジオやテレビ、携帯電話などが開発され、チケット予約や買い物などもインターネットを介してできるようになった。**21世紀に入ってからの携帯電話やタブレット端末の進歩**はめざましく、インターネットへの接続、写真や動画の撮影・送信などさまざまなことができるようになった。

私たちの暮らしに欠かせない鉄道や航空機の運行管理、荷物の配送管理、企業間の業務連絡、銀行間の送金などの情報伝達は、科学技術（とくに通信技術）の発展によって支えられている。

DAY 362
December 27th

# 手術をサポートするロボットまで登場

## 医療と科学技術

科学技術の進歩は医療技術の進歩にも影響を与えた。現在、医療の世界では科学技術を利用した精巧な機器が、治療の最先端で使われている。

たとえば、**X線CT**がある。これはX線の透過量の違いをコンピュータで計算し、体内の様子を画像にするものだ。これ以外に**PET**、**MRI**も挙げられる。前者は陽電子という小さな粒子を使って、通常の断面画像、立体的な画像（3D）など体内を多面的に画像化する機器で、後者は磁場を与えて体内の水素原子の分布を調べ、体の断層像を立体的な画像にする機器だ。これらの医療機器の登場により、患部を切り開かなくとも診断が行なえるようになった。とくに**MRIは磁気を用いている**ので放射線の被曝がなく、**患者の体に負担をかけない点で画期的**な医療機器といえる。

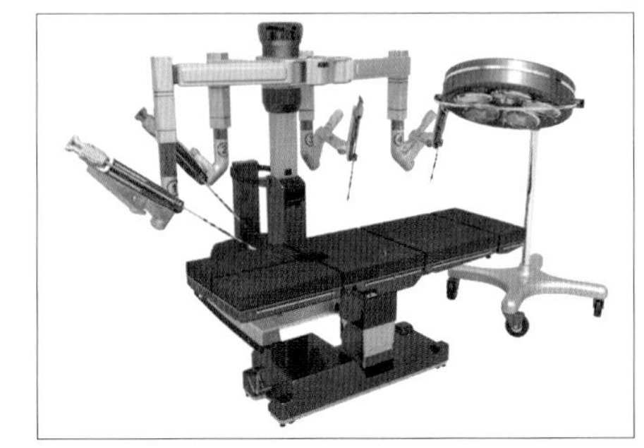

手術支援ロボットのイメージ。 ©alexlmx / PIXTA

これ以外にも優れた科学技術を背景に開発された、最先端の医療機器が多数、医療現場に投入されている。たとえば、**手術支援ロボット**がある。**ロボットアームを患者の腹部に開けた小さな穴から挿入**し、モニター画像で確認しつつ目的の部位を処置する機器だ。体内の様子を3D映像にするなどの情報処理技術が発展したことで実用化された。

**3Dプリンター**も医療現場で活躍し、臓器の再現に用いられている。患者の体内の3Dデータを元に3Dプリンターで**目的部位の立体模型**をつくるのだ。ここには血管や目的の部位が再現されているため、手術前の患者への説明や、手術担当の医療スタッフ同士による打ち合わせに役立っている。また、タブレット端末も使用されている。小型という利点を生かし、手術室にもち込んで患者の情報を確認しながら手術を行なうことができる。

進展した科学技術は、このように医療の第一線を支える役割も果たしている。

DAY
363
December 28th

# 人工衛星は環境保全や防災に役立つ

## 宇宙開発と科学技術

宇宙はかつて、人類にとって観測や信仰の対象だった。宇宙開発が始まったのは第二次世界大戦終結以降だ。米ソ冷戦の時代、両国は国力の誇示や軍事目的転用のために宇宙開発を進めた。しかし、ソ連が1957年に最初の人工衛星「スプートニク」を打ち上げたあと、宇宙空間の平和利用に関する活動が始まり、軍事衛星に限らず、多くの人工衛星が打ち上げられた。宇宙開発はこれまでの**科学技術が発揮される場**となると同時に、**新技術誕生の母体**ともなった。

地球を周回する人工衛星には**気象衛星、放送衛星、通信衛星、航法衛星、地球観測衛星**などがある。これらが**地球を観測し、環境の保全や防災に役立っている**。放送衛星や通信衛星による衛星放送や通信網の拡充は、生活を快適にしている。また、航法衛星によるGPSは軍事利用のほか、カーナビゲーション、物流管理にも使われている。環境保全や防災のため、地球を観測しているのは温室効果ガス観測技術衛星「いぶき」や、陸域観測技術衛星「だいち2号」などだ。これらの衛星によって地球各地の二酸化炭素の増減や広い範囲の災害状況、農作地や森林の環境変化が細かくわかるようになった。

宇宙開発には**高度な情報通信技術も必要**だが、それを支えているのは**高性能のコンピュータや通信設備**などだ。これらの機器を「ハードウェア」と呼ぶ。それに対して、コンピュータを動かすプログラムやデータを総称して「ソフトウェア」と呼ぶ。同じ性能のハードウェアでもソフトウェアによって、異なる使い方ができる。たとえば、スマートフォンにアプリというソフトウェアを入れると、新しい機能を追加することが可能なことは、多くの人が体験しているはずだ。人工衛星がさまざまな仕事をこなすのも、**ソフトウェアによってハードウェアである機器が制御**されていることによる。

一見すると、科学技術が宇宙開発を支えているように見える。しかしじつは、宇宙開発が科学的知識や技術の向上へと手を貸している面も大きい。

DAY
364
December 29th

# 持続可能な社会実現のため生き方を見直すべきとき

## 科学技術発展の課題

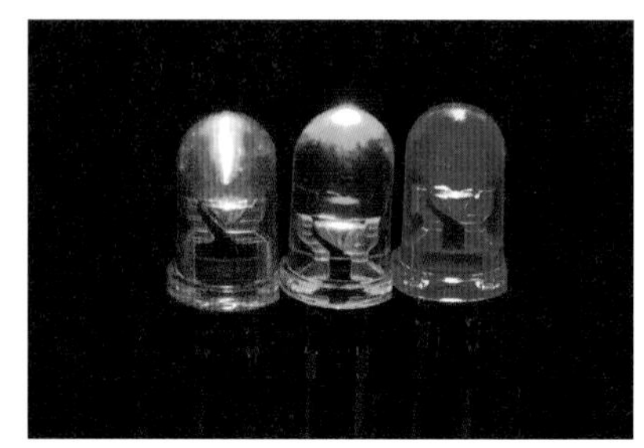
LED（発光ダイオード）。

科学技術の発展は人類の生活の向上に寄与したが、一方で**副次的な問題の要因**ともなっている。たとえば、生活に不可欠な照明。人類は長い間「炎」を照明として用いてきた。日本ならば菜種油を使った行灯やロウソクの炎がそれにあたる。しかし、それらの明るさには限界があるため、より明るい照明が強く求められてきた。これに答えたのが白熱電球だ。白熱電球の登場により、人は夜遅くまで働き、娯楽を楽しむようになった。次いで蛍光灯が主流となり、現在ではLED（発光ダイオード）や新しい技術である有機ELが使われるようになった。有機ELは現在、スマートフォンやテレビなど、照明以外の身近なものにも使われている。

**白熱電球の登場は確かに画期的**だったが、代わりに**多くのエネルギーを消費**するようになった。エネルギー資源は有限だ。消費量を増やし続けたことにより、**エネルギー資源の枯渇を招く恐れ**が生じた。

次に開発された蛍光灯は、同じ明るさを得るのに要するエネルギーが少なく、資源節約という点では革新的だった。だが、**蛍光灯には環境に問題のある水銀が使用**されているため、廃棄後の処理が問題となっている。このため現在は、**水銀を使用せず、さらにエネルギー効率もよいLED照明への置き換え**が進んでいる。

この照明器具の歴史を見てわかるように、科学技術の発展はつねに副次的問題発生の要因ともなっていたのだ。

2015年に**「SDGs（持続可能な開発目標）」が国連総会で採択**され、学校の授業でも取り上げられるようになった。人類は、より豊かな生活を求め続けてきたが、新しい問題も生み出している。過度の資源利用や使い捨て生活などを続けた結果、地球環境を悪化させ、生物や人類そのものの生活すら脅かしつつある。この惑星にある限られた資源を守り、環境を保全しつつ、**今後の人類の生き方を考え直す時期**にきているのだ。

DAY 365
December 30th

Column
暮らしの中の"エセ科学"

# ワクチン接種は体によくない?

**ワクチンの中には、病原体(ウイルスや細菌など)そのもの、または、病原体を構成する物質などを元につくったものがある。たとえば、「インフルエンザワクチンを打って、インフルエンザにかかってしまう」というようなケースだ。ワクチン接種は体にいいといえるのだろうか。**

---

ヒトには「抗原(病原体)が体内に侵入すると、抗体(病原体に対抗する物質)をつくり体を守る」という働きが備わっている。弱毒化した抗原である**ワクチンが体内に入ると、抗体がつくられる。**こうして抗体を一度つくっておけば、本格的に**抗原が体内に侵入した際、抗体がすぐに働いて排除**してくれる。つまり、「免疫力」をつけるのがワクチンなのだ。

体内の免疫反応に伴って、**発熱や倦怠感などの「副反応」**が出る。まれに、ワクチン成分に対して激しいアレルギー反応である**アナフィラキシー**が起こる場合もあり、ワクチン接種に反対する人がいるのも事実だ。

しかし、免疫力がつく前に抗原が体内に入ると病気に感染し、重症化する恐れがある。最悪の場合、**命を落とす可能性**があると考えると、副反応のデメリットよりも、ワクチン接種を行なうメリットのほうが大きい。

日本における初めての本格的なワクチン接種は、江戸時代に行なわれた「天然痘(てんねんとう)」に対するものだった。世界的伝染病であった天然痘は、日本では古くから「疱瘡(ほうそう)」の名で恐れられ、老若男女を問わず、虚弱体質の人は命を落とした。江戸時代後期に入ると、イギリスのエドワード・ジェンナーが開発した天然痘に対する予防接種法「種痘法(しゅとうほう)」が伝来。まずは佐賀藩で接種が行なわれた。日本では1955年、天然痘根絶に成功している。

また、現代では日本で誕生した新生児に、百日咳、ジフテリア、破傷風、結核を予防するBCG、肺炎球菌などのワクチンが接種されており、それぞれ接種の時期や回数が定められている。成人に対しても、毎年冬にはインフルエンザワクチンが用意され、罹患率の低減と重症化の予防が図られている。ワクチンは昔から、私たちの健康を守るために活用されているのだ。

# 人類の活動が地球温暖化を促進している

国連環境計画と世界気象機関によって設立されたIPCC（気候変動に関する政府間パネル）による2013年の報告書によると、地球温暖化の要因について「人間の影響が大気、海洋および陸域を温暖化させてきたことには疑う余地がない」と、初めて断定された。このまま温暖化が進行すると、気候変動により食物がとれなくなったり、繁殖ができなくなったりして、数を減らす生物種が現れる。一方で、生息域を広げ、数を増やす生物種も出てくるだろう。それにより、絶滅する種が増えるという悪循環をもたらす。

気候変動は生態系の変化だけでなく、災害や健康被害などのリスクも高めると指摘されている。海面上昇による高潮や沿岸地域の浸水、気温上昇や干ばつによる水・食料不足、森林火災の増加など、さまざまな問題を引き起こすだろう。

ヒトの活動が地球温暖化の原因になり、人類そのものの生活を脅かしつつあるのが現状であり、私たちが環境を保全しつつ、みずからの行動を見直す時期に来ている。2015年には国連総会で「SDGs」が採択され、学校の授業でも取り上げられている。また、温暖化の進行のきっかけとなった科学技術を、今度は温暖化防止に活用する取り組みも始まっている。たとえば、エネルギー効率のよいLED照明を開発して置き換えたり、太陽光や風力による発電や、燃料電池の使用を推し進めたりと、人類が自分たちの手で改善できるはずはまだあるはずだ。



*Key points*

- 温暖化は、多くの生態系に深刻な影響を与える。
- 温暖化は、自然災害や健康被害をも引き起こす。
- 温暖化を引き起こした科学技術で、温暖化進行を防止する。

# 参考文献

国立天文台 編『理科年表 ２０２２』（丸善出版）
伊賀瀬道也 著『アンチエイジング医療の医師が教える！「食事」と「生活習慣」の極意』（日東書院）
一般社団法人 照明学会 編『照明工学』（オーム社）
奥野忠一 著『21世紀の食糧・農業』（東京大学出版会）
海老原覚、後藤葉子 著、上月正博 編著『イラストでわかる 患者さんのための呼吸リハビリ入門』（中外医学社）
垣内貴志 著『カリスマ先生の地学―7日間で基礎から学びなおす』（ＰＨＰ研究所）
垣内義亨 監修『新版 からだのしくみ カラー事典』（主婦の友社）
金田初代 監修、金田洋一郎 写真『一日一花を愉しむ 花の歳時記３６６』（西東社）
桑満おさむ 著『〝意識高い系〟がハマる ニセ医学が危ない！』（育鵬社）
古谷彰子 著、柴田重信 監修『時間栄養学が明らかにした「食べ方」の法則』（ディスカヴァー・トゥエンティワン）
後藤和宏 監修『図解入門 よくわかる 最新「脳」の基本としくみ』（秀和システム）
広沢・高森瑞子、涌井良幸 著『おとなの楽習(11) 理科のおさらい 生物』（自由国民社）
高濱正伸 監修『?に答える！小学理科 改訂版』（学研プラス）
左巻健男 編著『面白くて眠れなくなる地学』（ＰＨＰ研究所）
左巻健男、永留貢 編著『最新中1理科授業完全マニュアル』（学研プラス）
左巻健男、左巻恵美子 著『大人のやりなおし中学生物』（SBクリエイティブ）
左巻健男、青野裕幸 編著『最新中2理科授業完全マニュアル』（学研プラス）
ＳＡＭＡ企画 編『ＲｉｋａＴａｎ（理科の探検）：２０２２年1月号 ニセ科学を斬る！Ｆｏｒｅｖｅｒ』（文理）
三島和夫 著『不眠の悩みは解消できる！ 2 睡眠障害と不眠症のセルフチェック』（インプレス）
山村紳一郎 著、坂井建雄 監修『子供の科学★サイエンスブックス 五感ってナンだ！まるごとわかる「感じる」しくみ』（誠文堂新光社）
市村均、学研プラス 編著、今泉忠明ほか 監修『ビジュアル理科事典』（学研プラス）
小林賢 著『これだけ！高校生物』（秀和システム）
上出洋介 著『太陽のきほん』（誠文堂新光社）
織田一朗 著『時計の常識』（ユナイテッド・ブックス）
真柳仁 著『高校 とってもやさしい生物』（旺文社）
村瀬哲史 著『常識なのに！大人も答えられない都道府県のギモン』（宝島社）
太田五雄 著『屋久島の山岳―近代スポーツ登山65年の歴史と現在―』（南方新社）
科学のお話編集委員会 編、大山光晴 監修『なぜ？どうして？科学のお話 5年生』（学研プラス）
大森徹 著『みんなのセンター教科書 改訂版 生物基礎』（旺文社）
大人の教科書編纂委員会 編『大人の教科書 理科の時間』（青春出版社）
大石正道 著『「生物」のことが一冊でまるごとわかる』（ベレ出版）
渡辺均 監修『決定版 園芸作業の便利帳』（学研教育みらい）
嶋田幸久、萱原正嗣 著『植物の体の中では何が起こっているのか』（ベレ出版）
独立行政法人 雇用・能力開発機構、職業能力開発総合大学校 能力開発研究センター 編『改訂 植物学概論』（職業訓練教材研究会）
日本農業検定事務局 編『新版 日本の農と食を学ぶ 中級編』（農山漁村文化協会）
博学こだわり倶楽部 編『花と植物 おもしろ雑学王２００連発！』（河出書房新社）
白尾元理 著『月のきほん』（誠文堂新光社）
本多和子 著『発達障害のある子どもの視覚認知トレーニング』（学研教育みらい）
野村昌史 著『観察する目が変わる昆虫学入門』（ベレ出版）
矢野興一 著『観察する目が変わる植物学入門』（ベレ出版）
落合博子 著『美容常識の9割はウソ』（ＰＨＰ研究所）
鈴木惠子 著『図解入門 よくわかる高校生物の基本と仕組み』（秀和システム）
ウィル・ハント 著、棚橋志行 訳『地下世界をめぐる冒険――闇に隠された人類史』（亜紀書房）
ガイ・レシュジナー 著、高橋洋 訳『眠りがもたらす奇怪な出来事』（河出書房新社）
ルカ・ノヴェッリ 著、関口英子 訳、滝川洋二 日本語版監修『天才!? 科学者シリーズ6 ボルタ 未来をつくった電池の発明』（岩崎書店）
『改訂版 中学理科用語をひとつひとつわかりやすく。』（学研プラス）
『学研ニューコース参考書 中2理科』（学研プラス）
『高校生物基礎の解き方をひとつひとつわかりやすく。』（学研プラス）
『中学理科 新装版』（学研プラス）

そのほか、各社小学校・中学校教科書、大学・各種研究機関・学会・博物館などのオフィシャルサイトおよび論文・機関誌・紀要・報告書などを参照しています。

**監修** 田中 千尋（たなか・ちひろ）

お茶の水女子大学附属小学校理科部教諭。お茶の水女子大学サイエンス＆エデュケーション研究所（ISE）研究員。
1964年東京都生まれ。東京学芸大学初等教育教員養成課程（理科教育専修）卒業。現職と並行して、日本女子大学講師、道灌山学園保育専門学校（現・道灌山学園保育福祉専門学校）講師など、大学の非常勤講師や博物館の協力委員、セミナー講師なども務める。
おもな著書に『理科は教材研究がすべて』（辻健との共著、東洋館出版社）、監修書に『しぜんとかがくのはっけん！ 366』『いきもののはっけん！ ハンディ図鑑』『うちゅうとかがくのはっけん！ ハンディ図鑑』『しぜんとかがくのはっけん！ 366クイズ』（以上、主婦の友社）、『理科の図鑑（子供の科学ビジュアル図鑑）』（誠文堂新光社）がある。

STAFF

| | |
|---|---|
| 編集 | 株式会社 クリエイティブ・スイート |
| 執筆 | 村岡真千子、神尾はるな、奈落一騎、柚木崎寿久、原遙平 |
| イラスト | 西村光太 |
| 装丁 | 大槻亜衣（c-s） |
| 本文デザイン・図版制作・DTP | 大槻亜衣、兼元朋実（c-s）、小河原德 |
| 校正 | 株式会社 アンデパンダン |
| 編集統括 | 川﨑優子（株式会社 廣済堂出版） |

知識ゼロからの
科学の教養366日

2023年5月10日　第1版第1刷

監修者　田中千尋

発行者　伊藤岳人

発行所　株式会社 廣済堂出版
〒101-0052　東京都千代田区神田小川町2-3-13
M&Cビル7F
TEL　03-6703-0964（編集）
03-6703-0962（販売）
FAX　03-6703-0963（販売）
振替　00180-0-164137
https://www.kosaido-pub.co.jp/

印刷所
製本所　三共グラフィック 株式会社

ISBN978-4-331-52390-2　C0040